LA MADRE Y EL NIÑO

VOLUMEN II

15.ª EDICION CORREGIDA Y AUMENTADA

División de la obra

LIBRO PRIMERO

Anatomía y fisiología femeninas.

Función maternal.

Enfermedades de la mujer.

LIBRO SEGUNDO

La mujer y sus problemas.

La intimidad conyugal.

Sexualidad masculina.

LIBRO TERCERO

Puericultura y Pediatría.

Principios generales sobre educación.

Accidentes y urgencias en la infancia.

Dr. ISIDRO AGUILAR

Doctor en Medicina y Cirugía por las Universidades de Madrid y de Montpellier. / Ex jefe clínico y Profesor Ayudante de clases prácticas en la 2.ª Cátedra de Obstetricia y Ginecología de Madrid. / Jefe de Servicio Médico-Quirúrgico de Ginecología y Obstetricia, Francia.

Dra. HERMINIA GALBES

Doctora en Medicina y Cirugía por las Universidades española y francesa. / Pediatra-Puericultora titulada. / Diplomada de Sanidad Nacional. / Titulada en Obstetricia y Ginecología.

LA MADRE Y EL NIÑO

**PROLOGO
del Profesor
JOSE BOTELLA LLUSIA**

EDITORIAL SAFELIZ
ARAVACA, 8 ▪ MADRID - 3

Ediciones anteriores:	115.000
Undécima edición, 1975:	15.000
Duodécima edición, 1976:	20.000
Decimotercera edición, 1977:	23.000
Decimocuarta edición, 1979:	26.000
Decimoquinta edición. 1980	24.000

ISBN 84-7208-013-7 (obra completa)
ISBN 84-7208-031-5 (tomo 2)

Depósito legal: M. 15946-1980

Printed in Spain - Impreso en España

Impresión:
Imprenta Julián Benita - Ulises, 95 - Madrid

Papel: Couché mate Alba de Torras Hostench, 112 grs.

INDICE GENERAL ABREVIADO

LIBRO PRIMERO

LA MADRE

SECCION I

ANATOMIA FEMENINA

SECCION II

FISIOLOGIA DE LA MUJER

SECCION VI

EL RECIEN NACIDO. PERIODO PUERPERAL

SECCION VII

CONOCIMIENTOS UTILES

SECCION X

LA MUJER ANTE LA VIDA

SECCION XI

PROBLEMAS INTIMOS

LIBRO TERCERO
EL NIÑO

SECCION XII
PUERICULTURA PRECONCEPCIONAL Y PRENATAL

SECCION XIII
HABITACION, VESTIDO Y JUGUETES DEL NIÑO

SECCION XIV

NACIMIENTO Y DESARROLLO. HIGIENE DEL NIÑO

SECCION XV

DIETETICA GENERAL APLICADA A LA INFANCIA

Sección XI

Problemas íntimos

41

En torno a la sexualidad

1. El porqué de la sexualidad

En el comienzo...

Las Sagradas Escrituras nos relatan que, en el comienzo, Dios dijo al hombre que fructificara, que se multiplicara y que llenase la Tierra.

Para que tal orden y designio pudieran realizarse era necesario que el mismo Creador proveyera los medios necesarios para ello, es decir, la atracción de los sexos o, si se quiere hablar más crudamente, el instinto sexual.

Ahora bien, si hemos reflexionado sobre este tema es posible que nos hayamos preguntado cuáles son los límites y el marco normal de esta tendencia o instinto. En cuanto a su origen y finalidad, a nosotros se nos presenta clara según los hechos y razones expuestos en los párrafos anteriores.

La perplejidad de filósofos y médicos

Pero esta claridad de intención no es percibida por muchos. Y así, aunque a nosotros se nos aparezca curioso y casi inexplicable, filósofos antiguos y modernos permanecen atónitos ante impulso tan tremendo y presente como es la sexualidad, confesando que no le encuentran una explicación satisfactoria. El mismo Freud que tanto se ha distinguido en el estudio de la sexualidad humana, nunca ha definido la sexualidad, limitándose a reconocer su impacto en la vida del hombre. Por su parte, el profesor de la Sorbona de París, P. Ricoeur, nos dice que la sexualidad es un problema para el hombre; añadiendo: «no sabemos lo que esto significa..., en resumidas cuentas, cuando dos seres se abrazan no saben lo que hacen, no saben lo que quieren, no saben lo que buscan». Y por su parte, el profesor Endokimov añade que, la sexualidad no ha re-

cibido nunca una explicación suficiente y que tal vez no la recibirá jamás.

2. Verdadero significado y límites

Una verdad evidente

Es una verdad bien evidente que la sexualidad culmina en el
acto sexual. Sentimos de verdad que dado el carácter elemental
de esta obra no podamos entrar en todos los aspectos de un acto
tan trascendente. Forzosamente trascendente, dado el que para su

perfección se exige un previo matrimonio. Y trascendente en alto grado porque es el origen de la vida.

Pero antes de profundizar en tan apasionante tema, queremos advertir que, cuando hablamos de sexualidad y de hombre, nos referimos al ser humano, digno y consciente portador de potencias y valores eternos y que sabe estar a la altura de su origen y de su misión. Vamos, pues, a ocuparnos de explayar la causa y la finalidad de la sexualidad utilizando los documentos más lógicos y sensatos que hemos encontrado, así como la experiencia y reflexión ajena y propia.

Macho y hembra los hizo

En la Sagrada Escritura, en el Evangelio según San Mateo, capítulo 19, versículos 4 y 5, de la versión de Jerusalén, leemos: «los hizo varón y hembra». Pero el Creador no solamente hizo al ser humano en sus dos sexos, sino también a los animales, dotándolos de signos visibles y aparentes, señal y esperanza de cometidos diferentes.

Es forzoso que nos refiramos a un poder creador o, cuando menos, a una situación real de origen. Dios hizo el mundo dotándolo de leyes y de mecanismos para su perfecto funcionamiento. Y así, creó a la primera pareja de cada especie, infundiéndole autonomía y poder para vivir y reproducirse. El poder reproductor, para que pueda cristalizar, necesita la conjunción sexual. Esta conjunción se halla declarada e implícitamente autorizada e impuesta cuando se dice: «Sed fecundos y multiplicaos y llenad la tierra» (Génesis 1:28). Además, cuando repetidamente leemos en la Sagrada Escritura «y se hacen una sola carne» (Génesis 2:24), nadie vacila en admitir que se trata de una clara alusión a la manifiesta unión física de dos seres que se corresponden.

3. Las potencias del ser humano

Mayor acierto de los filósofos

Si nos paramos a reflexionar concluimos que el hombre se halla lleno de potencias, y éstas a cuál más admirable. Los filósofos lo han dicho: «El hombre posee impulso para ir más lejos»; «Cada uno tiene tanta inteligencia como quiere», pero yo no conozco mayor potencia ni más magnífica que la de dar origen a otro hombre; ni un medio más espontáneo y eficaz para ello que la unión lícita entre dos seres que se aman.

Procedimientos contra-natura

Sin embargo, modernamente se tiende a suplantar a la naturaleza. Véase la inseminación artificial aplicada a los humanos con la creación de bancos de esperma en los que éste se conserva congelado hasta su uso. Y los ensayos del Dr. Petrucci y otros para conseguir el cultivo de embriones humanos fuera del organismo materno.

En el comienzo, como decíamos, el hombre y la mujer, macho y hembra, pareja única en la vasta tierra, debían crecer y multiplicarse utilizando las potencias que Dios les había infundido y otorgado. Tales tendencias impregnan e inquietan al ser humano conduciéndolo e invitándolo a la conjunción sexual, momento en el cual culmina y cristaliza el amor.

4. El instinto reproductor

Y la vida continúa

Si observamos la naturaleza, vemos que en los animales los individuos de sexo diferente se buscan en épocas determinadas. Así, por ejemplo, los pájaros en la primavera, preludio prometedor y feliz de su reproducción. Ese buscarse y el sentimiento amoroso que lo determina constituyen el fundamento y base del acoplamiento reproductor. Sin tal celo o sentimiento, periódico o no, los sexos no se buscarían y las especies se extinguirían faltas de multiplicación.

Un impulso imperioso

Algo semejante ocurre en la especie humana. Aunque no periódicamente, pero sí con exacerbaciones periódicas en la mujer, existe una tendencia, un impulso hacia el otro sexo, es decir, una libido. Esta tendencia es muy aparente y fuerte en el varón y, generalmente, más discreta, más débil en la mujer, bien que suficiente a sus fines primarios. Tal orientación impele al hombre a buscar a la mujer y a conquistarla con objeto de satisfacer ese impulso extraordinario que le empuja y que, sin que él se dé cuenta, se halla orientado hacia la perpetuación de la especie.

Muchos matrimonios en la actualidad no desearían tener hijos o tener los menos posible. Las dificultades de la vida moderna con las deficiencias en la vivienda, lo costoso de la educación de los hijos, la incertidumbre del porvenir, constituyen móviles o razones que limitan en muchos hombres la intención y posibilidad de reproducción. Sin embargo, contra esta tendencia lucha victoriosamente el imperioso impulso sexual.

En el hombre —único ser de la creación que ha sido creado a imagen y semejanza divina— el impulso reproductor no es tan ciego y perentorio como en el reino animal. El ser humano busca su pareja eligiendo una persona entre todas; ésta no será ni mejor ni peor que las otras, pero sí la que satisfará más a su yo único y personal.

Una entre todas

El instinto sexual es, pues, encauzado y determinado hacia cierta persona que se convierte en el blanco de esta potencia. Intervienen, pues, en esta elección de pareja factores muy variados: junto a elementos puramente biológicos e instintivos figuran con la misma fuerza, o aun mayor, factores intelectuales y morales que determinan la orientación, la selección y la unión.

Pero la cosa no acaba aquí con este impulso y anhelo por perentorios que puedan ofrecerse, ya que gentes habría que, por desconocimiento o desprecio del gran privilegio de engendrar hijos y, más aún, de educarlos, resistirían a la fuerza de la sexualidad. Para obviarlo el Creador ha puesto junto a ella, prescindiendo y confundiéndose con su ejercicio, un ansia de plenitud y de dicha que, formando cuerpo con el impulso generativo, hace que sea muy difícilmente resistible, al menos en las condiciones normales de vida en común de la pareja. Vemos, pues, que el Creador ha dispuesto las cosas de tal manera que todo se desenvuelve según sus planes: «Sed fecundos y multiplicaos y llenad la tierra» (Génesis 1:28).

De todo lo dicho hasta ahora inferimos que la sexualidad y todo el cortejo que la acompaña presenta una transparencia y una justificación plena y absoluta, por cuanto son fundamento y promesa de una concepción y de una supervivencia de la especie predeterminados por el Dios del Cielo. Sin embargo, nos es lícito hacernos alguna pregunta. ¿Cumple alguna otra función la sexualidad? ¿Sería posible, moralmente hablando, emplear las potencias del sexo fuera de la intención reproductora? Por el momento no responderemos ahora a la primera pregunta. A la segunda vamos a hacerlo, bien que brevemente y ello sirviéndonos a nuestra vez de otra pregunta, la cual entrañará una lógica y fácil respuesta.

5. Licitud de la manifestación amorosa

El aguijón de la carne

Esta pregunta es: ¿Sería lógico y caritativo que el hombre sintiera durante toda su vida el aguijón de la carne sin poderlo satisfacer más que fugazmente en la ocasión de engendrar uno, diez o treinta hijos en veinte, treinta o cuarenta años de vida matrimonial? Evidentemente no parecería lógico ni caritativo. Además, el hombre necesita expresar su afecto, su amor hacia los suyos, con caricias que son apropiadas a cada vínculo. Hombre y mujer, tanto ésta como aquél, quieren, necesitan darse como testimonio verídico y entrañable de una plena dedicación y dependencia. Una vez casados, es prácticamente imposible el permanecer insensibles a la llamada de la naturaleza y del amor.

Creemos sinceramente que al hombre de hoy —del de ayer hablaremos en otra ocasión— le es lícito acercarse amorosa y tiernamente hacia su cónyuge, con tal intensidad y pureza que una mirada pueda sentirse como una caricia física y que una caricia física pueda percibirse como una mirada llena de amor.

«Y se hacen una sola carne»

El «Y se hacen una sola carne» (Génesis 2:24) parece una culminación física y espiritual. Si el hombre deja padre y madre y se allega a una mujer, ¿cómo podrá permanecer insensible? ¿Cómo podríamos obligarle a una «blancura» que iría contra la propia naturaleza en tan especial y determinado estado? Tal posición sería cruel. Dios no pudo crear el matrimonio para que fuera fuente de tormento continuo. En la Sagrada Escritura encontramos textos que parecen abundar en nuestra tesis: «Gózate en la mujer de tu mocedad» (Proverbios 5,18); «No os neguéis el uno al otro sino de mutuo acuerdo por cierto tiempo» (1.ª Corintios 7:5).

Parece, pues, natural y lógico que los esposos se den el uno al otro pura y santamente. Obedeciendo los impulsos que Dios ha puesto en ellos y dentro de las normas por El dictadas, obtendrán hijos para la tierra y para el cielo y el gozo de una santa unión.

Ahora bien: ¿en qué medida pueden los esposos usar de tales privilegios?, ¿qué clase de inconvenientes pueden seguirse?, ¿qué normas religiosas morales o científicas pueden orientarles?

De algunos de estos aspectos vamos a ocuparnos en la segunda parte de este capítulo.

6. Combatir la ignorancia

Ocurre con frecuencia que varones y mujeres se preguntan a sí mismos, o preguntan a su médico, cuál es la frecuencia natural de la conjunción sexual. El médico general, y con más razón el ginecólogo, pregunta al consultante o a la consultante cuál es la frecuencia de tales relaciones; ello le da una idea del estado físico de los individuos y es dato de mucho valor cuando se trata de una consulta por esterilidad matrimonial.

Diversos temperamentos

Apresurémonos a decir que tal frecuencia es muy variable y está sujeta a infinidad de circunstancias y de matices en la pareja normal. Digamos que de una manera general influyen poderosamente la constitución endocrina del sujeto, su edad, su educación y hábi-

tos, su género de vida y alimentación y otros factores. De un modo más particular, pero no menos potente, intervienen también el grado de amor por el cónyuge y la fórmula psíquico-sensual del sujeto. También hemos de citar como factores influyentes el modo de pensar religioso del individuo, su cultura y su formación moral.

Importancia de este tema

El desconocimiento de estos aspectos de la vida fisiológica e íntima es bastante grande, e ideas erróneas engendradas en el propio pensamiento u originadas en ciertas aportaciones del exterior pueden perturbar nuestro espíritu y hasta incluso ser causa de complejos perniciosos. Por lo cual, y por muy espirituales que seamos, si estamos atentos a la realidad de nuestro matrimonio, tales cuestiones deben interesarnos y ser objeto de nuestra atención.

Ciertos matrimonios se preguntan si una frecuencia de una o dos aproximaciones por semana no son excesivas, en tanto que otros nos preguntan si una frecuencia de cuatro o cinco, o más veces por semana, no les son beneficiosas. Con frecuencia, son las mismas mujeres las que vienen a preguntarnos si el comportamiento de sus maridos es normal, pues que los encuentran muy exigentes o por el contrario muy moderados. Con mucha frecuencia esta consulta es debida a que se han sentido perturbadas por las confidencias o revelaciones de mayor o menor gusto de amigas que se complacen en contar lo que, aun cuando fuera cierto, tal vez conviniera más no revelar.

Como algunos cazadores... Y aquí es de rigor citar la «mentira sexual» del gran endocrinólogo profesor Marañón. Ciertos hombres y ciertas mujeres se placen en contar grandes hazañas sexuales... como muchos cazadores cuentan verdaderas maravillas. Sin duda sería mejor para la tranquilidad y para la vida espiritual de muchos que esos espíritus comunicativos guardaran para sí mismos sus experiencias íntimas. Si queremos saber, o si tenemos dudas y problemas, nada ni nadie mejor que nuestra razón o un médico competente para darnos la luz necesaria. Todo lo demás puede crear disturbios importantes, ora en el consciente, ora en el subconsciente, y ser origen de ideas o comportamientos en nada beneficiosos.

7. De la frecuencia de la relación sexual

Para entrar en un terreno puramente objetivo, vamos a dar ideas concretas fruto de la experimentación, de la estadística y de la más estricta y honesta observación.

Estas cifras y datos van a instruir y tal vez a tranquilizar a más de un amable lector o lectora.

Cifras en el varón

La escuela de Hirschfeld da una frecuencia de uso matrimonial de 100 a 300 veces por año, entre los 20 y 30 años; de 150 a 50, entre los 30 y 40 años; de 100 a 50, después de los 40 años. Véase la gran relación que hay entre frecuencia y edad. La estadística y promedios de Kinsey es más detallista y da las siguientes cifras:

Menos de 20 años		250	por año.
Desde	20-25 años	200	»	»
»	» 26-30 años	150	»	»
»	» 31-35 años	125	»	»
»	» 36-40 años	110	»	».
»	» 41-45 años	96	»	»
»	» 46-50 años	90	»	»
»	» 51-55 años	60	»	»
»	» 56-60 años	25	»	»

En esta segunda estadística se citan cifras medias que corresponden a la mayoría de los hombres. En la anterior, se nos dan cifras normales entre dos extremos, llamándonos la atención que esa normalidad varía del uno al triple, lo cual no hace más que corroborar la importancia de los factores antes citados. Por ejemplo: la alimentación sin carne. La gran escritora americana, señora White, ya había dicho en sus escritos que tal régimen —carne y pescado— exalta la función sexual. Otro ejemplo nos lo da el hombre del campo que, contra lo que pudiera creerse, usa menos la relación sexual que el ciudadano. Este presenta un espíritu menos equilibrado, hallándose más erotizado.

La mujer no suele ofrecer problemas

Tales estadísticas citadas se refieren al hombre. La mujer, en cierto sentido, no tiene problemas de capacidad de uso ni de frecuencia, dado su contexto anatómico y fisiológico, y dado el que incluso puede permanecer pasiva en el curso de la relación sexual. En razón de su anatomía puede ofrecer una participación física ilimitada, si bien su concurso activo, sobre todo si también es amoroso y psíquico, limita sus posibilidades.

En cualquiera de los dos casos, participación pasiva o activa, la mujer no suele ofrecer problema, ya que, al menos en Europa, la mujer desea la relación sexual menos frecuentemente que el hombre y pocos son los matrimonios en desequilibrio porque la mujer exija un aumento en la frecuencia de la conjunción sexual.

La importancia del hábito y del psiquismo

Digamos también, y esto puede iluminar a muchos, que, si bien la frecuencia está en íntima relación, como decíamos, con la potencia general del sujeto y su fórmula endocrina, también en gran parte es cuestión de psiquismo y de hábito. Y hasta tal punto esto es así, que se ha visto que individuos privados de ejercicio sexual durante algún tiempo, llegan a perder toda apetencia sexual y acaban siendo impotentes. De modo que disminución de contactos igual a disminución de potencia, y aumento de contactos igual a aumento de potencia; aunque esto, claro es, está dentro de límites razonables a causa de los otros factores y circunstancias anteriormente citados.

El hombre antiguo

Según deducciones bien fundadas, un hombre sano del tiempo de los patriarcas, ejercía su vigor sexual unas 50 veces por año: prácticamente una vez por semana.

Solón y Sócrates aconsejaban una frecuencia de cada diez días; Mahoma, el fundador del Islamismo, una vez por semana y, ya más cerca de nosotros, Lutero el reformador, preconizaba, al parecer, dos veces por semana.

Los judíos, en los tiempos de su esplendor y viviendo en un medio familiar y austero, parece que no sobrepasaban la frecuencia de una vez por semana.

Es posible que patriarcas, judíos y griegos, tuvieran razón.

Sabios consejos

El inmoderado uso sexual, aun cuando, aparentemente al menos, no rebase las posibilidades del individuo, es de una gran trascendencia en la vida de la persona, y su efecto se hará sentir con intensidad en la vida de la pareja.

Pero no se vaya a creer que este juicio que acabamos de formular constituye una particular y personal manera de enjuiciar el problema. Hombres y mujeres prudentes y observadores se han pronunciado en el mismo sentido, y aun la Sagrada Escritura hace una clara alusión al problema.

De la inspirada educadora americana Elena G. White son las ideas que siguen. Muchos matrimonios ignoral cuál deba ser su comportamiento en la vida matrimonial, sin darse cuenta que Dios requiere de ellos que se guarden de todo exceso y que gobiernen sus pasiones. El hombre es responsable ante su Creador del desgaste de la energía vital que resulta de dar rienda suelta a las pasiones concupiscentes, e incluso al acortamiento de su vida. Y en nada se disculpa esta actitud, ni se aminoran sus efectos por el hecho de tratarse de matrimonios legalmente constituidos y aun bendecidos.

Por su parte, J. Aubin declara que el despilfarro de la energía vital disminuye la longevidad, característica que podría transmitirse hereditariamente a la descendencia.

En todo caso, la Sagrada Escritura antes citada, parece abundar en el espíritu de las ideas que acabamos de exponer cuando dice en Proverbios 31:3: «No entregues tu vigor a las mujeres.» Y por si necesario fuera aportar ejemplos, citemos el caso de los reyes David y Salomón, los cuales acortaron su vida y malograron en buena parte su existencia al dejarse arrastrar por la satisfacción de sus más bajas pasiones.

8. El problema de la masturbación o vicio solitario

En este capítulo consagrado a la iniciación de la sexualidad en el matrimonio, parecería faltar algo si no hiciéramos, cuando menos, una alusión a las primeras tendencias sexuales del ser humano; y tanto más cuanto que éstas se manifiestan ya desde los albores de su vida, no lo abandonan jamás y se traducen, con abrumadora frecuencia, por el acto de la masturbación. Comenzamos por definirlo; nos detendremos, bien que muy brevemente, en algunas de sus fases y perjuicios, y acabaremos refiriéndonos a su posible incidencia en la vida sexual de la pareja.

Su definición

Podemos definir la masturbación como la serie de manipulaciones de los órganos genitales, masculinos o femeninos que conduce a la excitación y al orgasmo.

Esta práctica recibe también el nombre de onanismo o vicio de Onán, el cual derramaba su semen en tierra, no queriendo suscitar descendencia a su hermano, con cuya viuda se había casado de acuerdo con las leyes hebreas.

Así designada y definida, la práctica masturbatoria tiene su más frecuente iniciación en la excitación producida por el roce de las ropas rugosas, los cuidados íntimos, el ejercicio físico o la simple curiosidad.

Distintas fases

Ya en el lactante puede observarse cómo éste manosea los órganos genitales, lo cual da lugar a lo que los sexólogos llaman la «masturbación primaria» del lactante.

La manipulación de los órganos sexuales hacia los tres años de la vida es designada como «masturbación secundaria», la cual no debería ser combatida brutalmente por los padres, para evitar al niño sentimientos de culpabilidad y de miedo a la castración.

En cuanto a las prácticas masturbatorias del adolescente y del adulto, hay que decir que los contextos psicológicos son bien diferentes.

Frecuencia y males

El porcentaje de los sujetos de ambos sexos que se entregan a la masturbación es bastante alto. El que este porcentaje sea elevado no quiere decir que haya que considerar la masturbación como un fenómeno normal. Su práctica permanente, y tanto más cuanto más frecuente sea, no se realiza sin provocar trastornos psíquicos y físicos serios. Efectivamente: la neurastenia, con la pérdida de la voluntad y del interés por el trabajo; el debilitamiento físico y la merma de las capacidades intelectuales, morales y espirituales, son la consecuencia de esta sobreexcitación nerviosa y pérdida de energía.

La tensión sexual, que desaparece tras la práctica masturbatoria, conduce a una fatiga física más acentuada que la del coito normal, y a una lasitud y sensación de vacío que, para paliarse, necesitan la repetición. Así entramos en un círculo vicioso del cual es a veces imposible salir.

Su incidencia en la vida sexual de la pareja

En lo que concierne al varón acostumbrado a los fuertes estímulos de la masturbación, el coito normal puede resultar insuficiente para provocarle la necesaria excitación, teniendo que recurrir a la tal práctica si quiere lograr la satisfacción sexual.

La práctica de la interrupción del acto masturbatorio para evitar la eyaculación, puede ser la causa de un reflejo de interrupción que siempre se producirá en el mismo momento, impidiendo el orgasmo en una relación sexual normal.

En lo que se refiere a la mujer, la práctica de la masturbación puede ser origen de congestiones pelvianas con sensaciones penosas en el abdomen y con reglas muy abundantes; además, la fijación de la obtención de la sensación sexual en una zona determinada, el clítoris, por ejemplo, visto el obstáculo que representa el himen para la imitación del coito, la conduce frecuentemente al fracaso en la relación sexual normal. Y así, no son pocas las mujeres que, después de una mayor o menor excitación sexual en un coito normal, recurren, para lograr el orgasmo, a la práctica del vicio solitario.

De intento también, no queremos hablar de las particularidades y perjuicios que presenta la práctica masturbatoria auxiliada por diversos artificios.

Repitamos, para terminar, que la práctica continuada y frecuente de la masturbación produce la neurastenia, el debilitamiento físico, complejos de culpabilidad y, con frecuencia, la imposibilidad de gozar de una vida sexual normal.

42

El hombre y sus misterios

A primera vista puede parecer raro —y en cierta medida hay que reconocer que sí lo es— el que en un libro dedicado a la mujer hablemos del hombre. Pero hay dos razones poderosas para que así lo hagamos. La primera de ellas es que si algunas mujeres saben muy poco acerca de ellas mismas, menos sabrán lógicamente acerca del varón. La segunda se define porque al tratarse en buena parte de una obra de maternidad, en cuya función el hombre ha de intervenir forzosamente, amén de que el destino de la mujer es el de casarse, lógico es el que hablemos también de la anatomía de éste, de su fisiología, de su actitud sexual y de otros aspectos interesantes de su personalidad masculina. (Véase el juego de transparencias del capítulo 48.)

1. Anatomía genital masculina

Comencemos diciendo que el aparato sexual masculino es el encargado de las funciones de reproducción de la especie, si bien presta también su concurso a las funciones de excreción urinaria.

Glándulas sexuales

En estas glándulas, llamadas testículos, es donde se producen los elementos fecundantes del hombre, así como la secreción de la hormona masculina o testosterona. Se hallan situados en el exterior del organismo, en la llamada bolsa testicular o escroto.

El tamaño de cada testículo es comparable al de un huevo de paloma, si bien parezcan bastante más grandes a la palpación a causa de las diversas túnicas de los tejidos orgánicos de los que se hallan recubiertos.

En cuanto a su estructura íntima, digamos que se halla recubierto por una membrana fibrosa llamada albugínea. Esta emite prolongaciones al interior, delimitando y envolviendo los lóbulos testiculares, cuyo número oscila entre 300 y 500.

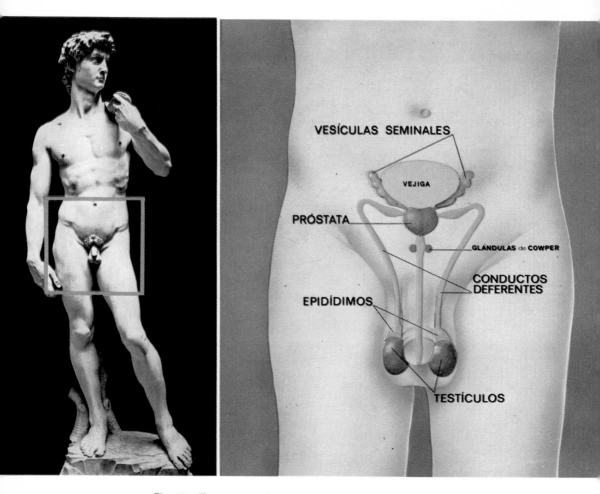

Fig. 53.—El organismo humano, una vez más, nos maravilla con la complejidad de sus funciones. En este caso vemos cómo el aparato genital masculino está preparado para la función reproductora de la especie.

(Véase el juego de transparencias en la página 688.)

Los lóbulos testiculares se hallan compuestos de los canales o tubos seminíferos —en cuyo interior se hallan las células de Sertoli, origen de las células reproductoras— y de los cordones celulares, formados por las células de Leydig, productoras de la secreción hormonal masculina.

Los tubos seminíferos confluyen en los tubos rectos, los cuales desembocan en una red canalicular llamada «rete testis» situada en el interior del cuerpo de Highmoro de la albugínea. En los «rete testis» se originan de 10 a 12 conos eferentes que desembocan en el epidídimo.

El epidídimo es un tubo muy fino apelotonado sobre sí mismo y que mide 6 m. de longitud. Se halla rodeado por una vaina fibrosa

592

y situado sobre el borde posterior y superior del testículo en una longitud de unos 6 cm. Se divide en cabeza, cuerpo y cola, recubiertos por la albugínea y la vaginal.

Los canales deferentes

Estos tubos, de 45 cm. de longitud, constituyen la continuación del epidídimo y desembocan en el conducto eyaculador de la próstata. Partiendo del testículo entran en el abdomen por el canal inguinal, formando, junto con los vasos y nervios del testículo, el cordón espermático. Los dos canales van a desembocar en las vesículas seminales; antes de ello han dado origen, al llegar a la base de la próstata, a la ampolla diferencial que sirve de reservorio a los espermatozoides.

Las vesículas seminales

Estos órganos músculo-membranosos miden 5 cm. de largo por 1,5 de anchura y segregan el líquido seminal encargado de diluir y trasladar los espermatozoides almacenados en las ampollas deferentes.

Los canales eyaculadores

Constituyen la continuación de las vesículas seminales. Se encuentran en el interior de la próstata y desembocan en la uretra posterior, en la zona del verumontanum. Miden 2,5 cm. de longitud.

La uretra

Es un canal membranoso que, saliendo de la vejiga, se halla destinado a conducir la orina al exterior. En el hombre es más largo que en la mujer y acodado. Junto a la vejiga la uretra se halla rodeada de dos esfínteres musculosos que se relajan en el momento de la micción.

La próstata

Es un órgano en forma de castaña, con la base hacia arriba. Se halla situada entre la sínfisis del pubis y el recto, debajo de la vejiga. Se halla atravesada por la uretra y mide 2,5 cm. de largo, 4 de ancho y 3 de altura. La próstata produce un líquido que sirve para diluir los espermios que han de ser eyaculados.

El pene

Este órgano es el encargado de la conjunción sexual. Se halla situado entre la bolsa escrotal y el pubis. Cuando se halla en estado de flaccidez pende delante del escroto en forma de cilindro ligeramente aplastado de delante hacia atrás. Se termina por el glande, en el cual se abre el canal de la uretra. El glande se halla recubierto por el prepucio; éste suele gozar de gran movilidad.

El pene se encuentra constituido por la piel, el dartos y la fascia penis. En su interior se hallan los dos cuerpos cavernosos y el esponjoso. Los tres están rodeados por la albugínea y recorridos por un gran número de vasos sanguíneos. Estos vasos, repletos de sangre a causa de la contracción de los músculos bulbocavernosos e isquiocavernosos, provocan la erección y el endurecimiento del pene, haciendo posible la cópula (véase Fig. 53).

2. Fisiología del varón

Iniciación de la pubertad masculina

La palabra «pubertad» procede del hecho de la aparición del vello en la región del pubis.

La pubertad masculina abarca ordinariamente de los 14 a los 18 años, precedida de una fase llamada prepuberal. Ignoramos cuál sea la causa que pone en marcha el mecanismo puberal, como ignoramos cuál sea la causa del cese de sus más aparentes manifestaciones. Sin duda se debe a una predeterminación inscrita en el patrimonio cromosómico de las células.

El arranque hormonal de la pubertad, primeramente de origen suprarrenal y secundariamente gonadal, es debido, como en la mujer, a la primera acción de la hipófisis, la cual a su vez depende del hipotálamo.

Las hormonas hipofisarias STH y LH también son secretadas por el varón, en cuyo testículo provocan la producción de espermatozoides la primera y la secreción de testosterona la segunda. El timo, la epífisis y el tiroides también intervienen, como en la mujer, en los fenómenos puberales.

Desarrollo de los caracteres sexuales secundarios

Al comienzo de la aparición del vello pubiano, éste es fino y escaso, volviéndose paulatinamente más fuerte y pigmentado. Suele aparecer hacia los 13 años, en el llamado período prepuberal. Se implanta en el centro de la región pubiana, en forma de triángulo de vértice superior, en la raíz del pene y en el escroto.

La pilosidad axilar aparece un año más tarde.

Al mismo tiempo tiene lugar el desarrollo de las glándulas sudoríparas de las regiones axilar y anogenital, dando lugar a la secreción de un líquido de olor particular.

La piel del muchacho se hace espesa y rugosa y se cubre en

buena parte de pelos. El vello facial no se hace abundante y pigmentado hasta la edad de 16 ó 17 años.

A causa del tamaño de la laringe, la voz del varón se hace grave, de tipo masculino. Tal cambio de voz, hacia los 14 años y medio, puede ir precedido de una época de duración variable en que la voz es ronca y a veces bitonal.

Desarrollo de los caracteres sexuales primarios

El complejo genital masculino, tanto externo como interno, comienza a aumentar de tamaño a los 11 años. El pene u órgano copulador aumenta su volumen, así como los testículos, que se endurecen hacia los 13 ó 14 años.

La piel de la bolsa escrotal se pliega y pigmenta. Los canales deferentes, las vesículas seminales y la próstata aumentan de tamaño y adquieren la madurez que los sitúa en el estado adulto. Aparece la secreción de líquido prostático a los 12 años, así como la producción de espermios hacia los 15 años.

Las modificaciones señaladas no significan que la madurez del varón sea completa, ya que importantes transformaciones psíquicas y físicas le separan aún del estado adulto. No olvidemos que si la pubertad se acaba a los 18 años, el crecimiento en el varón no cesa hasta los 25 años.

Por medio de las dosificaciones hormonales puede observarse la inminencia o la intensidad del proceso puberal: determinación de las gonadotropinas urinarias totales procedentes de la hipófisis, de los 17 cetosteroides, reflejo de los andrógenos, de los estrógenos y del pregnandiol, del que sólo se hallan indicios.

Trastornos de la pubertad

No vamos a citar más que los más frecuentes: por parte de las glándulas mamarias, los nódulos, los quistes y la ginecomastia o aumento excesivo. La obesidad y la delgadez de la pubertad, el acné y la seborrea intensa obedecen a las mismas causas que en la muchacha. El retraso puberal se manifiesta por un pene pequeño, un prepucio largo y bolsas atróficas desprovistas de pigmentos, de estrías y de pliegues. La pubertad precoz, al contrario, aparece antes de los 10 años. Se manifiesta por el gran desarrollo del pene y de los testículos, que adquieren los caracteres de los del adulto, a pesar de lo cual el aparecimiento del apetito sexual es más bien una excepción. También sobrevienen modificaciones en la voz.

Determinación del sexo genético

Cuando en los individuos, de cualquier sexo que sean, éste aparece dudoso, recurrimos a sencillas pruebas de gran exactitud.

La determinación del cariotipo se realiza mediante el examen

La pubertad es una época difícil para el niño que está dejando de serlo.
Los cambios de su organismo provocados por las influencias hormonales son variados y originan el desarrollo de los caracteres sexuales primarios y secundarios a la vez que pueden ser origen de inestabilidad emocional.

especial de fibroblastos o de glóbulos blancos de la sangre, o aún más sencillamente utilizando el test de Barr.

Se basa el mencionado test en el hecho de que todas las células del organismo son portadoras de su marca sexual cromática.

En la mujer, las células presentan una masa cromática que aparece en la cara interna de la membrana nuclear, en tanto que las células del individuo varón no la presentan.

Tal masa cromática femenina es soportada por uno de los cromosomas X de la mujer. El estudio del sexo genético o verdadero, que a veces no coincide con el que deja suponer la configuración externa del individuo, o con el sexo supuesto, puede realizarse mediante el test de Barr aplicado a la observación de células de descamación de la boca o de glóbulos blancos de la sangre.

La edad adulta

En la edad adulta y en el varón normal, se hallan perfectamente establecidas la secreción hormonal a que ya hemos hecho alusión y la producción de espermatozoides o células reproductoras masculinas. Sin embargo, hemos de decir que la Naturaleza ha hecho sabiamente las cosas, ya que la función reproductora puede no ejercerse sin que de ello resulte mal alguno para el individuo, ya que es una función que no es necesaria para el desarrollo y vida del mismo, constituyendo lo que los fisiólogos llaman una función «de lujo».

En cuanto a las manifestaciones de la plena vitalidad del varón e incluso a ciertos problemas que se le plantean, se hallan especialmente tratados en la presente sección.

Climaterio y «andropausia» masculinos

La palabra climaterio deriva del griego y del latín y significa escalón, escalera e inclinación, aplicándose a cualquier período de la vida crítico o peligroso.

En cuanto a la «andropausia», trátase de un término incorrecto, aplicado por analogía falsa a lo que ocurre en la menopausia de la mujer, ya que en el hombre no existe ninguna detención de un cualquier fenómeno periódico.

Es difícil señalar tiempos fijos o edades para el climaterio masculino, si bien su comienzo oscila alrededor de los 45 años. La fecha de su fin es aún más difícil de fijar, ya que ambos momentos o épocas son algo muy individual.

Manifestaciones

El climaterio se manifiesta por el lento declinar de las potencias del individuo, entre las que se encuentra la que se refiere al sexo. Sin embargo, no se olvide que libido, potencia y ejercicio sexual son factores muy personales intensamente relacionados con los caracteres físicos, mentales y espirituales del individuo; ahondando más en el problema de la libido y del ejercicio sexual en el climaterio masculino, digamos que su más lento declinar después del apogeo de los 20 a 29 años se inicia en el hombre entre los 40 y 45 años. Las manifestaciones de actividad sexual perduran hasta los 70, 75 o más años. Pero esto es muy personal; hay ancianos que a los 80 años tienen sueños eróticos y otros que a los 50 años o antes son impotentes.

Paralelamente se observa una atrofia gradual y lenta de los testículos, con disminución de la producción de células reproductoras y de hormonas. La excreción de andrógenos disminuye de los 20 a los 60 años.

Gobierno de la sexualidad

Parece ser que, en parte al menos, un ejercicio sexual reglado alarga la vida del hombre. Evidentemente, una abstinencia penosa luchando contra fuertes impulsos o tentaciones puede ser perjudicial. Pero mucho más perjudicial es el uso desconsiderado de la función sexual. Boigey ha dicho: «Los excesos venéreos acortan la vida, disminuyendo la fuerza vital y siendo causa de una fatiga nerviosa.» Por su parte, la Sagrada Escritura dice en Proverbios 31, 3: «No des a las mujeres tu fuerza...»

Por todo lo dicho convendrá que cada varón encuentre el equilibrio que más conviene a su entera personalidad, procurando más bien ahorrar energías que dispendiarlas.

3. Algunos de los padecimientos genitales más frecuentes en el varón

Balanopostitis

Se trata de una inflamación del glande y del prepucio debida a diversos microbios productores de pus: algonococos sobre todo.

Se manifiesta por enrojecimiento, dolor y aumento de volumen. El tratamiento local consiste en baños antisépticos, cuatro o cinco veces por día, y en la aplicación de pomada o polvos de sulfamidas y, eventualmente, en la administración general de sulfamidas o antibióticos.

Ectopía testicular

Consiste en la ausencia unilateral o bilateral del testículo en las bolsas. Su mayor peligro reside en la atrofia testicular que, de ser doble, es causa de esterilidad y de un estado eunucoide.

Su causa se halla en los defectos de migración o traslado del testículo desde la parte alta del abdomen hasta la bolsa escrotal y a través del conducto inguinal.

La ectopía se manifiesta por la ausencia del testículo en la bolsa, por su mayor sensibilidad y porque puede hacerse doloroso, cancerizándose con cierta facilidad.

Si a los 6 años el testículo no ha descendido a su lugar, es necesario un tratamiento médico hormonal, máximo de tres meses de duración.

De no obtenerse éxito, es necesaria la intervención quirúrgica, que descenderá y fijará en su lugar el órgano desplazado.

Epididimitis y orquitis

Frecuentemente van juntas. Consisten en la inflamación del epidídimo o del testículo. Según sus causas, los dolores pueden persistir y producirse una atrofia genital, incluso con esterilidad si hay destrucción del testículo por supuración del mismo. Entre las causas más frecuentes contamos con la blenorragia o «purgaciones», la parotiditis o paperas, la tuberculosis, la varicela, la tifoidea y las infecciones vesicales tras los sondajes repetidos de la vejiga.

Las partes enfermas aumentan de volumen y se hallan rojas, calientes y dolorosas. El estado general es malo y la temperatura corporal aumenta.

El enfermo ha de guardar un reposo total y proveerse de un suspensorio que, sin comprimir, sujete bien.

Debe procurar exonerar el vientre todos los días y someterse al régimen vegetariano, absteniéndose de tabaco, té, café, bebidas alcohólicas y especias.

El tratamiento médico dependerá de la causa de la afección.

Epispadias e hipospadias

Tales procesos se manifiestan por la abertura del canal de la uretra en la parte superior o inferior del pene, respectivamente. Suele coincidir con otras malformaciones, siendo de origen congénito.

Tales malformaciones son causa de trastornos de la micción y de la actividad sexual y favorece las infecciones.

Antes de los 8 años debe establecerse el tratamiento, que es de tipo quirúrgico.

Espermatorrea

Polución o pérdida seminal. Consiste en la pérdida frecuente e involuntaria del líquido seminal, acompañada o no de sensaciones voluptuosas.

La pérdida seminal cada 8 días aproximadamente no suele tener significación en los sujetos continentes. En casos de enfermedad puede ser un síntoma de inflamación de la uretra o de lesiones medulares o intestinales. Su abundancia puede ser causa de fatiga e incluso de impotencia o de neurastenia sexual. El sujeto debe evitar la fatiga, las compañías, los espectáculos y las lecturas erotizantes, observando un régimen de vida y de alimentación sano (véase «Prostatitis»); procurará dormir lo suficiente, 8 horas, y sobre uno de los costados; guardará reposo sexual. Un buen tónico reconstituyente es el jugo de uva sin fermentar mezclado con yema de huevo. El médico puede prescribir sedantes nerviosos directos.

Estenosis uretral

Consiste en el estrechamiento del conducto de la uretra a causa de una infección gonocócica, de una irritación química o de un traumatismo, engendrando dificultades en la micción.

El tratamiento casero consiste en la supresión de alimentos y bebidas inadecuadas (véase «Prostatitis»); el quirúrgico, en dilatar el canal o en seccionar el anillo estenosante.

Esterilidad

(Véase el capítulo 27.)

Fimosis

Esta anomalía consiste en la imposibilidad de descubrir el glande. Bien que a veces sea de origen infeccioso, traumático u otro, lo más frecuente es que sea de origen congénito. El descubrir el glande total o parcialmente es imposible. El chorro de la orina puede aparecer deformado. El dolor, los picores o la supuración no son raros, así como la incontinencia urinaria. Puede ser causa de dificultades e incluso de imposibilidad para realizar el coito o acto sexual.

Hasta los 2 años puede intentarse corregir el defecto retrayendo el prepucio sobre el glande y volviéndolo a su lugar. Si a los 8 años el defecto no se ha corregido, o antes si es ocasión de molestias, debe practicarse la circuncisión.

Hematocele

Consiste en el acúmulo de sangre entre las dos túnicas vaginales. Véase en «Hidrocele» cuáles son sus causas y síntomas más frecuentes. Su tratamiento consiste en la punción y el vendaje compresivo o en la incisión y vaciado del mismo.

Hidrocele

Consiste en el acúmulo de líquido en el espacio vaginal del testículo. Puede ser sencillo o comunicar con el canal peritoneovaginal.

En cuanto a sus causas, por lo general es debido a la tuberculosis, a la sífilis o a un golpe.

Se manifiesta por el aumento de volumen de una parte de las bolsas que da una sensación renitente. Puede pellizcarse la túnica vaginal. El contenido líquido traslúcido puede hacerse sanguinolento.

No debe descuidarse el tratamiento, que puede ser médico, con inyecciones esclerosantes, o quirúrgico: simple punción o inversión de la vaginal.

Impotencia

(Se halla descrita en el capítulo 43.)

Papilomas

Trátase de pequeñas excreciones que aparecen en el glande o en el prepucio. Su aspecto aframbuesado recuerda a las crestas de gallo. Aparecen a favor de infecciones, sobre todo la gonocócica, y de la fimosis. Se tratan mediante la electrocoagulación.

601

Parafimosis

Consiste en la constricción de la base del glande cuando un prepucio estrechado ha sido forzado hacia atrás, con fuerza en ocasión del coito o de la masturbación.

El médico procurará reponer manualmente el glande con suaves presiones. Si no lo consigue, el tratamiento quirúrgico se impone para evitar el dolor, la infección y tal vez la gangrena.

Afecciones de la próstata

Prostatitis aguda

Consiste en la inflamación aguda de la próstata. Si no se alcanza la curación, el proceso pasa a la cronicidad. Una de sus complicaciones es el absceso que buscará el drenaje por el recto, la uretra o la fosa isquiorrectal.

La prostatitis aguda suele suceder a la uretritis gonocócica, a una enfermedad infecciosa o a la fijación de un estafilococo. Los dolores en el periné se exacerban con la micción y la defecación. Existen fiebre, escalofríos, mal estado general y una tumoración blanda, congestiva y muy dolorosa.

El tratamiento casero consiste en el gran baño caliente o en el baño de asiento caliente, en la aplicación de compresas húmedas calientes en la región perineal y en guardar cama, absteniéndose de especias, de bebidas alcohólicas, de vinagre, de salazones y de embutidos, bebiendo agua en abundancia y procurando seguir un régimen vegetariano. El tratamiento médico puede exigir la aplicación de antibióticos, el masaje prostático y los lavados uretrovesicales.

Prostatitis crónica

Consiste en la inflamación crónica de las glándulas y suele suceder a una prostatitis aguda; a veces se instaura insidiosamente. Se manifiesta por dificultad nocturna para orinar, dolor sordo, pesadez y sensación de cuerpo extraño rectal con irradiaciones dolorosas a los lomos y a las ingles.

El tratamiento es semejante al de las prostatitis agudas.

Hipertrofia prostática o adenoma prostático

Consiste tal entidad en la proliferación de las glándulas periuretrales, con desviación del canal uretral y de la vejiga.

Su causa nos es desconocida, no siendo seguro que sea determinada por los excesos sexuales.

Se manifiesta por el aumento y la dificultad de las micciones nocturnas y por el aumento del tamaño de la próstata, que puede alcanzar el de una mandarina.

Puede complicarse con la retención aguda o crónica o de la orina con hematuria o sangre en la misma, con infección urinaria y con intoxicación por la orina. Puede ser causa de sufrimiento renal y de orquiepididimitis.

El tratamiento higiénico-dietético adecuado es el señalado en los casos de prostatitis. Debe evitarse la bicicleta, el caballo y el tránsito rodado por malos caminos. El ejercicio físico moderado es conveniente.

Cuando la retención de orina alcanza los 200 c.c., es necesario operar al enfermo para evitarle las complicaciones renales antes mencionadas. Si fuera necesario, se procederá al sondaje vesical o a la instalación de una sonda permanente o de cistostomía.

Cáncer de la próstata

Este tumor puede aparecer en la próstata originariamente o injertándose en una hipertrofia prostática. En cuanto a sus causas, ignoramos cuáles puedan ser. El tratamiento es quirúrgico, radium-terápico, hormonal o antimitótico.

Quistes y tumores genitales

Estos procesos pueden localizarse en el pene, en el testículo y en la próstata, provocando en el testículo su aumento de tamaño acompañado de hidrocele y de hematocele. Deben ser tratados antes de que se propaguen, por la cirugía, el radio o los antimitóticos.

Sífilis y tuberculosis testicular

Las causas de estos procesos vienen declarados por el propio enunciado y su tratamiento específico es imperativo para conservar la función del órgano.

Traumatismos

Estos afectan sobre todo al pene, a las bolsas, al testículo y al cordón, consistiendo principalmente en golpes, compresiones, heridas y torsiones.

Son causa de hinchazón, de dolor o de derrame sanguíneo en el interior o hacia el exterior.

Contra el dolor y los derrames sanguíneos puede aplicarse el frío y la aspirina, el reposo en cama y un suspensorio bien ceñido que no comprima. La intervención quirúrgica puede ser necesaria en caso de ruptura de la uretra o de varices testiculares y en el estallido testicular u otras complicaciones.

Cedida por cortesía de Alfarma, S.A.E ▶

Uretritis

La uretritis es la inflamación de la uretra o última porción del aparato excretor de la orina.

Su causa más frecuente se halla en el gonococo de la blenorragia. También la producen otros microbios, incluso el bacilo tuberculoso, hongos y parásitos.

Se manifiesta por dolor o escozor al orinar y por la salida espontánea, o al comprimir, de una secreción más o menos purulenta y hasta incluso hemorrágica. Puede complicarse con inflamaciones periuretrales, abscesos urinosos y con estrecheces uretrales que necesiten un tratamiento quirúrgico.

El tratamiento higiénico-dietético es el señalado en las prostatitis agudas y crónicas. El reposo sexual ha de ser estricto en prevención, además, de la posible contaminación del cónyuge. El médico aplicará el tratamiento adecuado en casa, sobre todo después de la determinación del agente causal.

Varicocele

Consiste esta afección en la dilatación de las venas espermáticas del testículo a causa de una fragilidad del sistema venoso que la asocia frecuentemente a varices y hemorroides.

Aparecen apelotonamientos vermiculares en el fondo de las bolsas, acompañados o no de tensión y de dolor, de aprehensiones y a veces de impotencia.

Debe evitarse el estreñimiento, las relaciones sexuales frecuentes e interrumpidas, las comidas fuertes o con especias y el café, el tabaco, el alcohol y los embutidos. Un suspensorio es muy aconsejable, así como la operación quirúrgica cuando el caso lo requiera.

Enfermedades venéreas

Constituyen estos procesos un grupo de enfermedades muy polimorfo, formado clásicamente por la sífilis, la blenorragia, el chancro blando y la linfogranulomatosis inguinal. Podríamos llamarlas, sin ninguna vergüenza, «enfermedades de la inmoralidad».

Sífilis

Es una enfermedad crónica y grave, casi siempre de origen venéreo y que, si no es tratada adecuadamente, puede conducir a la muerte. Es causa de aborto, de nacimientos prematuros, del nacimiento de niños muertos y de mortalidad infantil.

El contagio del treponema pálido causante puede efectuarse también extravenéreamente por beso, mordedura, rasguño, contaminación profesional, tatuaje, circuncisión y transfusión sanguínea.

Existe una transmisión hereditaria de madre enferma a hijo. El contagio indirecto por medio de vasos de mesa, servilletas, cubiertos, instrumentos de música, de afeitado o médicos es más bien raro.

No vamos a tratar de la enfermedad y sus diversas fases, refiriéndonos nada más a la primera manifestación de su contagio venéreo. El chancro duro o sifilítico es una ulceración indolora e indurada, localizada por lo general en los órganos genitales; pero también puede localizarse en un dedo, en un ojo o en los labios. El chancro se acompaña de pequeños ganglios duros en las ingles y en cuatro a seis semanas se cura por cicatrización, bien que la enfermedad persista.

A la menor sospecha de contagio debe acudirse al médico, quien confirmará o no la infección. En el primer caso prescribirá un tratamiento que debe ser adecuado y suficiente, enérgico, regular y perseverante. Conviene que, a ser posible, éste sea dirigido por un especialista. No se considerará al enfermo curado hasta que hayan transcurridos 5 años de un tratamiento regular y los análisis lo confirmen. Los jóvenes no deben casarse hasta que la enfermedad se haya curado.

Blenorragia

Esta enfermedad venérea es muy frecuente. Se contrae por contacto sexual y por el uso de ropas u objetos contaminados. El recién nacido puede ser contagiado por su madre.

El germen productor de la enfermedad es el gonococo, productor de inflamación y supuración de las mucosas urogenitales, de las articulaciones y de la conjuntiva ocular. También puede atacar al corazón. En el hombre se manifiesta por un exudado purulento y por ardores durante la micción. Si no es tratada adecuada y rápidamente, es origen de la infección de la próstata y de las vesículas seminales y del epidídimo, conduciendo frecuentemente a la esterilidad.

Para evitarla, lo mejor es seguir —como para las demás enfermedades venéreas— las reglas de la moral, absteniéndose de todo contacto sexual extramatrimonial.

A pesar de los antibióticos y al igual que la sífilis, continúa produciendo actualmente grandes estragos, sobre todo en los individuos muy jóvenes, constituyendo un azote social.

Durante el tratamiento prescrito y vigilado por el médico, debe observarse un reposo completo y abstenerse de bebidas alcohólicas, de especias y de platos complicados.

Chancro blando

Es una enfermedad venérea muy contagiosa, extendida especialmente en Africa del Norte y en la India, pero también se da entre nosotros.

El narcisismo es una anormalidad sexual que puede darse tanto en el hombre como en la mujer. Consiste en una atracción hacia sí mismo y puede abarcar no solamente el aspecto sexual, sino toda la personalidad del individuo.

La enfermedad es debida al bacilo de Ducrey, puesto en evidencia por los exámenes de laboratorio.

Tras una incubación de cinco días, la enfermedad se manifiesta por una pequeña pústula que se transorma rápidamente en una ulceración dolorosa de un centímetro de diámetro y cuyos bordes se hallan tallados a pico; asentada en los órganos genitales y puede ser múltiple. En ausencia del tratamiento se produce la inflamación de los ganglios de la ingle. Este chancro puede asociarse al sifilítico.

La enfermedad tiende a la curación espontánea, a pesar de lo cual conviene tratarla desde el principio según prescripción médica. Debe protegerse el chancro con un apósito aislante para evitar la contaminación de otras zonas.

Linfogranulomatosis inguinal

Enfermedad de Nicolás Favre; se le llama también linfogranulomatosis venérea. Se observa sobre todo en los países cálidos y en los puertos de mar. Se debe a un virus bastante grande que se localiza en los ganglios y produce la supuración de éstos.

Se manifiesta por un chancro genital o anal que puede pasar inadvertido, y por la inflamación de los ganglios de la ingle o de la región rectal, que acaban supurando. También puede haber dolor de cabeza, articular y fiebre. Puede ser causa de elefantiasis de los genitales externos y de estrecheces en la cavidad rectal.

Debe guardarse reposo sexual y tratar los ganglios que supuran. Sulfamidas y antibióticos son eficaces. La radioterapia o la intervención quirúrgica pueden ser necesarias.

Consideraciones finales

Todos los países avanzados poseen una lucha antivenérea gratuita. Generalmente el médico tiene la obligación de declarar cada caso de enfermedad, bien que ocultando el nombre del enfermo. Es necesaria la instrucción de la sociedad, y de los jóvenes particularmente, para que conozcan estas enfermedades y sus riesgos. Sin embargo, la verdadera profilaxis consiste en una sólida formación moral, fuente inmensa de beneficios para la sociedad, la familia y el individuo.

609

4. Anormalidades sexuales

No vamos a referirnos más que a las desviaciones más frecuentes de la sexualidad y ello con un fin meramente informativo, sin adentrarnos demasiado en la descripción de sus manifestaciones.

Autosexualidad

Masturbación

(Véase el capítulo 41.)

Narcisismo

Se trata del enamoramiento de sí mismo, como le ocurrió al Narciso de la Mitología griega, quien se extasiaba contemplando su imagen reflejada en la superficie de las aguas. Los narcisistas —hombres o mujeres— que se casan no son buenos cónyuges, ya que son egoístas encerrados en su propio yo. Incapaces de alcanzar el placer sexual sin contemplarse en el espejo, necesitan recurrir con frecuencia a la autosatisfacción sexual.

Homosexualidad

Pederastia y lesbianismo

Reciben el nombre de homosexuales los individuos de ambos sexos que buscan la satisfacción sexual con individuos de su propio sexo. Son considerados por los psicólogos como los únicos casos de real perversión sexual.

El matrimonio de estos individuos no es de aconsejar, pues que este estado casi nunca consigue la curación de tan abominable aberración.

La homosexualidad constitucional o de nacimiento, por sexualidad no diferenciada, es rara, siendo mucho más frecuente la homosexualidad por perversión, a causa de la perturbación neurótica del yo, la cual abarca la personalidad entera.

La homosexualidad de refugio o de huida se presenta en las mujeres que menosprecian, temen o han sido despreciadas por el hombre. Entre los hombres se presenta en aquellos cuya inclinación amorosa por su madre les impide amar a cualquier otra mujer.

La inversión en el hombre recibe el nombre de pederastia y en la mujer el de lesbianismo. La proporción de homosexuales alcanza en U.S.A. el 4 por 100 y en Inglaterra el 5 por 100 de la población. Los padres y los educadores deben estar atentos a los avances de la homosexualidad en el momento actual, en el que la libertad y el desatino de la mujer le hacen perder tanto de su natural encanto y feminidad, y en el que los varones, a causa de su indumentaria, arreglo y maneras, tan difícil es con frecuencia diferenciarlos de las mujeres.

Heterosexualidad

Sadismo

Esta perversión recibe su nombre a causa del marqués de Sade. El sádico no necesita llegar al acto sexual para experimentar el placer venéreo, siéndole necesario, eso sí, para la erección y el orgasmo, el hacer daño intencionadamente a su pareja. Un buen número de sádicos serían impotentes sin el estímulo que les procura la práctica sádica. Padecen complejos de inferioridad que, por reacción, les llevan a la práctica de violencias que les sugiere la posesión de un vigor del que en realidad carecen. No obstante, padecen de sentimientos de culpabilidad y vergüenza. Los sádicos pueden beneficiarse mucho del tratamiento de médicos o psicólogos.

Masoquismo

Esta perversión también debe su nombre a un escritor, al médico austríaco Masoch.

A la inversa del sádico, el masoquista necesita sufrir violencias para conseguir el goce sexual: latigazos, arañazos, mordeduras y otros malos tratos.

Los sádicos y los masoquistas son infelices en el matrimonio. Los masoquistas pueden también beneficiarse mucho de los cuidados y consejos de médicos y psicólogos.

Parasexualidad

Exhibicionismo

Este defecto es más frecuente en el hombre que en la mujer. Consiste en el despoje de las ropas, dejando al desnudo las zonas sexuales.

El exhibicionista muestra sus órganos, generalmente en estado de erección, delante de los niños de ambos sexos, de jovencitas o de mujeres, con lo cual, o tras masturbación, experimenta el orgasmo.

El exhibicionista necesita darse importancia y afirmarse, ya que generalmente es un ser débil y tímido y con frecuencia un ser primitivo o un deficiente mental. Su estado es influenciado favorablemente por la psicoterapia.

Fetichismo

• Esta anomalía consiste en el logro de la satisfacción sexual en presencia de objetos de piedra, de madera o cuerpos biológicos tales como un zapato, un guante, un mechón de cabellos, un collar o cualquier otro objeto. Estos y otros objetos pueden ser el estímulo que ponga en marcha automáticamente la excitación sexual, independientemente de la persona a que pertenezcan.

Como al fetichista le basta, para obtener el orgasmo, con la contemplación del fetiche —aun cuando algunos tengan capacidad para el coito— no desea las relaciones sexuales normales ni puede practicarlas.

Voyeurismo

El mirón disfruta sexualmente contemplando las actividades sexuales de los demás, rehuyendo su propia actividad sexual, que sería posible de querer ejercerla.

Bestialismo

Consiste esta aberración en el comercio carnal con una bestia. Es una aberración muy rara que afecta casi siempre a los débiles de espíritu. Con frecuencia no se trata más que de una práctica de compensación. Se convierte en perversión verdadera cuando se hace necesaria, con desprecio de las relaciones sexuales normales e imposibilidad de practicarlas.

Prostitución

Es éste un fenómeno social muy antiguo. Se define por la práctica sexual con múltiples individuos del sexo opuesto o del suyo propio y mediante retribución.

Advertimos aquí que el reclutamiento más frecuente de mujeres tiene lugar a partir de las «giras artísticas de baile» al extranjero, de la contratación de maniquíes y de los concursos de belleza.

El 2 de noviembre de 1949 la ONU votó una «Convención Internacional para la represión y abolición de la trata de seres humanos y de la explotación de la prostitución de otros».

43

La intimidad conyugal

Enfoque médico del problema

En tanto que médicos, vamos a tratar desde un punto de vista exclusivamente particular de las dificultades que se ofrecen frecuentemente a la práctica de la relación física entre cónyuges o, dicho de otra manera, de los trastornos de la copulación.

Las causas más frecuentes de tal dificultad consisten en la frigidez femenina, en la disminución de potencia del varón, en las perturbaciones del deseo sexual, en la copulación dolorosa y en el coito imposible (de origen masculino o femenino).

Requisitos de la compenetración física

Digamos ya, antes de seguir adelante que, para que el acto sexual revista todos los caracteres de la normalidad, debe llenar varios requisitos: ser deseado, que sea posible, que no sea doloroso y que engendre sensaciones voluptuosas. Si alguno de estos caracteres falta, hablamos de trastornos de la copulación con la consecuente perturbación en las relaciones conyugales. Tales dificultades pueden desbordar su propio marco, físico o psíquico, e invadir esferas superiores, creando graves disturbios de la personalidad, puesto que, en el organismo, cuerpo, espíritu y alma forman una completa unidad íntimamente interinfluenciable e interdependiente.

1. La iniciación a la vida sexual

La noche de bodas

La primera noche de bodas y los días siguientes a las primeras relaciones sexuales gravan con frecuencia muchos años de matrimonio e incluso toda la vida matrimonial.

Posesiones violentas, bruscas o simplemente indelicadas; una abrumadora repetición de las mismas, pueden ser causa de lesiones físicas en los órganos genitales femeninos (con inflamación, dolor, hemorragia); o de lesiones psíquicas (por la brutalidad, falta de tacto); o morales (grosería, desenfreno) que dificultan notoriamente, desde el punto de vista físico, el normal acoplamiento y producen en la mujer repugnancia, miedo y hasta terror hacia el acto sexual. Y mucho habrá que variar la conducta para que las primeras sensaciones lleguen a borrarse siquiera sea parcialmente; pues del todo, posiblemente, jamás se borrarán. Y conste que estamos hablando del varón deseado, del objeto del enamoramiento. Si el varón no corresponde a este ideal de matrimonio, entonces, en las mencionadas circunstancias, se crea un abismo que jamás podrá ser rellenado.

Particularidades de la mujer

Pero es que, además, aun suponiendo los mejores comienzos de la iniciación sexual, ha de tenerse en cuenta que la mujer siente de modo diferente al hombre y que necesita tiempo para adaptarse al nuevo estado de actividad erótica, y más tiempo que el varón, durante la cópula, para llegar al orgasmo venéreo o plenitud de sensación placentera.

Por tanto, el varón bien iniciado, generoso y que ama a su compañera, habrá de preparar adecuadamente el terreno con palabras y caricias adecuadas, repetimos, al temperamento de la esposa y, luego en pleno acto, procurar atemperar sus ímpetus y dar lugar a que la esposa, mucho más tardía ordinariamente que el varón, llegue a la excitación y al orgasmo.

Esto, hay que convenir, no siempre es muy fácil para el hombre; pero si éste es de normal potencia, con un poco de hábito y otro poco de renunciamiento llegará a dominarse y conducirse adecuadamente para conseguir una entrañable y simultánea fusión con el objeto de su amor.

El mayor éxito

Y volvamos a las primeras relaciones sexuales: si la mujer, por quedarse insatisfecha, llega a la conclusión de que nunca alcanzará el goce sexual, será muy difícil para ella y para el varón, que la habrá declarado frígida, llegar a mejores resultados. Si, por el contrario, desde el principio se presta por ambos atención al problema, procurando el varón llegar a arrancar sensaciones voluptuosas a la mujer, se habrá ganado tanto que, en pocas relaciones, puede llegar la mujer a organizar su vida física y psíquica de disfrute en el acto sexual, y no perderá ya esta facultad en el decurso de toda su vida sexual. Y entonces es verdaderamente asombroso el dominio que puede alcanzar, a voluntad, en la duración de las sensaciones venéreas y de la aparición del momento del orgasmo.

«Alégrate con la mujer de tu juventud»

Y es que, queridos lectores de uno y otro sexo, el placer sexual es lícito —«Alégrate con la mujer de tu juventud»— y es una compensación a los sinsabores y cargas de la vida, y especialmente, repetimos, de la mujer. Búsqueselo, no por egoísmo o deshonestidad, sino para mayor compenetración con el compañero o compañera que el Señor del Cielo nos haya dado, fundiéndonos con placer profundo e íntimo arrobo en la «una sola carne» de las Sagradas Escrituras. ¿No es de ellas también: «Hacia tu marido irá tu apetencia»?

Consejo prematrimonial

Creemos, pues, que más que consejos a la hija, antes del matrimonio, es al varón a quien deben dár2225sele. Tarea ésta ingrata, por no decir difícil o imposible, en países como el nuestro. Y más fácil y apropiada para el médico por su autoridad, sus conocimientos y su ascendencia sobre los individuos. Por tanto, no nos arrepentimos de lo que hemos escrito y aún vamos a escribir, seguros de que puede servir para los padres jóvenes de hoy y para sus hijos que han de ser padres mañana.

2. Perturbaciones de la sexualidad femenina

Analizaremos sucesivamente los más frecuentes trastornos que la aquejan: las anomalías en el deseo sexual, la imposibilidad de las relaciones sexuales, la cópula dolorosa y la frigidez femenina (véase Cap. 41).

La mujer actual

La mujer, mucho más culta en la actualidad, viviendo cada vez más fuera de casa que dentro, igualándose en flecha ascendente a los derechos y privilegios del hombre, quiere también participar, y a ser posible en plenitud, en la satisfacción o el placer que provoca la esfera sexual. Y véase que esta inclinación nada tiene de reprensible, antes al contrario, siquiera sea en consideración al trabajo penoso que realiza en la casa —tal vez añadido al de un empleo fuera de ella— y las sobrecargas que, por su condición de mujer y de madre se ve obligada a soportar (menstruaciones, maternidades, lactancia).

Pero, digámoslo ya, para el hombre el acto sexual es algo accidental, fugaz y externo, y hasta incluso intrascendente; el hombre después de «amar» ama menos; para la mujer, por el contrario, el acto sexual es algo interno y profundo, lleno de trascendencia, prolongado y arrebatador, y después de «amar», la mujer ama más.

Si un hombre, pues —prescindiendo de consideraciones románticas, morales y religiosas—, puede acoplarse con cualquier mujer y alcanzar plena satisfacción erótica, no así la mujer. Esta, para gozar del acto sexual, ha de estar encariñada con su cónyuge, amarle, desearle y dejarse poseer en condiciones de amabilidad y ternura. Por tanto, la primera condición, y la fundamental, para que la conjunción sexual sea agradable a la mujer es la de que exista el amor.

Las anomalías de la libido femenina

El trastorno más frecuente de la misma, sobre todo en la mujer, consiste en la debilidad del impulso sexual, o disminución de la libido (entendemos por libido la natural y normal orientación hacia el sexo contrario, tanto en el hombre como en la mujer).

La anafrodisia, o ausencia total de libido, es sin duda excepcional; pero son muchas las mujeres que padecen una falta de interés bastante acentuado por la aproximación sexual y, si la otorgan, o incluso la solicitan, es más por satisfacer al esposo que por verdadera apetencia o necesidad sexual de copulación.

Claro que muchas veces esta ausencia de deseo sexual de la mujer tiene su causa en las condiciones psicológicas, afectivas y otras de la vida matrimonial (casamientos de conveniencia, diferencia de edad, de educación, de cultura, ignorancia, prejuicios).

El deseo sexual puede también hallarse perturbado por exceso. Sin embargo, la erotomanía, la ninfomanía, el mesalinismo, son más bien raros.

Las causas médicas que podríamos llamar de los disturbios del deseo sexual se hallan principalmente:

En la esfera de los centros superiores del psiquismo

El trastorno tiene su origen o ha aparecido a continuación de un violento choque afectivo, de una infección, de una intoxicación, de una brusca variación climática o de un decaimiento que ha causado una alteración anatómica o funcional de tales centros nerviosos con un efecto de excitación o de inhibición de los mismos.

En el ámbito de las secreciones endocrinas

El sabio español Dr. Marañón atribuye la hipersexualidad a las mujeres hiperandrogénicas (que segregan más cantidad de hormona masculina que lo normal). Ellis considera que hay una estrecha relación entre hipersexualismo femenino y el aumento en la secreción de foliculina. Sin duda, ambos autores tienen razón, pues no hay pleno antagonismo entre la producción de ambas hormonas.

Muchos problemas de la intimidad conyugal empiezan con el mismo matrimonio. La falta de atención y delicadeza por parte del esposo en los primeros momentos puede marcar negativamente a la pareja para siempre.

En el hombre, el aumento de la libido se debe tanto a factores endocrinos como psicológicos y de costumbre.

A nivel del sistema neurovegetativo

El predominio del sistema parasimpático sobre el simpático sería origen, tanto en el hombre como en la mujer, de la ninfomanía y de la hipersexualidad (individuos vagotónicos).

En la esfera genital

Las afecciones de la piel del aparato genital, los picores, los desgarros himenales incompletos e infectados, las infecciones agudas o crónicas del aparato genital, los quistes foliculares del ovario, etc.

La imposibilidad física

La imposibilidad de realizar el coito se manifiesta en el hombre por la impotencia, es decir, la incapacidad de penetración en el vaso femenino por falta total de erección o por insuficiente erección. La impotencia absoluta es más frecuente de lo que se cree, pero las impotencias relativas abundan bastante.

No se cometa el error de confundir la impotencia (imposibilidad de cohabitar), con la impotencia *generandi* (imposibilidad de procrear) coincidente con una capacidad de cohabitación normal.

En la mujer, la impotencia verdadera o imposibilidad absoluta de cohabitar es extraordinariamente rara. Toda mujer normalmente constituida desde el punto de vista genital puede tener relaciones sexuales, bien que éstas no sean completas en el sentido anteriormente expresado, por su pasividad o por la falta de emoción y orgasmo. Esta capacidad de ejercicio sexual, con o sin acompañamiento placentero, es independiente de la fecundidad o de la incapacidad de la mujer por concebir y llevar adelante un embarazo.

La impotencia femenina no tiene lugar más que en el caso de malformaciones genitales, tales como la ausencia de la vagina (órgano copulador), vagina rudimentaria; de deformaciones de la misma por estrechez cicatricial o tumoral que impide el libre acceso a la misma, o la imperforación del himen particularmente resistente y espeso. Todos estos defectos tienen una solución quirúrgica: desde el sencillo desbridamiento del himen resistente hasta la más difícil creación de una vagina artificial.

Digamos también aquí que el tamaño de los órganos sexuales en presencia no suele ser causa de dificultades, excepto, naturalmente, en casos de desproporción manifiesta y más bien patológica, tanto por parte del hombre como por parte de la mujer. Recuérdese que en la vagina, que es una cavidad virtual, sus paredes anterior y posterior se hallan íntimamente adosadas, separándose al empuje del órgano sexual masculino y dilatándose cuanto sea necesario gracias a los pliegues que posee y que le permiten en el momento del parto, el paso del fruto de la concepción.

La relación sexual dolorosa

En este apartado acerca de las dificultades de las relaciones conyugales hemos de distinguir dos variedades perfectamente caracterizadas. En el vaginismo existe una contractura dolorosa de los músculos elevadores del ano y del constrictor de la vulva que tienden a cegar la luz del conducto vaginal oponiéndose a la intromisión varonil; la dificultad es, pues, sobre todo vulvar o exterior y vaginal baja. Por el contrario, en la dispareunia no hay contracción de los músculos exteriores, pero sí un aumento de la sensibilidad dolorosa local y, sobre todo, profunda.

La dispareunia

Tal copulación dolorosa puede existir desde la época de los primeros contactos sexuales o presentarse después de un tiempo de vida genital normal. El primer tipo de dispareunia o precoz es más raro, presentándose en las mujeres nerviosas tras una desfloración excesiva o insuficiente, o a causa de una anomalía vaginal: cortedad, estrechez, cambios de orientación, etc. También pueden originarlas las inflamaciones de menor importancia de los genitales o las secuelas de una infección peritoneal de la adolescencia. En tales casos, el dolor de las primeras relaciones tiende a aumentar, estableciéndose una aversión hacia el coito, generador de un círculo vicioso psico-somático.

El segundo tipo de dispareunia o tardío, es más frecuente y se presenta, bien súbitamente, bien progresivamente. Su aparecimiento se explica por cambios patológicos en la esfera genital: acortamiento de la vagina por una retrodesviación uterina o por una masa ovárica que se prolapsa en el douglas, cicatrices dolorosas del cuello de la matriz y bridas en el fondo de la vagina después de partos incluso normales. Con mucha frecuencia, la causa estriba en inflamaciones de todo el conducto genital (vulvitis, vaginitis, salpingitis) y de sus alrededores; así como en las varices pelvianas, la ovaritis ecleroquística y otros procesos.

El tratamiento de ambos tipos de dispereunia debe ser decidido por el médico, quien descubrirá la causa del dolor y sus imbricaciones psíquicas, prescribiendo tratamientos médicos y quirúrgicos: psicoterapia, medicamentos, régimen de vida, extirpaciones, reconstrucciones.

El vaginismo

Podemos definirlo como una psiconeurosis genital caracterizada por la imposibilidad de cohabitar, puesto que la tentativa o la sola

idea de su realización crispa a la mujer que, sufriendo y aterroriza-
da, contrae los músculos de acceso y sostén de la vagina y los de
la región lumbar, haciendo prácticamente imposible la penetración
del varón.

Con frecuencia encontramos heridas y lesiones del aparato genital; una ignorancia o una impotencia relativa del marido que no
ha sabido o que no ha podido forzar y formar la vía a su debido
tiempo. Con frecuencia trátase de un complejo de repulsión por
desafección hacia el cónyuge, su condena por brutalidad o inferioridad. También puede obedecer al hábito de vicios secretos por
parte de la mujer, al miedo al embarazo.

Con frecuencia es el propio marido el que podrá modificar tal
estado de cosas cambiando de táctica o proceder en el hogar. En
el caso de buena entente matrimonial, es el médico quien, tal vez
con sólo oportunas explicaciones y consejos, podrá salvar la situación en un gran número de casos. En ocasiones, sencillas maniobras u operaciones quirúrgicas, o tratamientos físicos o medica-
mentosos pueden resolver una penosa situación. El régimen de
vida también es importante.

La frigidez y su tratamiento

Esta frigidez puede ser primitiva si se manifiesta en las primeras relaciones, o secundaria cuando lo hace después de un tiempo
de vida conyugal normal. Puede también presentarse bajo la forma
de frigidez total o de frigidez relativa. En el primer caso, la mujer no
experimenta ni sensación agradable, ni orgasmo. En el segundo
caso, la mujer que no llega al orgasmo experimenta, no obstante,
sensaciones placenteras que la impelen a buscar el acto sexual
por ella misma y no solamente para satisfacción del cónyuge como
en el caso anterior.

Entre las posibles causas de frigidez femenina, vamos a citar
las siguientes.

Frigidez debida al varón

La mujer no percibe la llamada del sexo del mismo modo que el
hombre y necesita sentir fuertemente la atracción —por diversas
vías y mecanismos— del varón al que ha de darse para llegar a
obtener la emoción sexual. Pero aun dándose estas condiciones
iniciales óptimas, es sumamente ventajoso el que el varón conoz-
ca la «técnica» de las relaciones sexuales, técnica que habrá de
estar en íntima relación con la constitución psíquica, religiosa, moral, sentimental y hasta física de la esposa.

Frigidez de causa anatómica

Anomalías en la constitución o disposición de órganos tales
como el clítoris o el periné que impidiendo un contacto suficiente

entre los órganos genitales de los cónyuges, pueden ser causa de disturbio de la relación.

Frigidez de causa patológica

De causa variada; recuérdese lo que hemos dicho a propósito de la dispareunia y del vaginismo que crean un clima desfavorable a la impulsión sexual, lo mismo que los traumatismos, las infecciones, los tumores, etc. Las causas psíquicas abundan: por ejemplo, el horror al coito, o la indiferencia o repulsión hacia el cónyuge. Las psicosis evidentes y latentes cuyo diagnóstico y tratamiento son ya más bien del dominio del especialista.

La frigidez de origen nervioso

De origen infeccioso o tóxico, ha podido ser estudiada experimentalmente. La lesión de los centros nerviosos superiores por infecciones como la sífilis y las intoxicaciones producidas por el tabaco, el plomo, los bromuros, la morfina, el café.

La frigidez de origen endocrino

Es frecuente en la diabetes la obesidad, el mixedema, el déficit en la secreción de foliculina, o de hormona masculina, etc. Un tratamiento adecuado arregla fácilmente las cosas.

Otras causas de frigidez

Frigidez de origen digestivo, hepático, renal o de otro tipo, y que desaparece con el tratamiento oportuno. El miedo a un embarazo, el conocimiento de su esterilidad, el coito interrumpido, el uso de medios anticoncepcionales, pueden ser también el origen de una frigidez absoluta o relativa.

Tratamiento de la frigidez

Primeramente se habrán de tener en cuenta todos los conceptos que hemos vertido en las líneas y páginas precedentes.

También es de lógica el que cuando aparezca una causa que determine la frigidez y que sea susceptible de curación (malformaciones, infecciones), hay que poner el adecuado tratamiento.

En ciertos casos, un tratamiento quirúrgico puede estar indicado.

Se combatirán las intoxicaciones: alcohol, tabaco, inadecuada atmósfera de trabajo, tóxicos de la industria, si fuera el caso. En la frigidez sin causa apreciable se observarán las medidas de higiene general que vamos a detallar. Cuando se encuentren deficiencias hormonales (hipófisis, ovario, tiroides, etc.) habrá que tratar, lógicamente, éstas.

Medidas higiénicas generales

Vida al aire libre, ejercicio físico adecuado (natación, tenis, alpinismo, bicicleta), viajes, clima marítimo. Se procurará descartar preocupaciones e inquietudes, perjudiciales a la sexualidad.

La hidroterapia (baños de asiento, baños completos al ácido carbónico), la diatermia, las corrientes, pueden ser de gran resultado.

Los afrodisíacos alimenticios: pimiento, ajo, mostaza, menta, caviar, vainilla, cola, nuez vómica, fósforo (el pescado contiene bastante).

Los medicamentos —recetados siempre por el médico—, entre los cuales merecen especial mención la yohimbina y los sedantes nerviosos (en las preocupadas u obsesionadas). Pero el medicamento más eficaz, también ordenado por el médico y en cuyo mecanismo de acción no podemos entrar, es la hormona sexual masculina o testosterona, la cual, a dosis apropiadas, convenientemente repartidas en el ciclo, puede dar un gran empuje a la sexualidad.

En los casos tributarios del mismo, el tratamiento psicoterápico, realizado por un especialista, puede ser de gran utilidad.

Resumiendo

Creemos muy importante hacer resaltar los siguientes extremos:

En la mayoría de los procesos patológicos que engendran estos disturbios, el médico podrá intervenir dando el consejo apropiado o sentando el tratamiento conveniente.

En lo que se refiere al problema verdaderamente íntimo de la desavenencia sexual de los esposos, el tratamiento es mucho más difícil. Aquí la solución del problema debiera haber sido aplicada «a priori». Las siguientes condiciones hubieran evitado los problemas consecuentes.

1) Casamiento por amor.

2) Condiciones semejantes de los cónyuges en cuanto a edad, condición social, instrucción, formación, moralidad.

3) Gran cuidado por parte del hombre en las primeras relaciones sexuales para evitar el traumatizar física o psíquicamente a su mujer.

4) Mucha renunciación por parte de ambos cónyuges y mucha generosidad (o, por lo menos, poco egoísmo) por parte del varón.

En el plano puramente físico, téngase en cuenta que la mujer, si bien siente el placer sexual más profunda, entrañable y prolongadamente que el hombre, tarda más en alcanzarlo en cada relación sexual con el varón. No se olvide que, si el hombre alcanza el placer y el orgasmo desde la primera relación sexual y sin previa preparación, la mujer necesita un tiempo de experiencia y habituamiento y, siempre una preparación previa para que el acto sea satisfactorio en su totalidad. Por lo mismo, el esposo, desde el principio de la vida conyugal y para siempre, habrá de manifestarse comprensivo, delicado, hábil, generoso y amoroso con su compañera, único **modo** de que la mujer participe del goce de la unión sexual. «Alégrate **con** la mujer de tu juventud.»

3. Trastornos de la sexualidad en el varón

Generalidades

Si bien es cierto que en el hombre pueden darse los mismos disturbios de la potencia copuladora que en la mujer, tales como las anomalías del deseo sexual, la imposibilidad de la relación sexual, la cópula dolorosa y la frigidez o ausencia de sensaciones voluptuosas; la total superposición de tales trastornos en ambos sexos es casi imposible.

La imposibilidad física de la relación sexual, prácticamente inexistente en la mujer, es, por el contrario, en el hombre y por variados motivos que luego analizaremos, la causa responsable, prácticamente única de la dificultad o imposibilidad total del acto conyugal, recibiendo el nombre de impotencia. En la mujer lo era la cópula dolorosa.

En el hombre, la cópula y el orgasmo dolorosos coincidiendo con libido y erección normales constituyen una rareza, así como la ausencia de orgasmo, sobre todo en viejos con libido y erección conservada.

La superposición es posible salvando, claro es, las características particulares de cada sexo, en lo que se refiere a las anomalías del deseo sexual.

Digamos ya, antes de analizar estos trastornos que, al igual que en la mujer, los mencionados trastornos son de una gran trascendencia e interrelación psico-somática.

En el hombre sano, normalmente constituido en cuerpo y espíritu, la libido u orientación hacia el sexo contrario —o más aún si se quiere, el hambre sexual— nunca faltan ni dejan de manifestarse con un ímpetu generalmente bastante manifiesto. Obsérvese la diferencia con la mujer en que tal orientación y tal manifestación potente no son la norma, al menos, hasta una clara orientación e iniciación y aun en este caso con muchas más reservas y matices que en el varón.

Hemos hablado de la normalidad sexual del hombre sano, con equilibrio físico y psíquico. Sin embargo, el ser humano perfectamente equilibrado es posible que no exista ni en un solo ejemplar. Tanto en el hombre como en la mujer, existen diversas clasificaciones de los individuos según su tipo físico, caracterológico, endocrino, etc. Si a esto se añade el que el estado de salud, el nivel de educación y de cultura así como el grado de moralidad y de religiosidad, influyen sobre el tipo original, dando otro sujeto diferente,

veremos que el hombre —debido a la manifestación sexual tan consustancial con él o tan profundamente impresa en él— resultará enormemente influenciado y hasta perturbado por tal variedad de elementos.

Vamos a ceñirnos al estudio, aunque somero, de las perturbaciones del deseo sexual del varón y de los diferentes estados de impotencia.

Anormalidades de la libido masculina

Convendrá que comencemos distinguiendo el erotismo, es decir, el deseo sexual, de la capacidad genital y de la fecundidad. Pondremos algunos ejemplos: Hay varones que experimentan normalmente la atracción de la mujer, aunque sean incapaces de realizar el acto sexual (incapacidad genital, impotencia); un erotismo disminuido puede ser compatible con una capacidad genital normal, un erotismo y una capacidad genital normales pueden coincidir con una falta absoluta de capacidad reproductora.

El hipoerotismo

El hipoerotismo, o disminución de la tendencia sexual, puede observarse en casos de insuficiencia genital incluso leves.

Otras veces, el disturbio está más alto siendo de origen suprarrenal o central hipotalámico y, cosa que parece curiosa, coincide con estados de macrogenitosomía, es decir, de órganos genitales externos de tamaño muchas veces escandaloso. En estados de déficit hipofisario y tiroideo, incluso muy leves, puede aparecer una indiferencia sexual reveladora del comienzo del disturbio.

Los trastornos endocrinos del páncreas, como la diabetes, determinan muy precozmente un hipoerotismo a veces asociado a una dificultad en la erección. Estos datos en varones de familias diabéticas pueden denunciar un estado de prediabetes y ponerlos en guardia.

También hay erotismo disminuido en los estados de hipometabolismo constitucional que presentan una constitución asténica con cifras de metabolismo basal de -10 y de -20, que comen discretamente y que se fatigan fácilmente, son impotentes y fácilmente neuróticos sexuales.

En las intoxicaciones, tales como la de bromuro, la de arsénico, la alcohólica, la morfínica, la cocaínica, la nicotínica. Téngase en cuenta que algunas de estas intoxicaciones en una primera fase excitan la sensualidad y aumentan la potencia sexual, pero en la fase siguiente las deprimen.

Una disminución de la libido es totalmente normal en la senilidad. Asimismo, en las enfermedades debilitantes, tales como anemias e infecciones crónicas. Lo mismo ocurre en la alimentación escasa e inapropiada, en las grandes preocupaciones intelectuales o afectivas y en las diversas enfermedades mentales y nerviosas.

El hipererotismo

El hipererotismo tiene menor importancia y es difícilmente determinable en un sujeto dado, toda vez que, como decíamos, cada sujeto tiene su particular manera de comportarse. Para afirmarlo habrá que ver si guarda o no relación con una capacidad genésica comparable. Tal erotismo exaltado puede ir perfectamente acompañado de molestias genitales tales como pesadez y dolores testiculares y cordonales.

El hipererotismo puede tener su origen en trastornos endocrinos: hipofisario, cortical o testicular.

En la mayoría de los casos, el elemento psíquico es mucho más importante, como ocurre en las neurosis y psicopatías y en la demencia senil. También en la tabes dorsal y en la parálisis general, precediendo a la fase de impotencia e incluso coincidiendo con ésta. Véase una demostración de la no equivalencia de los conceptos: hipererotismo y potencia sexual: en la andropausia puede existir un hipererotismo de origen mixto endocrino y psíquico.

Las desviaciones del erotismo

No haremos más que referirnos a ellas muy de pasada: el homosexualismo masculino (bien que el femenino sea más frecuente, aunque mucho menos trascendente). Es de notar, eso sí, que pueden favorecer o provocar su aparición el alcoholismo, las toxicosis morfínica y cocaínica y ciertas lesiones nerviosas de origen sifilítico.

Vale la pena que citemos el caso de ciertos tímidos con complejos de homosexualidad o de minusvalía sexual, obsesionados por órganos genitales de pequeño tamaño, escasa barba, etc., y que son perfectamente normales y curables de su complejo autoacusatorio.

Hay otras desviaciones tales como el fetichismo, el sadismo y el masoquismo que son de sobra conocidas para que insistamos sobre ellas.

La impotencia

Suele clasificarse de impotencia la incapacidad del varón para realizar el coito. Tal incapacidad no tiene prácticamente contrapartida en la mujer, pues su frigidez o ausencia de goce sexual no tienen nada que ver con la posibilidad de cohabitar. Tal impotencia masculina, más frecuente de lo que se imagina, puede aparecer provisional o definitivamente por diversas causas y circunstancias.

Disminución, ausencia o anormalidad del erotismo

Todas estas causas las hemos analizado en los párrafos anteriores y son las más frecuentes en la responsabilidad de una impotencia. En tales casos, determinados como decíamos por enfermedades generales debilitantes, endocrinas o depresivas de espíritu, el enfermo acepta su impotencia como un fenómeno natural, sin sentir ninguna humillación; no así el impotente por falta de erección, pero con erotismo conservado, que siente su incapacidad como una verdadera tragedia.

Trastornos de la erección

Para mejor comprender los trastornos de la erección convendrá que demos una idea, bien que muy somera, de la fisiología de la misma.

Para que el deseo sexual se manifieste, es necesario una percepción sensitiva (visual, olfativa, auditiva, etc.) o una actividad imaginativa (soñar despierto); es decir, una actividad cerebral. Del cerebro, el estímulo es transmitido por vía nerviosa a la parte inferior de la médula espinal en donde se encuentran los centros erector y eyaculador; del centro erector parten nervios que provocan la retención de sangre en el órgano sexual copulador, cuyos cuerpos cavernosos y esponjosos se llenan de sangre y provocan la erección.

La erección necesita, pues, de diversos factores perfectamente coordinados. Tales son la apetencia sexual, el cerebro, el centro medular erector y un pene suficientemente organizado, amén de un estado hormonal suficiente. Los trastornos en cualquiera de estos centros o vías o mecanismos darán origen a una forma determinada de impotencia. Ejemplo, la impotencia por falta de apetencia sexual de que antes hablábamos. Examinemos, además, otras causas tales como las lesiones del sistema nervioso central: tabes, parálisis general, paraplegia, amiotrofia, inflamaciones, compresiones y traumatismos de la médula. También lo son las intoxicaciones alcohólica, morfínica y cocaínica.

En bastantes casos de diabetes y en algún caso de gota, se observa una dificultad de la erección coincidente con un erotismo normal.

En lesiones endocrinas (hipófisis, tiroides, suprarrenales) se da con frecuencia una anulación del erotismo, junto con una dificultad o anulación de la erección que, a veces, se conserva en los castrados (caso de los espadones).

Es curiosa, como decíamos, la frecuencia con que se presenta la impotencia sexual en estados de hipervirilismo fisiológico con gran desarrollo genital primario, vello muy intenso, etc.

La impotencia sexual psíquica merece un párrafo aparte, ya que un gran número de hombres sufre de impotencia por inhibición psíquica, con erotismo normal y con posibilidad teórica de erección normal.

Estos casos constituyen el contingente más importante de las llamadas neurastenias sexuales. Los afectados suelen ser individuos nerviosos y psicópatas con complejos psíquicos de inferioridad y de timidez, con alteraciones del aparato génito-urinario. En estos casos es frecuente la espermatorre*, o la fosfaturia, que suele confundirse con ella.

Estos enfermos experimentan el deseo normal, tienen erecciones solitarias perfectas, y sólo en el momento del coito la preocupación impide el juego normal de la erección que no llega a manifestarse o que se manifiesta imperfectamente; a veces, con eyaculación rápida o con escaso o nulo orgasmo. La impotencia sexual psíquica se descubre por los antecedentes, por la existencia de libido y de perfectas erecciones solitarias y por la ausencia de enfermedades. Todo ello debe conducir a su adecuado tratamiento.

Consecuencias prácticas

En todos los trastornos sexuales, sea cual sea su matiz, quien lo padezca llevará las de ganar si consulta con un médico. Este descubrirá la causa del trastorno u orientará al enfermo, en su caso, hacia el especialista más adecuado. El descubrimiento de una diabetes, el tranquilizar a un tímido, la corrección incluso quirúrgica de un defecto genital, la prescripción de reposo o de una alimentación adecuada, un tratamiento endocrino, antiinfeccioso, o simplemente y en muchos casos el volver la confianza a un impotente, pueden ser otros tantos motivos de éxito en tan angustiadora enfermedad. Ciertamente la mayor parte de los casos de impotencia, tanto de causa orgánica como psíquica, pueden llegar a ser perfectamente curados.

Tratamiento de estos trastornos

Es indudable que en el caso de malformaciones o de infecciones y aun de otras causas habrá que aplicar el remedio médico o quirúrgico que se imponga.

Pero en todos los casos hay que combatir las intoxicaciones causadas por el tabaco y las bebidas alcohólicas así como las provenientes de los tóxicos industriales en su caso. También es importante la atmósfera del lugar de trabajo. Así mismo, entran en las medidas de higiene general, la vida al aire libre, la práctica de ejercicios físicos tales como la natación, el tenis, el alpinismo, la bicicleta o la marcha simplemente.

Los viajes y el clima marítimo pueden ser beneficiosos. Siempre lo son al descartar las preocupaciones e inquietudes, las cuales son nefastas para la sexualidad.

Los baños de asiento, los baños completos al ácido carbónico, la diatermia y otras formas de electricidad pueden ser útiles. La alimentación debe ser rica en elementos naturales y vitaminas. El arroz, el trigo, el centeno y la avena sin refinar son muy aconsejables. Los rábanos, las zanahorias, el apio, la coliflor, el tomate y el cacahuete contienen la vitamina E que es, ni más ni menos, la vitamina de la fertilidad.

Son afrodisíacos el ajo, el pimiento, la menta, el caviar, la vainilla, la nuez vómica y el fósforo contenido abundantemente en el pescado. El pan integral y todas las variedades de nueces son muy nutritivos.

El médico puede recetar a la mujer la hormona sexual masculina o testosterona, que impulsa la sexualidad, así como la yohimbina. También producen efecto semejante los sedantes nerviosos en las mujeres obsesionadas o preocupadas, e incluso la psicoterapia por un especialista.

4. Conclusión general

Importancia de estos trastornos

Si bien es cierto que los trastornos de la esfera sexual son extraordinariamente frecuentes, no lo es menos el que tales disturbios complican desagradablemente la vida general e íntima del matrimonio.

Efectivamente: gran número de estos trastornos, tanto en la mujer como en el hombre, tienen una causa definida y curable y es del todo sensato y moral el buscar el oportuno tratamiento o consejo del médico general o del especialista apropiado.

Su curación

Muchos de estos procesos originadores de disturbios son fácilmente curables: reposo en los agotados, antibióticos en una infección, persuasión en un vaginismo, hormonas en un déficit glandular, intervenciones quirúrgicas en las anomalías congénitas o adquiridas del aparato genital, etc.

Un remedio excelente

Sin embargo, muchas veces toda la dificultad viene de la falta de compenetración en el matrimonio. En tales casos, antes de obsesionarse por el éxito sexual y creer que sólo su anormalidad es el origen del fracaso matrimonial, procúrese encontrar la causa del mal, hágase un profundo examen de conciencia, decidiendo comprender al otro cónyuge, renunciar a sí mismo, manifestarle todo su amor cada día y en cada momento, y el buen entendimiento conyugal y su expresión física y entrañable, el goce sexual, vendrán como añadidura.

44

Regulación de nacimientos y educación familiar

1. Un problema abarcante y general

Una evolución en las ideas

En el momento actual, personas, instituciones, gobiernos y pueblos se sienten afectados por la cuestión de la regulación de nacimientos. Cada entidad enfoca el problema desde su particular punto de vista tomando en consideración uno o varios factores: religiosos, morales, sociales, políticos, económicos, demográficos, etc. Civilizaciones tan opuestas como la oriental y la occidental toman comunes medidas con vistas a la reducción de la natalidad. Naciones con sistemas de gobierno tan dispares como el socialismo y los llamados de tipo capitalista legislan sobre el control de nacimientos. Iglesias que habían sido intolerantes en estas materias suavizan su actitud y hasta parece que hacen concesiones, haciéndose cargo de lo agudo e imperativo del problema.

Necesidad del tema

Obligado nos era hablar; por tanto, no es extraño el que, en un libro de este tipo, nos ocupemos —bien que un poco a regañadientes, fuerza es confesarlo— de los métodos utilizados para la regulación de la natalidad. Efectivamente: más de un lector se hubiera sentido defraudado si no hubiera encontrado en un libro médico moderno dedicado a los problemas de la maternología y de la puericultura, un capítulo, por breve e imparcial que fuese, que no se refiera a estas cuestiones.

Pasaremos en revista los distintos métodos utilizados en tan gigantesca lucha, de modo que el lector pueda hacerse una idea del valor de cada uno de ellos. Comenzaremos, sin embargo, definiendo la contracepción.

2. La contracepción: Sus fronteras y sus exigencias

Definición

La contracepción consiste en la utilización de los diversos procedimientos orientados a evitar o a impedir la concepción; pero siempre de modo temporal y reversible. No entran, por tanto, en su estudio, ni en su intención, la ligadura de las trompas de la mujer, ni la de los conductos deferentes en el hombre, ni menos aún el aborto. De todos modos, y aunque sólo sea como información y para criticarlos severamente, haremos alusión a estos procedimientos al final del presente capítulo.

Por otra parte, a pesar de que los diversos métodos fisiológicos aplicables a la regulación de los nacimientos no sean propios de la contracepción, en el sentido estricto de la definición, vamos a incluirlos también en este capítulo. Efectivamente, bien utilizados nos son de una gran ayuda: nos referimos a los métodos de continencia periódica. Estos apenas si ofrecen algún reparo desde el punto de vista moral y médico.

Criterios de utilidad y eficacia

Para que un método o medio contraceptivo o anticonceptivo sea útil, es necesario que reúna las diversas características que rápidamente vamos a pasar en revista.

La eficacia se mide valiéndonos de la fórmula de Pearl:

$$R = \frac{\text{Número de embarazos} \times 1.200}{\text{Número de meses de exposición}}$$

Es decir, número de embarazos indeseables acaecidos con la práctica del procedimiento en cuestión durante 1.200 meses de exposición o cien años de 12 meses. Así, pues, cuando hablamos de fracasos o de seguridad del 1 por 100 ó del 99 por 100 respectivamente, queremos decir que una mujer que utilizara 100 años la píldora correría el riesgo de tener solamente un embarazo durante todo ese tiempo. Véase al mismo tiempo cómo no hay ningún método de anticoncepción absolutamente seguro, ni aún la ligadura de las trompas; excepto, claro es, la castración de los individuos femenino o masculino.

3. Métodos fisiológicos

Sus fundamentos

Solemos dividir el ciclo femenino de 28 días de duración (contando desde el primer día de las reglas hasta el comienzo de la siguiente), en dos mitades de 14 días cada una. En el centro de estas

LA FECUNDIDAD EN LA ESPECIE HUMANA Y SUS LEYES

FACTORES A TENER EN CUENTA

1. La ovulación o puesta del óvulo ocurre de una manera teórica 14 días antes del comienzo de la regla siguiente. A causa de posibles adelantos o retrasos, y para mayor seguridad, debemos situar este acontecimiento entre los días 12 y 16 (véanse los cuadritos verdes de la gráfica).

2. La vitalidad del espermio es de 24 a 48 horas. Se han observado casos de espermios vivos durante más tiempo, lo cual es más bien raro.

   La vitalidad del óvulo es de 24 horas. Sumando los 2 días del espermio y el del óvulo, nos encontramos con 3 días más a causa de la posible duración de la vida de ambos; sumamos estos 3 días a los 5 días anteriores (cuadritos amarillos). Para mayor seguridad, añadamos 2 días antes y 2 días después (cuadritos azules).

   Total: 12 días de posible fecundación o embarazo (6 días antes del día 14 y 5 días después).

3. La ovulación puede producirse totalmente fuera de costumbre por influencias externas o estados emocionales: sobresaltos, enfermedad, aproximaciones sexuales vehementes.

4. A continuación ofrecemos como ejemplo un ciclo de 28 días. Las dos líneas de números representan dos maneras diferentes de contar. De derecha a izquierda, para obtener el día 14, el de la ovulación. De izquierda a derecha, para significar el orden correlativo de los días del ciclo menstrual. Esta segunda manera es más utilizada en la apreciación de los datos del método de las temperaturas.

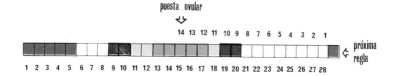

SIGNIFICADO DE LOS COLORES

Fig. 54.

Menstruación periódica. Duración: 5 días.

Días de **rarísimas** posibilidades de fecundación o embarazo (85 por 100 de posibilidades de que no se produzca embarazo).

Días de **algunas posibilidades** de fecundación o embarazo, por adelanto o retraso de la ovulación (40 por 100 de posibilidades de que no se produzca embarazo).

Días de **bastantes** posibilidades de fecundación o embarazo a causa de la vitalidad del espermio y óvulo (15 por 100 de posibilidades de que no se produzca embarazo).

Días de **muchas posibilidades** de fecundación o embarazo, excepción hecha en casos de esterilidad.
Días de puesta ovular.

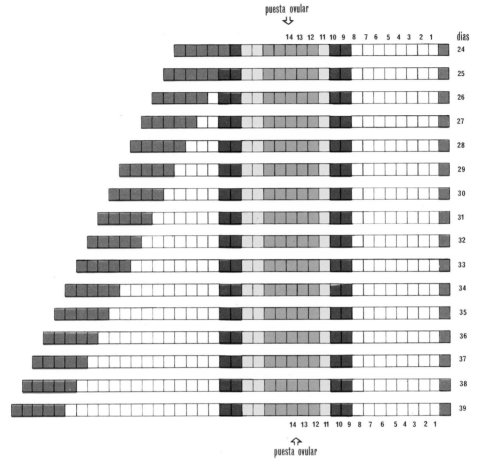

Fig. 54.

ALGUNAS OBSERVACIONES GENERALES

Hemos calculado 16 ciclos diferentes, incluyendo algunos que son poco frecuentes. Los más corrientes son los que van desde 28 días hasta 31 días.

El incierto día de la ovulación, tendón de Aquiles del presente método, es posible conocerlo mediante el método de la temperatura «basal». En el presente capítulo se halla ampliamente explicado.

Antes de poner en práctica este método, bien sea solo o combinado con el de las temperaturas, recomendamos que se establezca una observación de la cronología menstrual durante varios meses, a fin de poder confeccionar un calendario con las características habituales de cada mujer. De seguir estas recomendaciones, alrededor de los seis meses después se podrá aplicar este método con el máximo de garantías.

633

dos mitades, y separándolas bastante exactamente, se sitúa en las mujeres bien regladas la ovulación o puesta ovular.

Cuando el ciclo es de menos o de más de 28 días, o irregular, la ovulación continúa produciéndose hacia el decimocuarto día antes de la menstruación siguiente, de modo que la segunda parte del ciclo es siempre de 14 días de duración, y cualquier acortamiento o alargamiento del ciclo tiene lugar a expensas de la primera parte del mismo que resultará de más o de menos de 14 días.

La semilla femenina u óvulo tiene una vitalidad, o es fecundable, sólo durante 12-24 horas; el espermio o semilla masculina vive normalmente, es capaz de fecundar, durante 24-48 horas, y sólo excepcionalmente durante varios días (véase Fig. 54).

En la primera parte del ciclo, es la hormona folicular o foliculina producida por los ovarios la que domina. La secreción de esta hormona coincide con una temperatura corporal que oscila alrededor de los 36,5 grados.

En la segunda mitad del ciclo, en tanto que la secreción de foliculina continúa, la producción de progesterona, exclusiva de esta parte del ciclo, y también producida en el ovario, determina un aumento de la temperatura orgánica que se mantiene alrededor de los 37 grados. El paso de la fase de baja temperatura, llamada fase hipotérmica, al de temperatura más alta o fase hipertérmica, queda señalado (cuando se construye un gráfico de temperatura diaria) por un escalón hacia abajo alrededor del decimocuarto día del ciclo; a este escalón hacia abajo sucede un rápido ascenso de uno a tres días hasta que se inicia la meseta térmica que permanece hasta el momento de la nueva menstruación; a partir de este episodio la temperatura baja de nuevo al mismo nivel a que se hallaba durante la primera mitad del ciclo anterior ya que cada primer día de una menstruación inaugura un nuevo ciclo.

Método de Ogino y Knauss

Este método se apoya en las nociones antes citadas de puesta ovular y vitalidad de las células reproductoras. Nosotros le damos plena objetividad y expresión gráfica en el cuadro «La fecundidad en la especie humana y sus leyes», en el presente capítulo, al que remitimos al amable lector, en el cual encontrará toda una serie de cálculos adaptados a la duración de los diferentes ciclos y a los modernos conocimientos, así como la explicación de las posibles causas de error o de fallo del método (véase Fig. 54 en las págs. 632 y 633).

El método de las temperaturas

Leídos los fundamentos fisiológicos que figuran en el apartado primero, pasemos a los detalles prácticos del sistema.

Práctica del método

Es necesario anotar cada mañana la temperatura «basal», a la misma hora y en las mismas condiciones. Esta operación debe realizarse en la cama, al despertar, antes de levantarse, en ayunas y sin haber realizado ningún ejercicio físico. La temperatura —que puede tomarse bien en el recto, bien en la vagina— debe ser anotada cuidadosamente en una gráfica de temperaturas que será entregada por el médico, o bien en una hoja de papel milimetrado (véase Fig. 55).

Existen termómetros especiales que permiten una lectura más cómoda y más clara de esta temperatura basal que los termómetros ordinarios.

Los puntos que cada día son trazados en la gráfica se unen por trazos rectilíneos. Tal trazado constituye la curva de la temperatura basal.

El salto hacia abajo o la franca subida del trazo que conduce en uno a tres días a la llamada «meseta térmica» nos indica, repitámoslo, el momento de la ovulación, es decir: aquel en que tiene lugar la puesta ovular, y, por tanto, el momento ideal para la fecundación; dato éste de gran importancia para las estériles. En los casos en que se desea espaciar los nacimientos, nos sirven para evitar una posible maternidad.

Recordemos que el óvulo femenino tiene 24 horas de vida, mientras que el espermatozoide o elemento fecundante masculino alcanza fácilmente las 48 horas. Así que los dos o tres días que preceden a este salto o escalón de la temperatura basal, son propicios a la fecundación existiendo también ciertas posibilidades de uno a tres días después.

Aplicación

En los casos de infecundidad o de esterilidad, la aproximación sexual debe efectuarse en el momento en que la gráfica indica que la ovulación acaba de producirse.

En el caso contrario, de deseo anticoncepcional, varias posibilidades se ofrecen para conseguir este objetivo (véase Fig. 55). Hablaremos primeramente del método llamado «estricto».

Variante «estricta». Las relaciones sexuales no deberían practicarse durante toda la primera parte del ciclo.

Las relaciones pueden realizarse a partir del segundo día de la franca instauración de la meseta térmica y hasta la venida de la regla siguiente.

Variante «semiestricta». Esta variante permite las relaciones a partir del tercer día del comienzo de la ascensión térmica.

Variante «suave». Esta variante consiste en aplicar en la segunda parte del ciclo el método de las temperaturas (mejor, a partir de la estabilización de la meseta térmica) y en lo que concierne a la prime-

Bien manejado, el «método de las temperaturas» es excelente.

EL METODO DE LAS TEMPERATURAS

Fig. 55.

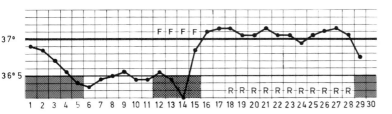

Curva típica bifásica:

Las dos fases del ciclo son típicas y se hallan bien delimitadas por el escalón del día 14, el de la ovulación.
En la variante *estricta*, las relaciones sexuales en los días R.

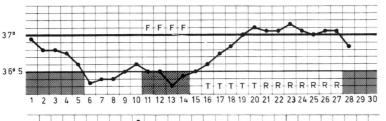

Curva normal bifásica:

El escalón aparece en el día 13; la segunda fase tarda en definirse.
En la variante *semiestricta*, las relaciones sexuales en los días R.

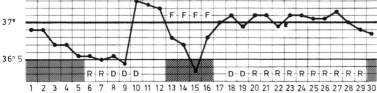

Curva anormal bifásica:

Primera fase: subida de la temperatura por infección ajena al ciclo.
En la variedad *suave*, las relaciones sexuales en los días R.

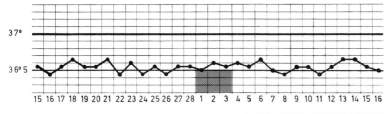

Curva anormal monofásica:

No existe diferencia alguna entre ambas fases. Esta curva es inutilizable. Todos los días del ciclo son inaptos, en teoría, para la fecundación.

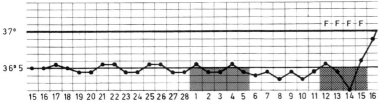

Curva mixta:

El fragmento de curva anterior a la regla puede asimilarse a la anterior curva; el segundo, a las tres primeras curvas, utilizable a voluntad, según una de las tres variantes mencionadas.

FUNDAMENTOS DEL METODO

En la primera fase del ciclo la temperatura es de 0,3 a 0,5 grados más baja que en la segunda. Ambas se hallan definidas en la primera gráfica por el escalón del día 14, el de la ovulación. El estudio de las curvas de temperatura nos permite sacar conclusiones acerca de los momentos más adecuados para obtener o evitar una concepción.

> *F* = Días de muchas posibilidades de fecundación (verde).
> *R* = Raras posibilidades de fecundación.
> *T* y *D* = Días dudosos. Algunas posibilidades.
> Color Rojo = Menstruación.

637

ra mitad, teniendo en cuenta razonablemente las precisiones y cálculos del método de Ogino-Knauss.

Dificultades

La primera dificultad tiene su origen en la disciplina a la que debe someterse la mujer, ya que la toma de la temperatura es cotidiana y en iguales condiciones durante un largo período de tres meses. Más tarde, la temperatura se toma únicamente hacia la mitad del ciclo.

Además será necesario anotar todo incidente que pueda traducirse por una modificación de la temperatura (reumatismo, anginas, obligación de levantarse en el curso de la noche, etc.). Es necesario señalar cuidadosamente los días de las reglas. Tales fluctuaciones de la temperatura por causas extrañas a la hormonología del ciclo pueden hacer creer en falsas subidas de la misma y ser causa de errores de cálculo. Se pueden evitar estos inconvenientes si se estudian con cuidado las curvas de los meses anteriores, tanto más si esas curvas son bastante regulares.

El método en sus diferentes variantes es de aplicación difícil o inoperante cuando se trata de mujeres que presentan una curva monofásica, es decir, sin ovulación.

También el método resulta de aplicación difícil en aquellas mujeres que presentan una curva anárquica, ininterpretable, aun cuando la temperatura haya sido tomada en buenas condiciones y bien anotada.

En fin, hay mujeres negligentes, incapaces de perseverar en la toma y el registro de las temperaturas.

Seguridad del método y consecuencias prácticas

Para favorecer la fecundación el mejor momento es el de la puesta ovular, señalado por la caída de la temperatura y las 24 horas siguientes. Para evitar, por el contrario, una maternidad posible, conviene observar el método «estricto», que solamente permite, durante los ciclos de 28 días, la utilización de los 8 a 11 días que preceden a las reglas; o bien la utilización del método «suave» observando también los cálculos de Ogino-Knauss; éstos dan un margen de utilización «segura» de dos días, y de tres días «bastante seguros» siempre después de las reglas, en los ciclos de 28 días.

El método «estricto» es de mayor eficacia en lo que concierne al impedimento de la concepción que todos los otros métodos, ya que sus fracasos no llegan, en efecto, al 1 por 100.

La cristalización salival

El método de la cristalización salival, al igual que el método de las temperaturas, no es un método anticonceptivo en sí mismo; es solamente un método de información que entra de lleno en los que la moral católica aprueba sin ningún reparo.

Fundamentos científicos

Su fundamento se halla en las figuras de cristalización que aparecen en la saliva de la mujer cuando ésta ha sido previamente depositada sobre una lámina de cristal y dejado secar. Tal cristalización guarda una relación estricta con el momento del ciclo femenino y, por tanto, con la cantidad y naturaleza de las hormonas existentes en el momento de la prueba.

La saliva y el moco cervical del cuello uterino, desecados, ofrecen figuras de cristalización semejantes. Esta se ofrece en forma de típicas hojas de helecho, las cuales aparecen con tanta mayor claridad e intensidad cuanto mayor es la cantidad de hormona estrógena circulante: siendo precisamente mayor en el momento de la ovulación.

Aplicación práctica

Al noveno día del ciclo la cristalización tiene lugar en forma de finos filamentos; el decimotercer día, ésta se presenta ya francamente en forma de helechos; al decimoséptimo día, los cristales son burdos y mal dibujados y, hacia el vigésimo día, toda figura organizada de apariencia vegetal ha desaparecido.

Encíclicas e Iglesia

Así, pues, la diaria observación de la cristalización salival por la propia mujer, y sin necesidad de salir de casa, sería un método eficaz de información acerca de las posibilidades de concepción en un momento determinado de su ciclo.

Y esto con gran comodidad, sin peligro alguno y sin fricción con la moral de la reproducción humana, tan claramente expuesta en la encíclica papal «Humanae Vitae».

No es extraño que el papa Pablo VI haya enviado un mensaje de complacencia a la reunión de expertos que estudia muy seriamente las posibilidades que ofrece este método. .

En todo caso, el comercio ya hace algún tiempo que ha puesto a la venta un aparatito (compuesto principalmente por una lente de gran aumento) que permite la observación de la mentada cristalización salival.

4. Diversos procedimientos

La interrupción

Este método, sin duda el más antiguo y practicado en nuestros países, consiste en la interrupción del acto sexual en el preciso instante en que el varón tiene la sensación de que la eyaculación va a tener lugar. Tal método tiene una gran ventaja, cual es la de no necesitar ningún artificio; pero tampoco está, ni mucho menos, desprovisto de inconvenientes: si el reflejo no es ideal, la eyaculación puede tener lugar dentro de los genitales internos, con el consiguiente riesgo de fecundación; por otra parte, el orgasmo masculino puede malograrse o lograrse imperfectamente; el de la mujer casi con toda seguridad fallará, lo cual da lugar a congestiones eróticas de los genitales que, al repetirse, dan origen al síndrome de congestión pelviana, amén de la irritación y disturbios nerviosos por las excitaciones física y psíquica, sin llegar a la detumescencia corporal y espiritual. El número de fracasos alcanza el 15 por 100.

Las irrigaciones vaginales

Este es un método también antiguo. Las irrigaciones vaginales con cualquier líquido que sea, y a pesar del auxilio de cánulas más o menos perfeccionadas, deben ser proscritas, pues la cavidad vaginal no admite sin protesta intromisiones de tal género. Tales maniobras son peligrosas, además de que, desde el punto de vista anti-concepcional, dejan mucho que desear, pues dan lugar hasta a un 40 por 100 de fracasos.

Los diversos productos espermicidas

Procedimiento ya moderno, estos productos son aplicados por la mujer en la cavidad vaginal cada vez que su intención se lo aconseja. Consisten en geles o cremas de carácter ácido que son fatales para el espermio. Es necesario aplicarlas muy profundamente.

También existen en el comercio óvulos o conos espermicidas cuya introducción resulta más sencilla y menos engorrosa. Así mismo se preparan comprimidos efervescentes que rellenarán más fácilmente la cavidad vaginal.

La seguridad proporcionada por estos medios es muy relativa, ya que los fracasos van del 10 al 15 por 100.

5. La anticoncepción propiamente dicha

Los métodos aislantes

Su fundamento consiste en que oponen una barrera infranqueable al paso de los elementos fecundantes masculinos, de modo que éstos no pueden llegar al útero o matriz.

Masculinos

Consisten en una funda protectora que el varón utiliza, realizada ya la erección. Este envoltorio plástico, de gran resistencia y fir-

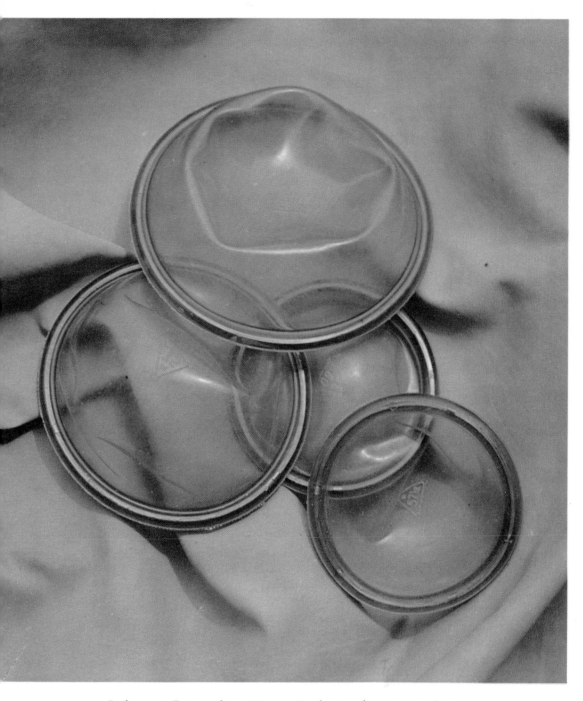

Diafragma. *Este medio anticoncepcional, que abarca gran núme-*
ro de tallas y que se aplica en la vagina, suele acompañarse, para
darle mayor seguridad, con la aplicación de pomadas espermicidas.

41

meza, permite un acto sexual completo, tanto al hombre como a la mujer, pero debe ser retirado antes de que la detumescencia sea completa, pues de lo contrario, se corre el riesgo de que parte del semen masculino pueda salirse y entrar en contacto con los genitales femeninos internos.

La eficacia de los métodos preservadores masculinos es mediana. El porcentaje de fracasos alcanza un 10 por 100.

Femeninos

También existen barreras de caucho para uso femenino, como son los diafragmas y capas cervicales, las cuales son introducidas por la misma mujer en el momento por ella deseado. Siempre deben ser aplicadas acompañadas de una pomada espermicida y permanecer 8 horas en su sitio, aun después del uso de matrimonio. Nosotros pensamos que su uso es particularmente engorroso, si bien hay mujeres que se acomodan muy bien y fácilmente a su uso. Las hay de varias tallas y es el médico quien debe determinar cuál es la que más conviene a la mujer. Después de un parto, debe transcurrir un cierto tiempo para evitar un falseamiento de las medidas, ya que la vagina distendida debe volver a su calibre normal. Su uso se halla contraindicado en los casos de lesiones del cuello uterino, de prolapso genital, de relajamiento del periné.

Para su perfecta utilización, son necesarios ciertos conocimientos de anatomía: foseta retro-sinfisaria delante y fondo de saco vaginal posterior detrás. Su mejor aplicación se halla en los casos de relaciones muy espaciadas y en los de contraindicación o fracaso de otros métodos: tableta o esterilete.

La eficacia de este método varía entre el 90 y 93 por 100 según el grado de instrucción, el medio social y la «motivación» o razones de su uso.

El «esterilete» o dispositivo intra-uterino (D.I.U.)

El «esterilete» es un objeto de pequeño tamaño. Introducido mediante técnicas apropiadas en el interior del útero o matriz, impide la fertilidad durante todo el tiempo que permanece colocado.

Sus orígenes

El esterilete nació de la observación de la costumbre de los árabes del desierto de introducir piedrecitas en el útero de los camellos hembras con el fin de evitarles la preñez.

En 1929 Grafenberg imagina un esterilete formado por hilos de plata. Esta cedió pronto el paso a diversas mezclas. Treinta años más tarde la publicación de docenas de miles de casos de aplicación de este artefacto en Japón e Israel atrae la curiosidad del mundo médico.

Diversos modelos

Existen diversos modelos de esteriletes fabricados en plástico por lo general y opacos a los rayos X, lo cual permite un eventual control radiográfico. Muchos modelos llevan un hilo que queda de intento, fuera de la cavidad uterina, lo que permite tener la seguridad de que no han sido expulsados, con la consiguiente cesación de sus efectos.

Mecanismo de acción

En cuanto al verdadero mecanismo de acción del dispositivo intrauterino (D.I.U.), no sabemos nada con seguridad: ¿Tránsito acelerado de óvulo sencillo o ya fecundado a causa del comprobado aumento de la motilidad de las trompas? ¿Modificaciones físico-químicas de la mucosa uterina que impedirían la nidación de un óvulo fecundado? ¿Otras causas entrevistas o totalmente desconocidas?

En resumen, el D.I.U. es sobre todo un medio abortivo —aunque muy precoz— más bien que un anticoncepcional.

En ciertos países su uso está prohibido y existen reparos morales en el empleo.

Condiciones precisas

Al igual que las tabletas hormonales, este método anti-concepcional necesita ciertas condiciones precisas por parte de la mujer, la cual debe ser atentamente vigilada por el ginecólogo a fin de descubrir cualquier proceso patológico que contraindique su uso: infecciones del aparato genital, tendencia hemorrágica, procesos tumorales, etc.

Su aplicación se lleva a cabo muy fácilmente por el ginecólogo, quien, en algunos minutos, por no decir segundos, y sin anestesia alguna, consigue su colocación. El mejor momento para ello coincide con el final de las reglas, pues el cuello uterino se halla ligeramente entreabierto.

Complicaciones

Por lo general, el D.I.U. es bien tolerado; pero en ocasiones aparecen dolores de vientre, hemorragias, etc. Algunas veces los cólicos se suceden hasta que el aparato es expulsado al exterior. Tal accidente es más fácil y frecuente con motivo del episodio menstrual. La permanencia del D.I.U. puede ser vigilada por la misma mujer, quien controla por el tacto la presencia del hilo que sobresale del orificio externo del cuello de la matriz. Cuando es bien tolerado, puede permanecer colocado durante dos o tres años e incluso indefinidamente, si bien se recomienda su cambio cada par de años y la vigilancia médica de su tolerancia cada seis meses.

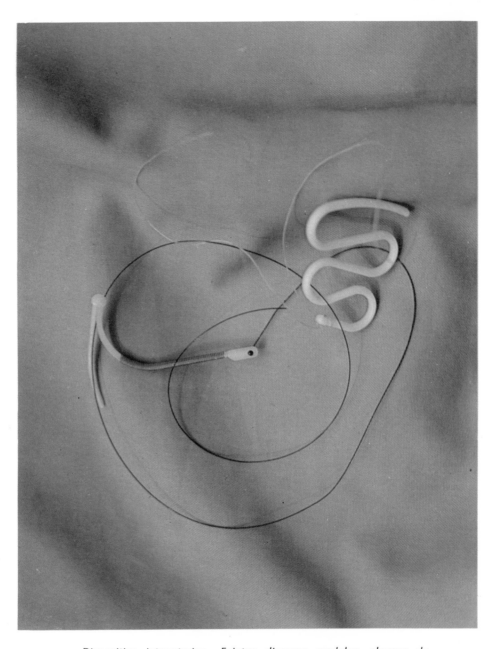

Dispositivo intra-uterino. *Existen diversos modelos, algunos de los cuales ofrecen varias tallas. Su lugar de colocación y de efectos se halla en el interior de la cavidad uterina, en la que puede permanecer durante varios años.*

Su eficacia

Bien que las sustancias empleadas en su fabricación sean reputadas no tóxicas, el hecho de la presencia e irritación mecánica que pueda provocar en el interior del útero, no sabemos si no puede ser causa de alteraciones uterinas origen de procesos morbosos.

A pesar de que su eficacia es bastante grande (97-99 por 100) se han observado embarazos que, por lo demás, han llegado perfectamente a término, a pesar de la permanencia del dispositivo.

Los más recientes modelos

El «último grito» en este método se halla constituido por los esteriletes dotados además de un fino filamento de cobre, lo cual duplica, cuando menos, su eficacia. También son mejor soportados, ya que su tamaño es menor. Como también son más finos, su inserción a través del cuello uterino se halla facilitada. La eficacia de esta nueva generación de esteriletes parece comparable a la de la tableta o «píldora».

El bloqueo de la ovulación. La «píldora»

Orígenes del método

A continuación de los trabajos de Pincus y Chueng-Chang en 1956, se hallan en el mercado mundial desde 1960 unas sustancias de gran utilidad en diversos procesos de la mujer que, además, tienen la propiedad de bloquear o de inhibir la ovulación haciendo estéril temporalmente a la mujer. Su uso se ha extendido por el mundo entero a causa de su efecto anticoncepcional cuya seguridad es del 99 por 100.

Hormonas utilizadas

Los **estrógenos de síntesis** (etinil-estradiol y mestranol, etc.) empleados solos o asociados, son capaces de bloquear la ovulación. Su efecto es semejante al de la foliculina, producida durante todo el ciclo de la mujer.

Los **gestágenos de síntesis,** solos o asociados a los anteriores, producen también el bloqueo de la ovulación. Su efecto es similar al de la progesterona, producida por el ovario en la segunda mitad del ciclo. Los más frecuentemente empleados son la norethindrona, el norethinodrel y el linoestrenol. Conviene que ambos productos sean administrados conjuntamente, para remedar, en lo posible, el equilibrio que ambos ofrecen en el organismo.

Sus efectos

Estos agentes impiden la eclosión del folículo de De Graaf y la puesta ovular o del huevo femenino. Tal acción se ejerce a través del bloque diencéfalo-hipofisario cerebral, con depresión o supresión de las hormonas F.S.H. (maduradora del folículo) e I.C.S.H. (completadora de la maduración folicular e inductora de la ruptura folicular y de la transformación luteínica). Esta interacción hipófisis-ovario actúa sobre las otras glándulas de secreción interna, sin que podamos prever con exactitud cuál es su peligro o su inocuidad a largo plazo.

Localmente producen una atrofia de la mucosa endometrial y un espesamiento del moco cervical que dificulta o impide el tránsito de los espermios.

Modo de administración

El más frecuente consiste en el método combinado o clásico: la toma diaria de una píldora mixta de estrógeno-gestágeno, desde el quinto día del ciclo (quinto de las reglas), hasta el día vigesimoquinto del mismo. Del tercero al quinto día después del cese de la administración aparece la hemorragia menstrual. Al quinto día de las reglas —o al séptimo si éstas no se hubieren presentado— es necesario repetir la misma forma de administración. Si un día se olvidara la toma de la píldora, sería necesario tomar dos al día siguiente. Si la regla no se presentara durante dos meses seguidos, sería necesario consultar al médico (riesgo fetal en caso de embarazo). La píldora debe ser tomada por la noche y su efecto no es seguro hasta el segundo mes de su administración. Su eficacia puede ser considerada como absoluta.

En algunos países ha sido autorizada a la venta una «píldora» administrada en inyección y cuyo efecto dura varios meses. En otros, su venta está prohibida.

En el método «Non Stop», la administración sencilla o mixta tiene lugar todos los días, con supresión total de las reglas. Puede aplicarse después de los partos, durante 90 a 100 días prosiguiendo con un procedimiento discontinuo.

El **método continuo,** con un preparado progestacional de síntesis a pequeñas dosis, no bloquea la ovulación y persiste el ciclo menstrual. Actúa haciendo que el moco cervical sea impermeable a los espermatozoos. Su eficacia es de sólo el 98 por 100.

En el **método secuencial** se administra un estrógeno desde el quinto al vigesimoquinto día del ciclo, añadiendo un gestágeno, del vigesimoprimero al vigesimoquinto día, con el deseo de imitar a la naturaleza. Su inocuidad es mayor y su seguridad menor.

La administración de un gestágeno puro de acetato de cloromadinona a dosis pequeñísimas, impide la fertilidad, bien que no la ovulación. Esta sustancia ha sido retirada del comercio por provocar la aparición de tumores mamarios en la perra de experimentación. Un método cómodo y eficaz consiste en la práctica de una inyección intramuscular trimestral de 150 miligramos de acetato de medroxiprogesterona. De efecto prolongado es también la píldora del vigesimoquinto día, compuesta de etilestradiol ciclopentiléter y clormadinona.

En 1966 Pincus y Chang preparan una nueva píldora, la «morning-after-pill», es decir: la píldora del día siguiente, opuesta a la nidación del óvulo fecundado. Su clara intención abortiva y los trastornos que produce en el 40 por 100 de los casos, hace que la reprobemos totalmente.

Precauciones elementales

Toda administración de estro-gestágenos debe ir precedida de un minucioso examen clínico. Este será especialmente riguroso en lo que concierne al examen de los pechos, en los que no debe existir ningún módulo o grosor sospechoso. El examen ginecológico, mediante el tacto combinado, comprenderá sobre todo el estado de los órganos genitales internos y el del tamaño del útero en particular. El examen del cuello uterino y el de las secreciones uterovaginales es ineludible. El examen biológico de la sangre debe comprender el estudio del azúcar, del colesterol, de los lípidos totales, de los triglicéridos y la numeración de las plaquetas. El examen clínico, en el que no se omitirá la toma de la tensión arterial, debe repetirse, como mínimo, cada seis meses. El examen biológico y el frotis de detección del cáncer, cada año.

Inconvenientes de los antiovulatorios

A fuer de ser sinceros hemos de confesar que estos preparados son bastante bien soportados por las mujeres sanas; sin embargo, hemos de poner en guardia contra posibles trastornos próximos o lejanos, amén de los incidentes y accidentes que, solos o asociados, vemos con bastante frecuencia. Tales disturbios son más frecuentes en el primer ciclo de administración y pueden cesar en los siguientes o cambiando de producto. Si así no fuera, habrá que prescindir de ellos.

1. **Náuseas y trastornos digestivos.** Suelen aparecer en el 20 ó 30 por 100 de los casos. Para evitarlos es aconsejable tomar las píldoras al acostarse.

2. **Vértigos y cefaleas.** Se dan en el 5 por 100 de los casos y son debidos a un ligero edema cerebral determinado por la retención del agua y de sal por perturbación de la glándula córtico-suprarrenal.

3. **Aumento de peso.** Un aumento de peso de 2 a 4 kilogramos es bastante frecuente. Si éste llegara hasta los 5 kilogramos, sería aconsejable cambiar de producto o, en su caso, de método de anticoncepción. Se debe al aumento de aldosterona suprarrenal.

4. **Hemorragias.** No son muy frecuentes: por lo general, algunas gotas de sangre nada más. Más frecuente es que las reglas disminuyan en cantidad y duración.

Entre los métodos más en boga para el control de la natalidad se halla el de «la píldora». Aunque no hay estadísticas definitivas en cuanto a los efectos secundarios que puede producir, sí que es seguro que debe ser tomada bajo control médico, pues no todos los organismos la soportan por igual. Se calcula que el número de mujeres que toman la píldora en España asciende a 750.000 aproximadamente.

5. **Trastornos hepáticos.** Las cifras de mal funcionamiento hepático se hacen ostensibles por la alteración de las transaminasas y de la eliminación de la B.S.T., sin que sepamos exactamente si la lesión es de origen celular o excretor.

6. **Trastornos sanguíneos y de la coagulación.** Mucho se ha hablado y escrito sobre los riesgos de trombosis y embolias. Parece evidente un aumento de los factores VII y VIII y del fibrinógeno que intervienen en la coagulación de la sangre.

7. **Trastornos psíquicos.** Parece que, efectivamente, ciertos trastornos psíquicos pueden acentuarse e incluso aparecer a raíz de la administración de las diferentes píldoras, sobre todo en personas predispuestas en las que el mal se hallaba en estado latente. La irritabilidad y los estados depresivos no son infrecuentes.

8. **Modificaciones en la libido o apetencial sexual.** Son frecuentes las alteraciones en más o en menos, dependiendo de la composición del producto, de la constitución de la mujer y de su propia personalidad.

9. **Riesgo de masculinización.** Tal posibilidad es mayor con ciertos preparados y se manifiesta, sobre todo, por el aparecimiento de pelo. No es complicación frecuente; pero su hallazgo obliga a la cesación de la administración.

10. **Pigmentación.** Pueden aparecer manchas sobre el rostro parecidas a las producidas en el embarazo; pero que no regresan más que incompletamente a la cesación del tratamiento.

11. **Tumores malignos y benignos.** No parece que aumenten el riesgo de su producción. Sin embargo, cuando éstos existen, tales sustancias no deben administrarse.

12. **Menopausia.** No parece que ejerzan gran acción sobre una eventual precipitación o retraso de la misma.

La cesación del tratamiento

Cuando cesa la administración de estos preparados las reglas suelen restablecerse entre las 4 y 8 semanas. La normalidad de la mucosa uterina se recupera entre el 3.º y el 6.º mes. Los embarazos no suelen hacerse esperar.

Indicaciones

La primera de ellas existe cuando hay necesidad de asegurar una infecundidad temporal por causas suficientes, a condición, claro es, de que no exista ninguna contraindicación y de que la prescripción sea hecha tras examen médico general, endocrino y ginecológico, con posterior y reiterada vigilancia médica. Su gran seguridad de acción (menos del 1 por 100 de fracasos) no exime a la mujer de la disciplina de la toma diaria que no permite ningún olvido. Se halla también indicada cuando otros métodos no son válidos o aconsejables. Y sin traba o impedimento alguno, cuando se trate de remedios a estados ginecológicos.

Contraindicaciones

Entre las principales contraindicaciones tenemos el mal estado circulatorio de los miembros con varices o trombofletitis actuales o anteriores, los accidentes vasculares cerebrales, los estados de hipertensión sanguínea, las alteraciones hepáticas actuales o pasadas —sobre todo, las ictericias—. También, claro es, las alteraciones psíquicas y cualquier clase de tumor. El carácter despreocupado de la mujer constituye también una contraindicación, pues conduce al fracaso del método.

Vigilancia médica

La vigilancia del médico debe ser estricta y constante. Es él quien después de un examen muy atento, general, endocrino y ginecológico, determinará la oportunidad de la administración y cuál es el preparado más adecuado.

La ley francesa prescribe la venta de estos productos (cuadro A) bajo receta médica (no renovable por el farmacéutico) y sólo a los adultos o a los menores no emancipados a condición de que en la receta médica figure el consentimiento escrito de uno de los padres o del representante legal.

La mujer se presentará al médico después de los meses 1.º, 2.º y 3.º de tratamiento y, posteriormente, cada 4 a 6 meses. Lo mismo debe hacer si las reglas faltan durante dos ciclos consecutivos.

Resumen y puesta en guardia

Los estroprogestativos de síntesis son medicamentos de una gran seguridad de acción en orden al tratamiento de ciertos desórdenes ginecológicos y a la justificada limitación de nacimientos. En cada caso particular, su administración es fácil y su precio bastante asequible. A causa de los posibles incidentes o accidentes provocados por su uso, deben ser prescritos por el médico tras un examen muy concienzudo apoyado por exámenes de laboratorio. La vigilancia médica debe ser constante.

Hemos hecho hincapié en el modo de acción a través del bloque diencefalohipofisario con pérdida del normal equilibrio interhormonal, con interferencia sobre los procesos metabólicos generales, la tensión arterial, el hígado, el tiroides, etc.

El informe de la O.M.S.

La O.M.S. en el informe de la comisión de expertos de la contracepción oral dice que es necesario un lapso de varias decenas de años para poder juzgar objetivamente sobre los verdaderos efectos de esta forma de contracepción oral.

Por tanto, repetimos, no se deben utilizar estos productos y métodos más que con motivos suficientes y siempre bajo control médico.

Aspectos morales

Es curioso señalar que algunos de los mecanismos de acción de «la píldora» estarían de acuerdo con la moral católica: frenaje hipofisario, bloqueo ovular y espesamiento del moco cervical; en tanto que otros, al contrario, estarían en desacuerdo con ella: incapacidad de las trompas para acarrear al óvulo fecundado e imposibilidad de la mucosa uterina para alojarlo y hacerlo prosperar.

6. Los métodos esterilizadores

Los métodos esterilizadores radiológicos o quirúrgicos son totalmente desaconsejables, pues, además de sus repercusiones morales y legales, suponen una mutilación física y psíquica de la persona.

CUADRO DE EFICACIA DE LOS DISTINTOS METODOS ANTICONCEPCIONALES

Métodos	Eficacia	Inocuidad	Aceptabilidad	Reversibilidad
Ogino y Knaus	75-85%	++++	Buena	Ideal
Temperatura	90-99%	++++	Mediana	Ideal
Cristalización salival	En estudio	++++	Mediana	Ideal
Interrupción	80-85%	+++	Buena	Buena
Irrigaciones	60%	+++	Mediana	Buena
Productos espermicidas	85-90%	+++	Mediana	Buena
Preservativo masculino	90-92%	++++	Buena	Buena
Preservativo femenino	90-93%	++++	Mediana	Buena
D.I.U. («esterilete»)	97-99%	+++	Mediana	Satisfactoria
La «píldora»	99,2%	+++	Buena	Satisfactoria
Esterilización quirúrgica	99,8%	++++	Buena	Imposible
Esterilización radiológica ...	99,8%	++++	Buena	Imposible

Eficacia:

Se refiere a la mayor o menor seguridad que se puede obtener según el cuidado con que se aplique el método, o sus variantes.

Inocuidad:

Ausencia de efectos locales o generales, perjudiciales para la madre o el feto en caso de que hubiera embarazo.

Aceptabilidad:

Porcentaje de continuidad en el método y ausencia de obstáculos religiosos, morales, psicológicos, legales, etc.

Reversibilidad:

Rapidez de retorno al estado anterior una vez cesada la intención o el método anticoncepcional.

Observaciones:

Si el lector hallare que nuestro cuadro difiere de otros, piense en que el de cada autor es diferente, ya que los resultados dependen del grado de desarrollo cultural, económico y social de los grupos objeto de estudio.

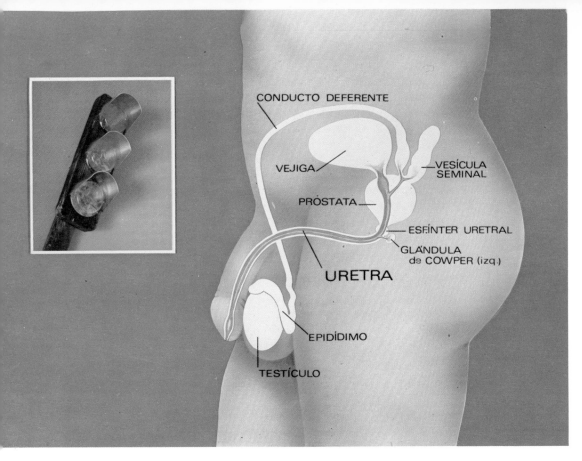

Fig. 56. Aparato urogenital masculino y glándulas anejas.—La interrupción de la continuidad del trayecto de los conductos deferentes, por cualquier procedimiento que sea, conduce a la esterilidad del varón.

Los métodos quirúrgicos

Estos métodos consisten: en la mujer, en la extirpación de los ovarios, o de las trompas, o en la ligadura de éstas; en el hombre, en la ligadura de los conductos deferentes. También es practicada por algunos la obstrucción temporal de los conductos deferentes por unos filamentos que pueden ser retirados en cualquier momento con toda facilidad (véase Fig. 56).

Los clips del Dr. Bliss, profesor en la Universidad de Cincinnati, consisten en unas pinzas diminutas en acero inoxidable. Se aplican de modo que compriman el cordón espermático, ocluyendo su luz. Para evitar que resbalen, su superficie interna es irregular. Cada par de pinzas, para cada cordón, se halla separado por un tallo de politileno que mantiene separados los extremos del cordón espermático al que se aplican. Su aplicación, que es sencilla, se efectúa bajo anestesia local. En teoría, al quitar los clips, el tránsito espermático se restablece; pero, en realidad, parece que esto no ocurre más que en el 50 por 100, aproximadamente, de los casos.

Un nuevo método de esterilización quirúrgica, «a mínima», de la mujer consiste en cegar la luz de las trompas mediante agrafes que las compriman, impidiendo el paso de los espermios. Para colocarlos, no es necesario abrir el vientre; basta con introducir en la cavidad del mismo, a través de un ojal practicado en su pared, un pequeño aparato dotado de un dispositivo óptico y de los agrafes que se aplican a las trompas accionando los mandos desde fuera.

También se efectúan, con la misma intención esterilizadora, la electrocoagulación del orificio uterino de las trompas sin tener que recurrir, por tanto, a la penetración en el vientre.

Los métodos radiológicos

Tales procedimientos tienen por base la destrucción del tejido glandular productor de semillas humanas; es decir, es una castración por los rayos X, temporal o definitiva, según las dosis empleadas.

7. Los métodos inmunológicos

Consisten en el logro de sustancias que, administradas al varón, tienen por objeto la supresión de la espermatogénesis por mecanismos semejantes a los de la prevención de las enfermedades mediante vacunaciones. Se han hecho experimentos en animales y en voluntarios humanos. Parece que puedan esperarse positivas aplicaciones prácticas.

8. Las prácticas abortivas

Una lamentable realidad

Al final, bien que venciendo nuestra primera resistencia, vamos a decir algo acerca del aborto provocado o criminal. Efectivamente, en un libro como éste no debía faltar una alusión clara y rotunda a esta lamentable realidad de la supresión de una vida en flor, maravilla de la naturaleza y cúmulo de potencias humanas y sobrenaturales. En realidad, Dios le dio la vida, bien que por delegación, y nosotros no somos quiénes para quitársela.

Estado actual del problema en España

Según los datos de la Memoria Fiscal del Tribunal Supremo correspondiente al año judicial 1973-74, sobre la problemática del aborto y sus consideraciones científicas, el número anual de abortos en España es del orden de los 300.000 aproximadamente.

Véase, pues, que la importancia del problema no permite que lo soslayemos.

Un acto contra la vida

El aborto no es un método de regulación de nacimientos del cual podamos usar como del método de las temperaturas, por ejemplo, que no tienen nada contra la moral, pues que se apoyan en hechos fisiológicos que aprovechamos en favor de nuestros deseos lícitos; el aborto provocado, la interrupción voluntaria de la gestación —por no importa qué procedimiento y sea quien sea la persona que lo practique— es un acto contra la vida: la Iglesia lo condena, las leyes lo sancionan con rigor y cualquier personalidad honesta reconoce que es un acto que la conciencia repugna.

Sus grandes peligros

Desde el punto de vista médico y quirúrgico, el aborto provocado está aún lleno de peligros. No vamos ya a referirnos a los disturbios psíquicos, complejo de culpabilidad, remordimientos u otros que en mayor o menor grado pueden asaltar a la protagonista y animadores, sino más bien a la agravación de ciertas enfermedades o aparecimiento de otras como consecuencia de la práctica abortiva. Que el aborto sea practicado por manos inhábiles o por la de los expertos, sabemos, porque los últimos congresos de especialistas lo han recalcado bien, que los peligros existen y sus consecuencias también. Las complicaciones, cuando se trata de los procedimientos utilizados por la misma mujer, su familia, o las «comadres», o pequeños técnicos, a nadie extraña. Sin embargo, éstas también existen cuando son médicos, indignos de este nombre, los que lo practican, pues aun el aborto realizado en las mejores condiciones médicas y quirúrgicas y aun cuando sea practicado mediante los procedimientos modernos de la aspiración u otros, conduce a un cierto número de complicaciones y de mortalidad imposibles de evitar. Y no queremos extendernos más.

La responsabilidad de cada cual

Y téngase en cuenta que el aborto es un acto irreversible, en el cual no cabe después, una vez ejecutado, volverse atrás. No hay ya lugar para arrepentirse, para deshacer lo hecho, lo cual le añade otra magnitud más de acto de importancia extraordinaria y vital. Cometido, es una fatal realidad que acompañará al actuante y a los participantes durante toda su vida. En cuanto a la víctima...

Cada uno, pues, piense en su responsabilidad: para consigo mismo, con respecto a la sociedad y en relación con el Creador a quien sólo pertenece el disponer de la vida, pues que El sólo es capaz de otorgarla.

9. Los centros de planificación y de educación familiar

Diversos riesgos en el mundo actual

Como decíamos al comienzo de este capítulo, el problema demográfico inquieta al mundo entero. La miseria que sufren algunos pueblos sin suficientes recursos y el peligro que corren otros pueblos por la explosión demográfica de los que pueden ser sus enemigos, así como el riesgo grave del descenso de nacimientos en el mundo occidental, ponen sobre el tapete y con acuidad el problema de la regulación de los nacimientos.

Para limitar los peligros

Nuestros pueblos con alto nivel de vida, para su mayor confort, y los países subdesarrollados para mejor subsistir, procuran limitar sus nacimientos. Es una tendencia incontrovertible.

Para limitar los peligros de tal tendencia y de sus resultados, los países interesados legislan sin cesar. De ahí la creación en algunos de ellos de los «Centros de Planificación y de Educación Familiar». Entre otros, el cometido de estos centros es:

La educación familiar (problema de las relaciones conyugales, esterilidad involuntaria, maternidad, parto, etc.).

La información sobre los métodos de la regulación de los nacimientos.

Las consultas e intervenciones para facilitar o regular los nacimientos.

Los centros asociados

Estos centros se hallan adscritos a un centro oficial hospitalario y funcionan bajo la dirección del jefe de los servicios de Obstetricia y Ginecología. Según la intención del citado sistema, estos centros formarán, junto con las consultas prenatales, de genética y de lucha contra la esterilidad, los elementos avanzados de una política de reagrupamiento de todos los problemas de la natalidad.

Objetivo: protección de la natalidad

En realidad, aunque pudiera parecer lo contrario, estos centros en nuestros países persiguen encarnizadamente el desterrar el aborto criminal y el descenso de la natalidad. Para ello tienen que consentir el mal menor de orientar acerca de la manera menos peligrosa de evitar la concepción, contribuyendo así a la salud de la población, la cual procuran, además, acrecentar y proteger luchando contra la esterilidad, protegiendo cada vez más la natalidad e incrementando la protección maternal e infantil.

LIBRO TERCERO

EL NIÑO

Puericultura y Pediatría.

Principios generales sobre educación.

Accidentes y urgencias en la infancia.

Dra. GALBES DE AGUILAR

658

Sección XII

Puericultura preconcepcional y prenatal

45

Bases de la Puericultura preconcepcional

La Puericultura preconcepcional halla su más sólida base en el estudio de la Eugenesia y en el de las leyes y fenómenos de la herencia. A ambos interesantes aspectos del problema vamos a referirnos a continuación.

1. La Eugenesia

Definición

La Eugenesia es la ciencia cuyas reglas deben ser escrupulosamente observadas por los futuros padres, al objeto de que los también futuros niños puedan ser concebidos en las mejores condiciones. Eugenesia es también, según la definición de Galton, «el estudio de los factores sociales que pueden mejorar o empobrecer los caracteres hereditarios de las generaciones futuras».

Importancia de la Eugenesia

Para convencerse de su importancia, basta con mirar en derredor y ver tantos pobres niños dolientes y enfermizos, triste y lamentable fruto de padres alcohólicos, sifilíticos o perturbados en mayor o menor grado. Ante este trágico espectáculo de criaturas inocentes, paralíticas o enfermas, un escritor exclamaba, y con razón: «Traer al mundo una tal progenie es un crimen de lesa humanidad.» La desgracia estriba en que los padres de tales hijos, en vez de examinar si no son ellos la causa de tales tragedias, hallan más cómodo echar la culpa al Creador. Es así como el padre de una niña paralítica blasfemaba contra el Cielo, olvidando que las leyes de la herencia son inmutables y que su niña sufría las consecuencias de la vida disoluta de su progenitor.

Un ejemplo

Con frecuencia se trata más que de una criminal negligencia, de una sencilla y profunda ignorancia. El hombre que bebe alcohol en abundancia, la mujer que fuma, creen que no se perjudican más que ellos mismos, y luego se sorprenden al ver que las taras o defectos se presentan en su descendencia. Se cuenta de un cargador, cuya tarea era descargar camiones en el gran mercado de París, lo siguiente: inquieto de ver a su hijo tan pálido y esmirriado, lo llevó a la consulta del célebre profesor Bouchard; el niño ofrecía un contraste llamativo con su padre, tan corpulento, tan colorado —demasiado, a juicio del profesor que lo observó con atención—, y que al cabo de un momento le dijo con energía: «Esto es sencillamente el hijo de un alcohólico.» El padre se sobresaltó, y lleno de indignación exclamó: «Pero yo no me he emborrachado jamás, doctor.» «Esto es lo que yo pensaba: el alcoholismo crónico. Sepa que el vino que usted toma con tanta regularidad ha hecho de usted un alcohólico crónico, y el resultado..., helo aquí», dijo, señalando al niño.

Males de la ignorancia

No obstante, ¡cuántos padres son también ignorantes y proceden con tanta inconsciencia como este hombre!

El caso citado más arriba va a despertar ciertamente temores en más de una madre: ésta, que habrá tenido un abuelo o unos padres locos o tuberculosos, o con otra grave enfermedad, se preguntará con angustia si sus hijos no corren el peligro de heredar estas taras. Otra habrá tenido una madre cardiaca o cancerosa y temerá llegar a serlo ella misma; otra querrá saber si su futuro hijo tendrá los ojos azules como su marido. Aquí está planteado el gran problema, siempre interesante, de la herencia.

Una semilla, en el reino vegetal, por pequeña que sea, es ya algo bien complicado y formado de un gran número de células. La célula es el elemento más simple que constituye la materia viviente; los vegetales, como los animales, son compuestos de tejidos, los cuales son una reunión de células, igual que una casa se compone de ladrillos y una tela de innumerables hilos. Por lo general, la célula es demasiado pequeña para ser percibida a simple vista; pero podemos observarla muy bien con ayuda de un microscopio.

2. La genética «al día»

En estos últimos años, los investigadores en genética o ciencia de la descendencia han polarizado principalmente sus esfuerzos en el estudio de la síntesis de las proteínas, del código genético, de los cromosomas sanos y enfermos, de la localización de los genes y del origen genético o no de ciertos caracteres y enfermedades.

Garrod afirma a principios de este siglo que las enfermedades hereditarias son debidas a errores congénitos del metabolismo. Veinte años más tarde Beadle y Tatum sostienen que a cada gene corresponde una proteína o una fracción de proteína. Hay que llegar a 1940 para considerar a los ácidos nucleicos ya descritos varias décadas antes, como indispensables en la síntesis de las proteínas y necesarios en la transmisión de los caracteres hereditarios.

En 1953, Watson y Crick emiten nuevas hipótesis a propósito de la estructura de los cromosomas portadores de la herencia y constituidos fundamentalmente por el ácido desoxirribonucleico (ADN). Estos autores imaginan la molécula de ADN como dos filamentos o tallos complementarios enrollados en forma de doble hélice y compuestos por nucleótidos. Se hallan unidos entre sí, como por barrotes de escalera, por bases púricas o pirimidínicas. Los nucleótidos fundamentales presentes en cada molécula se elevan a decenas y aun centenas de millares; su disposición particular en cada molécula constituye el mensaje o código genético propio a cada cromosoma. Esta estructura espacial, comparada a una escalera helicoidal de la molécula de ADN integrante del cromosoma, permite comprender la capacidad de autoduplicación cromosómica con desdoblamiento de los caracteres hereditarios, la capacidad de albergar un mensaje cifrado que perpetúa las características del género humano, por ejemplo, y las posibilidades de mutación.

Jacob y Monod en 1961 descubren el papel de «mensajeros» de ciertos ácidos y, mucho más recientemente se descifra el código genético cromosómico y se describe la estructura de alguno de los millones de ácidos nucleicos portadores de la herencia y del código genético cifrado.

De la trasmisión de los caracteres normales y patológicos de padres a hijos vamos a tener ocasión de ocuparnos ampliamente en esta sección.

3. La herencia y sus misterios

Generalidades

Cada célula de nuestro cuerpo contiene en su núcleo 23 cromosomas de origen paterno y 23 cromosomas de origen materno, lo que hace un total de 46. Cuál sea la función de estos minúsculos bastoncillos es lo que vamos a ver a continuación. Todas las características familiares del ser viviente y proporcionadas por ambos padres, tales como el vigor o la debilidad, los ojos oscuros o claros, la talla alta o baja, los cabellos lisos o rizados, la irritabilidad o la calma, etc., se hallan contenidas en los cromosomas.

Fig. 57. Ejemplo de dominancia.—El estudio de los caracteres dominantes y recesivos de los progenitores nos permiten sospechar cuáles serán los caracteres que aparecerán en los hijos de sujetos determinados, tales como el color de los ojos.

Los genes albergados por los cromosomas de las células sexuales llevan las características hereditarias de los genitores. La participación de los genes de ambos da lugar a la transmisión de los caracteres del padre y de la madre, tal como se representa en el siguiente cuadro, relativo al color del cabello.

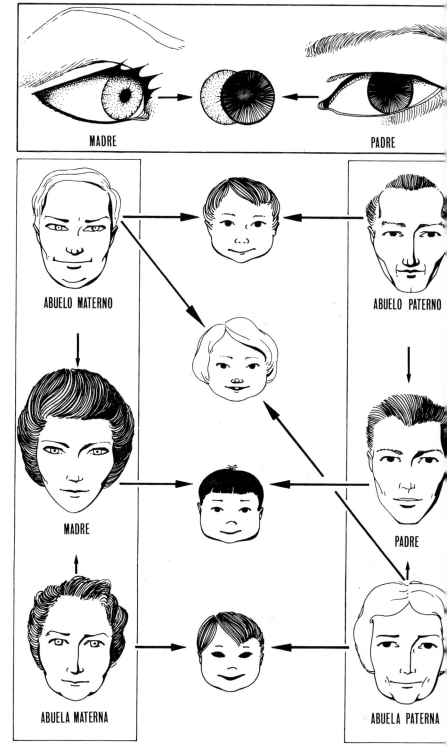

MADRE

PADRE

ABUELO MATERNO

ABUELO PATERNO

MADRE

PADRE

ABUELA MATERNA

ABUELA PATERNA

664

En los matrimonios mixtos, entre negro y blanca, los hijos pueden tener el color de la piel y las características de la raza blanca, o bien, por el contrario, pueden ser negros o una mezcla de ambas razas.

Pero aunque el aspecto de éstos sea el que corresponde a la raza blanca, sus hijos podrán ser negros. Las leyes de la herencia tienen validez para más de una generación.

665

Cromosomas y genes

Cada cromosoma se halla formado a su vez por un gran número de elementos llamados genes, los cuales son el soporte de los caracteres hereditarios.

Su disposición en la célula

Estos genes se hallan agrupados por parejas, igual que los cromosomas, y con motivo de la división celular, la mitad se dirige a la célula hija; cada cromosoma se dividirá en dos, las mitades dirigidas hacia los polos opuestos de la célula, la cual también se dividirá, resultando la formación de una nueva célula que contiene el mismo número de cromosomas (aquí ocho) que la célula original. En una de sus partes los cromosomas no se dividen, pero una mitad de cada uno, uno de cada pareja, es expulsado de la célula y desechado: el resultado de esta división, llamada reductora, es una célula reproductora que contiene la mitad de los cromosomas.

Transmisión de características hereditarias

Los genes, que, como hemos indicado, se agrupan por parejas, transportan las caraterísticas hereditarias del padre y de la madre, tales como la talla, color de los ojos y de los cabellos, etc.

Así, por ejemplo, si los ojos de los padres son negros, en las células del niño los genes portadores de estas características serán los mismos. Por el contrario, si es el padre de pequeña estatura y la madre alta, el niño tendrá en sus células uno de los genes portadores de la característica «gran talla», y el otro, procedente del padre, con la característica «pequeña talla».

Caracteres dominantes y recesivos

Los factores pequeña talla y ojos azules son recesivos e inaparentes. Un factor es dominante cuando unido con el carácter opuesto tiende a borrarlo, a dominarlo. Un carácter recesivo es aquel que tiende a borrarse, a hacerse inaparente cuando se une con un carácter dominante. De suerte que cuando dos factores dominantes se encuentran, el resultado es la aparición de ese factor dominante en el individuo que resulta.

Cuando un factor dominante encuentra un factor recesivo, el resultado es el factor dominante. Cuando un factor recesivo encuentra uno dominante, el resultado es el factor dominante. Cuando un factor recesivo encuentra a otro recesivo, el resultado es, cualquiera que sea, el recesivo.

Supongamos que un hombre moreno (de padre moreno y de madre rubia) y una mujer morena (de padre rubio y de madre morena se casan. Hay varias posibilidades, véase el esquema y explicaciones (Fig. 57).

En este caso citado hay, pues, tres veces más posibilidades para que el niño sea moreno más bien que rubio, pues que el carácter moreno es dominante. Evidentemente, el color moreno resultante del cruzamiento entre un rubio y un moreno será menos acentuado que si se tratara del cruzamiento de dos morenos.

4. Herencia de los caracteres físicos y fisiológicos

La forma de la cara y del cráneo. Ciertas razas tienen un cráneo alargado (dolicocefalia); otras lo tienen acortado o más redondeado (braquicefalia).

También la forma de la nariz, considerada con razón como un carácter racial y dependiendo de una serie de factores. Parece que la nariz chata está determinada por un carácter recesivo, en tanto que la nariz aguileña está determinada por un carácter dominante. Es decir, que si uno de los padres es chato y el otro tiene una nariz recta o aguileña, los niños tendrán la nariz más bien recta o aguileña.

La talla

Pero ¿cuál será la talla del niño? Ya que uno de sus padres es alto y el otro bajo, diréis vosotros que mediano; pues no, será alto, pues que el factor «gran talla» es un carácter llamado dominante, es decir, que él borra, hace inaparente al otro carácter, que es llamado negativo o recesivo.

Pero hay que contar también con los factores postnatales, tales como la alimentación, etc. Si a un niño fruto de padres altos no se le administra una ración suficiente de leche o, en general, de proteínas, no crecerá todo lo que debiera y hubiera podido crecer.

El color de la piel

El color de la piel, tan característico de ciertas razas, también se transmite siguiendo las leyes de Mendel. En el cruzamiento de individuos de raza blanca, en la segunda generación podrán aparecer hijos de color chocolate, otros totalmente negros y puede que uno totalmente blanco.

Color y forma de los ojos

¿Y si el padre tiene los ojos negros y la madre los tiene azules? Pues bien, el niño tendrá los ojos negros, ya que este carácter es dominante.

Así, pues, este individuo tendrá los ojos negros y una talla alta, pero puede ocurrir que casándose este mismo con una mujer grandota, algunos de los hijos de este hombre de gran talla sean pequeños.

Observad las figuras 57-58. Si todas las células del cuerpo de este individuo tienen los genes procedentes del padre y de la madre, por el contrario, sus células reproductoras, por el hecho de haber eliminado la mitad de los cromosomas (por tanto, también de los genes), presentan esquemáticamente las unas solamente las características heredadas del padre, las otras solamente los factores heredados de la madre; en el caso del esquema, sólo quedan los genes de procedencia paterna en lo que concierne a la talla, o sea el factor «pequeña talla». Si suponemos que el mismo proceso se opera en la mujer de este hombre, ella tiene en sus cromosomas el factor gran talla y el factor pequeña talla; pero si en la célula reproductora que va a ser fecundada sólo queda el factor «pequeña talla», es claro que el niño nacido de esta conjugación será pequeño.

En cuanto a la forma achinada de los ojos, con pliegue oblicuo que cubre el ángulo palpebral interno y que es característica de la raza asiática, es, según los genéticos, un carácter dominante, y así nos explicamos que los hijos de una mujer blanca con ojos azules casada con un asiático presenten los ojos tan asiáticos como el padre.

Dientes

Se ha demostrado que ciertas características son hereditarias; así, si los padres han tenido una dentición tardía en su infancia, también la tendrán los niños. Si vosotros tenéis bonitos dientes, es probable que vuestros niños los tengan también.

Color y forma del cabello

Si uno de los padres tiene los cabellos rizados, hay grandes posibilidades de que los niños también los tengan, incluso si el otro cónyuge los tiene ultralisos, porque el rizado es un carácter dominante. En cuanto al color, hemos dicho que son los tonos oscuros los que dominan sobre los tonos claros. El albinismo, que es una despigmentación total de los cabellos y pelos, es un carácter recesivo.

Actividades digestivas

Ciertos estudios han permitido sacar la conclusión de que algunas funciones, tales como la actividad digestiva y los procesos de cicatrización, por ejemplo, son hereditarios.

Pubertad y menopausia

La aparición de la pubertad, aunque influenciada por diversos factores (el clima en particular), está en relación con la herencia.

Cedida por amabilidad de la O.M.S., Ginebra.

Junto a los caracteres físicos, los cromosomas pueden transmitir caracteres psíquicos particulares y aptitudes especiales. En la familia Kennedy tenemos un claro ejemplo de lo dicho: se aprecia fácilmente en los hermanos su parecido físico, así como la similitud de sus actividades profesionales. Los cromosomas de la fotografía se hallan reproducidos con un aumento de seis mil veces.

Del mismo modo, la presentación de la menopausia en la mujer, la vejez más o menos precoz, parecen hereditarias.

Grupo sanguíneo

Algunas características fisiológicas, tales como el grupo san-guíneo de cada persona, se transmiten de padres a hijos, de una manera tal, que la determinación del grupo sanguíneo ha permitido poner seriamente en duda la maternidad o la paternidad de un sujeto.

Algunos ejemplos

Si los padres tienen los ojos azules y son el uno alto y el otro bajo, el niño será alto y tendrá los ojos azules. Si uno de los progenitores tiene los ojos oscuros, el niño los tendrá también. Hemos visto, en efecto, que los caracteres talla grande y ojos negros son dominantes.

Los padres son morenos y de pequeña talla. El niño será moreno y de pequeña talla.

Resumiendo:

I.   Gran talla+gran talla=gran talla.
     Pequeña talla+pequeña talla=pequeña talla.
     Gran talla+pequeña talla=gran talla.
     Pequeña talla+gran talla=gran talla.

II. Ojos azules+ojos oscuros=ojos oscuros.
     Ojos oscuros+ojos oscuros=ojos oscuros.
     Ojos oscuros+ojos azules=ojos oscuros.
     Ojos azules+ojos azules=ojos azules.

Resistencia a las enfermedades

También se ha demostrado que los padres legan a su progenie esa capacidad particular de resistir a una determinada enfermedad, y que se llama inmunidad. Es así como un niño, cuyos padres han sido indemnes a la escarlatina, tendrá grandes probabilidades de serlo también. Mientras que en otras familias, en las que uno de los padres ha sufrido esta enfermedad, los niños la adquirirán con más facilidad. Igual ocurre con la difteria.

5. Herencia de los caracteres psíquicos y psicológicos

Pero no son solamente los caracteres físicos los que se heredan, sino también los caracteres o «dones» psíquicos; mas aquí el estudio se hace mucho más difícil.

Talento musical

En lo que concierne al talento y cualidades, que son dones psíquicos más fácilmente reconocibles, puede decirse que se transmiten según las leyes mendelianas; es esto lo que ocurre con el talento musical, habiéndolo podido observar hasta en seis generaciones en la ascendencia y descendencia del genial Bach, lo mismo que en las de Beethoven y Mozart.

Talento matemático

El talento matemático es transmisible, y sería también, como el don de la música, un conjunto de caracteres dominantes.

Encuestas realizadas entre viejos maestros de pequeñas localidades, en lo que concierne a los alumnos y sus padres, han permitido ver que si sus padres habían sido buenos alumnos, la mayor parte de sus hijos estaban también, a su vez, bien dotados. Por el contrario, padres mal dotados daban nacimiento a una fuerte proporción de hijos poco dotados y solamente un débil porcentaje de buenos alumnos.

Temperamento

En lo que se refiere al temperamento se confunde generalmente con el carácter. Es cierto que se debe en gran parte a la herencia, y con frecuencia se oye: «Mi hijo tiene un temperamento impulsivo como su abuelo», «Mi hija es tan tranquila como su madre».

Otros rasgos, tales como la sensibilidad natural, el temperamento jovial o triste, también parece que se heredan.

6. Las leyes de la herencia

Todos estos ejemplos nos demuestran, por las proporciones que los determinan, que hay leyes precisas que rigen la herencia.

Gregorio Mendel y sus experiencias

Esta se ha hecho menos misteriosa desde que el monje austríaco Mendel, en el año 1864, y después de pacientes investigaciones, fijó sus leyes. Gregorio Mendel, profesor en Briun (Austria), realizó millares de experiencias con guisantes. Cruzó guisantes amarillos y rugosos y guisantes verdes y lisos.

Después cruzó híbridos entre ellos. Los resultados siempre fueron idénticos y pudo deducir de sus estudios las leyes fijas de la herencia.

Para una mejor comprensión, simplificaremos las cosas considerando un solo carácter; por ejemplo, el color; sean guisantes amarillos (A) cruzados con guisantes verdes (V) (Fig. 58). El resultado es la obtención de guisantes amarillos.

Crucemos estos híbridos que son amarillos, pero que tienen también el carácter recesivo, escondido, verde. Tendremos una propor-

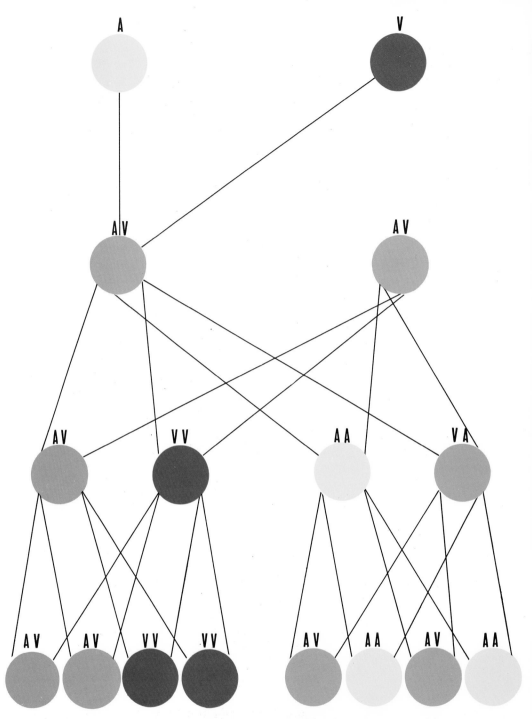

Fig. 58. La herencia según las leyes de Mendel.—El monje austríaco Gregorio Mendel realizó millares de experiencias con guisantes y, después de pacientes investigaciones, sentó sólidamente las bases de la herencia y estableció leyes que no fueron debidamente apreciadas en su tiempo y que son superponibles a las modernas teorías cromosómicas y genéticas.

(Obsérvese a la derecha un ejemplo con conejos.)

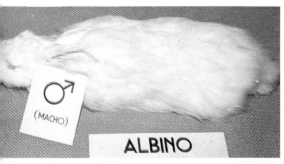

(MACHO) ALBINO

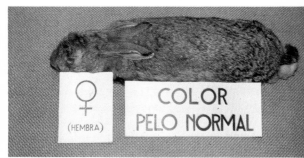

(HEMBRA) COLOR PELO NORMAL

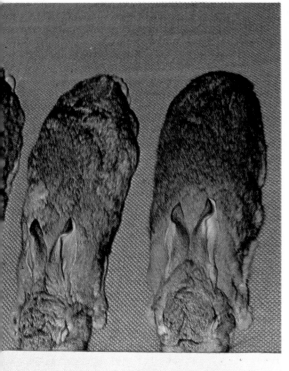

HIJOS

NIETOS

673

43

ción de tres cuartos de guisantes amarillos y un cuarto de guisantes verdes; pero entre esos amarillos, los que tienen los dos caracteres A serán amarillos puros, mientras los que tengan la fórmula VA serán amarillos impuros, portadores del carácter (V) verde, que se encuentra escondido.

¿Qué ocurrirá si nosotros cruzamos estos guisantes de la segunda generación con otros guisantes verdes (VV)?

Primer caso: amarillos impuros (VA) con verdes (VV), nos darán una mitad de guisantes verdes y una mitad de guisantes amarillos (impuros).

Segundo caso: amarillos puros (AA) con verdes (VV). Resultado: todos amarillos (impuros).

Experiencias practicadas en animales, por ejemplo en los conejos, caballos, ratas, etc., dan los mismos resultados. Siempre se encuentran las características diversas procedentes de los padres y por parejas en las células de la cría.

Mendel observó que de dos caracteres opuestos, el verde y el amarillo, por ejemplo, sólo uno es transmitido a la descendencia, ya que, aun coexistiendo en el mismo individuo, éstos se disocian en el momento de la formación de las células sexuales. Dicho en lenguaje actual, los gametos o células sexuales no llevan más que uno de los dos genes presentes en el progenitor. Es la primera ley de Mendel o de la disyunción.

Mendel también estableció que las parejas de caracteres, tales como piel lisa o arrugada o el color verde o amarillo de los granos, se transmite de una manera independiente. De modo que un individuo que posea los cuatro caracteres citados, tendrá en igual número cuatro variedades de células sexuales, las cuales contendrán los caracteres amarillo y rugoso, amarillo y liso, verde y rugoso y verde y liso. Es la segunda ley de Mendel, o de las combinaciones independientes.

La tercera ley de Mendel, llamada del predominio, afirma que cuando en el mismo individuo existen dos caracteres de fuerte poder de expresión, el color amarillo de los granos y la piel lisa de los mismos, y dos caracteres de débil poder de expresión, sólo se harán aparentes en el exterior los primeros o de fuerte poder de expresión, es decir, los caracteres dominantes se muestran más intensamente que los recesivos.

Los geniales trabajos e interpretaciones de Mendel no fueron debidamente apreciados en su tiempo. Sin embargo, han sido los precursores de las modernas teorías cromosómicas y genéticas de la herencia con las que pueden superponerse.

46

Herencia patológica

Ciertamente es éste un gran problema. Hemos visto por el estudio precedente que cada individuo procede de la fusión de dos células: materna y paterna, portadora cada una de la mitad de los cromosomas (y de los genes) de su respectivo núcleo. ¿Pueden ser los genes portadores de anomalías y afecciones? Esto es exacto y demostrado por el hecho de que ciertas enfermedades están ligadas al sexo, tales como la hemofilia o incapacidad de la sangre para coagularse, o lo que es igual: la disposición a sangrar fácilmente. Esta enfermedad no ataca más que a los hombres, a pesar de ser transmitida por las mujeres; un individuo hemofílico tendrá, por ejemplo, hijas indemnes de la afección, pero ciertos hijos (del sexo masculino siempre) de estas hijas presentarán la misma afección que el abuelo.

1. Herencia ligada al sexo

Para que podamos comprender el porqué de ese curioso fenómeno, es necesario que hablemos del determinismo del sexo. ¿Cuándo se diferencia el hijo en niño o niña? De un modo visible, únicamente en la quinta semana de la vida embrionaria; pero es necesario saber que el sexo se determina en el mismo momento de la fecundación. «Lo que haya de resultar estaba decretado ya antes por el dedo invisible de la herencia», dice el profesor Botella en su libro «Fisiología femenina». En la especie humana, las células corporales del varón contienen siempre 22 pares de cromosomas somáticos o autosomas y un par de cromosomas sexuales, X e Y, 46 cromosomas en total.

Las células femeninas tienen 22 pares de autosomas todos semejantes y un par de cromosomas sexuales, XX.

Las células germinativas no tienen más que la mitad del número total de cromosomas; el óvulo contiene 22 autosomas y un cromosoma sexual X, por el contrario, los espermatozoides tendrán 22 autosomas y un cromosoma sexual, X o Y.

De este modo, nacerá siempre una hija cada vez que un espermatozoide de un cromosoma sexual X se una a un óvulo (que siempre tiene cromosomas sexuales X).

Por el contrario, nacerá un varón cada vez que un elemento masculino portador de un cromosoma sexual Y fecunde a un óvulo.

Por tanto, está demostrado que es la célula masculina la que determina el sexo y no el óvulo.

Si se desea obtener información acerca de la posibilidad de lograr a voluntad un niño o niña, véase el último apartado del primer capítulo.

Hemofilia

Pero después de este paréntesis, volvamos a la herencia ligada al sexo. En el caso citado de la hemofilia, o en el del daltonismo —incapacidad para ver los colores complementarios—, se trata en los dos casos de un carácter enfermizo recesivo e inaparente, localizado en uno de los cromosomas X del varón. Hemos dicho que la transmisión de la enfermedad se verifica a expensas del abuelo a algunos de sus nietos del sexo masculino y por intermedio de las hijas.

La figura número 59, con sus explicaciones, nos da razón de este fenómeno; pero si una hija transmisora se casa con un hemofílico, ¿no puede haber hijos del sexo femenino que presenten la enfermedad? Teóricamente, sí, pero en realidad, no; pues que la suma de los dos genes enfermos hace que el producto no sea viable; este factor letal provoca la muerte de un tal embrión femenino.

Daltonismo

En lo que concierne al daltonismo, en el que este factor no cuenta, las mujeres pueden padecer la afección, pero en una proporción mínima.

Pero otras deformaciones y enfermedades no están, o no lo están siempre, ligadas al sexo.

Otras enfermedades de la sangre

Otras enfermedades de la sangre, tales como ciertas anemias hemolíticas, también son hereditarias. Por el contrario, en la leucemia no está probado que la herencia llegue a influir.

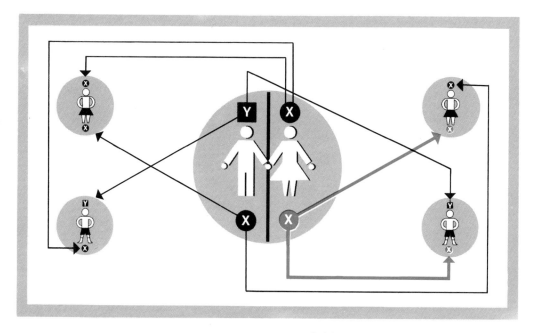

Cedida por amabilidad de la O.M.S., Ginebra.

Fig. 59. Ejemplo de herencia ligada al sexo.—Los individuos de ambos sexos, portadores de anomalías genéticas, deberían recabar el auxilio y consejo de la ciencia antes de contraer matrimonio.

El examen médico prematrimonial es algo que debe ser tenido en cuenta, así como los antecedentes médicos de los familiares de los futuros cónyuges. Hay enfermedades, como la hemofilia, que son hereditarias, pero que se transmiten solamente a los varones y por intermedio de las hijas.

Fotografía colección Nestlé.

677

Enfermedades nerviosas

Es cierto que la energía nerviosa, la fuerza o la debilidad de las reacciones nerviosas se transmite de padres a hijos.

Ciertas formas de epilepsia —ese terrible mal que hace caer sin conocimiento a los individuos y que se retuerzan en convulsiones— se transmite según un mecanismo recesivo (inaparente) a la descendencia, o bajo forma de otros trastornos también de orden nervioso.

Estudiando numerosos epilépticos, se ha podido observar que el 84 por 100 morían a una edad precoz, todos con convulsiones.

De tipo recesivo es también la herencia de enfermedades como la de Friedreich o ataxia hereditaria (marcha gradualmente imposible).

Otras, como ciertas atrofias musculares seguidas de parálisis, afectan solamente a los hombres, ya que es una herencia ligada al sexo.

Algunas otras enfermedades nerviosas se transmiten por un mecanismo de herencia dominante, por ejemplo, ciertas formas de corea o baile de San Vito, ciertas parálisis cerebelosas. También la tartamudez, los tics, la enuresis (el hecho de orinarse durante el sueño) son tristes defectos casi siempre heredados. Ciertas formas de sordomudez son el resultado de una herencia de tipo recesivo.

Enfermedades mentales hereditarias

También se ha visto que tienen que ver con la herencia, pero se admite que para producirlas ha de concurrir por lo menos una aportación patológica de los dos progenitores. A veces, como en el caso de los príncipes locos de Baviera, hay que ascender a varias generaciones anteriores para encontrar el mismo tipo de alienación mental. Una curiosa enfermedad que ataca solamente a la raza hebraica y se manifiesta por idiotez infantil acompañada de ceguera, se transmite hereditariamente y de modo manifiesto por un proceso recesivo. He conocido un caso tal en dos hermanos, hijos de unos padres que eran primos y cuyos abuelos también eran primos. Aquí la consanguinidad fue ciertamente la causa de tan lamentable caso.

Otras formas de idiotez no tienen nada de hereditario y son producidas por lesiones postconcepcionales de las células germinales; por ejemplo: si la madre ha padecido de enfermedad infecciosa, tal como la rubéola —durante el embarazo—, el niño puede nacer ciego o mudo, y hasta con anomalías. En este caso, la sordomudez no es hereditaria.

Deformaciones y anomalías

Ahora bien, hay también deformaciones del organismo que son con toda seguridad hereditarias; por ejemplo, el labio leporino, la polidactilia (presencia de más de cinco dedos en las manos o pies), la braquidactilia o cortedad de los dedos y muchas deformaciones raras de la escápula, de los huesos del cráneo y otros. Ciertas formas de luxaciones de la cadera (cojera llamada familiar) y de pie zambo son también hereditarias.

Lo que no se hereda

Claro está que una deformidad o mutilación accidental de los padres, ocurrida durante su vida, no se transmite a los descendientes, pues que no influye para nada en las células germinales. Así, un jorobado (por tuberculosis ósea), un manco o amputado tendrán una descendencia perfectamente normal en ese sentido.

2. Herencia y constitución

Los especialistas en morfología dicen que la constitución o configuración (forma del cuerpo), que resulta, en parte, de factores externos del medio ambiente, es determinada mayormente por la herencia. Así los niños podrán ser, como los padres, de un tipo normal, como el muscular o digestivo, o cerebral, o aun de tipo anormal, como, por ejemplo, el asténico. También se ha demostrado el papel importante —si no exclusivo— de la herencia en los casos de anomalías evolutivas, tales como la detención del desarrollo infantil o el enanismo.

Hay ciertas personas que presentan, frente a unos estímulos fisiológicos que en otras producen reacciones normales, unas manifestaciones francamente anormales o patológicas. Por ejemplo: esas personas no podrán tomar chocolate sin padecer rápidamente de urticaria o jaqueca. Se dice que esas manifestaciones son alérgicas: las personas que las padecen están sensibilizadas (lo contrario de inmunizadas) a tal o cual alérgeno o agente causante de tal trastorno. Pues bien, esa constitución congénita anormal o diátesis es a menudo hereditaria. Ya saben muy bien las gentes que un asmático podrá tener hijos que padecerán asma u otras formas de alergia, tales como urticaria, catarro del heno, jaqueca, etc.

Otras diátesis, como la neuropsicopática, linfática, exudativa, etc., también parecen vinculadas, en parte por lo menos, a factores hereditarios. El eczema infantil, por ejemplo, que afecta más bien a los varones, es una diátesis exudativa netamente hereditaria, y el factor dominante está probablemente ligado al sexo.

Enfermedades hereditarias de la piel

Y ya que hablamos de enfermedades de la piel, digamos de paso que los lunares, las pecas y ciertas afecciones de nombres complicados son heredables, así como las manchas de despigmentación (mechones blancos). En cuanto a la calvicie, que afecta mayormente a los varones y en la génesis de la cual actúan las glándulas sexuales, se admite sea debida también a un factor hereditario por observarse en varias generaciones de una misma familia. Eso de las canas también es muy conocido y cierto.

Enfermedades hereditarias de los ojos y oídos

Ya hemos visto que la sordomudez es, en varios casos, hereditaria de tipo recesivo. Muchas afecciones oculares, tales como la catarata, la miopía, la hipermetropía y el astigmatismo, son netamente hereditarias. Otras, como el daltonismo, la incapacidad de ver en la semioscuridad, la atrofia del nervio óptico, son de mecanismo diverso, pero casi siempre ligadas al sexo masculino.

Otras enfermedades que pueden heredarse

Aparte de la diabetes sacarina, la alcaptonuria (orina que se vuelve negra), la cistinuria y a veces la obesidad, la diabetes insípida, la gota, donde se han podido observar influencias hereditarias, hay otras enfermedades en las cuales, si bien no hay tendencia neta, sí puede haber predisposición, es decir, la facilidad para tal órgano de enfermar. Así, por ejemplo, un padre tiene una cifra elevada de tensión arterial o una enfermedad de corazón o riñón; su hijo, al cabo de varios años, desarrolla las mismas afecciones, en parte porque hereda la tendencia paterna a reaccionar de ese modo a malos hábitos de vida y en parte porque continúa viviendo con las mismas maneras erróneas.

Una madre, por ejemplo, padece de insuficiencia hepática. Se dice que la hija hereda esa afección. No es cierto; lo que sí es cierto es que hereda el mismo tipo de órganos con el mismo modo de funcionamiento. Ahora bien, si continúa, como es lo más probable, el mismo régimen de comidas de su madre, el mismo hábito alimenticio erróneo, no hay que extrañarse de que reaccione naturalmente del mismo modo que ella. Esa persona heredó la predisposición, no la enfermedad.

Tuberculosis y cáncer

Preguntas que frecuentemente oye el médico son éstas: «Mi padre murió de tuberculosis. ¿Voy yo también a padecer esa enfermedad?»

«Mi madre padeció de cáncer, vivo con el temor a contraer esa enfermedad: ¿Es hereditaria?»

Responde la ciencia que no se puede demostrar la existencia de una herencia en esas enfermedades. Un niño puede heredar de sus padres un pecho estrecho, pobres medios de defensa frente a

Los hijos de alcohólicos ocupan un puesto destacado en los establecimiento psiquiátricos, tanto por su número como por la gravedad de sus padecimientos. Si se quiere tener hijos sanos, debe evitarse el alcohol.

la infección, en resumen, una constitución débil; pero no su tuberculosis. Claro está que si no se aísla este niño, si permanece en contacto con personas contagiosas, adquirirá con tanta más facilidad la enfermedad cuanto más débil sea su cuerpo y más temprana su edad; es más, se puede prever que en poco tiempo se lo lleve a la tumba con una meningitis tuberculosa, una granulia rápida. Pero si, por el contrario, a este niño se le aísla de todo contagio, si se le nutre bien y se le cría en las mejores condiciones, no contraerá la enfermedad.

En cuanto al cáncer y tumores malignos, ya se sabe que se desarrollan principalmente sobre lesiones irritativas crónicas, producidas muchas veces por agentes externos, tales como el alquitrán, los rayos X, el tabaco, etc. Pero para ciertos cancerólogos el agente irritante no es suficiente para producir el cáncer; es necesario un terreno especial, el cual estaría preparado por factores hereditarios. Otros autores niegan esta predisposición hereditaria en el hombre. En la experimentación se ha visto que ratones nacidos de progenitores cancerosos, presentaban también lesiones típicas cuando eran amamantados por su madre cancerosa. En la especie humana, a pesar de algunos casos evidentes de cáncer familiar, no se ha podido demostrar la herencia de tal afección.

Creemos que una persona no tiene motivos para estar inquieta por tener cancerosos en su ascendencia, si lleva una vida ordenada de acuerdo con las leyes de la salud y, sobre todo, observando un régimen alimenticio exento de estimulantes y grasas animales.

Sífilis

La cuestión de la herencia de la sífilis ha sido muy discutida. Se sabe que esta enfermedad mata muchos niños antes de nacer, y los que llegan a nacer presentan toda clase de dolencias y taras.

Se pensó durante mucho tiempo que el treponema productor de la enfermedad pasaría del padre al hijo en el momento de la concepción de éste; pero sabemos que esto no puede ser así, ya que el germen de la sífilis es más voluminoso que la misma célula masculina, que, por tanto, no podría contenerlo.

Lo que se produce es un contagio por intermedio de la sangre de la madre (que va a su hijo). Incluso si ésta no presenta síntomas de la enfermedad, su sangre transporta el germen que pasa a la círculación placentaria y de allí a la del hijo.

En este caso, como en otros, tales como el paludismo, trátase no de una verdadera herencia, sino de una transmisión de los agentes provocadores de enfermedad durante la vida intrauterina del niño y siempre por intermedio de la sangre de la madre.

Herencia y alcoholismo

Es algo incontrovertible que el alcohólico, sobre todo crónico, lega a su descendencia un organismo empobrecido que con frecuencia es presa de la tuberculosis.

«El alcohol hace la cama de la tuberculosis», decía con razón un profesor. Ocasiona un buen número de trastornos nerviosos y de otros órdenes en la descendencia.

¿Qué acción tiene este tóxico sobre los cromosomas y los genes de los generadores? Una doctora extranjera, experimentando con millares de ratones blancos, ha demostrado que bajo la influencia del alcohol se producen mutaciones, es decir: modificaciones sustanciales de los genes portadores de caracteres hereditarios y, en consecuencia, sobre esos caracteres mismos; el resultado «visible» sería la aparición de individuos distintos a los precedentes en uno o diversos rasgos, constituyendo incluso el punto de partida de una nueva raza.

En la especie humana, estas mutaciones en el seno de la célula, en la región de lo infinitamente pequeño, no han sido demostradas; pero es un hecho que la descendencia de los alcohólicos ofrece una fuerte proporción de enfermos y desequilibrados.

Otros tóxicos

Otras sustancias tóxicas (plomo, fósforo, anilinas, etc.) serían capaces de ejercer su influencia sobre el niño durante la vida intrauterina, produciendo, es posible, por un mecanismo de mutación de los genes o de cambio, reales y verdaderos monstruos. Así, en algunos casos de anencefalia (niños «ranas» sin cerebro y no viables) se ha comprobado que las madres estaban intoxicadas por la nicotina del tabaco u otros tóxicos. Tendremos ocasión de volver acerca del régimen de la madre durante el embarazo en los capítulos dedicados a este aspecto en la puericultura prenatal.

3. Diagnóstico del sexo fetal y de las anomalías fetales mediante la amniocéntesis

La amniocéntesis consiste en la punción de la bolsa amniótica llena del líquido en que se desarrolla el feto, y la extracción de una cierta cantidad del mismo.

En el volumen de líquido extraído se encuentran células que provienen del feto y de la madre. El investigador analiza el líquido y las células fetales y maternas que contiene.

De este modo puede determinar, y ello ya desde el segundo mes de la gestación, no sólo el sexo del embrión, sino también las anomalías genéticas del mismo: es decir, las deficiencias hereditarias o las que aparecen por error en la repartición de los cromosomas en el momento de la fecundación o de la distribución de los genes.

El momento ideal para practicar la amniocéntesis se halla entre la décima y la decimoquinta semanas, bien que pueda ser practicada antes o después de este período. Entre la decimocuarta y decimosexta semanas, los resultados de la punción arrojan un 95 a un 98 por 100 de resultados exactos.

Una vez obtenido el líquido, el análisis cromosómico necesita entre 15 y 30 días, y la detección de una anomalía, una media de 30 días.

El mongolismo, la enfermedad de Hurler y otros procesos son diagnosticables por este procedimiento.

Evidentemente, esta técnica y el descubrimiento de ciertas enfermedades o anomalías da lugar a que, en los países en que la legislación lo permite, se proceda a la interrupción del embarazo por miedo de una confirmación de la anomalía (mongolismo u otra) en el momento del nacimiento.

Aceptamos el método para el diagnóstico del sexo y de ciertas enfermedades fetales, pero no para el segundo fin que acabamos de mencionar: el liberarse de un ser humano que no tiene ninguna culpa de ser anormal.

No se olvide, además, que el método ofrece ciertos peligros y que la interpretación de los resultados no siempre es fácil y exacta. Por otra parte, en las jornadas ginecológico-endocrinas de París, en 1971, el Dr. Bone declaraba que sólo 3 ó 4 centros americanos muy especializados son capaces de dar diagnósticos exactos en el 100 por 100 de los casos.

4. El biberón electrónico

El afán de descubrir toda suerte de anomalías psíquicas y motoras en el recién nacido ha llevado a los investigadores a la creación de diversas pruebas y tests. Uno de los más recientes y originales consiste en la utilización de un biberón electrónico: éste permite hacer conjeturas sobre el estado cerebral del recién nacido según la intensidad, la frecuencia y la duración de las succiones del mismo.

47

Consejos a los futuros padres

Que sea por herencia verdadera o por transmisión intracelular por la sangre materna, es cierto que el niño recibe de sus padres, y por ellos de sus antepasados, un bagaje más o menos aparente de afecciones o de anomalías (taras) diversas.

Para tener niños magníficos, llenos de salud, es necesario que los futuros padres se preparen con mucho tiempo de anticipación, mucho antes de su casamiento.

1. Educación moral

En los países en donde la educación religiosa ha preparado el terreno, resulta bastante fácil el poner en guardia a los jóvenes contra una vida sexual precoz o desordenada, con todos los peligros físicos y morales que lleva consigo. A este respecto, cita el padre Peiró varias declaraciones, en las cuales se recomienda «enseñar a la juventud masculina que la castidad y la continencia no son nocivas, sino que son muy recomendables desde el punto de vista médico». La familia y el director espiritual sabrán mostrar toda la belleza de una vida matrimonial basada en el amor y en el respeto recíproco y también la dicha, tanto más grande cuanto más saludables sean los niños que vengan a un hogar tal.

En cuanto a las niñas, una educación particularmente bien comprendida hará de ellas no las enemigas de los varones o sus compañeras «masculinizadas» (como desgraciadamente ciertos sistemas modernos tienden a hacerlo), sino mujeres dignas de ese nombre, que verán en la maternidad las mayores recompensas y bendiciones de esta vida.

2. Educación higiénica

Los padres, los maestros, los médicos, se esforzarán en inculcar a los jóvenes de ambos sexos un conocimiento profundo de la higiene general; previniéndoles también contra los grandes venenos sociales, tales como el tabaco, el alcohol y las drogas.

Por una rigurosa limpieza corporal, una alimentación sana, exenta de excitantes, tales como el café, el té o las especias; una vida activa con ejercicio físico bien comprendido, los niños de hoy podrán llegar a ser los espléndidos hombres del mañana y a su vez darán la vida a niños robustos y con grandes posibilidades morales.

Para que esta educación higiénica sea lo más completa posible, convendrá dar a esos jóvenes una enseñanza bien orientada y comprendida con respecto a las funciones del sexo; podrán ya los padres explicar a sus pequeños, de manera muy sencilla, que han sido llevados por su mamá en un nido muy dulce, bien cerrado, que ella tiene en su vientre. La verdad, en toda su sencillez, es preferible con mucho a esa mentira fantástica que hace creer a los niños que han sido traídos por la cigüeña.

Los maestros en la escuela, destacando los mecanismos de la reproducción en las flores, por ejemplo, después en los insectos o los pájaros, podrán orientar los delicados espíritus de los niños hacia las funciones que también son una ley natural en todos los mamíferos. La labor del maestro puede resultar evidentemente moralizadora subrayando que los órganos al servicio de la maravillosa función reproductora deben alcanzar una determinada maduración y ser guardados puros para la noble función que un día deberán asumir.

Por su parte, los médicos pueden jugar un papel importante dando a los jóvenes conferencias de higiene relativas al sexo. Me acuerdo de la impresión profunda y durable que nos dejó la charla de una eminente doctora venida a hablar a las niñas de mi colegio. Sería muy de desear que esta enseñanza, dada con todo el tacto necesario por personas de alta moralidad, se hiciera en gran escala; de este modo los jóvenes aprenderían a conocer suficientemente los grandes peligros de las enfermedades venéreas, de las cuales, varias representan factores de esterilidad; y las ventajas que representa para el organismo y estado de crecimiento el guardar todas las energías intactas hasta el momento del matrimonio.

Los jóvenes advertidos y educados de este modo llegarán al casamiento con un cuerpo y un espíritu sanos y la entera conciencia de sus futuras responsabilidades. Y si, por desgracia, hubieran heredado de sus padres alguna tara, con el consiguiente riesgo de transmitirla también a sus hijos, podrían disminuir ese riesgo procurando casarse con personas particularmente sanas (ya que gran número de caracteres hereditarios patológicos son recesivos) y continuando un régimen de vida tan sano como sea posible.

3. Examen voluntario prematrimonial

Pero, con frecuencia, las taras no son visibles y hasta incluso son ignoradas por el que las lleva. Aquí se echa de ver la necesidad de un examen médico prenupcial de los futuros cónyuges.

Sin hacer de él algo obligatorio, como ocurre en algunos países, conviene subrayar que sería bueno que entrara en la costumbre de cada uno de los jóvenes de ambos sexos el hacerse examinar médicamente antes del matrimonio. En la misma ocasión, el médico de confianza de la familia podría dar útiles consejos a aquellos que son llamados a formar una familia. Por ejemplo, si el examen clínico y los diversos análisis descubrieran una sífilis en actividad, el futuro esposo debería someterse a un tratamiento serio y prolongado hasta la curación completa antes de contraer matrimonio. Esto es muy importante, ya que no hay enfermedad más lamentable a causa de sus consecuencias sobre la descendencia que ésta de que estamos hablando.

Un minucioso examen médico prenupcial comprenderá siempre una radiografía o al menos una radioscopia del tórax. En ocasiones, este examen puede revelar una tuberculosis ignorada. El futuro cónyuge, prevenido, tendrá el deber de cuidarse hasta la curación antes de entrar en los lazos del matrimonio: si es el hombre el que está enfermo, corre el riesgo de contaminar a su mujer y a los niños que puedan venir; si es la mujer, puede correr el mismo riesgo, pero además la maternidad puede agravar la tuberculosis, perdiéndose prematuramente una vida que hubiera podido ser útil y dilatada.

4. Matrimonios desaconsejados

Algunas veces el deber del médico es el de desaconsejar ciertas uniones, según recomienda el mismo papa Pío XI en su Encíclica «Casti Connubii», de 31 de diciembre de 1930. En el caso de ciertas enfermedades, como nefritis crónica, diabetes intensa y enfermedades graves del corazón, sobre todo en la mujer, el matrimonio perjudica generalmente al cónyuge enfermo, aunque no a los hijos.

Entre los matrimonios a desaconsejar, porque pueden perjudicar a la descendencia, hay que mencionar el matrimonio entre personas muy jóvenes o, por el contrario, muy mayores. No es conveniente tampoco la excesiva diferencia de edad entre los dos cónyuges. En cuanto al matrimonio entre consanguíneos (parentesco cercano), sabemos que la Iglesia, muy prudentemente, lo prohíbe, apoyándose la prohibición, además de en razones de tipo espiritual, en razones de tipo médico. El estudio de las leyes de la herencia demuestra que los defectos físicos, las taras, se suman y se transmiten adicionadas en tales uniones. Se ve esto con mucha frecuencia en ciertos pueblos: entre los niños nacidos de primos hermanos hay una proporción elevada de sordomudos, paralíticos y retrasados mentales.

48

Protección del niño antes del nacimiento

1. Definición de la puericultura prenatal

La puericultura prenatal, también llamada intrauterina, se ocupa del niño durante su formación en el seno materno, y comprende toda una serie de medidas, consejos y preceptos, destinados a lograr niños que nazcan en las mejores condiciones posibles. Evidentemente, para ejercer buenas influencias sobre el niño, se está obligado a procurarlas indirectamente por intermedio de la madre. Por lo mismo, los cuidados y la conducta higiénica a seguir se dirigen más particularmente a la futura madre, que es la principal interesada. También la familia, la sociedad y el Estado tienen interés en que los futuros niños de la nación nazcan robustos y sanos.

2. Importancia

El vínculo que une la madre a su hijo es de una intimidad tal durante los nueve meses que dura la gestación, que se comprende perfectamente de qué manera toda mala influencia sobre la salud de la una puede repercutir desgraciadamente sobre el equilibrio o la existencia del otro. Véase juego de transparencias en este capítulo, en el que se representa el desarrollo fetal (Fig. 60).

Hay enfermedades, tales como la sífilis, que matan al niño en el seno materno cuando éste se halla en el estado de embrión; resulta de ello un aborto, que por lo demás, con mucha frecuencia, puede ser seguido de otros varios de no establecerse un oportuno tratamiento.

Esta misma enfermedad y otras pueden hacer perecer al niño durante la segunda parte de la vida intrauterina, es decir, después de los tres meses, cuando, formados ya los órganos, el embrión se convierte en un feto. Se sigue un verdadero parto, aun cuando de un niño muerto en este caso.

En ocasiones, las enfermedades padecidas por la madre no llegan a ser totalmente ominosas para el niño, pero favorecen la aparición de malformaciones diversas a nivel del corazón, de los ojos, etc. De esta manera, una rubéola —enfermedad infecciosa benigna para la madre— puede, si ha sido contraída durante el período embrionario, tener un efecto catastrófico para el niño, que puede nacer sordo o ciego. También, con frecuencia, diversas afecciones maternas provocan que el bebé nazca antes de tiempo, o bien disminuyen su vitalidad. Es el caso en los débiles congénitos.

Por tanto, es muy importante y necesario preservar a la futura madre de toda afección o influencia que pueda perjudicar el desarrollo y la salud del futuro ser.

3. Principios fundamentales

La embarazada no es un ser enfermo, ya que la gestación es un proceso completamente normal en la vida de la mujer. Vale la pena añadir que es un acontecimiento muy deseable para toda mujer digna de ese nombre, puesto que los goces de la maternidad son ilimitados y esta no alcanza toda su plenitud biológica hasta haber cumplido esta importante función, que es la de la procreación.

Por tanto, toda mujer que espera un niño debe considerarse como una privilegiada y no como una enferma, continuando su vida normal, si bien, claro está, evitando en su régimen de vida toda influencia perniciosa.

La protección del niño durante toda la gestación y en el momento del nacimiento debe efectuarse, para que sea eficaz, con el concurso de la familia y del médico de confianza; pero también, y sobre todo, con el de la futura madre, que es la principal interesada.

Una asistencia médica bien comprendida será la mayor garantía de vida del futuro bebé.

4. Peligros que hay que evitar

Muerte intrauterina

Hemos visto que los peligros que corre el niño intrauterinamente son la muerte o el nacimiento prematuro, simple, con debilidad congénita o con malformaciones. Dado que es la sífilis la que mata el mayor número de niños antes de nacer, la prevención de esta catástrofe consistirá en un examen médico muy completo, con análisis de sangre de los padres y el correspondiente tratamiento de la madre durante toda la gestación; obrando así, la futura madre enferma podrá esperar la curación y lograr un niño en buenas condiciones; no obstante, será necesario que éste o estos niños sean vigilados por el médico y cuidados como conviene.

En caso de abortos repetidos, la búsqueda del grupo sanguíneo y factor Rh de los padres será también muy necesario.

Efectivamente, en ciertos casos, la muerte del feto es debida a una incompatibilidad entre la sangre de la madre (sobre todo si ésta ha sufrido ciertas transfusiones de sangre) y la de su hijo.

Malformaciones

En lo que concierne a las malformaciones, las causas son múltiples y con frecuencia complicadas; su previsión, con frecuencia imposible, excepto en el caso de que los padres presenten anomalías transmisibles por herencia, como, por ejemplo, la presencia de seis dedos en los pies o en las manos, mechas de cabello blanco.

Convendrá alejar a toda mujer encinta de los lugares en que haya personas afectadas de enfermedades infecto-contagiosas. Se guardará ella de ir a visitar a un niño febril que presente una erupción sospechosa semejante al sarampión. Si la enfermedad se declara en la familia, se le prohibirá cuidar al enfermo, aislándolo lo más posible. Se aumentará su mayor resistencia a las enfermedades procurando que su régimen alimenticio le aporte, bajo forma de frutas, de verduras frescas, de leche, de aceite de hígado de bacalao, una amplia provisión de vitaminas C y A. Y si, por desgracia, la misma futura madre padeciera una enfermedad infecto-contagiosa, cuidados médicos enérgicos serían rápidamente instituidos para asegurar la protección del niño. Impidiendo que la enfermedad alcance una alta gravedad, se evitará al mismo tiempo un parto prematuro. Se sabe, en efecto, que una enfermedad infecciosa grave, tal como la escarlatina, el tifus exantemático, la neumonía, el reumatismo articular agudo, etc., y sobre todo si es acompañada de fiebre elevada, como el paludismo o la fiebre recurrente, provoca con frecuencia el nacimiento antes de tiempo.

Prematuridad

Otro peligro que hay que evitar a toda costa es el del nacimiento del niño antes de término, ya que el niño prematuro se halla forzosamente limitado con respecto a los sanos. Estos niños, que son organismos no maduros, resisten peor todas las agresiones microbianas, y las cifras de mortalidad entre ellos son enormes.

Las cifras que nos da un establecimiento piloto y modelo —el Centro de Prematuros de la Escuela de Puericultura de la Facultad de Medicina de París— son: Antes del segundo día después del nacimiento ya han fallecido el 18,4 por 100 de los prematuros.

He aquí, según la prematuridad y el peso, el porcentaje de defunciones antes del segundo día:

Hasta 1.000 gramos ... ...   76,2 por 100
   »   1.200   »   ... ...   41,6 »   »
   »   1.500   »   ... ...   28,4 »   »
   »   1.800   »   ... ...   13,9 »   »
   »   2.000   »   ... ...   8,8 »   »
   »   2.500   »   ... ...   9,1 »   »

La lucha contra la prematuridad es uno de los aspectos más importantes de la puericultura prenatal, y hablaremos de ella de una manera especial un poco más adelante.

5. Causas de prematuridad

Prematuridad simple o accidental

En el caso de la prematuridad simple, el niño puede nacer muy sano y con una buena vitalidad, dependiendo su prematuridad de un factor accidental. Es el caso, por ejemplo, de una caída de la madre con un traumatismo que ha provocado el desprendimiento precoz de las membranas.

Nunca se recomendará bastante a la mujer encinta que no se entregue a deportes violentos, al baile, que no frecuente los lugares en los que las multitudes se acumulen (espectáculos, metros, etc.), que no suba a las motocicletas u otros vehículos peligrosos, etc.: incluso andando por la calle, la mujer embarazada tendrá cuidado en mirar dónde pone los pies, ya que una sencilla cáscara de plátano puede provocar una caída con todas sus desagradables consecuencias.

Prematuridad por causa obstétrica

La interrupción de la gestación puede ser provocada por trastornos de tipo puramente obstétrico, debidos a malformaciones maternas. El útero puede encontrarse en una posición viciosa; un fibroma u otro tumor puede comprimir al niño. En estos casos, el desarrollo del feto no puede hacerse en toda su amplitud.

En ocasiones, el desarrollo fetal es perturbado porque la placenta se inserta muy abajo, en una zona menos rica en vasos alimenticios, o porque una hemorragia se ha producido entre las paredes uterinas y la placenta, o bien aún, porque las membranas se han desgarrado prematuramente.

Para evitar un nacimiento antes de término, son indispensables el reposo y una vigilancia médica cuidadosa. Se comprenderá toda la importancia de los exámenes obstétricos precoces y repetidos

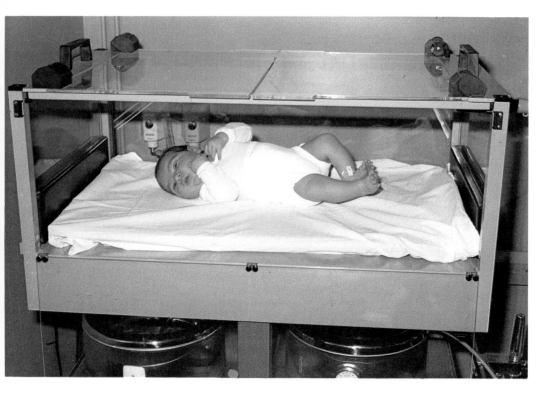

En la lucha permanente que la ciencia médica mantiene para salvar vidas, la incubadora constituye un importante avance. Al permitir que el prematuro pueda vivir en un ambiente lo más parecido al vientre materno y con un control estricto de sus constantes vitales, muchos niños, que de otra manera hubieran muerto, han podido ser salvados.

(véase el Cap. 13), que pueden descubrir tempranamente ciertas anomalías y permitir así una solución afortunada para la madre y el niño. Las mujeres no han de temer una operación si su caso lo exige: un tumor pediculado puede muy bien ser extirpado durante el embarazo, de modo que éste siga su curso normal. Una cesárea en el caso de una pelvis estrecha es preferible a un parto provocado con objeto de tener un niño más pequeño y prematuro por las vías normales.

Prematuridad por agotamiento

La no observancia de las leyes de la higiene, en lo que concierne principalmente al reposo de la embarazada, provoca también a veces nacimientos prematuros. Estadísticas interesantes sobre la relación del peso del niño al nacimiento y el trabajo de la madre, muestran un aumento de cientos de gramos en aquellos cuya madre ha efectuado un reposo en la clínica de cinco a ocho semanas antes del parto. También se ha demostrado que mujeres que han tenido varios hijos prematuros, y a las que se ha forzado a un reposo en un centro hospitalario, han llegado a dar a luz niños a término y con pesos superiores a los 2.500 gramos. Toda futura madre, sea ama de casa, obrera de fábrica o campesina, tiene derecho a ser protegida contra el trabajo y cansancio excesivos. También ha comprendido el Estado la importancia de este reposo, y por ello ha dictado medidas humanitarias en favor de la mujer que trabaja: el Seguro Obligatorio de Enfermedad, aparte del privilegio de la vigilancia médica durante la gestación y asistencia médica en el momento del parto, obliga a los patronos a concederle un reposo antes y también después del parto. La empleada sigue percibiendo su salario durante varias semanas de reposo después del parto y conservando su puesto si así lo desea.

En lo que concierne a la mujer que trabaja en su casa, hay que subrayar que su labor es con frecuencia penosa, sobre todo si no es ayudada por nadie y hay ya algunos niños en el hogar. Incumbirá al marido y a la familia tomar las medidas necesarias para aliviar su carga. En buen número de familias no se permite a la futura madre que se entregue a las tareas domésticas más pesadas. La permanencia en la posición de pie también es perjudicial.

Enfermedades maternas

Las enfermedades de la madre con respecto al fruto, tanto en estado fetal como embrionario, son de gran importancia. Las causas anteriormente enumeradas provocan con frecuencia nacimientos prematuros en general y la complicación de la debilidad verdadera. En los casos que vamos a pasar en revista hay, fatalmente podríamos decir, signos de deficiencia física e incluso psíquica en el niño nacido antes de tiempo. En efecto, las intoxicaciones y las infecciones maternas influyen mucho sobre el futuro niño, al que pueden incluso llegar a privar de la vida intrauterinamente.

Intoxicaciones

Se sabe que el alcohol, que es el tóxico preferido por los occidentales, produce catastróficos efectos sobre la descendencia. Cuando es la madre quien se entrega a la bebida, esta acción es de mayor gravedad. Para intoxicarse no es necesario llegar a emborracharse: basta con absorber regularmente una dosis suficiente de bebidas, aun las poco alcohólicas, tales como el vino, cerveza o sidra, para desembocar inevitablemente en el alcoholismo crónico. Parece que en nuestro país, por fortuna, este vicio es raro en la mujer. No obstante, conviene llamar la atención sobre lo que se ha llamado el alcoholismo mundano: mujeres que incluso van a ser madres, con frecuencia se dejan llevar por la corriente y toman pequeños vasos de licores espirituosos en el curso de reuniones en las que es de buen tono estar a la moderna. Tampoco se rehúsa el cigarrillo, que complementa la gama de los tóxicos, extrañándose después de que el niño nazca debilucho o anormal.

Todavía últimamente ha sido subrayado el papel nocivo del tabaco mediante investigaciones experimentales, que han demostrado que los niños nacidos de madres fumadoras presentan al nacimiento trastornos cardiacos graves y mueren prematuramente.

La mujer que tiene el privilegio de esperar un niño debería comprender su deber de abstenerse de todo lo que pudiera perjudicar al pequeño ser que se alberga en ella. Es cierto que en ocasiones la intoxicación se produce a pesar de ella misma si trabaja, por ejemplo, en una fábrica donde se manipula el plomo, el mercurio, colores de anilina, etc., de modo que corre gran riesgo de comprometer su salud y la de su hijo. En efecto, se ha comprobado que los metales citados, así como los gases de la combustión originados por el calor, pasan fácilmente de la madre al niño. Afortunadamente, el Estado se ha preocupado de estos casos, disminuyendo notablemente los riesgos con medidas sanitarias y concediendo permiso pagado a las futuras madres. La mejor profilaxis en estos casos consiste en el cambio de trabajo.

En lo que se refiere a los líquidos volátiles, tales como el cloroformo y el éter; venenos, como la estricnina, morfina, etc., pasan también de la madre al niño.

Autointoxicaciones

La intoxicación no siempre es exógena o procedente del exterior, ya que las materias tóxicas pueden proceder del mismo organismo de la madre. Este es el caso cuando padece de afecciones renales agudas, tales como la pielonefritis, nefritis intersticial, etc., ya que la intoxicación fetal se produce por el hecho de que en la gestación el filtro renal sufre una sobrecarga. Si alguna afección reduce su funcionamiento, no puede con su función depuradora: los desechos se acumulan en la sangre y pueden llegar a provocar fenómenos tan graves como la eclampsia (convulsiones con pérdida de conocimiento). En estos casos no solamente se halla comprometida la vida del feto, sino también la de la madre. Si el niño llega a nacer vivo, es evidente que su vitalidad se hallará francamente disminuida.

El médico podrá descubrir la presencia de albúmina en la orina. Esta no siempre constituye un signo alarmante, sobre todo si no se halla en gran cantidad; pero si persiste y, sobre todo, si se acompaña de hinchazón de piernas, de la cara, de dolores de cabeza, de trastornos oculares, de inapetencia, etc., hay que hacer someter inmediatamente a la mujer al severo régimen alimenticio que el médico ordenará.

La mujer encinta evitará todo alimento nocivo, tal como embutidos, salazones, despojos, especias, vinagre y alcohol. Convendrá también dar la preferencia a los farináceos, verduras y frutas, y evitar el exceso de grasas. Siendo que en las intoxicaciones de la gestación hay en la sangre un acúmulo exagerado de colesterina, se evitará el exceso de huevos, que son ricos en esta sustancia, lo mismo que el bacalao, sobre todo al fin de la gestación.

Las mujeres diabéticas serán particularmente vigiladas médicamente, ya que existe el riesgo de que el niño nazca antes de término o bien con un peso superior al normal y que, por tanto, su nacimiento tenga lugar con dificultad. Igual decimos de las mujeres que padezcan gota o afectadas de grandes bocios.

Influencia de las enfermedades cardiacas y respiratorias

En general, en los casos de afecciones cardiacas de la madre, la vida del niño no se halla en peligro (excepto si se trata de formas muy graves) y nace sano. Por el contrario, la vida de la madre puede correr grave riesgo. Esta es la razón por la que el casamiento no es muy de aconsejar a las mujeres que presenten tales enfermedades, ya que en cada embarazo su vida se halla en peligro.

En lo que concierne a las afecciones respiratorias, la neumonía grave es capaz de provocar el nacimiento prematuro. Las otras afecciones más bien constituyen un peligro para la madre, cuyo estado se agrava por el hecho de la gestación.

En cuanto a la tuberculosis, si bien en ocasiones agrava mucho el estado de la madre, no repercute tanto en el del niño, que a pesar de ello puede nacer prematuramente en los casos muy graves. No ha sido probado que el microbio tuberculoso pase de la madre al niño, incluso bajo la forma de virus filtrable; de manera que el niño puede ser considerado como nacido sano, aun cuando con una vitalidad disminuida.

Influencia de otras enfermedades

Muchas otras enfermedades no ejercen influencia, al menos visible, sobre el niño, tales como, por ejemplo, las neuralgias, úlceras y eczema. A pesar de todo, conviene curar precozmente y con cuidado toda afección, incluso benigna, de la futura madre. (En lo que se refiere al factor Rh, véase el Cap. 24).

Para favorecer la venida al mundo de niños en buenas condiciones se dará a la madre, al comienzo de la gestación, vitamina E; después, hacia el fin, vitamina K (antihemorrágica). Una alimentación sana y abundante será reforzada por la toma de preparados a base de hierro y calcio.

En fin, hay casos en los que a pesar de la búsqueda de todas las posibles causas de prematuridad, no se encuentra nada y, sin embargo, la madre ha presentado en ocasiones varios partos antes de término. En este caso, la mejor profilaxis consiste en obligar a la

La mujer que espera un hijo debe evitar toda ocasión de que el feto resulte perjudicado.

No debe entrar en contacto con personas que sufran enfermedades infecciosas, sobre todo aquellas que dañan al feto con total seguridad, tales como la rubéola y la sífilis.

futura madre a un reposo forzado en la clínica o en la maternidad; se consigue así que el niño nazca a término.

Ya que el reposo es un arma eficaz que posee la puericultura prenatal en su lucha contra la prematuridad, y con objeto de obtener bebés más robustos, será recomendado a toda futura madre. ¿Quiere esto decir que debe pasar los meses de gestación acostada o sentada? Bien lejos de eso: excepto en casos especiales de ciertas dificultades obstétricas, la futura madre habrá de llevar una vida activa, trabajando, aunque sin llegar nunca al cansancio, y haciendo cada día una marcha bastante larga sobre un terreno plano.

6. Lucha contra la prematuridad

Habrá que evitar los contagios a la madre y tratar rápidamente cualquier trastorno que la aqueje. Para evitar temores exagerados, hay que decir que la placenta puede oponerse al paso hacia el niño de numerosos microbios y que tiene también poder para disminuir su virulencia. Si bien es cierto que no impide el paso de virus filtrables, tales como el de la viruela y del sarampión, no lo es menos que probablemente obra atenuando su infecciosidad. De todos modos, la mejor garantía de seguridad para el niño se halla en la prevención de toda enfermedad materna, ya que éste corre el riesgo no sólo de nacer prematuramente, sino que también está expuesto a los riesgos de contraer una debilidad congénita.

Habitación, vestido y juguetes del niño

49

Habitación y mobiliario

Los futuros padres hacen, en general, cuanto les es posible para preparar un precioso ajuar al pequeño ser que va a nacer.

Con mucha frecuencia se olvida que el niño, al igual que la planta, necesita mucho aire y mucho sol para crecer normalmente. Y se ven bebés confinados en habitaciones exiguas y oscuras y durmiendo en la misma cama de sus padres. En resumen: viviendo en condiciones higiénicas deplorables.

1. La habitación del niño

Si ello es factible, el niño habrá de tener su propia habitación, pero desgraciadamente esto no es siempre posible. De todos modos, es necesario que la habitación, en que pasa sus noches y en la que vive durante el día, reúna condiciones higiénicas lo más completas posible, es decir, que esta habitación sea bastante grande, que el techo sea bastante alto y que la cubicación del aire sea suficiente.

En ocasiones, la habitación es sumamente grande, pero ésta se encuentra llena de muebles, de modo que la cubicación del aire se reduce de manera notable. Es, pues, necesario desembarazar la habitación del mayor número posible de muebles, no consintiendo más que los indispensables. Repitamos que la cubicación se calcula multiplicando la anchura por la longitud y la altura, y que para una persona la dosis de ventilación por hora oscila entre 40 a 50 m.^{3}. El niño, a pesar de su pequeña talla, necesita 30 m.^{3}, a causa de su abundante producción de ácido carbónico.

Aireación

En ningún caso se permitirá que persona alguna fume en la habitación donde se halle el niño, menos aún en la que él duerme;

los padres culpables de una negligencia tal no saben cuánto perjuicio causan al niño y también a ellos mismos por este hábito pernicioso.

La cocina habrá de estar alejada de la habitación del bebé, a fin de que no le lleguen el humo y los olores.

El aire, todo lo puro que sea posible, es indispensable al niño, y el ideal sería que pasara la mayor parte de su vida al aire libre, en un jardín, y mejor aún en el campo. En las ciudades esto es de difícil realización, a menos de poseer un balcón que dé a una calle de poco tránsito o una terraza bien expuesta. En invierno es necesario airear la pieza durante varios minutos cada hora.

Durante la noche es necesario que la aireación sea mantenida en la habitación, al menos indirectamente, por una puerta que dé a otra pieza que reciba el aire del exterior.

Exposición

La habitación donde vive el niño debe hallarse orientada hacia el Sur o el Este, a fin de que el sol pueda penetrar a raudales durante un buen número de horas por día. Los rayos purificadores del sol, a causa de su riqueza en rayos ultravioleta, deben penetrar directamente en las habitaciones y no a través de las vidrieras, que retienen una buena parte de esos rayos benefactores. El refrán popular dice que «donde entra el sol no entra el médico», y esto es una gran verdad.

Dejad, pues, que el sol entre abundantemente: acabará decolorando cortinas y visillos, pero hará florecer en las mejillas de vuestros niños los hermosos colores de la salud.

Muchos niños sufren de crisis convulsivas (tetania) únicamente a causa de la falta de sol. Este sol facilita la transformación de la vitamina D a nivel de la piel, y esta vitamina es indispensable para la fijación del calcio. Además, los rayos ultravioleta tienen una acción desinfectante manifiesta: destruyen numerosos microbios. Sin embargo, durante las horas calurosas del verano, convendrá pasar al niño a una habitación expuesta al Norte.

La atmósfera deberá hallarse exenta de polvo, que es muy perjudicial al organismo y en particular al tan débil del recién nacido. No tendrá, por tanto, que haber alfombras en los suelos y hasta incluso se quitarán las cortinas de las ventanas. Si es posible, nadie se desvestirá en la habitación en que el niño esté, dejando los vestidos de calle en una pieza distinta.

Limpieza de la habitación

En lo que se refiere a la limpieza de la habitación, ésta se hará en ausencia del bebé y con las ventanas abiertas. Una vez sacudidas las sábanas fuera y expuestas al sol, se harán las camas y después se limpiará el polvo de los muebles, no con plumeros, que no hacen más que desplazar el polvo, sino con un lienzo humedecido; en fin, los suelos serán, si es posible, de baldosines, y si son de madera, deberán estar cubiertos de linóleum, para que puedan ser fácilmente lavables. Estos no serán nunca barridos, sino limpiados varias veces con una bayeta húmeda. Las familias que puedan disponer de un aspirador eléctrico, realizarán una limpieza perfecta sin que llegue a levantar polvo.

Antes de volver al niño a su habitación convendrá que la habitación se airee aún algunos momentos. Si hubiera mosquitos en la zona debiera ponerse una malla fina en las ventanas.

Temperatura y calefacción

La temperatura de la habitación deberá mantenerse entre 18 y 20 grados, y a estos efectos, un buen termómetro mural nos resultará un indicador seguro.

En invierno o en tiempo frío nos es necesaria la calefacción. Las viviendas que disponen de calefacción central son evidentemente privilegiadas. La calefacción eléctrica por radiadores es también higiénica, pero no se halla al alcance de todo el mundo. En caso de utilizarla, conviene evitar una gran desecación del aire, poniendo un lienzo húmedo sobre el radiador a falta de saturador.

La salud del niño resultará beneficiada si cada día, haga frío o calor, y debidamente protegido, se le saca al aire libre.

Cortesía de Bébé France. Fábrica de Vallón, Francia.

Quedan otros muchos medios de calefacción, pero casi todos son inadmisibles por ser altamente peligrosos a causa de los gases desprendidos. Entre ellos tenemos los braseros, estufas de gas, estufas de petróleo. También son peligrosas las estufas de hierro colado, pues al rojo, dejan pasar el óxido de carbono.

En los casos en que la calefacción sea imposible, convendrá que se caliente al niño empleando, con las precauciones de rigor, las botellas o bolsas de agua caliente convenientemente dispuestas en su cuna, ya que, excepto en casos poco frecuentes, el niño debe dormir solo y no en la cama de sus padres, con mayor razón aún si uno de los dos se halla resfriado o no se encuentra sano.

No se acostumbrará mal al niño habituándole a dejar la luz encendida, ya que dormirá mucho mejor en la oscuridad. No obstante, si fuera necesario, bastará una pequeña lámpara eléctrica provista de una pantalla. Hay que proscribir, a causa del olor y de los gases nocivos desprendidos, las lámparas de gasolina, de petróleo, de aceite y hasta incluso las velas.

Dijimos que el ideal consistía en que el niño tuviera su propia habitación de uso exclusivo. No importa que sea pequeña, a condición de que se encuentre bien ventilada y perfectamente soleada. Convendrá que las paredes se hallen pintadas al aceite, al menos hasta cierta altura, al objeto de poder limpiarlas con mayor facilidad.

2. Mobiliario

En esta habitación pondremos lo estrictamente necesario en materia de mobiliario: un pequeño armario o cómoda, una o dos sillas, la camita o cuna y, más tarde, un cajón con juguetes. Se puede añadir una mesita y la silla correspondiente. Si es posible, todo será de madera lacada y color claro, lo que permitirá una limpieza fácil.

Eligiendo muebles

No vamos a describir los diferentes muebles que pueden prestar servicios al niño y a quienes lo cuidan. El comercio presenta una innumerable variedad de modelos preciosos, prácticos y con frecuencia ingeniosos. Los padres no tendrán dificultades más que para escoger lo más práctico y más bonito.

La cama o cunita

La cama o cuna, sea de mimbre trenzado, de madera, de hierro o de lona, es siempre algo lleno de encanto, sobre todo si se halla un poco adornada. Conviene especialmente en los primeros meses del niño. Ya no están de moda hoy en día esas cunas tan complicadas, llenas de adornos exteriores de tejido, recubiertas de espesos velos y que eran verdaderos nidos de polvo.

En materia de cunas, las más sencillas son las mejores, porque resultan más higiénicas.

3. Evitando peligros

Parásitos y moscas

Parece que el ideal en materia de cunas sea el modelo cuyas paredes de tela metálica se pliegan, permitiendo así un transporte fácil, más acentuado aún por la existencia de cuatro ruedecitas en sus patas. El «sommier» puede situarse a dos alturas diferentes, sirviendo así al mismo tiempo de parque. La tapa es también de tela

Es preferible que el niño tenga su propia habitación siempre que sea posible; pero debe darse más importancia a la ventilación y situación de la habitación con respecto al sol que a la belleza o la elegancia del mobiliario.

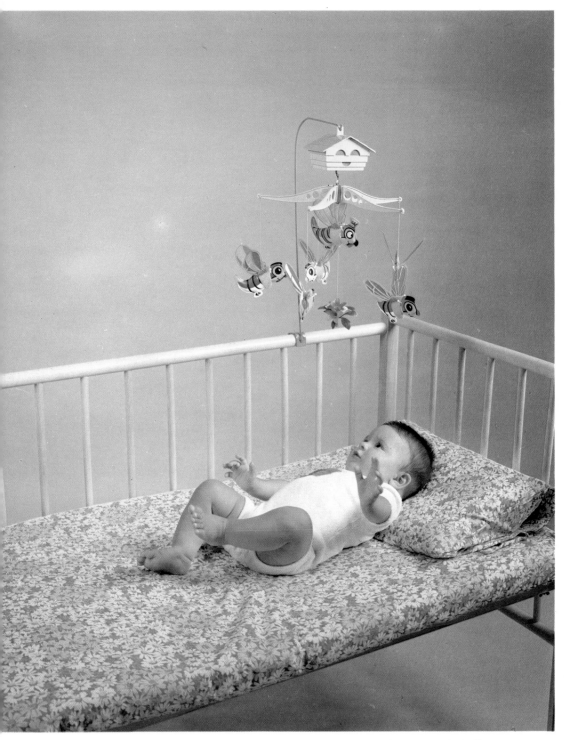

Cedida por cortesía de Chicco.

metálica muy fina y sólida, lo que permite un completo aislamiento del niño. En efecto, es indispensable que ni moscas ni otros insectos puedan posarse sobre el niño, ya que son numerosos los microbios que son transportados por esos insectos.

Perros, gatos y otros animales

Y a propósito, digamos, aunque de pasada, que en la casa donde viven niños no debe haber perros o gatos, ni tan siquiera debieran

Debe evitarse que los niños pequeños entren en contacto con animales, aun cuando sean de los llamados domésticos.
Son transmisores de enfermedades graves que, como en el caso del perro, puede dar lugar al temible quiste hidatídico.

ser éstos admitidos en la casa, ya que no es el primer caso de bebés que han sido ahogados por gatos dentro de su propia cuna. En cuanto a los peligros que ofrece la presencia de un perro, el mayor estriba en el contagio del terrible quiste hidatídico.

De una manera general podemos decir que por simpática que sea la presencia de los animales en el hogar, éstos no deberían residir en él de ninguna manera.

Más que conocido es el caso de los periquitos que pueden transmitir la poliomielitis, y el de las diversas variedades de pájaros y palomas capaces de transmitir las enfermedades del grupo de las ornitosis; por no hablar de su papel en las alergias, por ejemplo, y otros procesos.

Lo más que puede tolerarse, razonablemente, es la presencia de los animales en un jardín, y cuanto más alejados de la casa, mejor.

Los hermanos

En ocasiones, el propio género humano, y en la persona de un niño inocente —el propio hermano o hermana—, representa un peligro para el lactante: éste querrá darle de comer y llenarle la boca de alimentos inadecuados; aquél siente curiosidad por los ojos brillantes del pequeño, intentando meter los dedos en ellos; otro le pellizcará la nariz o le tirará de los pelos... Por todas estas razones, la cuna cubierta con tela metálica constituye un valioso medio de protección y aislamiento.

El cesto popular de mimbre instalado sobre un cuadrado con ruedas es bastante práctico, pero no demasiado higiénico, ya que puede constituir un nido para los parásitos. El moisés de tela fuerte, de fácil limpieza y relativamente económico, es francamente preferible, teniendo, además, la ventaja de que es fácilmente transportable.

Cualquiera que sea el modelo de cuna, conviene que sea lo suficientemente profunda para que en los movimientos del niño éste no llegue a caerse, debiendo también estar provista de patas para que su altura sea suficiente a fin de que cuna y niño se libren de las corrientes de aire que pasan por debajo de las puertas.

4. Colocación de la cuna

Decíamos anteriormente que la habitación del niño debería estar bien ventilada. Si la disposición de puertas y ventanas contribuye a establecer inevitables corrientes de aire, deberá establecerse necesariamente un biombo que proteja la cuna donde se halle el niño.

De todos modos, la cuna se situará a una cierta distancia de las paredes y nunca en un rincón sombrío.

Es importante que el medio en que se desenvuelve el niño sea agradable; pero, sobre todo, el niño necesita la presencia de su madre: ésta le ofrece la seguridad y el cariño constante que él tanto necesita.

Vestido de la cuna

Para vestir una cuna se escogerá primeramente un buen colchón. Son más higiénicos los de gomaespuma, pues la pluma o la lana pueden producir alergias.

Es también indispensable el protegerlo con una gran tela impermeable o hule especial que sea fácilmente lavable, y que deberá ser atado a los cuatro ángulos de la cuna.

En algunos países se pone una especie de cojín hueco de goma, recubierto de una rejilla también de caucho, en donde se acumulan los orines del niño. Sobre esta tela impermeable se pone una sábana de algodón o de felpa, que es más caliente. Antes de acostar al niño en su sitio, se pondrá una tela impermeable pequeña, de forma cuadrada y recubierta por una mantilla espesa. Será conveniente tener tres o cuatro de estos cuadrados de tela impermeable, a fin de poder cambiarlos e incluso lavarlos cada día. De este modo se evitará el inconveniente de que sean estropeadas por los orines las piezas de abajo, y esto permitirá transportar al niño ocasionalmente a la cama de su madre.

El almohadón relleno de gomaespuma será semicircular y bastante aplastado. Este detalle y el del colchón relativamente duro evitarán que la columna vertebral del niño adquiera curvaturas anormales.

La sábana superior, hecha de tejido suave de algodón, se doblará sobre las mantas de lana, que podrán ser sustituidas por un edredón de plumón, que es más ligero y más caliente.

Para que el niño no se descubra, se fijarán las sábanas y mantas no con alfileres que desgarran los tejidos, sino con pinzas especiales que se encuentran fácilmente en el comercio.

5. Cómo acostar al niño

El niño pequeño, y sobre todo el recién nacido, no debe jamás hallarse acostado sobre su espalda, para evitar que pueda ahogarse a causa de tragar mal una porción de leche regurgitada o devuelta.

Para evitar las deformaciones de la cabeza y tórax debidas a la compresión unilateral, se acostará al niño alternativamente sobre los costados izquierdo y derecho. Colocando por detrás de él un almohadón, se evitará que se vuelva sobre la espalda durante el sueño.

Para evitar que el bebé resbale hasta el fondo de la cuna, se podrá, en tiempo caluroso, dejarle los brazos libres o bien fijar a las cubiertas la parte anterior del saco de noche.

50

Accesorios y juguetes

El niño, por pequeño que sea, es todo un ser humano, y como tal ser humano necesita ya un sinfín de accesorios y también de juguetes. En este capítulo vamos a referirnos a estos aspectos de su vida y necesidades.

1. Accesorios

La bañera

Es éste un accesorio indispensable para asegurar al niño una limpieza conveniente. En el comercio se venden modelos muy prácticos y que a veces se pueden plegar, lo cual facilita su uso. En su defecto, puede ser suficiente un recipiente que sea bastante grande y que se reserve únicamente para este uso. Para tenerlo todo a mano, la madre prevenida habrá tenido cuidado de confeccionarse una especie de delantal muy corto y provisto de una serie de bolsillos, en los que emplazará todos los pequeños accesorios útiles; imperdibles, vendas, polvos de talco, etc.

Silla y parque

Cuando el niño está ya en edad de sentarse, la gran silla clásica que se transforma resulta muy útil, a condición de que una buena base la mantenga al abrigo de una caída. Pero aún es más simpático el parque, en el que el niño inicia y ensaya sus primeros pasos. En este pequeño recinto, formado por cuatro lados y fácil de fabricar, el niño se encuentra a gusto. Conviene que los barrotes estén suficientemente juntos para que el niño no pueda meter la cabeza entre ellos y que ningún cordón se ate a los mismos para evitar los riesgos de estrangulamiento.

Un objeto muy práctico es un cojín alto y grueso, en forma de

715

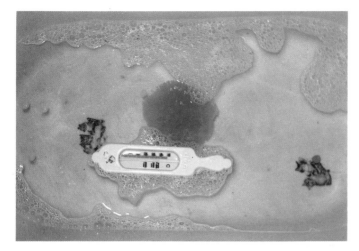

Es imperativo el controlar adecuadamente la temperatura del agua del baño del bebé. Al comenzar éste, ya deben hallarse preparados todos los elementos necesarios para su cuidado.

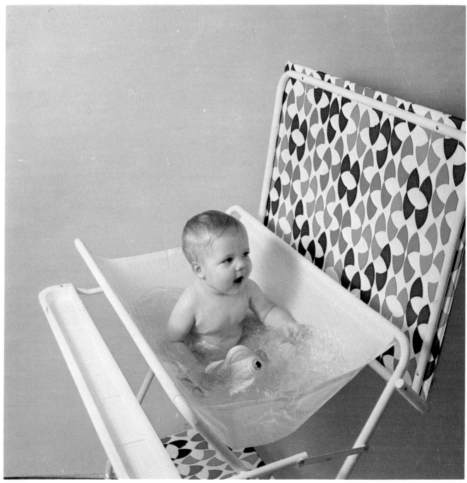

Cedida por cortesía de Chicco.

herradura, que sostiene bien los riñones del niño cuando se le deja jugar en el suelo o en su parque.

Taka-taka

El taka-taka, especie de pequeño artefacto de tela fijado sobre un cuadro de madera, y también muy útil cuando el niño comienza a querer andar, debe ser objeto, al ser utilizado por el niño, de una estricta vigilancia, no conviniendo que sea usado durante mucho tiempo, ya que con facilidad le puede producir fatiga.

Cochecito

Para su paseo cotidiano, el lactante debe ser llevado en un coche confortable provisto de resortes y ballestas que permitan una buena

Cedida por cortesía de Chicco.

La moderna industria dedicada al niño ofrece gran variedad
de juguetes, preparados de tal manera que, a la vez que distraen
y divierten al niño, contribuyen a desarrollar su inteligencia.

suspensión. Las tiendas ofrecen buen surtido de modelos prácticos y al alcance de los bolsillos más modestos.

Es necesario no tapar al niño de manera excesiva en los coches muy cubiertos.

Si no se dispone de cochecito, puede transportarse al niño en los brazos protegiéndolo del frío y evitando tomar metros o auto-

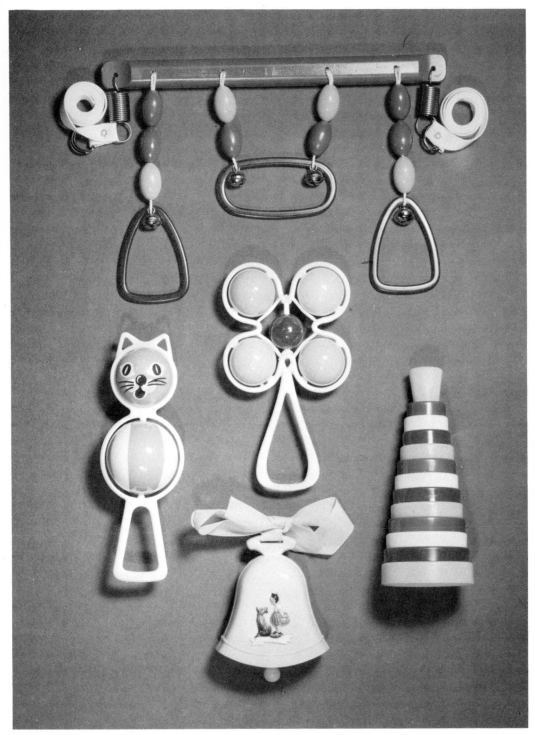

Cortesía de Biberón Remond, París, Francia.

Cedidas por cortesía de Chicco.

Un accesorio fundamental entre los objetos dei bebé o constituye el cochecito, que, cómodamente, servirá para transportarlo de un lugar a otro.

buses en donde se acumulan gran número de personas no exentas de enfermedades.

Inspirados posiblemente en la costumbre de ciertos pueblos de llevar los niños sobre la espalda de la madre, ofrece últimamente el comercio unos dispositivos que se adaptan bastante bien a este fin.

También se han creado otros artificios que permiten llevar el niño sobre un costado en una especie de bolsa; está sostenida por una banda en el hombro opuesto, la cual recuerda el zurrón de los pastores y la cartera de los escolares.

721

El recién nacido, más aún que el lactante, es un ser débil, al que hay que evitar los viajes para evitarle también los resfriados y el contagio de enfermedades infecciosas. Cuando alcanza la edad de 6 meses, soporta mejor un viaje bastante largo, sobre todo si se dispone de una hamaca o moisés.

Balanza pesa-bebés

Entre los accesorios que son útiles en la habitación de un bebé está el pesa-bebés, que se puede adquirir en el comercio a un precio módico.

Gracias a las pesadas regulares, se puede uno apercibir de la marcha del crecimiento y también de los peligros de una alimentación insuficiente o, al contrario, demasiado abundante.

2. Utensilios indispensables

Estos son los clásicos orinalitos, sobre los cuales se pondrá al niño cuando pueda tenerse sentado, a fin de acostumbrarlo a los hábitos de limpieza.

Algunos se hallan muy adornados y hasta formando cuerpo con una cabeza de animal: pato, por ejemplo. Esto divierte al niño y le da más estabilidad; pero no debe servir de pretexto para permanecer mucho tiempo sobre el mismo, con el consiguiente riesgo de enfriamiento.

También son prácticos los «pequeños sillones» provistos de un agujero ancho y en los que se sienta a los niños.

Otros utensilios, tales como el «cubierto» y el «vaso», se reciben generalmente como regalos. Lo mismo que sus comedores o servilletas deben utilizarse únicamente para el niño.

Los platos, igual que las tazas, deben ser de material irrompible y no de materia que se quiebre o salte, como la porcelana o el esmalte.

El plato de doble fondo, para mantener calientes las sopas, etc., con ayuda del agua caliente que se vierte en ellos, es un utensilio práctico, aunque no del todo indispensable.

3. Los juguetes

En fin, ¿cómo no hablar de los juguetes, aun cuando sólo se trate de un lactante? Hay que ver con qué placer agita un sonajero un niño de tres meses, tira los objetos al suelo, lleva una cuchara a su boca, etc. Objetos muy sencillos le satisfarán plenamente, pero la prudencia de sus padres pondrá fuera de su alcance todo lo que pueda perjudicarle: objetos duros, cortantes, monedas, trapos sucios.

Actualmente existen en el comercio un buen número de juguetes con intención educativa: son muy recomendables.

Para la primera infancia habrá que escoger juguetes sólidos, hechos de materia irrompible, tales como el caucho, marfil, plástico u otros, que puedan ser fácilmente lavables. Se tendrá la precaución de sujetarlos con un lazo corto —e insisto sobre esto— a una silla o a su cama. De esta manera el joven personaje que tiene la manía de llevárselo todo a la boca no corre el riesgo de recoger el polvo del suelo.

Bien que muy atrayentes, se guardará uno muy bien de comprarle juguetes tales como los osos o corderos peludos y muñecas con cabellos, vestidos y accesorios. Los mejores juguetes para esta edad son los pequeños animales de goma.

Para el niño ya un poco mayor, un buen medio para enseñarle el orden que debe presidir todos sus actos consistirá en proporcionarle una caja o cofre en que pueda guardar y aun ordenar todos sus juguetes.

Aprovechamos la ocasión para poner en guardia a los padres contra el uso de juguetes que incitan a la violencia y a la inmoralidad; el ejemplo más destacado es el de la pistola o el rifle con el cual el niño imita el disparo de las armas auténticas, dirigiéndolas contra otros niños o personas mayores.

4. Otros detalles

Iluminación

La iluminación de la habitación del niño se llevará a efecto con ayuda de bombillas eléctricas, que, si es posible, se pondrán en las paredes provistas de una pantalla, de modo que la luz no caiga directamente sobre los ojos del pequeñín.

Los ruidos

Convendrá también que se oiga el menor ruido posible, de modo que el sueño del niño, tan importante a esta edad, no sea turbado; experiencias hechas con monos han demostrado que el ruido ejercía un efecto retardador del crecimiento.

Habiendo dicho lo esencial en materia de muebles y habitación, dejamos a las madres, siempre diligentes e ingeniosas, el cuidado de poner en práctica buen número de otras ideas interesantes encaminadas a asegurar el máximo bienestar a sus niños.

51

La canastilla

1. Un poco de historia

El admirable instinto materno, que empuja a los pajarillos a arrancarse las plumas para tapizar su nido tan tiernamente preparado, impulsa también a la madre a buscar para su niño el máximo confort y bienestar.

De este modo, las mujeres esquimales escogen para su progenitura, en lugar de cuna y vestidos, una bolsa de piel de reno y de pelo fino, este último vuelto hacia el interior, cuyo fondo está rellenado de un amasijo de algas secas que cumplen la función de esponja.

Los antiguos egipcios pueden ser considerados como verdaderos precursores en puericultura, ya que se preocupaban mucho del bienestar del niño. El recién nacido era envuelto en grandes lienzos blancos; pero éstos nunca se los ceñían al cuerpo de modo que lo aprisionaran.

Por el contrario, los romanos hasta en el tiempo de Soranus (II siglo), médico famoso y considerado como el padre de la puericultura, vestían al niño envolviéndole sucesivamente cada miembro en pañales. Después brazos y piernas eran aún envueltos en vendas que aprisionaban al niño, y esto durante cerca de dos meses. Esa costumbre se observa aún entre los árabes, cuyos recién nacidos, embadurnados con diversos ingredientes, parecen pequeñas momias.

En nuestros países latinos, la costumbre romana ha persistido en este hábito de envolver bien al niño entre pañales.

2. El vestido del niño

Hoy en día se tiende a dejar los miembros del niño libres de las pequeñas prendas, cuyo conjunto constituye la canastilla. Es lo que

*Para la mujer que está esperando un hijo constituye una gran
ilusión la preparación de la canastilla con todos sus componentes.
¡Con cuánto amor prepara cada una de las prendas que la constituyen pensando ya en su hijito!*

se llama vestido «a la inglesa». Este último, como el vestido clásico
(envoltura española), tiene sus ventajas y sus inconvenientes. Parece
que la libertad excesiva del cuerpo, la falta de sostén de los riñones
hace difícil la maniobra de coger al niño para cambiarlo, para nu-
trirlo, y que, además, los riesgos de enfriamiento son más grandes.
Con el vestido clásico, el inconveniente reside en el hecho de que

725

las mamás, para que la fajita y ombliguero sostenga bien los «riñones» del niño, tienen tendencia a apretarlo demasiado, comprimiendo así el pequeño tórax y haciendo difícil la respiración. Por el contrario, el niño vestido con ropas ceñidas se maneja con mayor facilidad y seguridad y sus miembros se hallan más a cubierto de la intemperie.

Ciertamente, no hay reglas rígidas que presidan el vestido de los pequeñines. Puede uno mantenerse en un sistema mixto. Por ejemplo, reservar la envoltura completa de muletón de lana para las primeras semanas de la vida y también para la noche duante varios meses. Reservando el vestido ligero al tiempo caluroso o al lactante de más edad.

La necesidad de cambiar varias veces al día los pañales sucios y mojados obliga, desde luego, a concebir un vestido de la región torácica y otro de la abdominal, independientemente el uno del otro, para aumentar el bienestar del bebé y facilitar los cuidados de limpieza.

Cada vez se utiliza menos la clásica envoltura del bebé, favorecedora de deformaciones articulares —en especial la luxación de la articulación coxo-femoral— sustituyéndola, en la parte baja del cuerpo por el pañal o pico y por la braguita.

El comercio proporciona pañales o apósitos destinados a ser desechados tras una sola utilización, lo cual facilita mucho los cuidados de limpieza.

Los clásicos imperdibles tienden a ser excluidos del vestido del niño, siendo reemplazados por los sistemas de cierre adhesivo, de gran comodidad y seguridad.

3. El ajuar necesario

Causa ciertamente verdadero placer contemplar una bonita canastilla con la ropa del bebé, igual que alegra contemplar un equipo de novia. Para evitar enojosos trabajos de confección y bordados, las casas especializadas tienen lo necesario para satisfacer los gustos más exigentes.

Para vestir el tórax

Una camisita de tela fina, con costuras y dobladillos muy aplastados y lisos para no provocar sobre la piel rozaduras debidas al frotamiento. Para reducir al máximo las costuras, se puede cortar el cuerpo de una sola pieza o hacer mangas «japonesas». Las mangas serán siempre muy anchas. Es inútil poner automáticos o botones. El ajuste del cuerpo se hace cruzando las dos mitades de la espalda, la una sobre la otra. En cuanto a la longitud, deberá ser proporcionada a la talla y no sobrepasar las nalgas, lo que evitará que el niño moje la camisa.

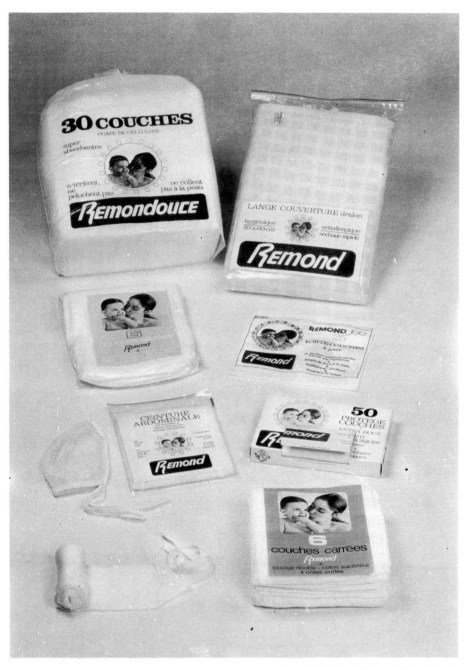

Cortesía de Biberón Remond, París, Francia.

Son muchas las madres que emplean las compresas de usar y tirar, por su comodidad e higiene, ya que evitan irritaciones y alergias. Aunque su coste sea mayor, se han hecho muy populares.

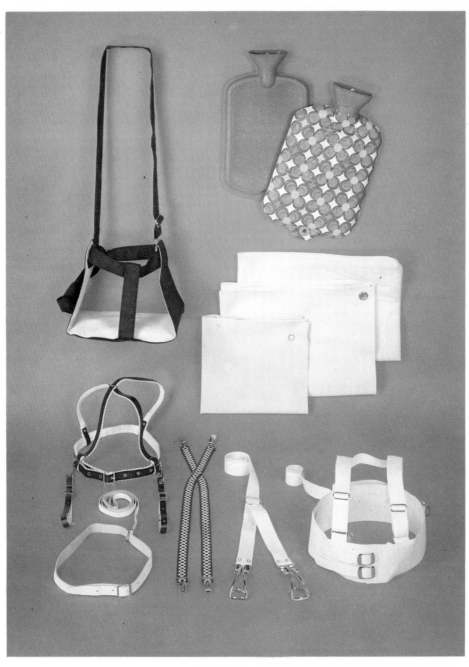

Cortesía de Biberón Remond, París, Francia.

Los modernos utensilios de que disponen hoy las madres facilitan grandemente las labores del cuidado de los niños.
El baño del bebé resulta fácil y agradable si se realiza con las bañeras que se emplean hoy en día.

Jubones

Cortados con el mismo patrón que las camisas, pero un poco más grandes. Los de debajo, es decir, destinados a recubrir la camisa, serán de franela o de lana suave, según la estación. Los bordes pueden llevar cintas para su aproximación, gracias a las cuales podrá atarse sobre la espalda.

Los jubones de encima, que juegan el papel de chaqueta o abrigo, son confeccionados en lana. En la estación calurosa se pueden hacer de piqué. El cierre debe hacerse preferentemente atrás.

Baberos

Estos accesorios, destinados a recoger el exceso de baba del niño e impedir que la humedad llegue al pecho, son siempre bonitas piezas adornadas, sobre las que se tiene la costumbre de clavar un broche más o menos costoso. Creemos que éste es un lujo inútil y peligroso, puesto que el niño tiende a quitárselo. Puede con él pincharse o, lo que es peor, tragárselo.

Los baberos más prácticos son aquellos que se han hecho de tejido sólido y lavable, suficientemente largos y que se atan por detrás con un lazo.

El vestido del abdomen

El vestido del abdomen, por las razones ya citadas, necesita también varias piezas.

Ombliguero

Es una venda de tela de hilo o de algodón fino, de aproximadamente un metro de largo y 10 cms. de ancho, y que tiene por objeto sostener en su lugar la cura que se pone sobre el ombligo hasta la caída del cordón. Lo mejor es una venda o tira de gasa que conviene lavar cuidadosamente cada día y planchar después para aplicarla en seguida de un modo rápido, manipulándola con las manos perfectamente limpias. Estas vendas cada vez son menos empleadas, pues dificultan la respiración del niño.

Tejidos más gruesos y muchos más largos (1,50 m.) son las vendas que mantienen la mantilla en su lugar. Terminan por cintas lo suficientemente largas (60 cm.) para permitir la vuelta a la cintura y su posterior anudamiento.

Pañales

Los pañales se ponen en contacto con la piel del niño y, por tanto, deben ser de un tejido suave y más bien de algodón que de hilo, puesto que éste es muy frío.

En el comercio se encuentran estas piezas hechas de diferentes capas de gasa, y cuya ventaja reside en el hecho de secarse rápidamente. Se pueden hacer económicamente cortando estas piezas de tejido fino de algodón. Este pañal, plegado en triángulo, tiene por misión recibir las deyecciones y orinas del niño y proteger las otras piezas de la vestimenta. Conviene tener un número lo más grande posible de estas prendas

Picos

Los picos absorbentes o empapadores están formados por un triángulo más o menos regular y de tejido de esponja muy absorbente, como el de las toallas. Pueden fabricarse estos picos con tejido fino y poner un triángulo más pequeño de tejido grueso en el centro. Así se secarán también más fácilmente y resultarán más flexibles.

Cuando el niño es ya un poco mayor y se le quiere hacer llevar braguitas de lana, el pañal o metedor resulta bastante antiestético y se le puede reemplazar por una especie de pañal-braga, constituido por dos bandas horizontales que forman cinturón y otra central más gruesa y absorbente.

Para vestir al niño a la inglesa se completan estas piezas, añadiendo unas braguitas de punto y más tarde un pelele. Para más comodidad conviene que estas piezas estén abiertas por abajo.

Para el vestido clásico de mantillas es indispensable tener pañales de algodón, así como mantillas. Los primeros son un poco más pequeños que las segundas y de tejido suave, aunque sólido. Estas piezas tienden a ser abandonadas y se ponen alrededor de riñones y piernas del niño y no cruzadas entre las piernas. Por encima se pone la mantilla, que tiene por misión proteger las piernas del niño; de algodón para el verano y de lana para la estación fría, pudiendo ser aún recubiertas por otra mantilla superior hecha de un tejido más bonito, tal como piqué. En esta envoltura el niño tiene la ventaja de tener las piernas calientes, sobre todo si se dobla la extremidad del pañal sujetándolo con un imperdible o, mejor aún, con las modernas bandas adhesivas.

Gusta a las madres envolver así a los niños por la noche; pero siempre hay que temer que la venda que los faja y sostiene no se halle demasiado apretada. Por eso debe preferirse el «saco de noche», que es sencillamente una bolsa bastante larga y amplia y que, hecha con franela y sin mangas, se cierra sobre el cuello. El niño puede agitar brazos y piernas, pero no puede ni arañarse (lo que es frecuente en los bebés) ni chuparse el dedo, estando perfectamente protegido.

«Monos»

Una prenda de uso bastante reciente y que ha hecho rápidamente fortuna por lo práctico y cómodo de su uso, es el «mono», imitación ni más ni menos del vestido de los trabajadores que se ensucian fácilmente. Esta prenda cubre todo el cuerpo y sus vestidos, se pone y se quita fácilmente y se puede lavar con frecuencia.

4. Canastilla y complementos

Sobre los pañales y mantillas, que solos resultan antiestéticos, se tiene la costumbre en España de poner un vestido o faldón que

Tanto el padre como la madre participan de la común ilusión por el futuro hijo. Crean todo un mundo de proyectos y esperanzas sobre su vida engrandecida por la presencia del niño.

CANASTILLA

Pañales de algodón.
Pañales de fibra.
Pañales desechables.
Picos.
Camisitas batista.
Jubones.
Braguitas.
Fajitas.
Gasas.
Empapadores.
Imperdibles de seguridad.
Peleles.

Bañera.
Termómetro.
Toallas.
Capa de felpa.
Peine.
Jabón.
Colonia.
Crema suavizante.
Cepillo.
Esponja.
Palitos de algodón.
Talco.

Faldones.
Peúcos de lana y fibra.
Jerseys de lana y fibra.
Baberos de batista.
Baberos afelpados.
Gorritos.
Monitos.
Vestidos.
Capitas.
Mitones.
Mantilla (arrullo).
Pijamas.

Cuna o moisés.
Sábanas de cuna.
Manta de cuna.
Colcha de cuna.
Cochecito.
Sábana de coche.
Manta de coche.
Colcha de coche.
Nanas.
Sonajero.
Chupete.
Hamaquita.

No conviene empezar a preparar la canastilla antes del cuarto mes (riesgo de aborto).

Tenerlo todo listo hacia el séptimo mes (posibilidad de parto prematuro).

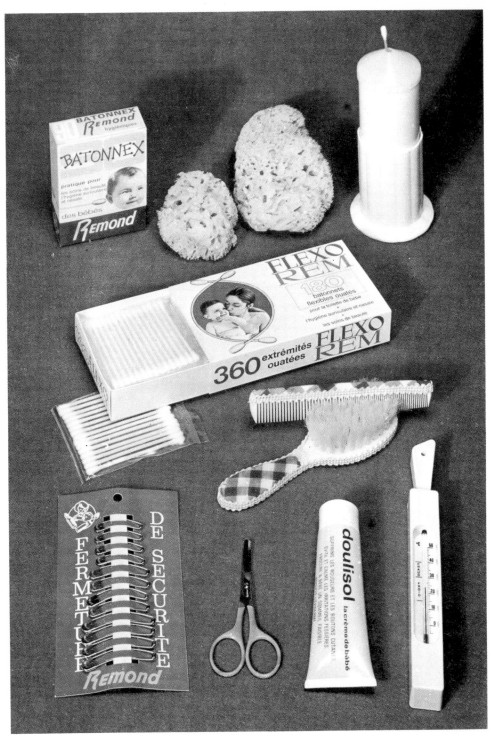

Cortesía de Biberón Remond, París, Francia.

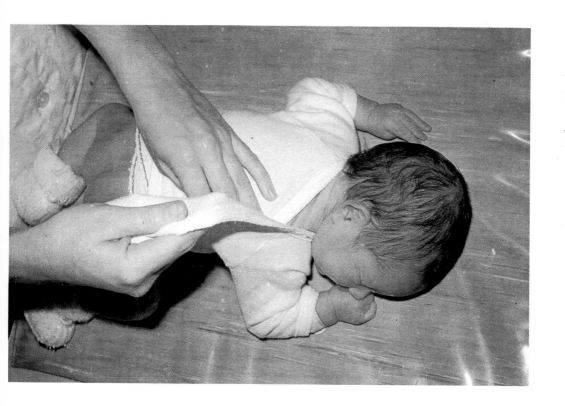

cubra las otras prendas. El cuerpo no difiere demasiado del de una camisa, pero es más corto y se halla provisto de mangas terminadas por puños. Esta prenda se abotona sobre la espalda para poder ponerla cómodamente. Se hacen de diversos tejidos, tales como el piqué, organdí, batista, y, evidentemente, con tejidos sintéticos. Se les puede añadir todos los ornamentos deseables (entredoses, encajes).

Toquillas y gorritos

Para los días fríos, la canastilla debe contar también con al menos una capa de lana fina suficientemente espesa, y que puede también reemplazarse por toquillas o sacos protectores de tejidos parecidos a una colcha y cerrados por una cremallera o banda adhesiva.

Si el niño sale de casa, conviene, sobre todo en el tiempo frío, y tanto más cuanto más pequeño sea, ponerle un gorrito de punto bien caliente y dotado de un forro de seda.

En el interior de la casa el niño no llevará nada sobre la cabeza, siempre y cuando la vivienda se halle suficientemente templada. En caso contrario, no hay inconveniente en ponerle un gorrito sin ornamento, sobre todo por la noche.

En el caso de que el niño tenga unas orejas muy separadas, el llevar un pequeño gorro de tul constituirá un buen medio para evitar mayores deformaciones.

Braguitas impermeables

Estas prendas del vestido del niño son de gran comodidad, cuando menos para la madre.

Cortesía de Biberón Remond, París, Francia.

Efectivamente: para el niño deben de ser bastante inconfortables, ya que retienen el producto de sus excretas. Son muy prácticas porque permiten que el niño no ensucie sus ropas en circunstancias especiales.

Por todo lo dicho, esta práctica prenda que favorece, no obstante, la maceración y las rojeces de la piel, sólo debe ser empleada en ocasión de visitas o viajes, por ejemplo.

5. Consejos prácticos sobre el vestido

Confección de prendas de punto

Vosotras mismas encontraréis ideas que os permitirán confeccionar otras prendas útiles para la canastilla de vuestro bebé.

En lo que concierne a la elección de la lana para estas labores, conviene mucho, y a causa de que estos pequeños vestidos, incluso lavados con precaución, encogen y se endurecen, comprar una lana tratada ya especialmente y que no presenta estos inconvenientes.

Las madres que quieran conocer modelos de prendas de punto y la lana más apropiada para confeccionarlos, encontrarán toda suerte de modelos y consejos en las revistas a ello consagradas.

Limpieza de la ropita

La higiene es fuente de salud. Nada es más cierto que esto cuando se trata del lactante, en quien las defensas no se hallan aún bien desarrolladas. Es necesario mantener las ropitas completamente limpias y nunca dejar secar un pañal sin haberlo previamente lavado. Camisas y jubones serán cambiados cada mañana. Mantillas, puntas, pañales y empapadores serán cambiados en el momento de cada toma de alimento, preferentemente antes, a fin de evitar el cambio de posición del niño en el momento en que comienza su digestión.

Prendas ordinarias

Lo mejor es el lavado diario. Por la noche se sumergen los lienzos, se frotan y se aclaran, dejándolos toda la noche en agua jabonosa, Luego se vuelven a frotar y se aclaran en varias aguas. No utilizar los cristales de sosa ni agua de lejía, que dañan la piel del bebé. Conviene tender la ropa al aire libre, mejor al sol, y plancharla. Hervirla una vez por semana es muy aconsejable.

Prendas de lana

Estas prendas deberán ser lavadas con mucha delicadeza y agua Jabonosa a 30°, sin frotar, pero estrujándolas bien. El aclarado se hará a la misma temperatura y mediante agua abundante. Después, y sin retorcer los vestidos, se envolverán éstos en un lienzo viejo y se pondrán a secar extendidos y al aire, lejos del fuego y del sol; de este modo las lanas conservan su forma. Hay que plancharlas húmedas.

Nacimiento y desarrollo. Higiene del niño

52

Desarrollo físico del niño

De entre todos los mamíferos, es el pequeño del hombre el que nace con menos capacidad para afrontar la vida por sí solo; incapaz de andar, tardará al menos un año para poder hacerlo, en tanto que los ternerillos, los corderos y otros animales son capaces de andar desde su nacimiento. Podría decirse que el niño es un ser aún «no maduro» con respecto a estos animalitos. Podría también decirse que tarda veinte años en alcanzar la madurez.

1. Desarrollo y longevidad

Ciertos autores han establecido una relación entre el tiempo necesario para alcanzar la edad adulta y la longevidad que correspondería, basándose en el estudio de animales y fijando en cinco veces mayor el tiempo probable de vida. De este modo, el hombre, que tarda normalmente veinte años en hacerse adulto, debería vivir normalmente también: veinte por cinco=cien años, o veinticinco por cinco=ciento veinticinco años.

Para volver a lo que decíamos del crecimiento, añadamos que no finaliza en una época fija para todos los sujetos y que su definitiva estabilización no significa que el desarrollo físico del individuo haya terminado. Así es, en efecto: incluso después de la edad llamada «adulta», se observa aún a veces un crecimiento en volumen o cambios en la morfología que refuerzan el concepto de «madurez». La aparición de la muela del «juicio», que puede ser tardía (hasta treinta años o más), no corresponde al punto final del desarrollo físico del ser humano.

2. Desarrollo ponderal

Para juzgar del desarrollo del niño, el primer dato útil que nos procuraremos es el del peso del niño en el momento del nacimiento.

Hemos dicho que este peso está por encima de los 2.500 y por debajo de los 4.500 gramos. Por debajo de los 2.500 gramos se trata generalmente de prematuros, y hemos visto que han existido niños viables con pesos increíblemente bajos. También se dan casos de niños por encima de los 4.500 gramos; los hay que pesan 5 ó 6 kilos, pesos que aún son frecuentes (sobre todo en las diabéticas); y se citan cifras aterradoras de 9, 10 y 12 kilos, casos evidentemente excepcionales y que raramente han sobrevivido.

Pero nosotros vamos a ocuparnos únicamente de los casos normales, para lo cual conviene que subrayemos algunos hechos. Que las madres no se desesperen porque han traído al mundo un niño de peso reducido —a menos que se trate de un débil verdadero—, ya que puede alcanzar un crecimiento y un peso muy acentuado durante los primeros meses de su vida, alcanzando así el peso que corresponde a su edad.

Conviene también que las madres de niños que han nacido con un peso normal o por encima de lo normal no se hagan demasiadas ilusiones, ya que el peso por sí mismo no constituye una prueba de un perfecto desarrollo ulterior, habiéndose visto, en efecto, gruesos y hermosos niños afectados de raquitismo, anemia y otras deficiencias.

Por tanto, el peso al nacimiento no puede servirnos de guía para predecir el aumento del peso en el futuro.

El aumento regular del peso de este recién nacido es un buen signo para deducir si se desarrolla bien, si se halla en buena salud.

Curvas de peso

Resulta muy conveniente el inscribir en una libreta los pesos sucesivos obtenidos, pesando al niño, si no diariamente, como al recién nacido, al menos todas las semanas. También se puede trazar la curva del crecimiento del peso sobre un papel, preferentemente cuadriculado, al que se llevan las cifras que se obtengan: los kilogramos, sobre la línea vertical. La figura aquí representada nos da la curva ideal del peso en los doce primeros meses (Fig. 62).

Decimos ideal porque la normal, a pesar de aproximársele, es más irregular. En efecto, se observa, por lo general, que entre el primero y segundo mes de la vida el aumento del peso es máximo: el niño gana entre 800 y 700 gramos en un mes. Entre el segundo y el tercer mes se observa una aminoración de la progresión ponderal o del peso, aminoración que se traduce en la gráfica por una línea menos vertical. En efecto: la ganancia por mes es menor; entre 550 a

650 gramos. Hacia el fin del tercer mes hay de nuevo un aceleramiento de la progresión que se hace ya bastante regular hasta el séptimo mes, excepto una inflexión ligera en el quinto mes.

Progresión del peso

Es difícil dar cifras exactas, ya que el progreso mensual en peso varía mucho de unos niños a otros; por otra parte, las tablas de cifras poseen la virtud de alarmar a las madres, quienes siempre hallan que su niño «no gana» lo suficiente.

Limitémonos, pues, a decir que el lactante ganará al principio de 450 a 700 gramos por mes; después, hacia el séptimo mes, para los unos, y entre el noveno y décimo mes, para los otros, el aumento de peso es notablemente más pequeño, bajando el aumento a los 350 e incluso a los 200 gramos por mes.

Esta disminución del progreso mensual es notable, sobre todo, en los niños criados al pecho. Este fenómeno coincide con una disminución de la secreción láctea de la madre; en esta época, por otra parte, las necesidades alimenticias del niño aumentan, e incluso para el niño de pecho hay que procurar administrar un suplemento alimenticio, que puede darse bajo la forma de sopas de cereales. La misma naturaleza lo indica en estos momentos al hacer su aparición la «baba», es decir: la secreción salivar (la saliva contiene un fermento o sustancia que ayuda a la digestión de los farináceos).

Después del décimo mes, la curva del peso vuelve a modificarse hacia arriba, coincidiendo con un aumento de la ganancia mensual, ganancia que no suele sobrepasar generalmente los 500 gramos.

En resumen, y para que sirva de guía, diremos que el aumento del peso es aproximadamente de 25 gramos por día en los primeros meses; después baja a 20 en el segundo trimestre; a 15 en el tercero y a 10 en el cuarto, y a 5 en el curso del segundo año.

El niño duplica su peso de nacimiento entre el quinto y el sexto mes, triplicándolo hacia el fin del primer año y cuadruplicándolo durante el segundo.

Repetimos que no es necesario dar una gran importancia al peso como dato exagerando su valor, y que las madres no deben pretender que todos sus hijos presenten la misma curva de peso.

Factores que influyen

Tampoco resulta demasiado prudente comparar dos o más bebés de la misma edad, ya que entran muchos factores en juego en el mecanismo del desarrollo. Así, si los padres son obesos, hay grandes posibilidades de que el niño también sea gordito; si el niño es nervioso, si se agita y grita mucho, ganará mucho menos que un niño de temperamento tranquilo y que duerme mucho; otros factores, tales como la enfermedad, el calor excesivo, etc., también tienen su influencia.

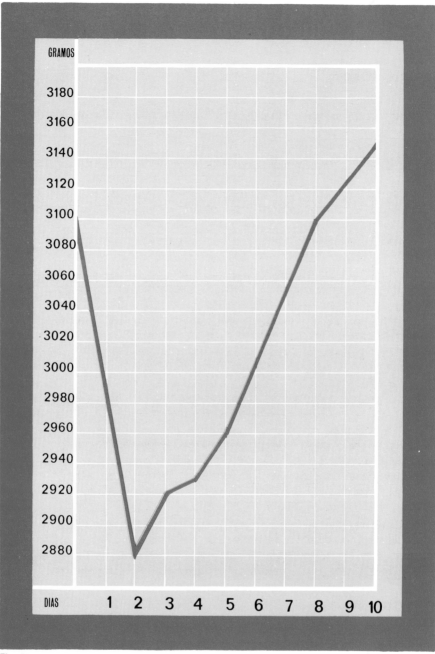

Fig. 61.

Figs. 61 y 62.—Es muy conveniente, para lograr un buen control de la salud y desarrollo del niño, llevar unas gráficas que reflejen los progresos que efectúa en peso y talla.
Esto permite que, cuando el médico especialista que vigila la salud del niño, lo examina, pueda disponer de datos concretos y reales.

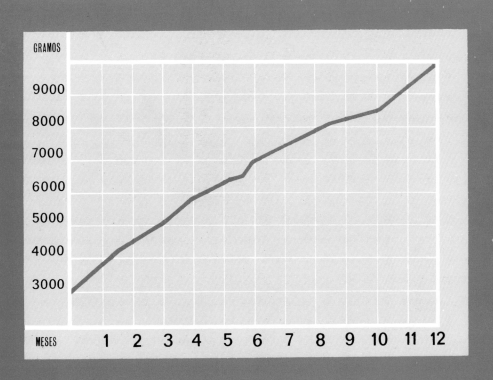

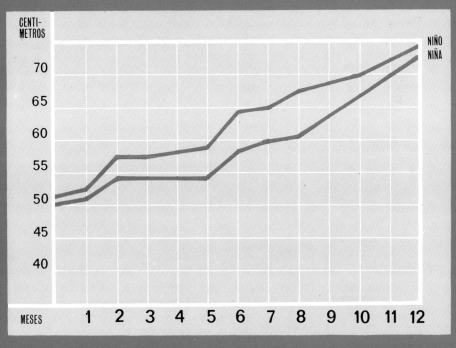

Fig. 62.

Es evidente que todo niño que en lugar de ganar de peso mensualmente mantiene éste estacionario o adelgaza, deberá ser conducido cuanto antes al médico especialista. También debería verlo el médico si gana demasiado peso, porque una exagerada obesidad puede ocultar un raquitismo llamado «florido».

Mecanismo del crecimiento en peso

El aumento de peso se debe, naturalmente, al crecimiento progresivo de todas las partes del cuerpo, pero también, y en parte, al acúmulo de grasa debajo de la piel.

Por lo general, el recién nacido tiene pocas reservas de grasa. Sus piernas son delgadas, formando contraste con la cara, que posee más grasa (bola grasienta o adiposa de Bichat) en las mejillas.

Durante las primeras semanas, esta grasa del rostro aumenta. Después, el tórax y las extremidades se rellenan. Hacia la sexta semana viene a ser el abdomen el que se rellena, y este relleno alcanza su máximo al séptimo mes. En esta época el niño presenta la redondez característica del bebé normal, con los «rollos» también característicos al nivel de los muslos.

A partir de esa edad, la grasa ya no tiende a aumentar y, por el contrario, es el sistema muscular el que adquiere preponderancia en este sentido del desarrollo.

Cuando un niño adelgaza, pierde primeramente el panículo adiposo del abdomen, y es ésta la razón por la que el médico puericultor pellizca la piel del vientre de todo niño enfermo.

Estas grasas acumuladas por el niño son una buena señal de salud —si no están en cantidad exagerada—, porque son también un depósito-reserva de vitaminas A y D.

3. La talla

El desarrollo del niño se juzga no solamente por el aumento del peso, sino también por el de su talla. Es durante el primer año de su vida cuando el niño aumenta su talla al máximo; gana, en efecto, de 22 a 24 cm. de longitud, lo que da lugar a una estatura de 70-75 cm. en el primer año.

El aumento de talla también puede representarse por una curva (véase Fig. 62) —ésta más regular que la curva del peso—, aunque el desarrollo de la estatura progresa también por «brotes» o «saltos» que se intercalan entre periodos de lentitud relativa. Puede observarse así que hacia el fin del primer mes hay un brote de crecimiento notable, lo mismo que acontece hacia el quinto mes.

De modo semejante a como ocurre para el peso, el crecimiento en talla se hace progresivamente más lento; es así como durante el primer trimestre el aumento es de 8 cm., aproximadamente, de 5 durante el tercero y de 4 durante el cuarto. El ritmo es aún más lento en los años que siguen, no ganando más que 10 cm. aproximadamente entre el primero y el segundo.

Mecanismo del crecimiento en talla

El niño se hace mayor porque sus huesos aumentan en longitud. El esqueleto humano, que comienza a formarse a partir del segundo mes de la vida intrauterina, presenta aún una osificación incompleta en el momento del nacimiento. Es decir, que si la parte mediana central del hueso o diáfisis se halla constituida por hueso propiamente dicho, las extremidades son aún cartilaginosas. Es cierto que algunos huesos, por ejemplo, la «cabeza» inferior del fémur (hueso del muslo), poseen ya en el nacimiento un foco de osificación, a partir del cual se producen capas cada vez más espesas de hueso; este tejido óseo ocupa el lugar del tejido cartilaginoso, extendiéndose hacia la diáfisis o «cuerpo del hueso», pero quedando separado de ella por una zona de cartílago que va disminuyendo paulatinamente. Esta zona, que finalmente queda reducida a un disco bastante aplastado, recibe el nombre de cartílago de conjunción, y es a su nivel en donde se forman las nuevas capas de hueso. Si a causa de un accidente o por un proceso infeccioso esta zona es alterada, el hueso no puede continuar su crecimiento.

Este proceso de osificación también se desencadena a nivel de los huesos planos, tales como los del cráneo.

4. Desarrollo alternante

La superposición de las dos curvas (de peso y talla) nos muestra que estos momentos del crecimiento ni coinciden ni son paralelos. Más tarde, parece que hay una alternancia entre los dos procesos, y es así como llegamos a distinguir los siguientes períodos que enumeramos y comentamos.

Período del primer relleno. De los tres a los cinco años, durante el cual el crecimiento estatural disminuye y, por el contrario, aumenta el peso.

Período del primer estirón. De los cinco a los siete años, en el que inversamente hay una disminución del peso, coincidiendo con un aumento de la talla.

Período del segundo relleno. De los ocho a los diez años.

Período del segundo estirón. De los once a los quince años; seguido luego del período de madurez genital.

FACTORES QUE INFLUYEN EN EL CRECIMIENTO

FACTORES FAVORABLES	FACTORES DESFAVORABLES
Herencia normal	Trabajo precoz
Ejercicio moderado	Alimentación insuficiente o desequilibrada
Buena alimentación	
Suficiente leche (calcio, fósforo)	Bebidas alcohólicas
Vitaminas A, D, B	Tóxicos: tabaco, alcohol, etc.
Ambiente tranquilo	Golosinas, azúcar (mala asimilación del calcio)
Sueño suficiente	Ruido

De este modo, los niños de padres altos tendrán tendencia a serlo también en condiciones normales de vida. Los niños bien nutridos y que beben suficiente cantidad de leche son en general de talla mayor que los de la misma edad que han sufrido restricciones alimenticias. El trabajo precoz, las intoxicaciones, el alcohol y el tabaco tienen, por el contrario, una acción nefasta y retardadora sobre el crecimiento.

Recordemos de pasada que entre los alimentos nutritivos necesarios al niño para su crecimiento, conviene citar más particularmente las vitaminas A —vitamina del crecimiento— y D, así como las sales minerales, tales como el fósforo y el calcio; todos estos principios se hallan contenidos en la leche, y por esta razón se la recomienda tan particularmente.

5. Relación entre talla y peso

Para juzgar acerca del desarrollo físico del niño en el sentido de su normalidad, lo que más nos interesa es, no los valores separados del peso y de la talla, sino la relación que existe entre ambos. En efecto: un niño parecerá normal a sus padres porque alcanza el peso que normalmente corresponde a su edad y, sin embargo, no lo será si se considera la talla que ofrezca, que, por ejemplo, puede ser demasiado pequeña.

El normal desarrollo físico del niño no puede desligarse de una alimentación y de un régimen de vida perfectos.

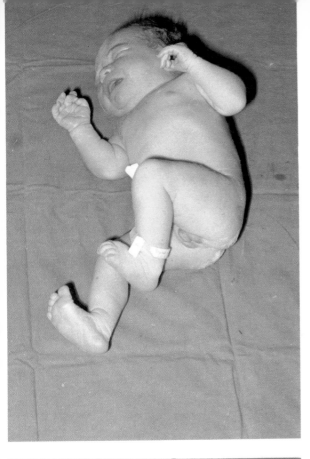

Indice de Pirquet

No se puede juzgar la robustez de un niño considerando solamente su peso y menos aún su talla. Insistimos en que es más lógico considerar estos factores conjuntamente. Se utiliza en general el índice de Pirquet: peso en gramos partido por la talla en centímetros. Este índice varía frecuentemente según la edad del niño y también según los países.

De todos modos, el cálculo del índice «peso-centímetros» da una idea bastante buena del desarrollo y robustez del niño. En los niños de más edad se ha propuesto el índice de Pirquet, que es el siguiente:

$$I = \text{talla} - (\text{peso} + \text{perímetro torácico}).$$

Por ejemplo, un niño de once años que pesa 31 kilogramos y mide 1,35 y 0,63 de perímetro torácico tendrá un índice de:

$$135 - (31 + 63) = 41,$$

lo que está muy bien para su edad.

Según determinadas tablas extranjeras, los índices normales son los siguientes:

A los	5 años	...	29	A los	13 años	...	38
»	6 »	...	33	»	14 »	...	36
»	7 »	...	35	»	15 »	...	33
»	8 »	...	38	»	16 »	...	30
»	9 »	...	40	»	17 »	...	26
»	10 »	...	42	»	18 »	...	24
»	11 »	...	41,50	»	19 »	...	23
»	12 »	...	40,50	»	20 »	...	22

Qué duda cabe que estas cifras pueden variar normalmente entre una y más unidades. El significado es mejor cuando el índice del desarrollo es más bajo que las cifras citadas; de este modo, un niño de ocho años será fuerte si tiene un índice de 37, y al contrario, más bien deficiente, si su índice se eleva a 40 ó 41.

El perímetro torácico se mide con una cinta métrica, la cual se hace pasar bajo la línea mamilar del sujeto mientras tiene su tórax en inspiración.

Cálculo aproximado de la talla

Resulta interesante, por otra parte, conocer de memoria algunas cifras como las que vamos a dar a continuación.

Durante el primer año crece el niño a razón de una media de 20 cm., lo que significa una talla de 70 cm. al final de este primer año (50 + 20 = 70).

Durante el segundo año, también cifras medias, 10 cm., lo que hace un total de 80 cm. $(70+10=80)$.

De los seis meses hasta aproximadamente los veinte, la talla aumenta a razón de una media de un centímetro por mes, y teniendo en cuenta que a los seis meses la talla es de 64 cm., podrá calcularse cuál será la talla a los dieciséis meses, por ejemplo $(16-6+64=74$ cm.$)$.

Conviene hacer notar que, en general, el niño mide ya la mitad de su estatura definitiva al fin de su tercer año.

Es clásico decir que al quinto año dobla el niño la estatura que tenía al nacimiento, y que, como recordamos, es una media de 50 cm., alcanzando, por tanto, la estatura de un metro. Esto es aproximativo y más bien una mínima, ya que frecuentemente los niños de cinco años bien nutridos sobrepasan esa cifra.

Desde la edad de seis años y hasta los catorce, la estatura aumenta por término medio 5 cm. por año, pudiendo, pues, calcular la talla de un niño a estas edades, añadiendo al metro (talla de los cinco años) 5 cm. por cada año que pase de los cinco.

$$1 \text{ metro} + (n-5) \times 5 \text{ cm.} \qquad n = \text{edad en años.}$$

Así, pues, un niño de ocho años tendrá que medir:

$$1 + (8-5) \times 5 \text{ cm.} = 1,15 \text{ m.}$$

6. Cálculo aproximado del peso

En lo que concierne al peso, un medio aproximado para calcular el que corresponde a un niño de menos de once meses es el de multiplicar el número de meses por 600 gramos y añadir el peso del nacimiento. Por ejemplo, un niño de cinco meses, cuyo peso al nacimiento es de 3.250 gramos, deberá pesar:

$$3.250 \text{ gramos} + (5 \times 600) = 6.250 \text{ gramos.}$$

A partir del primer año (10 kilos aproximadamente) y hasta los dieciséis meses, se añaden cada mes 200 gramos. Después, 150 gramos desde los diecisiete meses (11 kilos) a los dos años. Repetimos que estos medios mnemotécnicos para calcular el peso o talla no son exactos y los resultados que dan no deben considerarse como criterio absoluto. El crecimiento de un organismo es un fenómeno muy complejo; las variaciones de uno a otro niño son muy grandes para poder fijar cifras exactas. Es más: los niños sucesivos de una misma madre presentan diferencias notables en el nacimiento, y cuando ya son mayores, la diferencia es aún mayor; a veces el más pequeño y delgado en el momento de nacer viene a ser el más alto o el más grueso, y viceversa.

Cedida por cortesía de Chicco.

El juego es una faceta muy importante en la vida de un niño. Le ayuda a desarrollarse psíquicamente y también corporalmente. Pero siempre hay que procurar que el niño no se entregue más que a juegos que estén de acuerdo con su edad.

Cedida por cortesía de Chicco.

Evolución en la forma corporal

No solamente el niño aumenta de talla y peso, sino que también va sufriendo una transformación marcada en la forma de su cuerpo.

Decimos en el capítulo consagrado al recién nacido, que el cuerpo de éste difería profundamente del del adulto en el sentido de que

753

la cabeza representa la cuarta parte de la altura total del cuerpo, mientras que en el adulto sólo corresponde a una octava parte y que el cráneo tenía un volumen notablemente más grande que la cara; que el tronco se hallaba relativamente más desarrollado que los miembros, y que las piernas eran relativamente menos largas que los brazos, así como que el abdomen, muy desarrollado, tenía un perímetro más grande que el del tórax.

El crecimiento de los diversos perímetros no se hace tampoco paralelamente, del mismo modo que el crecimiento de los miembros superiores e inferiores.

En lo que concierne al crecimiento de la talla, observamos que hasta los siete años el niño aumenta principalmente por «sus piernas», de manera que el tronco aparece relativamente más corto. La línea que señala la mitad del cuerpo, y que estaba en el nacimiento cerca del ombligo, tiende también a descender cada vez más hacia el pubis.

Los brazos crecen menos rápidamente que las piernas; de este modo, de los dos a los once años las piernas doblan su longitud (de 30,5 a 61 cm.), mientras que los brazos no alcanzan totalmente ese doble (de 24 cm. a aproximadamente 44). La extremidad de éstos, que en el bebé alcanza con toda justeza al altura del muslo, desciende algo en el niño de once años, hacia aproximadamente su mitad.

7. Evolución de los perímetros

En lo que concierne al abdomen, diremos que durante toda la primera infancia (hasta los dos años) su volumen es muy marcado, sobre todo en la porción situada por encima del ombligo. Más tarde, y sobre todo hacia la pubertad, el segmento situado por debajo del ombligo se desarrolla, sobre todo en el sexo femenino, dominando sobre el segmento superior. De las dos circunferencias, craneana y torácica, la primera es en el bebé, y hasta el año, más grande que la segunda; pero el crecimiento de la segunda es más rápido, lo que conduce a la relación inversa en el niño mayor y el adulto: tórax más grande que la cabeza.

Pediometría

Conviene que al mismo tiempo que los padres pesan al niño y miden su talla, midan también esos dos perímetros y conozcan su evolución; de este modo podrán descubrir a tiempo una posible anomalía; por ejemplo: un crecimiento excesivo del perímetro craneano durante el primer semestre de la vida puede indicar la aparición de una hidrocefalia (líquido en el interior del cráneo); si esto ocurre en el segundo trimestre, se podrá tratar de raquitismo.

Conviene también tener en cuenta que el cráneo crece relativamente más deprisa en los prematuros que en los niños nacidos a término.

He aquí algunas cifras dignas de ser recordadas:

	Nacimiento	6 meses	12 meses	18 meses	24 meses
Talla	50 cm.	60 cm.	70 cm.	74 cm.	78 cm.
Perímetro craneal ...	34 »	40 »	44 »	46 »	47 »
Perímetro torácico ...	31 »	38 »	44 »	50 »	54 »

Más que las cifras en sí mismas, que, como es lógico, pueden variar según la raza a que pertenezca el niño, lo importante es la relación entre los dos perímetros; antes del decimosegundo mes debe dominar el perímetro craneano sobre el torácico; si fuera lo contrario, habría que pensar que el niño es anormal. Después del demicosegundo mes debe ser el perímetro torácico el que domine. Los valores son iguales en los alrededores del año.

Cara y tórax

En lo que concierne al cráneo, más que su crecimiento, que se realiza bastante lentamente, lo que más llama la atención es el cambio verificado con respecto a la cara, que se desarrolla más rápidamente, viniendo a ocupar una gran superficie. Una línea que pase por los dos ojos sube cada vez más a medida que el niño crece.

En cuanto al tórax, que presenta una forma de tonel alargado hacia abajo en el bebé, se transforma radicalmente en algunos años, ensanchándose y aplastándose.

Hacia los cinco o seis años, la circunferencia superior predomina al contrario sobre la inferior, del mismo modo que en el adulto. Sin embargo, hacia los treinta años el tórax toma su forma definitiva, es decir: que su morfología varía aún bastante durante los períodos de escolaridad y de adolescencia.

8. Evolución interna o desarrollo glandular

Todas estas transformaciones visibles del cuerpo del niño son el reflejo de unas transformaciones internas que a veces son considerables a nivel de las glándulas llamadas endocrinas (timo, hipófisis, tiroides), que sería superfluo desarrollar aquí. Todo el mundo sabe cuánto más profunda es la transformación del organismo en la época de la pubertad, pudiendo el que así lo desee buscar el capítulo

756

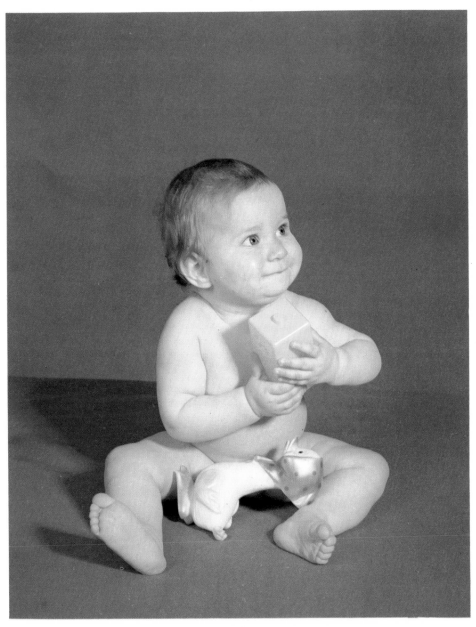

Cortesía de Biberón Remond, París, Francia.

Todo el tiempo que el niño pueda pasar en contacto con la naturaleza constituirá una magnífica inversión.

El sol y el aire son dos agentes que colaboran tanto en el normal desarrollo del niño como en la curación y convalecencia de las enfermedades.

en donde se habla de este período. Digamos únicamente que desde el punto de vista del sistema vegetativo, el niño, y sobre todo el recién nacido, se halla en una situación inversa a la del niño mayor o la del adulto: hay cierto predominio del sistema parasimpático o vagotónico, mientras que en el adulto es el simpático el que predomina.

9. Desarrollo muscular

El niño recién nacido presenta un sistema muscular muy deficiente, ya que es incapaz de andar, de tenerse en pie e incluso de sostener la cabeza. Hay que esperar hasta el tercer mes para que el recién nacido sea capaz de mantener la cabeza erguida, cuando los músculos del cuello han adquirido la fuerza suficiente.

En el segundo trimestre, es decir, en el sexto mes, es capaz de mantenerse sentado. Conviene tener en cuenta las posibilidades del niño y no forzar su naturaleza manteniéndolo sentado en los brazos o en una silla antes de esa edad, ya que pueden resultar deformaciones a nivel de la columna vertebral.

Más tarde, en los alrededores del tercer mes, el bebé demuestra una gran actividad muscular moviendo sus brazos y piernas e intenta ya erguirse apoyándose con los brazos contra los muros u otros apoyos. No obstante, el incompleto desarrollo del sistema nervioso impedirá aún al niño verificar los movimientos coordinados de la deambulación.

Al año, en general, los niños robustos son capaces de andar solos, bien que de una manera especial, marchando con las piernas muy separadas y los brazos extendidos «a modo de balancín». La posición erguida precede a la marcha, y el niño es capaz de mantener este equilibrio antes de cumplir el año.

53

Desarrollo psíquico del niño y su educación

1. Desarrollo psíquico

Si es cierto que constituye una fuente de alegría para los padres de un bebé observar cómo se desarrolla, de qué manera la leche tomada con apetito le hace aumentar regularmente de peso, también lo es que hay otras manifestaciones que los llenan de una particular emoción. ¡Con qué alegría se relata cómo ha esbozado el niño su primera sonrisa, tendido su manecita o dado sus primeros pasos! Y al contrario, cuán preocupados se encuentran si el niño, bien que con salud, no manifiesta progresos en su conducta. En ocasiones, estas preocupaciones no son fundadas, ya que no son hijas más que del desconocimiento de ciertos problemas. Una madre se lamentaba de que su bebé de cuatro meses no fuera capaz de tenerse sentado. Si hubiera consultado un libro de puericultura, no hubiera ignorado que esta actitud no es posible en el niño hasta que cuenta seis meses aproximadamente.

El desarrollo psicomotor del niño es gradualmente progresivo, paralelo en desarrollo al de su sistema nervioso, que, ya lo hemos dicho, se halla inacabado en el nacimiento al no hallarse completamente recubiertos los nervios por su vaina de mielina. Cuando la mielinización del cerebelo se halla terminada, hacia el fin del año, el niño es capaz de andar. No obstante, la maduración de todo el sistema nervioso no se completa más que hacia los dieciocho meses. El cordero, que nace con el cerebelo mielinizado, es capaz de andar inmediatamente después del nacimiento.

Igual que en el crecimiento físico, este desarrollo psíquico es tanto más rápido cuanto más pequeño es el niño. Durante el primer año, el niño crece 20 cm., pero adquiere también múltiples posibilidades, tales como la de ver con precisión, oír, tocar y coger los objetos, llamar y, sobre todo, andar.

Los progresos realizados no son solamente el resultado de la

A gatas, sí; ¡pero avanzo y llego adonde quiero!

«maduración» biológica, sino que son influenciados por el medio social en que vive el niño. Este necesita una suficiente dosis de ternura para desarrollarse. Se ha demostrado que los niños abandonados o que no reciben muchos cuidados tienen un desarrollo más lento, andando, por ejemplo, y hablando más tarde que los otros. En fin, cada niño lleva en sí mismo factores completamente individuales de su evolución, múltiples posibilidades que sin duda son determinadas por las características de la herencia. Nuestra hija melliza ha sido capaz de cantar entonando, y bien, desde los dos años, mientras que su hermano no ha podido hacerlo hasta los cuatro años.

La labor de los padres es la de desarrollar al máximo las posibilidades latentes del niño mediante una educación apropiada; sin embargo, se hará esto teniendo en cuenta las leyes que presiden el desarrollo.

Sería inútil querer hacer aprender a leer a un niño de un año o a andar a un bebé de cinco meses. Resulta por esto interesante para los padres saber con bastante exactitud qué es lo que se puede exigir a un niño de tal o cual edad.

2. Fases del desarrollo psíquico infantil

Conviene saber que, bajo una aparente confusión, la cronología infantil y juvenil presenta edades bastante definidas, con sus caracteres propios. Se distingue el período infantil, la primera infancia, la segunda infancia, la edad escolar y la adolescencia.

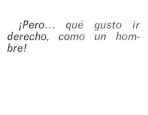

¡Pero... qué gusto ir derecho, como un hombre!

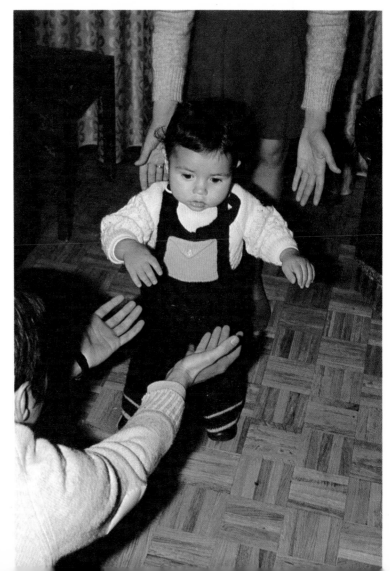

El período infantil comprende el primer año de la vida y se caracteriza, sobre todo, por manifestaciones de actividad sensorial.

Sobre todo, en el período llamado de «recién nacido», el niño es un ser casi esencialmente vegetativo, ocupado en satisfacer sus necesidades nutritivas y que casi siempre se halla durmiendo. Un poco más tarde ejercita sus sentidos desarrollando movimientos cada vez más coordinados. Incapaz aún de distinguir su propia individualidad, su vida mental es, por así decirlo, una sucesión de estados puramente afectivos, determinados, sobre todo, por la satisfacción de necesidades orgánicas. Un bebé bien satisfecho expresa su alegría por charloteos o sonrisas, y al contrario, lanza gritos de ira si tiene hambre o está mojado.

Durante la primera infancia (que se hace durar hasta los tres años), el niño que ha adquirido ya la capacidad de andar y que comienza a hablar, perfeccionará mucho estas dos importantes funciones. Además, aprendiendo a identificar los objetos de su alrededor como tales y comprobando su poder de acción sobre ellos, irá adquiriendo poco a poco conciencia de su propia persona. No obstante, continuará siendo esencialmente un ser afectivo, predominando la emotividad sobre las manifestaciones «cerebrales».

La segunda infancia, llamada aún edad preescolar, dura de los tres a los siete años y se caracteriza por el desarrollo de la voluntad.

La personalidad del niño se afirma por una crisis psicosocial llamada de oposición, y que se halla marcada por manifestaciones de desobediencia y de rebelión contra la disciplina familiar.

Esta edad, la de los juegos por excelencia, ofrece también un desarrollo marcado de la imaginación, lo que explica el gusto de los niños por los cuentos y relatos.

Se dice que el niño es egocéntrico, porque el niño lo refiere todo a sí mismo, siendo incapaz de situarse en el punto de vista de los demás.

De los siete a los trece años el niño entra en la tercera infancia o edad escolar; se hace capaz de dominar sus emociones y de razonar. Se adapta cada vez más al mundo exterior material y social, y sus intereses y actividades se hallan menos centrados en sí mismo y más sobre las cosas. Esta curiosidad intelectual lo impulsa a preferir los juegos instructivos, a manipular, desmontar, construir y ejercitar mecanismos.

La adolescencia se halla marcada por una crisis fisiológica (desarrollo de los órganos sexuales en la pubertad), pero también psíquica y social.

En este periodo, que va, aproximadamente, desde los trece años hasta los diecisiete, puede distinguirse una fase de no adaptación social, durante la cual los jóvenes, tímidos con respecto a los del otro sexo, se repliegan sobre ellos mismos. Hay otra fase de la adolescencia propiamente dicha, muy idealista, soñadora y entusiasta, en el curso de la cual despiertan los sentimientos amorosos que no llegan a «cristalizar». En fin, se produce otra fase de equilibrio, en la que se fijan las perspectivas profesionales y, con frecuencia, la elección de compañero. La madurez del espíritu prepara ya la estabilidad de la edad adulta.

3. Relaciones entre el crecimiento físico y el desarrollo psíquico

Hemos visto, pues, que el crecimiento físico termina aproximadamente en la misma época que el crecimiento psíquico. Aun habiendo algún paralelismo, sobre todo al principio, entre ambos crecimientos, no puede decirse que siempre lo sea así; el ejemplo de los retrasados mentales está ahí para probarlo: ¿quién no conoce esos robustos ejemplares humanos, dotados de una salud desbordante y de una fuerza superior a la corriente, pero que, desgraciadamente, han quedado en un estado infantil desde el punto de vista intelectual?

Vimos en el capítulo del desarrollo físico que el crecimiento tenía lugar por brotes o «empujones», alternando con períodos de reposo. Parece probado que el desarrollo psíquico se efectúa de la misma manera, por brotes que alternan con períodos de crecimiento físico; en otras palabras: cuando el niño pasa por un intenso período de crecimiento, su actividad intelectual baja; los padres pueden comprobar cómo el trabajo escolar flaquea en determinadas épocas.

En ocasiones, esos brotes de crecimiento físico coinciden con los del desarrollo psíquico, y esto explicaría las crisis que marcan la separación entre las etapas de la vida del niño. Los padres deben estar informados de estos «períodos sensibles», que no sólo se producen en la crisis puberal, sino también en otras épocas, coincidiendo con diversos acontecimientos, tales como el destete, primeros pasos, transición a la segunda infancia, entrada en la escuela, etcétera.

En esas épocas sensibles de la vida serán redoblados los cuidados que se prodiguen al niño, reforzando la vigilancia para evitar la fatiga y el riesgo de perder la salud.

Ciñéndonos al estudio del desarrollo psicomotor del lactante y del niño, estudiaremos en primer lugar la fase infantil, en la que puede aún distinguirse un primer período, el de recién nacido, y un segundo, el de lactante.

4. Fase infantil

Cuando el niño viene al mundo, dice un autor que su vida ha comenzado ya hace nueve meses. Desde el seno materno prodúcense manifestaciones que demuestran la existencia de un psiquismo mo-

tor: son esos movimientos espontáneos de los miembros que la madre e incluso los que la rodean pueden percibir.

Los órganos de los sentidos (vista, oído, gusto), aunque capaces de funcionar antes del nacimiento, no entrarán en actividad hasta este momento.

El nacimiento tal vez represente la «crisis» más revolucionaria y, afortunadamente, inconsciente en el sentido del olvido de la vida del niño. En este drama sangriento de salida «forzada», el traumatismo sufrido por el niño produce en él un verdadero estado de «choque». Del medio líquido y tibio en el que se encontraba, helo aquí lanzado a un medio seco y frío, en que acaba su vida parasitaria y en el que, además, debe respirar y alimentarse de otro modo.

El cambio vital de sus condiciones de vida es fuertemente acusado por el niño, que lanza casi inmediatamente ese grito especial, que constituye el primer índice de su existencia y de su vitalidad.

Cedida por cortesía de Chicco.

El recién nacido

Las primeras manifestaciones psíquicas del niño son de tipo motor. Apenas nacido, el niño agita sus brazos y sus piernas, aunque sea de una manera anárquica. Estos movimientos espontáneos, cuya causa no alcanzamos a comprender, son ejecutados también en respuesta a excitaciones locales un poco vivas. Estas reacciones motoras globales de todos los miembros son características de este período de inacabamiento nervioso. El niño al que se hacen cosquillas en el pie se retrae todo entero.

Puesto el niño en condiciones favorables de temperatura, el recién nacido vuelve al sueño, que era su estado natural en el seno materno. Después, y más o menos tarde, un débil vagido advierte a los que le rodean que sus exigencias nutritivas comienzan a hacerse sentir. Al servicio de esta primera e importante función que es la nutrición, pone inconscientemente el pequeño ser toda una serie de reflejos que el experimentador puede fácilmente poner en evidencia.

Reflejos coordinados

Uno de los primeros reflejos coordinados es el de la succión, que pone en juego los labios, la lengua, la faringe y la bóveda del paladar. En las primeras horas que siguen al nacimiento, basta con el simple contacto del dedo sobre la mejilla para que el niño abra la boca y busque el alimento.

En ocasiones, se desarrolla tempranamente el hábito de chuparse el dedo; según Stirniman, que ha estudiado particularmente el psiquismo del recién nacido, este hecho prueba que ya antes del nacimiento este instinto de la succión existía y que el niño lo ejercitaba. Este reflejo de la succión falta en los niños recién nacidos muy prematuramente, porque el centro cerebral de la succión no se ha desarrollado aún, y lo mismo ocurre en algunos cuyas lesiones craneales han afectado este centro.

Otras reacciones bastante complejas, tales como la tos, el hipo, el estornudo y el bostezo, se ejercen ya desde el nacimiento.

Reflejos especiales

Ciertos reflejos son característicos del recién nacido. De este modo, si se pone un dedo en la palma de la mano del niño, éste lo coge en seguida. Este reflejo, llamado de prensión, se halla a veces tan acentuado, que el niño puede permanecer algunos instantes suspendido a una varilla sin caerse. Este reflejo, muy transitorio, significa, si persiste en los meses que siguen, que el niño sufre un retraso mental.

El reflejo del «enclavamiento» consiste en un movimiento general de extensión de los miembros en presencia de estímulos violentos, tales como el ruido de un portazo o si se da al niño la sensación de que se le deja caer. Estos reflejos formarían parte del instinto de conservación, y demuestran que el recién nacido no es un ser enteramente desprovisto de defensas.

Reflejos condicionados

En cuanto a los reflejos condicionados, primeramente experimentados sobre los animales (perro de Pavlow, que segrega saliva con sólo oír una campana, porque se le ha habituado a asociar los dos hechos: alimentación y son de la campana), parece ser difícil provocarlos inmediatamente después del nacimiento. Respecto al dolor, Stirniman ha observado un reflejo que parece condicionado: un niño que había recibido algunas inyecciones comenzaba a llorar y a hacer movimientos de rechazo cuando le limpiaban la piel.

Reacciones sensoriales del recién nacido

Se ha repetido mucho que el niño nace sordo y ciego, e incluso insensible al dolor. Nada más falso. Las concienzudas experiencias de Stirniman han demostrado que la sensibilidad del niño es muy precoz a ciertos estímulos. Desde las primeras veinticuatro horas, el niño reacciona fuertemente con movimientos de rechazo si se le aproxima a la mejilla un trozo de hielo o un tubo de agua muy caliente.

Las sensaciones táctiles

Aunque más débiles que la sensibilidad térmica, han sido bien demostradas, no obstante, siendo la región bucal la que reacciona con mayor frecuencia. Tendremos ocasión de volver sobre esto.

Sensibilidad al dolor

Sin duda alguna, existe la sensibilidad al dolor. Siempre, por ejemplo, una inyección se acompaña de movimientos de defensa y de lloros, excepto en los primeros minutos que siguen al nacimiento.

Sensaciones gustativas y olfativas

Parece que son éstas las sensaciones que el recién nacido acusa más imperfectamente. No reacciona a los olores suaves, y éstos deben ser muy violentos y de tipo irritativo (amoniaco) para provocar una reacción y defensa evidentes. El niño parece no percibir ni distinguir perfumes muy distintos. Por el contrario, entre los cuatro grandes grupos de sabores hace una distinción muy neta: prefiere claramente el azúcar. En las experiencias citadas, las reacciones de reacciones de repulsión eran muy claras respecto a una sustancia amarga (quinina) o salada.

Cedida por cortesía de Chicco.

El desarrollo psíquico infantil tiene puntos comunes en los niños de ambos sexos; pero las características genuinamente femeninas pronto harán su aparición...

Sensibilidad auditiva y visual

Puede que la sensibilidad auditiva se halle muy atenuada los primeros días, pero hacia el fin de la primera semana el niño hace pruebas de discriminación, agitándose si oye la voz de su madre, por ejemplo.

Si los ruidos son fuertes, vibrantes, el niño puede presentar dos tipos de reflejos: un reflejo local de cierre de los ojos, que sirve de indicador para descartar una sordera eventual, y un reflejo general, de espanto, o al contrario, de inhibición, permaneciendo encogido y quieto.

En cuanto a la visión en el recién nacido, puede decirse que existe, porque percibe claramente la luz, cerrando los ojos ante una viva claridad o volviendo los ojos hacia una fuente de luz.

La sensibilidad a la luz es puesta en evidencia por el reflejo pupilar: una brusca iluminación de los ojos provoca una estrechez pupilar. Pero esta visión es aún poco exacta: el ojo presenta una miopía fisiológica que le impide ver los objetos alejados.

Se ha demostrado que ya en los primeros días de la vida distingue el niño los colores: el verde y el azul son preferidos al amarillo y al negro. Esta sensibilidad cromática aumenta cada vez más, hasta el punto de que la mirada del niño se fija sobre tejidos u objetos abigarrados, no llamándole la atención los colores uniformes.

Vida emocional

En los niños recién nacidos, las principales manifestaciones afectivas son el miedo, la cólera y el afecto. Comunicándole un movimiento de caída, hemos visto que el niño reaccionaba con un reflejo de espanto. Este reflejo no se manifiesta en ciertos casos: niños mongólicos, extraídos con fórceps, después de anestesia, ciertos prematuros.

Las manifestaciones de cólera con llanto y movimientos repulsivos se producirán en ciertas posiciones incómodas del niño (sujetado por los pies, brazos contra la cabeza, etc.).

En cuanto a las sonrisas precoces, serían manifestaciones de afecto y bienestar ante estímulos de calor placentero, amabilidad, etc. Otros autores dicen que no se puede hablar de sentimientos en los recién nacidos, que no son más que seres vegetativos, dotados de una serie de movimientos reflejos, sin reacciones de tipo espiritual.

Pero las múltiples y pacientes observaciones de Stirniman demuestran que el recién nacido se diferencia ya mucho de cualquier animalito joven.

Hemos visto, a propósito de las inyecciones, que parece como si el recién nacido tuviera memoria, por lo menos del dolor. No se puede dar una explicación, pero el niño es mucho más que un animal y que un mecanismo reflejo.

También son capaces los recién nacidos de hacer una finísima distinción de varios sonidos, reaccionando ante la voz de la madre y distinguiendo a los quince días su nombre cuando se pronuncia en la guardería (Stirniman).

Es capaz hasta cierto punto de estímulos defensivos. En la criatura frágil que Dios pone entre los brazos de las madres, ya se puede ver un ser superior a los animales, con posibilidades inmensas de preparación para el futuro.

El lactante

El primer año de la vida del niño se caracteriza por el perfeccionamiento cada vez más claro de sus movimientos, siguiendo siempre el mismo orden: empezando por los ojos, la cabeza, después los miembros superiores y los miembros inferiores, y esto en concordancia con el perfeccionamiento de su sistema nervioso.

Primer trimestre

En el curso del primer trimestre de la vida, los progresos son enormes. En sus movimientos de prensión el niño ejercita sus ojos, se fija en la luz, luego en los objetos. Sigue un objeto en movimiento en un sentido horizontal, luego en sentido vertical y, por fin, es capaz de efectuar movimientos rotatorios de los ojos.

En cuanto al control de la cabeza, cuando se le pone horizontalmente sobre el vientre, no es capaz al principio de levantarla.

Si se le sienta cogiéndolo por los brazos, su cabeza cae pesadamente hacia atrás. Al segundo mes esto no se produce ya, sino que la cabeza va hacia adelante con oscilaciones.

Acostado sobre el vientre levanta un poco la cabeza, y hacia el fin del tercer mes es capaz de levantarla apoyándose sobre los antebrazos.

Segundo trimestre

En el curso del segundo trimestre serán los movimientos de los miembros superiores los que poco a poco se perfeccionarán. Al comienzo, el niño lleva sus manos hacia el contacto del objeto que le interesa, pero éstas no llegan a cogerlo (cuarto mes). Hacia finales del quinto mes ya maneja bien tres dedos y llega a coger los objetos. Mucho después será capaz de cogerlos con el pulgar e índice

Segundo semestre

En los últimos meses de este primer año se observa el perfeccionamiento de los movimientos de los miembros inferiores, que culminan en la capacidad de andar; la marcha, muy especialmente al comienzo, con las piernas muy separadas, se perfecciona rápidamente. Según ciertos autores, los niños que serán después muy inteligentes presentan generalmente movimientos de prensión precoces y una marcha también muy precoz.

Aspecto psíquico propiamente dicho

A los tres meses, el niño es capaz de recordar ciertas cosas, si bien esto sea más claro en los niños de cinco meses. Si le enseñamos un sonajero y luego lo escondemos, mira insistentemente hacia el lugar donde ha desaparecido.

A partir del sexto mes, el niño, que ya es capaz de sostenerse sentado, distingue a los extraños, juega con su pie y demuestra ser ya capaz de ciertos fenómenos de tipo propiamente intelectual, tales como la imitación. Esta conducta «en eco» se observa en el gesto de adoptar un balanceamiento general del cuerpo al ver a alguien balancearse ante él o agitar un poco la mano si se hace el gesto de «adiós» en su presencia.

Hacia los ocho meses, el pequeño presenta en ocasiones un comportamiento especial, que consiste en repetir incansablemente un acto; por ejemplo: abrir y cerrar una cajita. Adquiere también conciencia de la bilateralidad de su cuerpo, haciendo experiencias alternadas con sus dos manos, llevando el mismo objeto primero delante de un ojo, después del otro, etc. Después llega ya a reconocerse en el espejo, demostrando así que es capaz de situarse con respecto a su cuerpo desde un punto de vista ajeno.

Aunque parece que la memoria se halla ausente durante el primer año, dado que no se recuerdan los sucesos acaecidos, existe, no obstante, de manera incontestable. Cierto que se trata de una memoria elemental, de base orgánica, pero que aparece muy pronto. Las primeras imágenes fijadas son las motoras, en relación con los actos que contribuyen a la nutrición; después imágenes sensoriales —dolor— y perceptivas, tales como las palabras, de manera que hacia el fin del primer año el niño tiene ya almacenado todo un material de lenguaje antes de comenzar a hablar. Sin embargo, esta memoria es aún inestable: el niño reconoce a su madre si la ve todos los días, pero si ésta se ausenta algunas semanas ya no la recordará.

La aurora del lenguaje

El niño experimenta bastante pronto la necesidad de comunicar sus deseos, y lo hace primeramente por el llanto.

Rápidamente sus gritos se hacen intencionados, y a partir del segundo mes es capaz de ejercitar su laringe con la emisión de sonidos, que se hacen después balbuceos. Hacia los cuatro o cinco meses su charloteo comprende una variada gama de sonidos y de sílabas sencillas, pero sobre todo las que prolongan los movimientos de los labios y de la lengua en el acto de mamar (labiales: M; linguales: L; palatales: P).

A partir del sexto o séptimo mes se observa generalmente un período de mutismo del que los padres no deberían asustarse, ya que es un fenómeno fisiológico: el niño se halla muy ocupado prestando atención al lenguaje hablado alrededor de él y a las inflexiones y entonaciones de las voces que oye. Comprende ya muchas palabras, sobre todo si le conciernen.

Después el deseo de hacerse comprender, que interviene a medida que se desarrolla su interés por el juego, le empuja a imitar y repetir ciertas palabras que para él tienen el significado de toda una frase: por ejemplo, «nena», que puede querer decir «quiero que mi hermanita venga» o «hermanita, dame tu pelota».

«Tests» de Gesell

Mediante observaciones pacientes y el cine-análisis, autores como el americano Gesell y su escuela han estudiado la evolución del perfecionamiento motor y psíquico del bebé. Después de largos

En el niño el afán de aprender es constante. Esto, unido al deseo de imitar todo lo que hacen los adultos, especialmente sus padres, hace que intente realizar acciones que siempre nos resultan graciosas.

estudios, han establecido una escala de «tests» o pruebas que se pueden aplicar a la mayoría de los lactantes.

Aunque muy interesantes, no podemos entrar en los detalles de los «tests» en este capítulo. Nos limitaremos a indicar con brevedad las principales pruebas que el niño ha de ser capaz de realizar en ciertas épocas de este primer año. Bien entendido que nos referimos a la mayor parte de los niños, y que unos manifestarán adelanto y otros retraso.

EDAD	TRES MESES	SEIS MESES

PRUEBAS MOTORAS

Acostado el niño sobre el vientre, debe poder levantar la cabeza del plano de la mesa.

Acostado sobre el dorso y después sentado (tirándole de los brazos), su cabeza se dirige hacia adelante y presenta oscilaciones laterales.

Acostado, mueve los brazos y las piernas, y los puños tienden a cerrarse.

Acostado sobre el dorso, el niño puede rodar y ponerse sobre el vientre, así como levantar sus piernas extendidas y en alto.

Puesto en la posición de sentado, es capaz de permanecer sin apoyo en esta posición durante algunos instantes y largo tiempo si está apoyado.

Puede coger un objeto que se halle al alcance de su mano y no dejarlo caer, si bien la prehensión sea aún imperfecta y de tipo palmar.

PRUEBAS DE ADAPTABILIDAD

Si se le presenta un objeto brillante o luminoso, lo ve inmediatamente y lo sigue con los ojos en sentido horizontal y vertical.

Debe poder seguir con la mirada a una persona u objeto que se desplace siguiendo un semicírculo con respecto a él.

Si se le pone un sonajero en la mano, debe poder cogerlo y observarlo un poco. Si se agita una campanilla cerca de él, debe volver la cabeza.

Viendo el sonajero o un cubito (como un gran dado) tiende la mano, lo toma y procura llevárselo a la boca; si se le cae, lo vuelve a coger.

Los objetos coloreados llaman más su atención y es capaz de seguirlos con la mirada aun en un desplazamiento rápido.

LENGUAJE Y REACCIONES SOCIALES

Ya en este momento de su vida el niño debe charlotear y sonreír, sobre todo cuando sus familiares y allegados le hablan.

Su principal juego consiste en mirarse las manos y tirar de sus vestidos o de los de las personas que se hallan cerca de él.

Emite gritos para llamar, gruñe y murmura.

A la vista de sus padres o de los juguetes charlotea.

Sonríe a su imagen ante un espejo y charlotea.

Gusta de agitar los objetos que hacen ruido, y acostado sobre su espalda se coge los pies.

Es sensible a las sonrisas de la compañía y responde a ellas.

774

NUEVE MESES

El niño debe ser capaz a esta edad de tenerse sentado sin ningún apoyo durante diez minutos aproximadamente; de inclinarse hacia adelante y de enderezarse.

Si se le pone de pie apoyado contra una pared, deberá sostenerse.

Tiende a coger todo lo que encuentra y llevárselo a la boca, llegando a coger objetos pequeños, tales como una pastilla, pero después de varios ensayos.

Si se le presentan varios cubitos, cogerá uno con cada mano, e incluso un tercero. Juega con ellos, los acerca y los golpea contra la mesa.

Ante un anillo sostenido por un cordel, consigue tocar el anillo y tirar del cordel.

Se distinguen en su lenguaje las «m-m-m»; sílabas sueltas; «da-da-ca», y, a veces, la palabra «papa».

Tiende a repetir ciertos sonidos y responde a la llamada por su nombre.

Sostiene fácilmente el biberón; come él solito una galleta, y ríe a carcajadas cuando se le hace cosquillas. Uno de sus juegos favoritos consiste en tirar de los cordones de sus zapatos o «peúcos».

DOCE MESES

El niño marcha fácilmente en su parque a gatas; se pone de pie cuando quiere, y apoyándose contra los barrotes, marcha a lo largo de esta barrera. Incluso se sostiene solo durante algunos instantes y anda si se le tienden las manos.

La prehensión se perfecciona cada vez más, y consigue coger una pastilla entre el pulgar y el índice.

Puesto en presencia de una taza que contenga un tubo, el niño saca éste de la taza si se le ordena, y lo vuelve a poner en la misma.

Se observa cómo juega cada vez más directamente con los cubos.

Si se le presentan una pastilla y una botella al mismo tiempo, solamente coge la pastilla.

Pronuncia con más claridad, refiriéndose a sus padres, las palabras «mamá», «papá» y otras, tales como «mu» y «tata».

Juega abriendo botes y saca su contenido.

Situado ante el espejo con una pelota en la mano, toca la imagen de la pelota con la mano libre.

Estas observaciones y pruebas deben ser hechas pacientemente y renovadas varias veces, aunque a intervalos bastante largos. Su positividad indica que el desarrollo psíquico del niño es normal.

775

1) Aprovechando el baño, la madre debe observar el cuerpo de su hijo para descubrir cualquier alteración.

2) Las inflamaciones de los oídos son frecuentes, así como las anomalías de la visión. Ojos y oídos deben ser vigilados.

3) Aun en los niños pequeños el cuidado de los dientes es fundamental.

4) Las vegetaciones nasofaríngeas y las amigdalitis pueden causar desagradables disturbios y deben combatirse.

5) Los catarros perturban la vida del niño; una higiene adecuada debe prevenirlos.

6) Si el niño vomita, piense en su alimentación y desconfíe de la apendicitis.

7) Las hernias, umbilical e inguinales, así como la fimosis, son frecuentes; conviene tenerlo en cuenta.

8) Las caídas afectan sobre todo los miembros inferiores; las heridas deben ser bien desinfectadas; no se olvide una enfermedad terrible: el tétanos.

1) Los padres deben conceder al desarrollo psíquico, moral y espiritual del niño la mayor importancia.

2) La educación debe ser la obra de los educadores con título, pero sobre todo de los propios padres.

DESARROLLO PSIQUICO Y FISICO DEL NIÑO

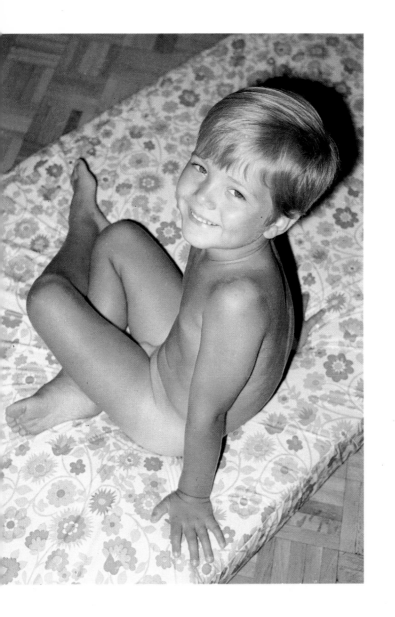

3) Cualquier anomalía psíquica o del comportamiento debe ser señalada al médico, al psicólogo o al psiquiatra, en su caso.

4) El carácter del niño se beneficiará de la solidez y firmeza del de los padres.

5) El niño es muy receptivo al ejemplo y le gusta imitar a los mayores; aprovechemos esta feliz disposición.

6) El niño pregunta acerca de su origen y de la presencia y función de su diferente sexo; infórmesele con cuidado y veracidad.

7) El niño normal será lo que sus padres quieran que sea; démosles el mejor ejemplo: preparemos ciudadanos perfectos para la tierra y el cielo.

5. La primera infancia

La crisis del destete

Durante esta nueva fase de la vida, que va aproximadamente del primero al tercer año, el niño, que ha adquirido cierta independencia por el destete, va perfeccionando sus nuevas capacidades, que son la marcha y el lenguaje, igual que su inteligencia, que ha aumentado de modo paralelo.

El comienzo de esta fase, llamada preescolar, se marca con frecuencia por el destete, que hoy en día, según los consejos de la puericultura, es lento y progresivo. Según ciertos psicólogos, el destete, sobre todo si es brusco, entraña repercusiones profundas e incluso lejanas: así, el gesto de chupar los pulgares o comerse las uñas serían actitudes de compensación debidas al sentimiento de la privación del seno materno.

Otro aspecto de este «complejo de destete» sería el «hacerse goloso», y la glotonería que se manifiesta frecuentemente en estos momentos, o bien incluso una actitud tiránica, exigente, del niño con respecto a su madre.

Aunque originando una verdadera «crisis psíquica», el destete no debe retrasarse mucho, ya que, según numerosas observaciones, el hecho de mamar mucho tiempo dificulta el desarrollo físico y mental del niño.

La marcha

Esta importante función, adquirida hacia el primer año, se perfecciona bastante rápidamente. Al comienzo el caminar es lento, pesado y zigzagueante. Ocupado en conservar el equilibrio, el niño separa las piernas y extiende lateralmente sus brazos.

Sólo hacia el fin del segundo año, en que la marcha se asegura, el niño goza corriendo. Este ejercicio tiene repercusiones notables sobre el organismo infantil: el niño gordito se hace delgado, con vientre plano y con la columna vertebral incurvada (ya no derecha como antes).

También hay consecuencias psíquicas, ya que se acentúa el sentido de la emancipación adquirida por el destete y que le ayuda a su exploración del mundo exterior. Por eso se comprueban después del establecimiento de la marcha progresos intelectuales marcados, aprendiendo también el niño a conocerse a sí mismo.

La palabra

Muy rudimentario y monosilábico al principio, el lenguaje sufrirá, como la marcha, un considerable perfeccionamiento.

Las primeras palabras emitidas con conocimiento siempre son de dos sílabas (mamá, papá, nene). El vocabulario se enriquece lentamente, y el niño para expresar sus deseos, emite palabras equivalentes a frases: una misma palabra-frase puede tener diversos significados: «eche», por ejemplo, puede querer decir: «tengo hambre, dadme leche», o «he tirado la leche», o «me ha cogido el vaso». Cada término tiene una extensión infinita: así, para el niño pequeño, la palabra «mama» designará no solamente a su madre, sino que también a cualquier otra mujer.

Los progresos, que son más bien lentos hasta los dieciocho meses, se hacen más rápidos a partir de esta edad. Las palabras, cada vez mejor fijadas por la memoria, son emitidas cada vez con mayor claridad, de acuerdo con la pronunciación de los adultos. El niño se ejercita repitiéndolas y utilizándolas. Después de los nombres y adjetivos, el niño comienza a emplear los verbos, pero no aún las palabras de ligazón. Esto conduce a la formación de pseudofrases. Por ejemplo: un niño de veinte meses que ve llorar a un niño más pequeño declara: «nene-pupa-mamá-da-cate», lo que significa: «el pequeño llora, que su madre le dé chocolate».

Hacia el tercer año, el niño, que adquiere conciencia de su persona, ya no se designa por su nombre, sino que utiliza los pronombres yo y mí, y además, verbos y algunas ligazones, formando verdaderas frasecitas. Claro que lo consigue a expensas de numerosos errores y vueltas, confundiendo mucho el sentido de las ligazones y empleando unas por otras; por ejemplo: «pero» y «pues».

Sin embargo, hacia el fin de este período preescolar, el lenguaje representa para el niño un medio maravilloso de desarrollo de su inteligencia, cada vez más ávida de conocimientos.

Desarrollo mental

Los progresos intelectuales del niño no sólo se manifiestan por el perfeccionamiento de las capacidades adquiridas, sino por el logro de nuevos conocimientos. Las facultades de ver y tocar los objetos habían puesto ya al bebé en condiciones de conocer un poco el mundo exterior, pero la posibilidad de desplazarse le abre posibilidades aún mayores en cuanto al conocimiento de las cosas. El niño, complaciéndose en palpar y manipular los objetos, perfecciona cada vez más su concepto del objeto por el hecho de poder ver las cosas a diferentes distancias y bajo diferentes ángulos, y descubre por otra parte que cada objeto tiene un nombre y que la pronunciación de tal palabra es un medio de procurarse el objeto de sus deseos. El conocimiento práctico de la individualidad de las cosas se verifica también por medio del juego. A esta edad el niño se divierte edificando, demoliendo, vaciando y llenando objetos vacíos. Perfecciona también la noción del espacio por otros juegos (ejercicios consistentes, por ejemplo, en jugar al escondite o lanzar una pelota). La noción del tiempo es aún muy vaga. Y el niño, desconcertado por el vocabulario temporal, no comprende que mañana se hace hoy y hoy ayer.

El desarrollo psicomotor del niño progresa cada día, de modo que éste adquiere cada vez mayor perfección de gestos y una mayor autonomía.

Comiénzase ya a notar una cierta manera de pensar propia de la infancia, y que es llamada pensamiento prelógico. Este modo de pensar, llamado también mágico, es también característico de las razas primitivas. Por ejemplo, concede alma a los objetos, proyectando en ellos su propio pensamiento. ¡Con qué naturalidad el niño, cuando juega, habla a una muñeca o a una silla! En una cajita puede ver una locomotora o un animal.

Por otra parte, el pensamiento es egocéntrico —lo que no es sinónimo de egoísmo sistemático—, ya que el niño cree que es el eje del mundo, no comprendiendo aún el punto de vista de su prójimo. Así se explica que a esa edad varios niños juntos hablen simultáneamente, pero cada uno siguiendo su pensamiento, sin ningún interés de relación social y que todo lo que toque lo considere como suyo.

Hasta los tres años el niño es incapaz de establecer la diferencia entre «mío» y «tuyo», de manera que sería un error calificar de «robo» el apropiamiento de las cosas de otro, tendencia tan natural en esta edad.

Durante este período la atención es como el pensamiento: fragmentaria y discontinua. También precaria como la memoria. Tan infiel y débil es la memoria, que los recuerdos fijados en esta época no persisten, razón por la cual no se recuerdan generalmente los acontecimientos acaecidos antes de los cuatro años. Sin embargo, si ha transcurrido poco tiempo, el niño es capaz de recordar dónde ha escondido un objeto y de acordarse de ciertos hechos.

El conocimiento de los niños de uno a tres años también se perfecciona por la adquisición progresiva de la noción de causa y por la adquisición de la consciencia de su propia personalidad.

El niño pequeño, que al comienzo intentaba infructuosamente alcanzar un objeto fuera de su alcance, sabrá después coger por la mano a una persona mayor y conducirla con un gesto significativo para alcanzar el objeto en cuestión. Mirará tras de una puerta para ver qué es lo que le impide abrirse completamente y procurará remover el obstáculo.

La personalidad se perfecciona poco a poco, afirmándose hacia el fin de este periodo en forma bastante violenta, dando lugar a lo que se llama «crisis de oposición», que marca el comienzo de la segunda infancia. El niño, dócil hasta aquí, se complace en desobedecer, haciéndose «difícil», preguntón y contradictor.

La vida afectiva

La preponderancia de la emotividad, característica de toda la infancia, se observa particularmente bien durante la primera infancia. Sin embargo, las causas emotivas no son ya solamente orgánicas como en el recién nacido, sino cada vez más el resultado de los deseos fijados sobre los objetos, las personas o las percepciones más o menos agradables. Estas causas son muy variables de uno a otro niño. La vista de una araña, que horroriza a uno, deja impasible a otro. Es la época por excelencia de los lloros fáciles a propósito de la menor contrariedad y, al contrario, de la alegría más explosiva.

Son también características de esta edad la sed de demostraciones de ternura y los celos, así como la tendencia a la apropiación de cosas y a los caprichos.

El cariño por las personas que los cuidan se hace consciente y más profundo, conduciendo al niño a la imitación de los adultos. Por esto una niña de dos años se moja los dedos para volver las hojas de un libro, sacude los cojines, o se pone los zapatos o las medias de su madre.

Determinación de la edad mental

Para medir o al menos apreciar la inteligencia de un niño disponemos de «tests» mentales, que son pruebas standarizadas, valoradas estadísticamente. Se aplican en general a los niños de edad escolar para descubrir entre ellos los retrasados mentales, determinando así la «edad mental». La desigualdad entre el crecimiento físico y el desarrollo psíquico puede hacerse aparente. Por ejemplo: un niño que parece bien para sus nueve años o más, puede presentar una edad mental de siete. Se dice que la edad cronológica no corresponde a la edad mental, hallándose el cociente intelectual en estos casos por debajo de uno.

Las tablas especiales clasifican de idiotas a los que presentan un cociente intelectual de 0,20; de imbéciles, a los que llegan a los 0,40; de débiles mentales, a los que tienen de 0,40 a 0,60. Ya por debajo de 0,70 se puede considerar de retraso mental al niño que lo presenta.

Los padres que se hallen poco satisfechos del progreso de sus niños en la escuela deben hacer que éstos sean examinados por especialistas, que se servirán de estos «tests», llevándolos, en caso de que se descubra una inferioridad mental, a las escuelas especiales para retrasados. Faltos de estos exámenes, gran número de padres ejercen una presión desafortunada sobre sus niños. Tampoco convendrá contrariar la tendencia constante de servirse de la mano izquierda que presentan algunos niños, ya que esto corresponde a una configuración especial de su cerebro, y el forzarlo podría hacer aparecer algo peor, cual sería una tartamudez.

En lo que concierne a la primera infancia, o edad preescolar, la determinación de la edad mental es más difícil, ya que el niño no posee aún la facultad de leer y escribir. Sin embargo, se ha establecido una escala de «tests» de la primera edad, y que funda esta determinación principalmente en pruebas motoras. Se atribuye al niño la edad que satisface la mayor parte de los «tests», y se le añaden tres meses si satisface algunos de la edad superior.

Nada más pernicioso para un niño que los malos ejemplos; ¡y tanto peor si se le anima a seguirlos!

Es muy conveniente que ya desde pequeñito se le enseñen al niño hábitos de higiene que, una vez aprendidos, serán practicados durante toda la vida, con indudable repercusión sobre su salud.

Consejos a los padres

Diremos solamente que el período siguiente, llamado de la edad escolar o segunda infancia, se abre por la crisis de oposición ya mencionada, y que los padres deben dar pruebas de paciencia y no de presión exagerada durante este período sensible.

Un consejo que no debe descuidarse: si el examen mental hecho por un especialista descubriera un retraso mental del niño (con frecuencia escondido por la manifestación de una buena memoria), los padres, en vez de lamentarse o de exigir esfuerzos inhumanos, deberían llevarlo a una escuela especial, en donde la educación apropiada hará de él un ser social capaz de ganarse bien la vida, a pesar de su defecto. Esta formación deberá hacerse sin retraso y cuanto antes, ya que los resultados serán tanto más excelentes cuanto más precoz sea la educación especial.

También hay que saber que ciertos retrasos mentales son debidos a una alimentación insuficiente en cantidad o calidad, a deficiencias de las glándulas endocrinas, etc. En estos casos hay posibilidades de mejoramiento si se sigue el tratamiento apropiado.

6. Principios de educación

La educación, si bien comprende la adquisición de ciertos conocimientos, no debe confundirse con la instrucción; es más bien una preparación adecuada de las fuerzas físicas, mentales y espirituales del ser humano, las cuales, desarrolladas de manera armoniosa y equilibrada, harán de este niño un hombre perfectamente sociable. La verdadera educación es más que el conocimiento de las conveniencias sociales y de la cortesía; abarca también la adquisición de buenos hábitos, tanto de orden físico como de tipo espiritual, y la rectificación de las malas tendencias.

El objeto principal de esta educación es el de dotar al niño de un perfecto dominio de sí mismo, haciendo que éste sepa siempre reprimir sus apetitos y caprichos.

Cuándo comenzar

La educación del niño debe comenzar en los primeros días de la vida, aunque algunos se pregunten si no es demasiado temprano. Se ha demostrado que cuanto antes se comienza mejores son los resultados. El niño de pecho es más listo de lo que cree la gente, dice con razón el profesor Ramos: «...y si no se establecen pronto hábitos de disciplina, base de la educación, más pronto aún el niño se convertirá en tirano de la familia».

En el primer año

Regularidad de las comidas

Durante los tres primeros meses de la vida, las buenas costumbres que han de adquirirse son: la regularidad de las comidas y el reposo prolongado en la cama (no en los brazos).

Desde el primer día de la vida tomará el niño su alimento a horas fijas. Después de que haya eructado, será devuelto a su cuna.

Si antes de la hora fijada se despierta el niño y llora, nos guardaremos muy bien de darle otra comida. Se comprobará mediante pesadas que el niño toma una ración suficiente. Puede suceder que tenga sed en tiempo de calor, en cuyo caso no hay inconveniente en darle algunas cucharadas de agua hervida sin azúcar. Hay que asegurarse también de que otras causas no provocan el llanto: el estar mojado, muy apretado, en mala posición, con alguna aguja que le pincha, ruidos.

Si no se descubre ninguna causa, si el termómetro no marca fiebre, se dejará el niño en su cuna, en la·que se calmará poco a poco. Si se comete el error de tomarlo en brazos, bien pronto se acostumbrará y repetirá las escenas de llanto hasta que se le tome de nuevo. El niño bien educado desde el principio, ya desde el fin del primer mes, debe deja dormir a sus padres toda la noche.

Hay que saber, sin embargo, que ciertos niños son particularmente llorones y excitables: son hijos de padres neuróticos o de madres que no han seguido un régimen exento de café, alcohol, etc., durante el embarazo. Hay que asegurarles un máximo de tranquilidad y redoblar las precauciones para evitar que las puertas se cierren con brusquedad y que las conversaciones sean en voz alta.

Lloros constantes, que no se calman en brazos, generalmente significan un estado de enfermedad (por ejemplo, la presencia de una hernia) y exigen un examen médico precoz.

Hábitos de limpieza

Deben comenzar por la administración diaria de un baño, a ser posible, siempre a la misma hora. Esta excelente práctica contribuirá en mucho, igual que la regularidad en las comidas, a la salud del niño.

Llegado a la edad de los tres meses, los hábitos de limpieza se harán activos por la participación del niño. La madre pondrá al bebé sobre el orinalito y lo sostendrá por los muslos, invitándole a efectuar su deposición a las horas en que esté acostumbrado a hacerlo. Al principio puede ayudarse a desencadenar el acto introduciéndole en el ano el extremo de una pequeña sonda de goma mojada antes con aceite. En seguida comprenderá el niño que el «orinalito» significa «deposición», y la madre no dejará de expresarle cada vez su satisfacción.

Hacia la edad de seis meses, cuando ya el niño se mantenga sentado, se le podrá atar en una pequeña silla especial dotada de un agujero. Se tendrá la precaución de taparlo bien para que no asocie una sensación desagradable de frío a esta buena costumbre.

Malas costumbres que hay que evitar

A esta edad, e incluso antes, el niño puede adquirir la mala costumbre de chuparse el dedo. Los padres, con frecuencia encantados por la tranquilidad del bebé durante este acto, no solamente lo favorecen, sino que lo provocan poniéndole un chupete en la boca. ¿Cuándo se convencerán las madres de que esa costumbre deplorable causa perjuicios al niño? En ocasiones basta con darle un golpecito en la mano cada vez que hace el gesto, desarrollándose en él un reflejo de inhibición.

En ocasiones, el niño ocupa sus ocios tocando sus genitales. Puede evitarse esta mala costumbre proporcionándole medios de distracción: dándole un juguete o atando una campanilla sobre su cuna.

Hacia el fin de este primer año de la vida, el niño sabe distinguir muy bien, por el tono de la voz de sus padres y por su expresión, cuándo ha obrado bien y cuándo ha cometido algo reprensible. Se le puede reñir cuando ha hecho sus deposiciones sobre sí, sin que sea necesario elevar demasiado la voz.

Por el contrario, si rechaza un alimento que le es presentado por primera vez, la madre deberá guardarse muy bien de manifestar enfado, conviniendo que se lo vuelva a presentar los días siguientes, a la misma hora, insistiendo amablemente y expresando su satisfacción si lo toma.

Después de un año

Nuevos problemas

Llegado a esta edad, el niño plantea nuevos problemas educativos, ya que la marcha y el comienzo del lenguaje abren para él un nuevo período. Su parque o habitación no son ya suficientes para sus deseos de exploración del mundo. Si se le deja, continuamente seguirá a su madre, y al mínimo descuido revolverá en el cubo de la basura, abrirá los grifos, sacará los cajones, volcará objetos, etc.; otros tantos motivos de nerviosidad para la madre, para quien parece acabada la paz y la tranquilidad. La prudencia consiste en prevenir los accidentes más bien que en reparar las consecuencias. Puede educarse al niño en este sentido, enseñándole a no acercarse a los barreños con agua, al fuego, a no subirse a los muebles, a no atravesar solo las calles y a no utilizar objetos peligrosos, tales como el cuchillo, las tijeras, etc.

El ideal sería que el niño tuviera una habitación soleada a su disposición, la cual estuviera desprovista de todo lo que pudiera ser fuente de peligro o de destrozos; casi sin ningún mueble y sin libros ni objetos. Por el contrario, uno o dos cojines recubiertos de tela fácilmente lavable serán muy apreciados por el niño.

Para evitar la tentación de tirar de ellas, deberán evitarse las cortinas.

En defecto de los juguetes, el niño encontrará mucha alegría distrayéndose con cajas de cartón fuerte o carretes de hilo.

Los relatos o imágenes espeluznantes per ban el consciente y el subconsciente infar ¡evitadlos!

Como su tendencia es la de tocarlo todo, hay que darle ocasión de que ocupe sus manos, dándole la impresión de que se hace útil. En vez de prohibirle, reñirle y castigarle siempre (por ejemplo, si el niño hace mucho ruido con su tambor), se dirigirá su atención hacia otra actividad útil.

Hacia los dos años, el niño es capaz (si se tiene la paciencia de educarlo) de comer solo con su cuchara, de quitarse los zapatos, el pantalón o traer los objetos que se le pidan.

Es esta la edad en la que debe inculcarse la estricta obediencia a las órdenes y no temer el recurrir a unas buenas palmadas en las nalgas cuando las haya merecido.

Se ha probado que cuanto más precozmente se adquiere el hábito de obedecer, menos se tendrán que usar después los castigos severos. Ceder a los caprichos de un niño es prestarle un mal servicio y echar las bases de una vida desgraciada. Sin embargo, un punto muy importante es el de que los padres no den las órdenes gritando; hablarán con voz tranquila, firme y sin elevar jamás la voz, a pesar de que el resultado no se obtenga rápidamente.

Enseñémosles también a decir «gracias» y «por favor», dándoles ejemplo y diciéndoles también «gracias» por el más pequeño servicio.

Otras buenas costumbres

En el curso de la primera infancia continuaremos inculcando al niño otras buenas costumbres, tales como masticar bien los alimentos, comer cuidadosamente, lavarse las manos antes de las comidas, limpiarse los dientes.

Aparte estos hábitos de limpieza, se inculcarán el amor y la necesidad del orden. Llegado a la edad de tres años, el niño habrá de saber recoger y guardar sus juguetes en una caja o pequeño mueble, disponer sus vestidos y zapatos para acostarse, no tocar los libros ni los papeles de los mayores.

Los defectos. Cómo corregirlos

Es también la edad en que aparecen ciertos defectos de carácter, defectos que conviene corregir cuanto antes. Por ejemplo: un niño tiene tendencia a presentar crisis de cólera, otro será temeroso, otro celoso de su hermano recién nacido. En el primer caso, en cuanto el niño empiece a patalear y gritar, se le dejará solo en la habitación; el aislamiento inmediato es preferible a todo castigo corporal, a condición de que en el lugar del aislamiento pueda el niño ocuparse en algo.

En el segundo caso se evitará el perder la paciencia o decir cosas desagradables; se tratará más bien de encontrar las causas de su timidez. Puede que se deban a haberle contado historias fantásticas, que son el origen de su miedo a la oscuridad. Para el alma sensible del niño, los relatos que «espantan» pueden resultar de una gran nocividad. Se evitará, por tanto, hablarle de las figuras del diablo, del hombre del saco, de la bruja, etc., y los relatos nunca ofrecerán una situación trágica.

Si se quiere vencer el miedo a la oscuridad, lo mejor será crear una atmósfera de confianza, permaneciendo unos momentos con él y contándole una bonita historia, o cantándole una canción. Poco a poco se disminuirá el tiempo pasado junto a él, y se cerrará cada vez un poco más la puerta hasta que se haya habituado.

En el caso de celos ante un nuevo hermano, se evitarán las manifestaciones de ternura y atención en su presencia, así como las desafortunadas comparaciones con un hermano mejor dotado.

Cine y televisión

Antes de precisar sobre un medio de distracción determinado, hay que fijar un principio general de suma importancia.

Lo que se debe buscar al proporcionar a un niño un medio de distracción no es solamente que pase unas horas entretenido y sin molestar a los adultos, debemos pensar también en la formación del niño, en sus facetas físicas, mentales y espirituales. Por ello, cualquier distracción que reste posibilidades al desarrollo debe ser controlada o desechada si fuera necesario.

Sentado este principio sobre las distracciones, podemos ver qué hay de positivo en el cine y en la televisión.

Vamos a tratar el cine y la televisión a la vez, y digamos que al niño sólo convienen aquellos programas, bien cinematográficos o de televisión, que están especialmente preparados para las mentes infantiles y aun en este caso, tratando de evitar todo lo que pueda impresionar negativamente la mente del niño, como pueden ser escenas de violencia, fraudes, robos e inmoralidad.

En cuanto a la televisión, dado que se encuentra en el hogar, su control es más difícil, ya que el niño puede ver programas de adultos con cierta facilidad y éstos en algunos casos no son formativos para ninguna edad; pocas son las personas que tienen la fuerza de voluntad suficiente para no ver sino lo que conviene.

Por otra parte, las alteraciones de la visión son frecuentes en los espectadores asiduos de la televisión; los nervios y el rendimiento intelectual también pueden resentirse, sobre todo a causa de la pérdida de buenas horas de descanso en que el niño debiera estar en la cama y no pendiente del televisor. La falta de diálogo entre los miembros de la familia, también debe ser un factor a tener en cuenta.

Educación religiosa

La primera infancia es la edad en la que se puede y se debe inculcar al niño las primeras nociones religiosas, invitándole a arrodillarse, a repetir plegarias sencillas, y llevándole a la iglesia al menos una vez por semana. Aprenderá así el respeto a las cosas santas, y en su pequeña alma influenciable se grabarán impresiones duraderas y beneficiosas.

Un psicólogo eminente dice: «Cuando la Providencia coloca a un niño en los brazos de su madre, parece como si Dios dijera a sus padres: 'Os confío este tesoro, velad por él, instruidle hasta que alcance el pleno desarrollo de sus energías y de sus talentos, la plena conciencia de su papel terrenal y de su destino eterno.'»

54

La dentición

El momento en el cual irrumpen los dientes lo es siempre de profunda satisfacción para los padres. Es también un período de preocupación, sobre todo si tarda en salir el primer diente. Es necesario subrayar que, en general, no se trata de ninguna anomalía, sobre todo si el niño es criado al pecho, debiéndose más que nada a una influencia hereditaria: si los padres presentaron una dentición tardía, los niños tendrán grandes posibilidades de presentarla tardía también.

Hay niños precoces que presentan sus primeros dientes a los cuatro meses, pero en general es hacia el sexto y séptimo mes cuando aparecen.

1. Orden en la erupción de los dientes

El orden de salida de los dientes presenta unas variaciones bastante frecuentes; pero el más constante es el que presentamos a continuación (véase Fig. 63):

Incisivos medios inferiores	6-7	meses
Incisivos medios superiores	9	»
Incisivos laterales superiores	10	»
Incisivos laterales inferiores	12	»
Premolares inferiores	15	»
Premolares superiores	18	»
Caninos inferiores	21	»
Caninos superiores	24	»
Molares inferiores	27	»
Molares superiores	30	»

Número y cálculo

De manera que el número total de dientes llamados «de leche» es de ocho a los catorce meses; de doce a los dieciocho meses; de dieciséis a los dos años, y de veinte a los tres años.

Un buen medio para saber con aproximación el número de dientes que corresponde a una edad determinada (hasta los veinte meses) consiste en sustraer al número de meses del niño la cifra de seis. Por ejemplo, un niño de dieciséis meses habrá de tener:

$$16 - 6 = 10 \text{ dientes.}$$

Mecanismo

Ya al segundo mes de la vida intrauterina los dientes han comenzado a formarse, terminando su evolución después del nacimiento. Cuando van a irrumpir, las encías se hinchan y enrojecen. Esto ocurre, sobre todo, al nivel de los incisivos superiores, porque con frecuencia los cuatro «medianos y laterales» salen casi todos a la vez. Esta irrupción causa, en general, más molestias al niño que la salida de los dos primeros inferiores.

Los incisivos inferiores laterales salen fácilmente hacia el fin del primer año y sin ningún incidente. Por el contrario, la irrupción de los premolares anteriores, que salen antes que los caninos, se hace prolongada y laboriosa a causa de que estos dientes no perforan la encía siguiendo una línea como los precedentes, sino en tres o cuatro puntos diferentes, por donde los tres o cuatro tubérculos de la corona muestran su punta.

Los caninos o colmillos, que salen generalmente después de los dos años, no presentan una erupción difícil, como vulgarmente se cree (dientes «del ojo»).

La salida de los premolares posteriores o segundos molares temporales, hacia los tres años, presenta las mismas particularidades que la de los primeros; pero el niño, más robusto ya en general, no suele resultar molesto por ello.

Los primeros molares —llamados también terceras muelas—, que saldrán hacia los cinco años, no son dientes destinados a caer como los precedentes. Conviene, pues, cuidar bien estos dientes, toda vez que son definitivos.

Fig. 63. **Dentición.**—La dentición es un fenómeno natural que en un niño normal puede provocar molestias, pero no enfermedades. El dibujo presenta las distintas fases de la dentición; los dientes con un trazo en la unión con la encía son los permanentes.

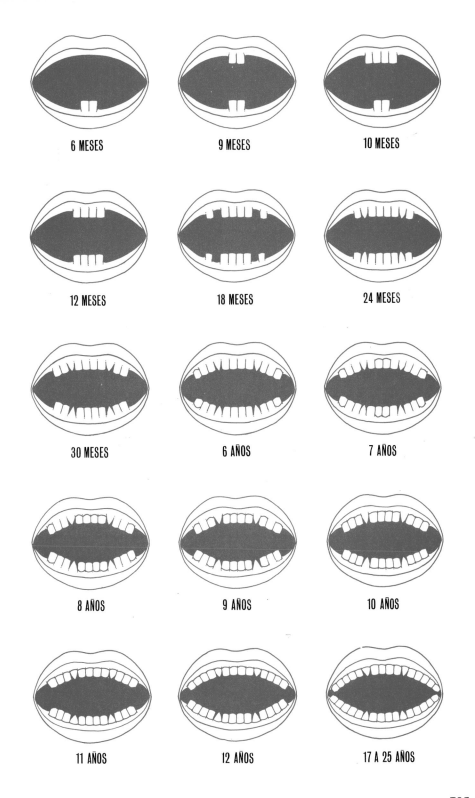

6 MESES   9 MESES   10 MESES

12 MESES   18 MESES   24 MESES

30 MESES   6 AÑOS   7 AÑOS

8 AÑOS   9 AÑOS   10 AÑOS

11 AÑOS   12 AÑOS   17 A 25 AÑOS

795

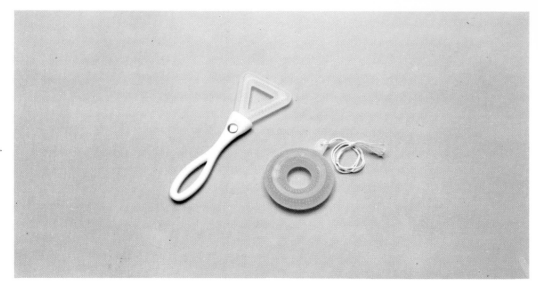

Cedida por cortesía de Chicco.

*Las casas especializadas en la fabricación de utensilios
para la infancia preparan anillos de goma para la dentición
que alivian las molestias del niño. En la fotografía se presentan dos muestras de estos útiles anillos.*

La primera dentición termina, pues, hacia los tres años, y a esta
edad el niño posee ocho incisivos, cuatro caninos y ocho molares.
En total, veinte piezas dentarias.

2. Incidentes de la dentición

En este siglo último se atribuían a la dentición multitud de enfermedades de los niños.

Es necesario saber que la dentición es un fenómeno natural que
en los niños normales no tiene por qué provocar enfermedades. No
obstante, hay que reconocer que este trabajo de la naturaleza va
acompañado con frecuencia de trastornos, que son más marcados
en unos niños que en otros.

Fórmulas de alivio

El niño cuya encía se halla hinchada a causa de la erupción dental se encuentra con frecuencia en un estado de nerviosismo, que

Cedida por cortesía de Chicco.

se traduce por agitación, gritos e insomnio. La fricción de la encía con el pulpejo del dedo tiene un efecto calmante sobre el niño y sus molestias. Para estas fricciones puede emplearse un colutorio como el siguiente:

Miel ... ...   200 gramos
Agua   100   »
Tamarín   30   »
Azafrán   3   »

A estas maniobras se procederá, como es natural, con toda la limpieza y toda la prudencia necesarias para no lesionar la boca del niño.

Si el niño se hallara muy agitado y no pudiera dormir, vuestro médico os prescribirá una poción calmante. En ocasiones bastará un poco de:

Jarabe de azahar ... ...   200 c.c.

Remedios vulgares

En algunas regiones tienen la costumbre de cortar la encía valiéndose de una moneda. Es natural que una práctica de esta naturaleza, totalmente contraria a la higiene, debe ser prohibida. También deben ser evitadas todas estas medicinas populares y denticinas aireadas por la publicidad, y que, por lo general, no sólo no arreglan las cosas, sino que, por el contrario, las complican.

Repitamos que la dentición es incapaz de causar por ella misma ningún incidente grave; sin embargo, débense exagerar en esta época los cuidados generales y de orden alimenticio.

3. Los llamados trastornos de la dentición

Así que si un niño en la edad de «echar los dientes» presenta fiebre o diarrea, vómitos o cualquier otro síntoma alarmante, no digan las madres: «Esto va a pasar, son los dientes», sino que se apresuren a llevarlo al médico.

Más de un lactante ha pagado con su vida la ignorancia o descuido de la familia. En un triste caso auténtico, un niño llevado a una curandera murió de meningitis porque los padres confiaron en el diagnóstico de tan poco competente persona. Ese diagnóstico anticientífico era ¡que la «baba» se había metido para adentro...!

Deben saber las madres que si es natural que el niño empiece a babear hacia el quinto mes, es también normal que esta «baba» desaparezca a las pocas semanas. En efecto, la secreción salivar aumenta fuertemente al cuarto o quinto mes, y el niño babea porque

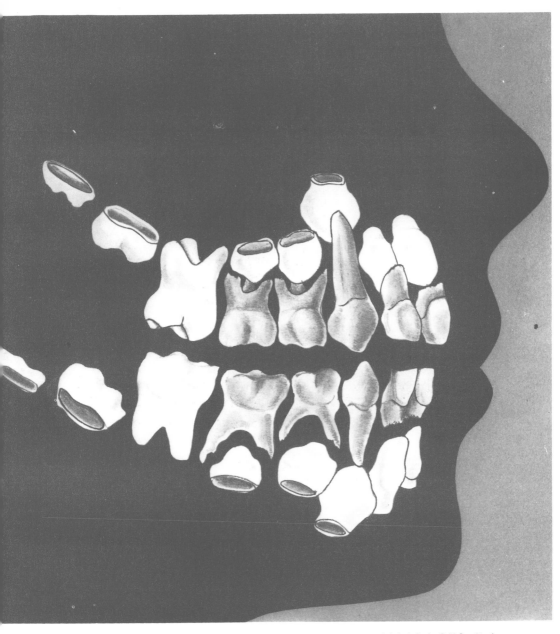

Cedida por amabilidad de la O.M.S., Ginebra.

En la fotografía se pueden ver los dientes de leche y también los definitivos. Estos sustituirán a aquéllos en el momento más adecuado.
La dentición de leche comienza cuando el niño tiene unos seis meses. Hacia los dos años y medio salen los últimos molares de esta dentición.

La gran perla va echando sus perlitas... La dentición es un fenómeno normal al que no deben achacarse disturbios simultáneos.

no sabe aún tragar la saliva. Cuando ya ha aprendido, porque su inteligencia se desarrolla, esta baba naturalmente desaparece.

Si este babeo continuase, habría que sospechar un retraso mental del niño.

Cerrado este paréntesis, digamos que la higiene de la boca del niño sin dientes se resume en normas negativas: no usar ninguna denticina; no aplicar nada sobre las encías, excepto lo que haya sido recetado por un médico; no dar a chupar muñequitas de trapo, y si se hace uso de sonajeros y juguetes de goma, que no puedan rodar por el suelo y que sean frecuentemente limpiados y hervidos.

Cuando ya hayan salido los dientes, se podrán limpiar —cuidadosamente— con algodón y agua, ambos hervidos.

Fig. 60. DESARROLLO FETAL.

Cuarto mes.   Hacia el final de este mes la forma humana se
halla muy definida. El feto se encuentra recubierto de una
piel fina que permite ver por transparencia un gran número
de vasos sanguíneos.
Los dedos y el sexo aparecen francamente marcados.
Se centran los ojos que hasta ese momento habían estado
lateralizados.
Comienza el proceso digestivo.
El embrión mide ya 15 cm. y pesa alrededor de 50 gramos.

GUILLERMO PEREZ

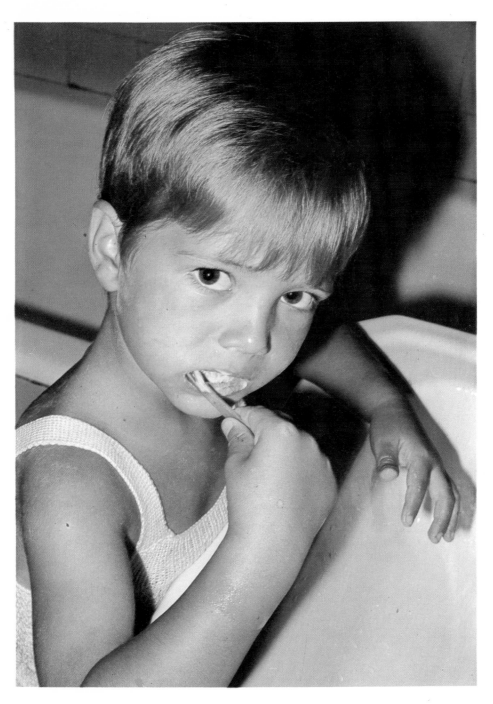

La limpieza diaria de los dientes, bien que no abusiva, es una práctica muy recomendable.

4. Segunda dentición

A partir del quinto año, con la erupción del primer gran molar definitivo, comienza la segunda dentición o dentición definitiva; pero, en general, se considera que esta dentición comienza con la caída de los primeros dientes, hacia la edad de los siete años, y su reemplazamiento progresivo por los dientes permanentes (véase Fig. 63).

En general, son los dientes del maxilar inferior los que primero caen, es decir: los incisivos medianos inferiores, y hacia la edad de los seis a los ocho años.

En total 32 piezas componen la dentición definitiva; pero este número se alcanza en la edad adulta, con la aparición de las muelas del juicio. Así que, por lo general, el niño en la adolescencia posee solamente 28 dientes durante bastante tiempo, y los hay que no alcanzan nunca a los 32, quedándose en los 30.

Acontece con cierta frecuencia que los dientes definitivos salen irregularmente, cabalgando incluso los unos sobre los otros. En ese caso, como en el de caries dentaria, habrá que consultar rápidamente con un odontólogo, el cual, por medio de aparatos especiales, conseguirá corregir muchas desviaciones.

5. Profilaxis e higiene

Pero mejor es prevenir que curar. Se evitará cuidadosamente que se «piquen» los dientes con una buena higiene diaria de los mismos (dos veces al día). Muy temprano se debe enseñar a los niños a cepillarse los dientes utilizando cepillos de un tamaño adecuado; en ausencia de pastas dentífricas se podrá utilizar bicarbonato de sosa o sencillamente sal. La ciencia de hoy reconoce el daño causado por nuestra alimentación demasiado refinada, a base de harinas y azúcares, y otros productos tan depurados que no contienen ya las preciosas vitaminas B, tan necesarias para una buena conservación y vitalidad dentaria. Por el contrario, los pueblos menos civilizados continúan comiendo el buen pan de harina integral y sus niños no consumen esas cantidades de productos azucarados con las que cebamos a los nuestros.

Un eminente médico suizo al que conocemos muy bien ha conseguido rebajar el número de caries dentarias en los niños de un orfanato dando un suplemento diario de cinco gramos de levadura de cerveza alimenticia, pan integral, y prohibiendo los azúcares no naturales, reemplazándolos por miel y frutas. Hay que observar que estos mismos alimentos son, con la leche, los que aportan en mayor cantidad el calcio, tan necesario también al joven organismo.

55

Higiene general y cuidados particulares al lactante

1. Su importancia

Si una buena alimentación es fundamental para asegurar la salud del niño, los cuidados de limpieza no lo son menos para disminuir los riesgos de enfermedad. Numerosas son, en efecto, las puertas de entrada que los microbios patógenos encuentran para invadir el organismo: en primer lugar, la boca (a la que el niño tiene siempre la tendencia de llevar sus manos u objetos), los ojos, la nariz, las orejas y los órganos genitales. Estos orificios y regiones deberán ser, por tanto, objeto de cuidados especiales, no cansándose de limpiarlos la madre o quien se encargue de los niños en el momento en que cualquier indicio de suciedad se haga aparente.

La piel del niño será particularmente cuidada, ya que la mínima escocedura puede ser el origen de afecciones, con frecuencia difíciles de curar, caso del eczema, por ejemplo.

Con razón decía un cierto autor que la piel no es una sencilla cubierta del cuerpo, sino un órgano viviente. Este «órgano» es tan importante como los que se hallan en el interior del cuerpo: la prueba se halla en que las quemaduras que alcanzan una cierta extensión provocan la muerte del sujeto.

Además de su función protectora, la piel interviene en el mecanismo de eliminación de sustancias tóxicas; en el de la regulación de la temperatura del cuerpo; a través de una muy extendida y fina red de vasos sanguíneos, constituye una importante reserva de sangre, y por medio de innumerables nervios que terminan a su nivel puede transmitir a los centros nerviosos influencias del exterior. Es necesario que los millones de pequeños poros, a través de los cuales «respira» la piel, se hallen siempre abiertos, lo que se' consigue con los constantes cuidados de limpieza.

2. Las nalgas

Durante los primeros días de su vida, el niño mancha sus pañales durante varias veces al día. Conviene cambiarlo cada vez que sea necesario, puesto que las deyecciones no deben ser dejadas en contacto con la piel, a la que reblandecen e irritan con facilidad.

Se dispondrá de un guante de «toilette» o de una toalla reservada para este uso, y después de haber secado delicadamente la región para quitar lo manchado, se lavará cuidadosamente la piel, secándola en seguida cuidadosamente con un lienzo fino y limpio.

Para quitar toda traza de humedad y proteger la piel, conviene empolvarla con unos polvos de talco, particularmente los pliegues de la misma, aunque sin exageraciones. Se evitará utilizar féculas, tales como los polvos de arroz, que pueden fermentar al contacto con la humedad.

Cuando, a pesar de los correctos cuidados, presente la piel un color rojo persistente, convendrá llevar el niño al puericultor, quien sabrá descubrir los errores de régimen que constituyan la causa.

3. Las manos y las uñas

Desde muy temprano el niño adquiere el hábito de llevar sus manos a la boca, encontrando a veces un placer particular en «chuparse el dedo». Al principio, diréis vosotros que el niño no tiene ocasión de ensuciarse demasiado; no obstante, conviene limpiarle las manos en ocasión del baño e incluso fuera del mismo, ya que hay que contar con la existencia de moscas, que son tan propicias a la propagación de los gérmenes microbianos, y con la de otras personas, niños sobre todo, que tanto placer encuentran en tocar al bebé.

Más tarde, cuando el niño lo toca todo y, en especial, cuando comienza a querer andar y a arrastrarse, será necesario enjabonarle las manos y lavárselas varias veces al día. Prontamente se enseñará al niño a utilizar el cepillo de las uñas, a fin de realizar una buena limpieza de las mismas, bajo las cuales se acumula tanta suciedad. La tierra con la que el niño se complace tanto en jugar, con frecuencia se halla contaminada, encontrándose en ella huevos de parásitos, que pasarán al intestino y que a veces son muy difíciles de desalojar.

Una perniciosa costumbre es la de besar a los bebés, y particularmente en las manos. El beso de una persona en apariencia sana puede aportar gérmenes peligrosos, tales como el bacilo de la tuberculosis.

¿Quién impedirá, no obstante, que la mamá testimonie también su inmenso afecto al querido pequeñín? Que estampe sus besos en cualquier otra parte del cuerpo (nuca, piernas, etc., y no sobre las manos ni sobre la boca.

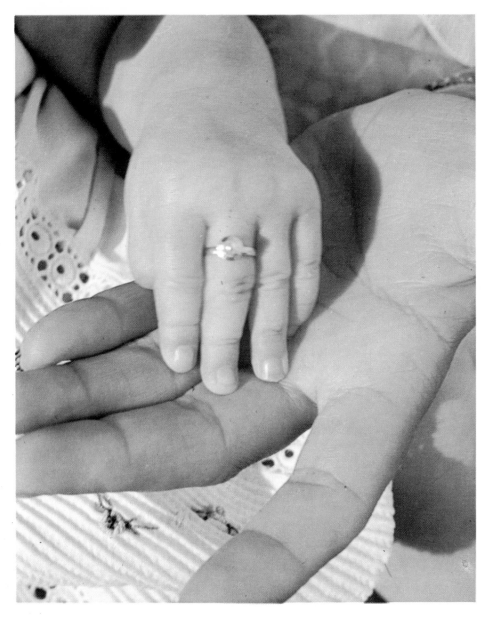

Hay que ocuparse con especial cuidado de la limpieza de las manos del niño, ya que, con su afición a tocarlo todo y llevarse los dedos a la boca, puede contraer diversas enfermedades.

Cuando el niño tenga suficiente edad, será conveniente que se le haga la limpieza de las uñas con un cepillo adecuado.

Ya hemos señalado el peligro de los animales. El perro es particularmente peligroso a causa de su tendencia a lamer y de la presencia de huevos de parásitos en su lengua. Muchas personas han muerto a causa de uno de estos animales tan afectuosos, que les han transmitido el parásito que origina el quiste hidatídico. Allí donde hay niños es mejor que no haya animales. Y si por azar un perro se aproxima al lactante, lavadle cuidadosamente las manos bajo el agua corriente.

No se descuidará el cortar con cierta ·frecuencia las uñas del bebé, ya que éste se araña con facilidad.

4. Organos genitales

Sobre todo en las niñas, conviene que se preste una atención particular a la higiene de esta región. Después de haber quitado los pañales y lavado las nalgas, se empapará un trozo de algodón limpio en agua boricada y se pasará sobre los órganos genitales de arriba a abajo y nunca del ano hacia arriba; esto a fin de evitar el transporte de suciedades no exentas de gérmenes a lugares más altos, gérmenes que también podrían producir una infección en la vejiga.

Más tarde, la niña llevará braguitas limpias y bien cerradas, y si presentara tendencia a rascarse, a pesar de los cuidados higiénicos cotidianos, convendría investigar la presencia de pequeños parásitos (oxiuros) en estas zonas, ya que pueden haber ascendido desde el ano.

Las mamás deben vigilar cuidadosamente tal aspecto, ya que estos rascamientos podrían ser el origen de hábitos viciosos muy perjudiciales a la salud de la niña. Por lo demás, si se observara un enrojecimiento persistente o un flujo sospechoso, su deber sería el de conducir la niña al médico.

Es inútil subrayar que el niño debe utilizar su pequeño orinal y que no debe sentarse en los asientos del excusado de la casa, y menos aún en los de fuera de ella. Cuando la niña tenga la edad suficiente para proceder por sí misma a su cuidado íntimo, se le enseñará a no utilizar más que paños y lienzos limpios, únicamente reservados para ella.

5. Higiene de la boca y dientes

En tanto que el niño carece de dientes, resulta superfluo limpiarle las encías. Unicamente en casos de afecciones, tales como el muguet —pequeños puntos blancos en el interior de la boca—, y bajo prescripción médica, se procederá con agua hervida, bicarbonato y algodón también hervido a una delicada limpieza de la mucosa bucal.

Pero cuando el niño posee casi todos sus dientes, es decir, hacia los dos años, es necesario comenzar a enseñarle la higiene dental: se le mostrará cómo debe enjuagarse la boca después de las comidas y antes de acostarse con agua hervida adicionada de algunas gotas de limón, limpieza que, aunque sencilla, mantendrá la boca sana y prevendrá las caries de los dientes.

Más tarde, hacia los cuatro años, se enseñará al niño el uso del cepillo de dientes, escogiéndolo pequeño y de goma, con cerdas finas. Se emplearán, preferentemente a las pastas dentífricas, que con frecuencia dejan depósitos, bien la sal mojada, bien un dentífrico líquido sencillo (mentol).

Dada la inevitable tendencia del niño pequeño a llevarlo todo a la boca, la madre y las personas que le rodean deberán ejercer una vigilancia incesante. Estando aún en la cama, se evitará que sus juguetes caigan al suelo, y se atarán a la cuna al alcance de su mano juguetes inofensivos que puedan lavarse, tales como los de plástico o caucho.

Deben evitarse los objetos de tela, de madera o de metal, sobre todo si están pintados, ya que la pintura en general es nociva.

El niño debe tener su vajilla personal. Se enseñará a los niños a no. tomar caramelos o alimentos de la boca de otros niños o personas mayores, y a no soplar en una trompeta o pito que pertenezca a otro.

El chupete

El hecho de chupar constantemente actúa de un modo desfavorable no sólo sobre el estómago, que se llena de aire, sino también sobre la configuración anatómica de la mandíbula, que se deforma, dando lugar después de esto a una defectuosa implantación de los dientes.

El chupete, que se ensucia con polvo y microbios en cuanto cae de la boca del niño, con frecuencia es vuelto a poner entre sus labios. Los dedos, que tocan todo lo que está a su alcance —y no siempre limpio—, transportan también al interior del organismo gérmenes muy peligrosos en ocasiones. De ahí las numerosas consecuencias desagradables que sufre la salud del niño: afecciones frecuentes de la garganta, vegetaciones, sordera e incluso afecciones intestinales serán la consecuencia.

Conviene, pues no solamente evitar el chupete al niño, sino también impedir que se lleve los dedos a la boca. Cuanto antes se actúe, con mayor facilidad se desarraigará la costumbre (véase Cap. 53).

6. Higiene del cuero cabelludo

En el niño muy pequeño, la presencia de fontanelas, que parecen y que son tan blandas, horroriza con frecuencia a las madres, que

El chupete es nefasto para el niño: infecciones propagadas por moscas, suciedad del suelo, deformaciones en el paladar, ingestión de aire y otros inconvenientes.

descuidan la limpieza de esta región por el miedo de producir un trastorno.

De este modo, la materia grasa o sebo que segregan las glándulas de la piel se acumula y mezcla con el polvo, produciendo una capa en ocasiones espesa y que recibe el nombre de capacete.

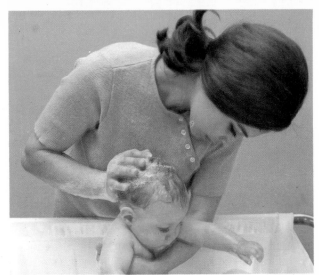

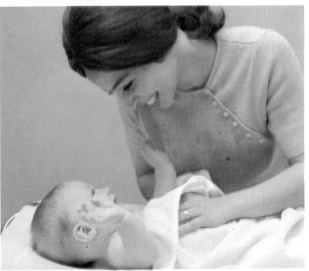

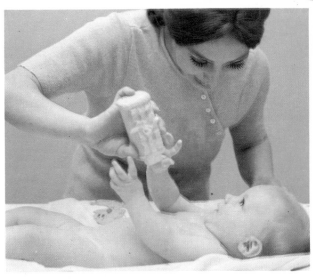

Hay que hacer desaparecer esta prueba de suciedad, que puede ser fuente de afecciones diversas, tales como el eczema, abscesos, piodermitis, etc.

Para suprimir este capacete de grasa, primeramente es necesario ablandarlo, para lo cual se puede utilizar la vaselina que se dejará aplicada toda la noche. Por la mañana se enjabona ligeramente con un trozo de algodón mojado en agua.

Los objetos personales del niño, peine y cepillo de dientes deberán ser estrictamente personales.

No es aconsejable el frotamiento de la cabeza del niño con alcohol, ni aun en forma de agua de colonia, ya que éste es absorbido por la piel. Puede reemplazarse por el bicarbonato de sosa, que también desengrasa bien, pero añadiendo al agua del último lavado un poco de vinagre o limón para contrarrestar la alcalinidad del bicarbonato, ya que normalmente la piel es ácida.

Cuando el niño comienza a andar y se mezcla con otros niños, hay que contar con la posibilidad de que alguna vez traiga parásitos. Hay que eliminarlos rápidamente, ya que por el rascado el niño escoria la piel, cuya supuración provoca esas costras amarillas que se adhieren a los cabellos y que son de un efecto repugnante.

Para destruir los piojos basta con aplicar un simple cuerpo graso en cantidad suficiente. Se puede añadir xilol, por ejemplo, 50 gotas en 50 gramos de vaselina neutra. Esta aplicación se hace por la noche al acostarse. A la mañana siguiente se lava la cabeza con jabón y se pasa después el peine espeso. Para desembarazarse de las liendres, se pasa el peine espeso mojado en vinagre, ya que éste destruye la cáscara de los huevos del piojo. No conviene verterlo directamente sobre el cuero cabelludo.

7. Higiene de los ojos, orejas y nariz

Estos órganos tan preciosos deben ser limpiados cada día con toda la delicadeza que merece una tan importante función. Esta se verificará con la ayuda de trozos de algodón empapados en agua hervida ligeramente boricada. Se limpiarán los ojos partiendo del ángulo externo del mismo o temporal hacia el ángulo interno o nasal, utilizando un algodón diferente para cada ojo. Si un pequeño cuerpo extraño hubiere penetrado en el ojo, se impedirá que el niño se rasque, y se practicará un masaje muy suave y de modo circular, de modo que el cuerpo venga a desplazarse hacia él ángulo interno del mismo.

Se evitará también que las moscas se posen sobre los ojos del niño, ya que estos repugnantes insectos pueden transmitir infecciones tan temibles como el tracoma (granulaciones).

La mejor profilaxis de muchas enfermedades de los ojos consiste en la limpieza de las manos del niño. Habrá que tener un cuidado especial cuando el niño, con una vacuna que «ha prendido», tenga tendencia a rascarse.

Orejas

El lactante presenta a nivel de su conducto auditivo una cantidad bastante grande de cerumen. Conviene quitar esta capa grasosa, ya que su acumulación podría resultar nociva. Para esta limpieza deben utilizarse torunditas de algodón, que deben introducirse en espiral en el conducto auditivo, y nunca objetos duros o puntiagudos.

En tiempo frío deben protegerse bien las orejas del niño, ya que con facilidad pueden producirse otitis o inflamaciones internas del oído con ocasión de una afección nasal sin importancia.

Cuando el lactante llora casi constantemente moviendo la cabeza de manera exagerada, habrá que pensar en la posibilidad de esta afección y consultar con un médico.

Nariz

Conviene también limpiar diariamente las fosas nasales del niño, así como sonar su nariz cada vez que sea necesario. La limpieza se efectúa con ayuda de pequeñas torundas de algodón como las utilizadas para las orejas.

La higiene de la nariz será particularmente rigurosa en el lactante acatarrado, ya que si la respiración por esta vía resulta imposible, ésta debe verificarse por la boca, en cuyo caso el niño se alimenta con dificultad. Antes de la toma del alimento convendrá, pues, liberar la nariz por medio de algunas gotas de solución que el puericultor indicará.

Digamos para terminar que conviene evitar el volcarse sobre un niño para hablarle de cerca, ya que las gotas de saliva, portadoras de microbios, son proyectadas muy lejos y pueden infectar al niño. Si el lactante es muy pequeño, convendrá que las personas acatarradas no se aproximen. Si se trata de su madre, se pondrá un pañuelo o mascarilla sobre la boca antes de comenzar a darle de mamar.

8. Baño general

Necesita el cuerpo para mantenerse en buena salud la acción limpiadora y tonificante del baño general.

Si el niño no ha sido bañado después de su nacimiento, por las razones ya dichas, convendrá, en tanto se espera la caída del cordón umbilical, proceder a limpiezas generales o parciales. De todos modos, no convendrá retardar demasiado este primer baño general, y si la cicatrización umbilical no se ha terminado aún, se protegerá la zona con una capa espesa de vaselina antiséptica.

Se dará el baño entre las comidas y después de tres horas aproximadamente de la última toma de alimento, es decir, cuando la digestión esté hecha. Algunas madres bañan a los bebés por la mañana; otras prefieren la tarde; ambas costumbres son buenas, teniendo cada una sus ventajas. Por la mañana, el niño, que ha pasado toda la noche sin ser cambiado, tiene necesidad de una limpieza a fondo; por la tarde, antes de la última tetada, el baño tiene la ventaja de producir un efecto sedante, que asegura al niño un sueño tranquilo.

Material

En la habitación más caliente de la casa se preparará todo lo necesario para la «toilette» y el baño, y en primer lugar la bañerita; en el comercio venden pequeñas bañeras de tela recauchutada que, al ser plegables, se hacen más prácticas. En su defecto, puede utilizarse un barreño suficientemente grande, barreño que no deberá ser utilizado más que para el baño del niño, habiéndolo lavado previamente con agua jabonosa caliente. Se situará este recipiente a una altura razonable para que la persona que administra el baño no se fatigue inútilmente. Mediante un termómetro de baño se comprobará la temperatura del agua, la cual debe oscilar entre los 36 y 37 grados o algo menos si el clima es benigno.

Se tendrá al alcance de la mano un trozo de gasa o un guante afelpado, mejor que las esponjas, que son de difícil limpieza. Se escogerá un jabón de glicerina neutro, más bien que jabones perfumados o reputados como desinfectantes. La toalla afelpada destinada a secar al niño se situará ante un foco calorífico para que resulte después más grata al niño.

También al alcance de la mano habrá dispuesto un recipiente conteniendo agua un poco menos caliente que la del baño.

Sobre una mesa suficientemente grande se dispondrá una cestilla con las ropas y vestidos limpios para cambiar al bebé.

El cestillo revestido que contiene algodón hidrófilo, polvos de talco, un cepillo de cabeza, imperdibles, etc., se dispondrá también sobre la mesa.

Modo de dar el baño

La persona que actúe enjabonará rápidamente todo el cuerpo y la cabeza del bebé, excepto la cara, insistiendo especialmente a nivel de los pliegues, que es donde se acumulan con más facilidad la grasa y las suciedades. Este enjabonamiento no se realizará todos los días, ya que por este procedimiento se compromete la normal acidez de la piel; por tanto, se practicará solamente dos o tres veces por semana.

La introducción del niño en la bañera debe hacerse delicadamente, con habilidad y sin precipitaciones: la mano izquierda por debajo de la nuca sostendrá la cabeza y cogerá el brazo izquierdo del bebé, mientras que la mano derecha cogerá las piernas; una vez introducido en el baño, la mano izquierda continuará sosteniendo la cabeza fuera del agua, en tanto la mano derecha pasará rápidamente por todo el cuerpo para desembarazarlo del jabón.

La duración del baño será al principio de tres minutos; después, y poco a poco, a medida que el niño se vaya habituando, se le podrá dejar hasta cinco o seis minutos. Un buen hábito que fortifica mucho al niño y lo prepara contra los resfriados consiste en verter sobre él, inmediatamente después del baño, una pequeña ducha de agua menos caliente que la del baño. Poco a poco se habituará el niño a esta ablución, que será cada vez más fría a medida que el niño se vaya haciendo mayor.

Inmediatamente después de estas maniobras se secará cuidadosamente al niño con la toalla previamente calentada; se empolvarán el cuello del niño, las nalguitas y los huecos axilares, cuidando de no poner una cantidad exagerada de polvos, procediendo acto seguido a vestirlo.

La operación de vestir al niño se hará preferentemente sobre una mesa, mejor que sobre una cama o sobre las rodillas de la madre.

Si la limpieza de la cara, las orejas y los ojos no fue hecha al principio, se procederá a ella después del baño. Para la cara se utilizará agua hervida y un lienzo fino; para los ojos y las orejas, agua hervida o boricada —una cucharadita de ácido bórico cristalizado en una taza—, la cabeza, que habrá sido lavada cuidadosamente en el momento del baño, se secará bien, cepillándose inmediatamente los cabellos.

Así bañado, vestido y peinado el niño, «que respirará» limpieza, tomará su comida con mejor apetito, durmiéndose después plácidamente.

Algunas madres temen bañar al niño cuando tiene fiebre o se ha enfriado, proceder equivocado, ya que el baño —más caliente que de costumbre— tiene un efecto beneficioso, ayudando al organismo a desembarazarse de sus toxinas. Evidentemente, si el niño tiene una enfermedad de la piel, o una erupción, convendrá consultar al médico y, desde luego, suspender los baños.

El baño de mar es beneficioso y muy tónico, pero hay que reservarlo para el niño mayor: a partir de los dos años aproximadamente.

9. Baño de aire

Si la hidroterapia es un factor importante de salud, ¿qué diremos del aire y del sol? El niño, del mismo modo que las plantas, tiene necesidad de aire y de sol para desarrollarse normalmente.

En lo que concierne al aire, elemento indispensable para la vida, hay que decir que, en general, las madres no lo consideran como un amigo, sobre todo en el invierno. En cuanto aparecen los primeros fríos se cierran puertas y ventanas y se tapa al niño con un cuidado extraordinario por miedo a que coja un resfriado. Hay que saber que esto constituye un gran error. Se protege verdaderamente al niño contra el frío si se le endurece contra él, es decir, habituando su organismo a reaccionar correctamente.

Para hacerle adquirir esta resistencia se dará al niño desde el segundo mes de su vida un baño de aire cada día; baño que si se puede combinar con el solar será más beneficioso aún. Lo ideal sería situar al niño en plena naturaleza, con un aire lo más puro que fuese posible. A defecto de ello, se instalará su cama ante la ventana abierta, tomando la precaución de evitar toda corriente de aire.

Cuando las madres vean que esta práctica higiénica hace disminuir el número de anginas y bronquitis de sus niños, se convencerán finalmente de que el aire, incluso frío, no es más que uno de los mejores amigos de la infancia.

10. El baño de sol

Dijimos, a propósito de la vitamina D, que los baños de sol constituían el mejor método para preservar a los niños del raquitismo. Los bienhechores rayos solares contienen los bien conocidos rayos ultravioleta, que además de su acción bactericida, tienen el poder de transformar las provitaminas de la piel en vitaminas. A partir de los primeros seis meses, y si el niño no tiene fiebre, se le pondrá al sol con las piernas desnudas, pero protegiendo su cabeza, durante unos minutos. Se aumentará poco a poco el tiempo de exposición al sol, aumentando también la superficie que se descubra en cada una de las exposiciones.

Son más beneficiosas tres o cuatro exposiciones de pequeña duración que una sola más prolongada. A partir de las tres semanas, el baño de sol puede ser completo, es decir, que el niño puede ser expuesto enteramente a los rayos solares: diez minutos como máximo sobre el vientre y diez minutos sobre la espalda.

El mejor momento es por la mañana temprano, ya que el aire renovado durante la noche ha disipado el polvo y los humos industriales que paralizan los rayos ultravioleta. A esas horas, el calor es soportable durante el verano.

Los niños que se exponen regularmente al sol presentan mejor apetito, mejor sueño, más colores y una alegría natural que contrasta con la de los niños que se hallan privados del mismo.

Desgraciadamente, el privilegio de tener numerosos días soleados por año no pertenece a todos los países ni a todas las regiones del país.

Por tanto, es necesario utilizar la irradiación artificial producida por diversos aparatos eléctricos, el más usado de los cuales es el de vapores de mercurio y lámpara de cuarzo, en los casos en que haya insuficiencia solar.

Igual que ocurre con los rayos solares, conviene que las dosis artificiales de rayos ultravioleta no sean ni muy intensas ni muy prolongadas. Su administración será vigilada por un médico competente, que fijará la dosis y comprobará los resultados.

11. El sueño del niño

Para que un niño crezca normalmente necesita una buena alimentación, aire sol y una buena higiene. Pero no es esto todo, ya que interviene también otro factor que es fundamental: el sueño.

Cuanto más pequeño es el niño, más horas de sueño necesita. El recién nacido duerme casi constantemente; de todos modos, conviene despertarlo para darle las tomas de alimento.

Durante el primer año de vida, el niño duerme toda la noche y bastantes horas del día. Hay que respetar esta necesidad natural de sueño y no interrumpirlo inútilmente.

También es muy perjudicial el hacer del niño un objeto de exposición y mantenerlo despierto, forzándolo a que se ría y a que fije su atención en las visitas. El infortunado bebé pasa de brazo en brazo, y acaba, cada vez más nervioso, por caer en un estado de llanto continuo que no le deja dormir.

¡Qué decir de la deplorable costumbre de dormir al niño en los brazos! Es tan perjudicial para la madre como para el niño. Este, por el contrario, debe tomar la buena costumbre de dormirse solo en su cuna, sin ser acunado y sin oír canciones. Si llora, se comprobará si está sucio, si alguna aguja le pincha, si ha eructado, si no tiene demasiado calor, si no tiene sed, etc. Si no se encuentra ninguna razón que lo explique, hay que tener la suficiente firmeza para dejarlo llorar y guardarse muy bien de darle una tetada suplementaria, que resultaría contraproducente.

Convendrá también habituarlo a la oscuridad. Cuando sea un poco mayor se evitará contarle historias fantásticas de seres imaginarios antes de dormirse. Con frecuencia esta costumbre desafortunada, igual que las imágenes y amenazas populares del «coco» o del «tío del saco», del ogro o de la bruja, son origen de los terrores nocturnos, que hacen que el niño grite durante la noche y se incorpore agitado y tembloroso.

Duración del sueño

Hacia el fin del primer año, el niño normal debe dormir dieciséis horas aproximadamente.

De dos a cuatro años conviene que duerma trece o catorce

817

horas, es decir: diez u once horas por la noche y dos o tres hacia el centro del día.

Llamamos la atención sobre la necesidad de la regularidad en las horas de acostar y levantar a los niños; éstos deben acostarse mucho antes que los mayores.

Más tarde, y hacia los diez años, se mantendrá la buena costumbre de acostar al niño durante una o dos horas al día. Con frecuencia el niño mayorcito no se duerme, pero el estar en la cama le proporciona un buen reposo.

Hemos dicho ya, a propósito de la cama, la posición que se requiere para lograr un buen sueño. Añadamos a la intención de los padres, cuyos hijos nerviosos duermen con dificultad, que el baño tibio tomado bastante tarde en la jornada tiene un efecto calmante, lo mismo que una infusión de tila o la absorción de jugo de manzana o las manzanas mismas, o bien la ingestión de lechuga. Un buen procedimiento es también el del masaje repetido y rítmico que se practica con los bordes de los dedos sobre la piel, a lo largo de la columna vertebral.

Hay que subrayar que la aparición de insomnio en un niño de buen dormir es un signo que debe alarmar a los padres, que deben llevar el pequeño al médico, ya que trastornos intestinales o enfermedades infecciosas pueden ser los causantes.

La prudencia de los padres, demostrada en el trazado de un programa metódico que abarque la alimentación y el sueño llevará sus frutos: el niño que durante los primeros años de su vida haya dormido suficientemente cada día, gozará de un sistema nervioso sólido y bien equilibrado. Tanto es así, que el profesor Súñer ha podido enunciar el siguiente principio: «El sueño del niño es la primera base de la higiene del cerebro.»

Dietética general aplicada a la infancia

56

La alimentación: generalidades y principios inmediatos

El recién nacido, aunque desprovisto y sin defensa desde muchos puntos de vista, posee, por el contrario, un aparato y un reflejo de succión muy desarrollados, que le permiten absorber el alimento necesario. El alimento fundamental e indispensable en esta edad de la vida es la leche, y especialmente la leche de la madre.

La leche, como ya lo veremos más adelante, es un alimento completo que aporta al nuevo organismo todos los elementos que le son necesarios. Todo el mundo ha oído hablar de proteínas, azúcares, grasas, vitaminas y sales minerales. Pero hay que reconocer que, en general, se conoce muy poco de lo que se refiere a la dietética o ciencia de la alimentación. No obstante, es indispensable que los padres, y las madres de familia en particular, tengan algunas nociones claras acerca de esta ciencia tan importante, que les enseñará cómo nutrir de la mejor manera a sus hijos. Estos, en efecto, cuyos jóvenes organismos están en pleno crecimiento, necesitan aún más que los adultos un régimen alimenticio sano y perfectamente equilibrado.

1. Necesidad de una nutrición apropiada

El cuerpo humano se halla formado y mantenido en actividad por lo que comemos. Los alimentos, igual que el cuerpo se componen de los mismos elementos químicos. Estos son una veintena aproximadamente: oxígeno, carbono, hidrógeno, nitrógeno, calcio, fósforo, cloro, hierro, etc. Estos diversos elementos químicos se combinan según variadas e infinitas proporciones para formar los tejidos del cuerpo y todas las sustancias.

Estos diversos elementos: carbono, hidrógeno, nitrógeno, calcio, etcétera, que existen en la tierra, son absorbidos por las plantas, verdaderos laboratorios de síntesis, que los transforman en principios, tales como las proteínas, grasas e hidratos de carbono, los cuales constituyen entre ellos mismos, por sus diversas combinaciones, los alimentos básicos del hombre. Este los ingiere, y sus jugos digestivos se encargan de transformarlos de nuevo en elementos más sencillos, y que pasando a la sangre serán llevados a los diferentes tejidos —muscular, óseo, nervioso, etc.— del cuerpo; a este nivel, las microscópicas células escogen de entre estos elementos el material que les es necesario para su crecimiento y para reparar los desgastes que sufren; en suma, trátase de minúsculos laboratorios que reconstruyen por su propia cuenta la materia viva, elaborando, por ejemplo, nuevas capas de hueso, segregando sustancias indispensables para el cuerpo, tales como las hormonas.

La constante llegada de alimentos sirve, pues, para reparar los desgastes y asegurar al niño el crecimiento. Hay un grupo de alimentos especializados en esta función: éste es el de las proteínas principalmente, y a causa de ello han recibido el nombre de elementos plásticos o constructores.

Otros, como los hidratos de carbono, tienen por misión principal la de producir calor y energía: son los alimentos energéticos. Otros tienen una función protectora y reguladora, actuando a veces en dosis muy pequeñas: son las vitaminas y las sales minerales.

Elementos fundamentalmente plásticos:

— Proteínas.
— Sales minerales.
— Agua.

Elementos energéticos:

— Grasas.
— Hidratos de carbono.

Elementos protectores o reguladores:

— Vitaminas.
— Sales minerales.
— Acidos aminados esenciales.

Para que un régimen alimenticio y productor de salud sea equilibrado, nos dice la ciencia, después de numerosas experiencias, que debe estar constituido por la siguiente proporción de los diferentes elementos: 60 por 100 de hidratos de carbono, 13 a 15 por 100 de proteínas y 20 a 25 por 100 de grasas, vitaminas y sales minerales.

Evidentemente, las necesidades alimenticias de un organismo son diferentes según la edad, el sexo, la actividad muscular, la estación, el clima, etc. Así se conoce el hecho de que los habitantes de las zonas árticas consumen grandes cantidades de grasa, teniendo también necesidad de gran cantidad de calorías para luchar contra el frío.

Calorías y energía

Un gramo de albúmina libera al quemarse cuatro calorías (pequeñas).

Un gramo de grasa libera al quemarse nueve calorías.

Un gramo de hidratos de carbono libera al quemarse cuatro calorías.

En realidad, a causa de las diversas circunstancias de su asimilación en el organismo, he aquí el número real de calorías proporcionadas por cada uno de estos principios inmediatos: proteínas, 3,7 por gramo; grasas, 8,6 por gramo; hidratos de carbono, 3,8 por gramo.

A pesar de admitir que las calorías de un grupo pueden sustituir a las de otro grupo (ley de la isodinamia), la experiencia demuestra que no se puede vivir a base de un solo elemento. El organismo tiene necesidad de la mezcla de los componentes de los tres grupos mencionados y en las proporciones anteriormente citadas. Un régimen desequilibrado, por ejemplo, una proporción del 40 por 100 de grasas en el mismo, desemboca rápidamente en la arteriosclerosis y en la intoxicación, entre otros trastornos.

A pesar de que las necesidades de estos diversos elementos nutritivos sean, en general, más grandes en el niño, no es menos cierto que el equilibrio debe ser también respetado.

2. Proteínas y albúminas

Estos elementos, destinados a construir y reponer los desgastes del cuerpo, están compuestos por otros elementos más sencillos llamados aminoácidos.

El proceso de la digestión por la acción de varios jugos del estómago e intestino descompone esas gruesas moléculas de albúminas en otras moléculas más sencillas y, por fin, en aminoácidos, que son absorbidos y transportados por la sangre hasta los tejidos; a este nivel, el organismo reconstruye, a partir de estos elementos, sus proteínas propias.

De los muchos aminoácidos conocidos, algunos de ellos son indispensables a la vida y al crecimiento, y por no ser sintetizados en el organismo, deben ser aportados por la alimentación. Veremos más adelante que la leche de mujer contiene todos estos elementos importantes, mientras que la leche de vaca carece de alguno de ellos.

Las proteínas, siempre necesarias para el organismo, deben ingerirse por la dieta alimenticia en una cantidad de medio a un gramo diario por kilo de peso en el adulto sano. Las futuras madres o las madres lactantes deben consumir una cantidad mayor por una razón bien clara.

Escogeremos entre las fuentes de proteínas las que son de más alto valor biológico, es decir, las que contienen en mayor proporción o cantidad los aminoácidos esenciales. Las principales fuentes son las legumbres secas (20 por 100 y hasta 38 por 100 la soja); las carnes (20 a 27 por 100); el pescado seco (36 por 100) o fresco (20 por 100); el cacao y las almendras secas (20 por 100); el queso (hasta 25 por 100); huevos, pastas (14 por 100). La leche más rica en proteínas es la de cabra (3,70 por 100), conteniendo la de mujer 1,50 por 100 y la de vaca 3,50 por 100.

Presupuesto de proteínas para el niño

Es natural que el niño, y aún más el lactante, cuyo crecimiento es tan intenso, tengan mayores necesidades plásticas que el adulto.

Según los expertos de la O.M.S., hasta los 3 meses el niño necesita 2,30 gramos de proteínas; 1,80 gramos de 3 a 6 meses; 1,50 gramos de 6 a 9 meses; 1,20 gramos de 9 a 12 meses y 1 gramo de 12 a 36 meses. Todo esto por kilo de peso y por día. Pero considerar solamente las necesidades cuantitativas constituiría un craso error. Es necesario aún que la alimentación aporte la calidad necesaria de proteínas; es decir, que sus componentes contengan en un nivel suficiente todos los ácidos aminados indispensables para mantener la salud y la progresión del crecimiento.

Hay varios ácidos aminados fundamentales. Los que obran más activamente sobre el crecimiento son la leucina y la lisina. Estos elementos se encuentran en notable proporción en la lactoalbúmina de la leche de mujer, mientras que se encontrarían menos en la caseína, que es la principal proteína de la leche de vaca. Esto explicaría por qué las necesidades del lactante sometido a la lactancia artificial son más grandes que las del bebé lactado por su madre; son aún más grandes en los, prematuros, en los débiles congénitos y en los retardados (hipotróficos). Por ello se dan a estos pequeños las leches llamadas «enriquecidas», o bien, como en ciertos países, mezclas de ácidos aminados puros en polvo.

Influencia sobre el crecimiento

En general, una ración de leche de vaca equivalente en volumen a la décima parte del peso del niño proporciona al bebé de menos de seis meses la cantidad necesaria de proteínas, ya que contiene aproximadamente 3,5 de éstas por 100 c.c.

No se debe establecer nunca un régimen que lleve menos de 2 gramos por kilo de peso del niño (dosis mínima), ya que se provocaría una detención del crecimiento con pérdidas de peso.

El pan integral es un precioso alimento; ¿quién no recuerda el Padrenuestro «... el pan nuestro de cada día dánosle hoy...»?

Digestibilidad

La leche de vaca, coagulada muy rápidamente en el estómago del niño, da una masa muy compacta que los jugos digestivos y el ácido clorhídrico del estómago en particular descomponen con dificultad; esto es debido a que la caseína, principal albúmina de la leche de vaca, se encuentra en una fuerte proporción; por el contrario, en la leche de mujer esta proporción es relativamente menor con respecto a las otras proteínas (lactoalbúmina y lactoglobulina); ésta es la razón por la que esta leche se coagula en pequeños grumos muy ligeros que no forman masas compactas y que se dejan fácilmente digerir. (Por esta misma razón no puede obtenerse queso a base de leche de mujer.) Por ello se debe dar a los lactantes la leche de vaca diluida y no pura, o bien leches modificadas (acidificadas, por ejemplo). Esta importante noción, que no hay que olvidar, permitirá comprender también por qué razón en la alimentación mixta un poco de leche de la madre ayuda a digerir la de vaca.

3. Grasas

Estos productos untuosos, generalmente insolubles en el agua, son productores de calor y de energía, y se descomponen en el tubo digestivo, bajo la acción de fermentos especiales, en ácidos grasos y glicerol. Absorbidos por la mucosa intestinal, sufren en los tejidos y a nivel del hígado (bilis) diversas transformaciones.

Las grasas aportadas por la alimentación son también almacenadas como reservas, incluso antes de haber sufrido transformación alguna —si se trata de grasas neutras —a nivel de ciertas zonas del cuerpo.

Si el régimen alimenticio es demasiado rico en hidratos de carbono —azúcar, por ejemplo— éstos se transforman en grasas, que vienen a añadirse a las ya existentes en los depósitos.

Si los hidratos de carbono son necesarios al metabolismo de las grasas, éstas también lo son, aunque en menor escala, para el metabolismo de las albúminas, favoreciendo la utilización de éstas. Aseguran al mismo tiempo una mejor absorción de las sales minerales, del calcio en especial. Tienen la propiedad de fijar ciertas toxinas y de vehiculizar algunas vitaminas, tales como las vitaminas D (antirraquítica) y A (del crecimiento).

Presupuesto de grasas

Si para el adulto es suficiente con 1,3 gramos de grasa, para el niño es necesaria una dosis de 3 gramos. En cuanto al lactante, si se basa uno en las cantidades absorbidas por término medio por los que son nutridos al pecho, esta cifra será de 4,5 a 7,5 gramos por kilo de peso.

Un régimen que aporte una cantidad de grasas inferior al mínimo provocará una disminución de la resistencia a las infecciones y una paralización del crecimiento.

Necesidades cualitativas

Como para las proteínas, no solamente basta la cantidad: se necesita también la calidad. Los ácidos grasos no tienen todos el mismo valor alimenticio. Algunos de ellos, tales como el ácido linoleico —llamado a veces vitamina F— y el ácido linolénico, son elementos indispensables para el crecimiento.

Algunos de los aceites vegetales, de oliva sobre todo, son mucho más asimilables que las grasas animales, a causa de su estructura química.

Una de las razones por las cuales la leche de mujer es mejor asimilada que la de vaca es porque las grasas que contiene son en su mayoría compuestas por ácidos grasos no saturados, que son los más digeribles. Por el contrario, las grasas de la leche de vaca, ricas en ácidos grasos saturados, no son tan bien soportadas, sobre todo por los niños débiles y los prematuros. En razón de este descubrimiento de la ciencia moderna, la dietética actual utiliza para la alimentación de estos últimos preparaciones a base de leche descremada con aceite de oliva.

Otras fuentes de grasas alimenticias

Aparte de la leche y los aceites vegetales de que acabamos de hablar, las principales fuentes de grasas son las animales, tales como la mantequilla, 65 a 90 por 100; los frutos secos llamados oleaginosos, 20 a 30 por 100; algunas legumbres secas, tales como la soja, 18 por 100, y el cacao 22 por 100. La clara de huevo contiene el 10 por 100; ciertos pescados grasos y alimentos compuestos, pastelería, bizcochos secos, etc., aportan también una notable proporción de lípidos.

4. Los glúcidos o hidratos de carbono

Los hidratos de carbono o glúcidos son cuerpos terciarios al igual que las grasas; es decir, que se hallan compuestos por carbono, hidrógeno y oxígeno (éste en cantidad superior a la que se halla en las grasas).

Los azúcares simples son sustancias que, por transformaciones químicas sucesivas en el interior del organismo o fuera de él, dan lugar a la producción de esos azúcares sencillos, que son: la glucosa, la levulosa o fructosa y la galactosa.

Entre los azúcares dobles más conocidos citamos la sacarosa, compuesta de glucosa y fructosa; la maltosa o glucosa más glucosa, y el azúcar de la leche o lactosa, compuesto de glucosa y galactosa.

El almidón que encontramos en las patatas y en la harina, por ejemplo, es un azúcar complejo, pero que se transforma en el tubo digestivo, bajo la influencia de fermentos o diastasas, en azúcares simples. De la misma manera que todos los hidratos de carbono (glucógeno, inulina, celulosa, etc.), para poder ser asimilados deben ser transformados previamente en azúcares simples, de los cuales el más corriente es la glucosa.

Un gramo de glúcidos libera aproximadamente cuatro calorías.

En efecto, el azúcar que circula en la sangre es la glucosa, debiendo señalar que su proporción es siempre la misma, excepto, por ejemplo, en casos anormales, tales como la diabetes, en que se halla aumentada.

Fuentes

Las mejores fuentes de hidratos de carbono son las diversas harinas procedentes de los granos de cereales: arroz, avena, trigo y también legumbres secas, patatas, frutas y, sobre todo, miel de abejas.

La mejor fuente es la natural, debiendo descartarse en lo posible los azúcares corrientes, que han sido obtenidos generalmente después de complicados procesos de refinación.

Proporción y acciones

Los hidratos de carbono deben proporcionar el 50-60 por 100 de las calorías. En exceso pueden provocar trastornos digestivos. Su administración adecuada favorece al metabolismo de las grasas y ejerce una acción antitóxica.

Requerimientos cuantitativos y cualitativos

Se admite que el adulto necesita una cantidad que varía entre los 4 y los 6 gramos por kilo de peso y día. En principio, el lactante no requiere mayor cantidad de hidratos de carbono que el adulto; pero en realidad consume más y los asimila mejor.

Las proteínas son necesarias para la construcción del organismo y para reparar las pérdidas del mismo.

Sus principales fuentes se hallan en el reino vegetal: leguminosas, frutos secos, etc., y en los productos de origen animal: leche, huevos y carne.

Cedida por cortesía de Dietéticos Ordesa.

El niño alimentado al pecho recibe una cantidad suficiente de glúcidos (de 8 a 12 gramos por kilo de peso); por el contrario, el niño alimentado con leche de vaca, y a causa de que ésta es menos azucarada que la de mujer, no encuentra en este alimento la necesaria cantidad de glúcidos; por esta razón, antes de administrársela al niño, debe agregársele azúcar.

Calidad y digestibilidad

Es evidente que el lactante digiere mejor los diversos azúcares de la leche de mujer (ginolactosa, alolactosa, etc.) que la lactosa, único azúcar de la leche de vaca.

Deben saber las madres que no hay que dar patatas ni harinas a los bebés pequeños, ya que sus glándulas salivares e intestinales no han llegado en esta edad a la plenitud de su actividad.

La absorción de los diferentes glúcidos desdoblados en azúcares sencillos se hace a nivel del intestino grueso. Entre estos azúcares, es la glucosa el que antes se absorbe, viniendo después la lactosa y siguiéndoles después la fructosa.

Los glúcidos utilizados en dietética infantil

Los glúcidos más corrientes consumidos por el lactante son, con toda seguridad, la lactosa y la sacarosa; más tarde son utilizados para su alimentación el almidón, bajo forma de harinas y granos de cereales, sopas malteadas y diversos azúcares (frutas, miel, etc.) y patatas.

Azúcares (glúcidos solubles)

Lactosa

Este azúcar se encuentra en todas las leches y se transforma en azúcares más sencillos —glucosa y galactosa— en el tubo digestivo.

La leche de mujer es, entre todas ellas, la más rica en lactosa, la cual favorece la asimilación del calcio y forma parte de los cerebrósidos, muy útiles en el perfeccionamiento del sistema nervioso.

Glucosa

Es el azúcar simple que circula con y en la sangre, así como el producto final de la desintegración de diversos glúcidos (recordemos que lactosa = glucosa + galactosa). Se utiliza bastante en los lactantes enfermos y en los prematuros a causa de que se digiere con mayor rapidez.

La fructosa

Es también un azúcar simple, y que al igual que la glucosa, se encuentra en muchas frutas y en la miel. Es absorbido por el intestino con menor rapidez que la glucosa.

La sacarosa

Es el azúcar refinado y blanco que se utiliza ordinariamente. Se extrae de la caña de azúcar o de la remolacha.

Una diastasa que recibe el nombre de invertasa transforma en el intestino la sacarosa en glucosa y fructosa. A pesar de que el niño —se ha demostrado— es capaz de asimilar mayores cantidades de azúcar que el adulto, no conviene azucararle demasiado la leche o los alimentos, sobre todo cuando se pone enfermo, pues que la tolerancia en esas circunstancias es menor. A causa de un exceso de azúcar, se corre el riesgo de perder el apetito y de padecer análogos trastornos a los provocados por la falta de vitamina B_1.

Otro trastorno erróneamente atribuido a la leche de vaca, y que se debe más bien al exceso de sacarosa, es el de una detención del crecimiento, con pesos por debajo de lo normal y heces secas y apretadas del color de la masilla. Para curar esta dispepsia, llamada «de la leche de vaca», basta con suprimir la sacarosa o azúcar común, pero no la leche. Puede ser ésta reemplazada por el azúcar invertido, que es una mezcla de fructosa y levulosa, y que se ofrece como una especie de crema blanca y espesa, cuya digestión es fácil. En la medida de lo posible, hay que utilizar los azúcares naturales (zumos de frutas, miel) más bien que el azúcar ordinario, el cual, a causa de su refinamiento, carece de vitaminas.

Glúcidos insolubles

Entre los hidratos de carbono coloidales y solubles —en oposición a los anteriores, que son cristaloides—, el almidón es casi el único que se utiliza en dietética infantil. Los granos de almidón forman en el agua una suspensión insoluble; pero calentando esta mezcla, los granos se hinchan y el todo toma un aspecto gelatinoso o coloidal.

El almidón se encuentra abundantemente en los tubérculos, 20 a 30 por 100 en las patatas y en los cereales 60 por 100 por término medio. Es un glúcido complejo que, por desdoblamiento o hidrólisis sucesivas, da lugar finalmente a glucosa y maltosa.

Digestibilidad

El almidón es de digestión difícil, ya que el grano de almidón se halla dispuesto en capas concéntricas como las capas de la cebolla, digeriéndose mejor cuando por la cocción el agua hace estallar esas diversas capas. Por otra parte, esta digestibilidad depende del grosor de los granos del almidón; de este modo, el hecho de que los granos de la fécula de patata son mucho más grandes que los del grano del almidón de maíz, explica que la primera se utilice más tardíamente en la alimentación del niño. Por el contrario, el «arrow-root» (fécula extraída de ciertas plantas tropicales),

la harina de maíz, etc., pueden ser dadas al niño más precozmente. Cuanto más gordo sea el grano del almidón, tanta mayor cantidad de agua será necesaria para hincharlo.

Preparación de papillas

Trátese de fécula de patata, de maizena (almidón de maíz) o de harina, la preparación de papillas, es decir, el cocimiento del almidón, debe hacerse con mucho cuidado. Hay que disolver primeramente el producto en suficiente cantidad de agua fría y calentar la mezcla, removiendo constantemente con una cuchara de madera durante todo el tiempo de la ebullición. Esta debe continuar durante diez a quince minutos. Por ignorar este punto tan importante, preparan las madres a veces unas papillas que, al no estar perfectamente cocidas, provocan dispepsias en sus niños. Es preferible hacer la papilla con agua, añadiendo después la leche, que primeramente se habrá hervido.

Toda preparación que contenga grumos debe ser desechada.

Formas de los almidones utilizados

Los almidones de grano muy grueso, tales como las harinas de las leguminosas y los frutos también secos, no deben ser utilizados para la alimentación de lactantes. Tampoco se darán granos de cereales enteros o machacados; sin embargo, pueden ser empleadas las decocciones de esos granos, caldo de cereales. Se utilizan más las harinas de diversos cereales: trigo, avena, cebada, arroz, maíz, así como la fécula de patata y la tapioca. Actualmente la industria fabrica excelentes almidones alimenticios a partir de las harinas de cereales, siendo la de maíz la más utilizada, sobre todo en su preparado llamado maizena.

Almidones puros

Estos almidones industriales son sustancias que prácticamente no contienen otras diferentes (lípidos, prótidos, celulosa), con lo que resultan de digestión muy fácil, utilizándose cada vez más en dietética infantil. No obstante, conviene introducir cuanto antes en la alimentación las harinas, porque aportan no sólo el fósforo, tan útil al organismo, sino también potasio y cobre, este último sustancia

Las grasas son necesarias en la alimentación del hombre; el valor higiénico de los vegetales, sobre todo de los aceites de maíz y de girasol, es muy superior al de los de origen animal.

mineral útil contra la anemia. En cambio, como son relativamente pobres en cloruro sódico (sal común), conviene añadir este producto en pequeñas cantidades a todas las papillas.

Almidones sacarificados

Son éstos unos almidones que artificialmente han sido digeridos, en parte, con el objeto de que sean más fácilmente digeridos por el niño. Su preparación es fácil. Son muy solubles en la leche y de fácil digestión.

Elección de glúcidos

Conviene administrar un régimen bien equilibrado en lo que concierne a las diversas proporciones de los distintos glúcidos.

Estas proporciones dependen evidentemente de la edad y del estado de salud del niño.

A los prematuros y débiles se dará de preferencia, sobre todo si su alimentación es artificial, lactosa o glucosa, sin que sobrepasemos el 5 ó 6 por 100 de que ya hemos hablado.

El niño nutrido al pecho no tendrá necesidad de la adición de azúcar durante los primeros meses, ya que tiene la suficiente y de buena calidad en las cantidades que la leche materna le proporciona.

Por el contrario, a los niños alimentados con leche de vaca convendrá darles de 5 a 8 gramos de azúcar ordinario por cada 100 de la mezcla de agua y leche. Si aparecieran trastornos, sería necesario reemplazar el azúcar común o sacarosa por otro azúcar: la lactosa, por ejemplo, o la glucosa.

Cuando el niño es mayor y sus glándulas segregan cada vez mayores cantidades de amilasa, fermento que digiere el almidón, se comienza a darle papillas.

Escogeremos aquellos almidones que sean de grano fino —crema de arroz, fécula de maíz— para preparar las primeras papillas.

La introducción de los alimentos ricos en almidón se hará progresivamente y estudiando su tolerancia: harina de arroz, harina de trigo —mejor en forma de galletas o bizcocho—, harina de avena, patatas, etc., teniendo la posibilidad de recurrir a las papillas malteadas si la asimilación de las papillas ordinarias se hiciera mal, y también en el caso de dispepsias debidas a la leche de vaca o de estreñimiento.

57

Elementos reguladores de la dieta: sales y agua

Las mencionadas sales minerales son sustancias indispensables para el mantenimiento de la vida y la seguridad del crecimiento del niño. Constituyen estas materias del 5 al 6 por 100 del peso total del cuerpo. Todo el mundo sabe que, por ejemplo, el calcio contribuye a la formación de los huesos y que aparecen diversos trastornos si el régimen alimenticio del niño no lo aporta en la suficiente cantidad.

1. Funciones generales

Las funciones de los elementos minerales son múltiples: contribuyen a edificar la estructura del esqueleto, a mantener el tono nervioso y a transportar el oxígeno, a facilitar la coagulación de la sangre, a asegurar la presión osmótica, el equilibrio ácido-básico y el poder disolvente de los líquidos del organismo, etc.

Los alimentos contienen estos diversos elementos en proporciones diferentes, clasificándose según el predominio de unos y de otros en:

Alimentos alcalinos. En general son las frutas, y las verduras; la leche, las nueces y las legumbres secas.

Alimentos ácidos. Carne en general, huevos y cereales.

Alimentos neutros. Grasas y aceites, azúcar, maizena, almidones y tapioca.

El mejor régimen es el que se compone en su mayor parte de alimentos alcalinos: es aquel que el Creador dio a nuestros primeros padres, cereales y frutas.

El régimen ácido tiende a producir hipertensión, enfermedades del riñón, de las articulaciones, etc.

El régimen del niño es al principio muy alcalino, pues que es a base de leche. La introducción de harinas aporta más tarde elementos ácidos.

2. Absorción

Los elementos minerales son absorbidos durante su tránsito por el intestino pasando a la sangre, que las reparte por el organismo y constituye reservas a nivel del hígado, de los huesos y en los líquidos intra y extracelulares del organismo. Por ejemplo: nace el niño con reservas de hierro; pero éstas disminuyen y la alimentación debe proporcionárselas en la necesaria cantidad. Una escasez de sales provoca la deshidratación del niño, en tanto que su abundancia provoca un engrosamiento.

3. Necesidades en elementos minerales

Naturalmente, son más elevadas en los niños cuyo crecimiento se efectúa gracias al aporte de estos elementos plásticos o constructores.

Calcio

Este elemento, que entra en gran proporción en la composición de los huesos, es necesario en la construcción del esqueleto y de los dientes. Contribuye a la regulación del músculo cardíaco, a la actividad de los nervios y de los músculos, a la coagulación de la sangre y al mantenimiento de la alcalinidad de la misma, así como a otras funciones que no vamos a citar.

La acidez intestinal, el aporte de fósforo y la vitamina D favorecen la asimilación del calcio; los dulces la perturban, así como los trastornos digestivos.

Necesidades

El lactante tiene necesidades mayores que el adulto. El esqueleto infantil fija de 4 a 5 gramos de fosfato de calcio por semana, aumentando hasta un kilo en el curso del primer año. La cantidad de calcio que debe ser aportada por la nutrición del niño diariamente se fija en 40 miligramos por kilogramo. La leche de vaca es mucho más rica en este elemento que la leche de mujer (169 y 23 miligramos por 100 respectivamente); por tanto, los lactantes alimentados artificialmente recibirán mayor cantidad de calcio.

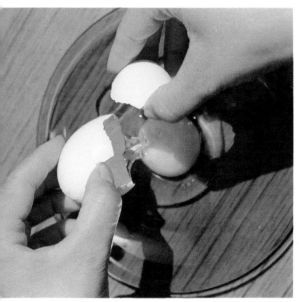

Entre los alimentos de mayor consumo se hallan los huevos.

Constituyen un alimento excelente por su riqueza en albúminas que en la yema se encuentran bajo la forma de lecitina y ovolecitina.

Pero hay que tener mucho cuidado en que los huevos que se consuman estén frescos, ya que, en caso contrario, pueden producir intoxicaciones.

Fuentes

La leche es una excelente fuente de calcio, así como sus derivados, sobre todo el queso.

El calcio de la leche se presenta bajo una forma particularmente asimilable, y es esto lo que hace que la leche sea irreemplazable en la alimentación de la infancia. Las nueces, avellanas, higos secos, etcétera, contienen gran cantidad, lo mismo que ciertas hortalizas, en especial la coliflor, las acelgas, el apio, las zanahorias, los nabos, etc. También contiene bastante cantidad la yema de huevo y las aceitunas. Según las regiones, también el agua puede contener una buena cantidad.

Trastornos carenciales

La insuficiencia en el régimen, o lo que resulta igual, la incapacidad para fijarlo, produce diversos trastornos, entre los que destaca el retraso en la coagulación de la sangre, el retraso en el crecimiento, una mala dentición y, sobre todo, al nivel de los huesos, las deformaciones características del raquitismo. Volveremos a hablar de esta enfermedad a propósito de la vitamina D.

Fósforo

Este elemento, que entra en la composición del esqueleto óseo y de diversas proteínas, es indispensable al organismo. Contribuye también a la formación de las grasas y los azúcares, como asimismo a la fijación del calcio.

Las cantidades encontradas en el análisis de la leche de mujer son de 14 a 19 miligramos por 100.

Cociente calcio-fósforo

Lo que aún tiene más interés que las cantidades de estos elementos es más bien su equilibrio. En efecto, las experiencias sobre animales muestran que un régimen pobre en calcio y pobre en fósforo no provoca raquitismo; por el contrario, el mismo régimen enriquecido con calcio provoca raquitismo. En el caso de régimen pobre en calcio y rico en fósforo, también se observan lesiones óseas, aunque no idénticas a las del raquitismo experimental.

Fuentes

Las mayores proporciones de fósforo se encuentran en la yema de huevo, en los cereales completos —las harinas muy blancas contienen poco—, legumbres secas y frutos secos.

Convendrá tener en cuenta todo esto al establecer el régimen ulterior del niño.

Cloro y sodio

Estos dos elementos íntimamente unidos componen la sal ordinaria, que se encuentra repartida en el organismo, principalmente en la sangre. La sal mineral más importante es ésta, encontrándose también en todos los líquidos orgánicos, jugando un papel muy importante en la absorción y fijación del agua en los tejidos, así como en la regulación de la temperatura corporal.

Su importancia es decisiva, a causa del cloro, en la formación del ácido clorhídrico del estómago, que tan importante papel tiene en la digestión.

Necesidades

Los diversos alimentos aportan una cierta cantidad de sal al organismo; sin embargo, el hombre tiene la costumbre de poner sal en sus alimentos para realzar el gusto de los mismos, consumiendo por regla general cantidades demasiado elevadas. El exceso de sal es eliminado por los riñones. Al contrario de lo que ocurre con otras sales minerales ya estudiadas, las necesidades en cloruro de sodio del lactante son menores que las del adulto. Si éste puede consumir sin peligro de 6 a 10 gramos diarios, el niño no podrá recibir más de 3.

El lactante de pecho recibe suficiente cantidad con su ración; los que son nutridos con leche de vaca tampoco la necesitan, en tanto que no tomen papillas.

Insuficiencia

Por el contrario, hay casos en los que resulta insuficiente el aporte de la cantidad de sal al organismo, sea en el curso de enfermedades, sea simplemente porque el niño transpira demasiado. La temperatura elevada durante el verano produce, junto con una mayor evaporación del agua, una pérdida también notable de cloruros. Por esto conviene que las madres den a sus niños en tiempo caluroso agua ligeramente salada (un gramo por litro, media cucharadita aproximadamente).

Potasio

Si el sodio predomina en los líquidos del organismo, el potasio abunda en los tejidos del mismo, en los que parece activar los procesos de multiplicación de las células. Contribuye a la regulación de la presión osmótica de la sangre y otros líquidos orgánicos, así como favorece la eliminación urinaria.

La leche de mujer aporta aproximadamente 45 miligramos de potasio por 100 gramos de leche, y la leche de vaca, cerca de tres veces más. Por tanto, resulta superfluo añadir sal de potasio a la leche de los niños nutridos artificialmente.

Hierro

Este importante mineral se halla presente en el organismo bajo diferentes formas: unido a las proteínas forma parte de una sustancia contenida en los tejidos: el citocromo, que juega un papel importante en los procesos de nutrición de la célula.

Constituye, por otra parte, una importante fracción de la hemoglobina de la sangre, sustancia que tiene por función el acarreo de oxígeno desde el pulmón a los tejidos.

El hierro se acumula a nivel del hígado, en donde constituye reservas. Estas son muy importantes en el recién nacido, quien parece ha tomado de su madre —en los últimos meses intrauterinos— la cantidad de hierro suficiente para cubrir sus necesidades durante varios meses, porque la leche de mujer contiene poco.

*Las frutas, las verduras, los cereales y el agua son fuente
importante de sales minerales, necesarias al organismo para
su normal funcionamiento.*

Parecería lógico administrar sales de hierro al lactante pequeño cuando es nutrido con leche de vaca, ya que ésta contiene aproximadamente la mitad de hierro que la de mujer. Basta en ocasiones conservar esta leche en un recipiente de hierro para que el tenor del metal en esa leche aumente considerablemente.

La adición de sales de hierro parece indispensable en la alimentación de los prematuros que nacen con pocas reservas y que, con frecuencia, padecen de anemia por falta de hierro (véase Cap. 69). Los niños de menos de un año necesitarían 6 miligramos por día.

Fuentes

Los alimentos más ricos en hierro son: yema de huevo, carne, lentejas, judías, guisantes, avena y almendras; y entre las verduras, sobre todo espinacas, berros y perejil.

Los cereales refinados y el azúcar carecen de hierro.

Yodo

Entra en la composición de una hormona de la glándula tiroides, la tiroxina, hormona que juega un papel importante en el crecimiento y en el desarrollo mental.

En los casos de insuficiencia de este elemento, el niño adquiere un aspecto especial y característico: piel espesa, obesidad, pelos que caen, lengua engrosada, etc., haciéndose perezoso y lento en sus movimientos, sufriendo sus facultades mentales, al igual que su crecimiento, un considerable retraso, ofreciendo el aspecto de un cretino.

Este elemento es aportado generalmente por el agua; pero en ciertas regiones en las que su suelo es pobre en yodo, ni el agua ni los vegetales lo contienen, siendo entonces conveniente la utilización de la sal de cocina con yodo en lugar de la ordinaria.

Magnesio

Este elemento entra, al igual que el calcio, en la constitución de los huesos, encontrándose también en el cerebro, en la sangre y en el sistema nervioso. Estimula la actividad celular y hace dilatar los pequeños vasos sanguíneos. Se le atribuye un papel anticanceroso.

Cobre

Este elemento refuerza la acción antianémica. Se halla en reserva en el hígado y el bazo.

La leche de mujer contiene mucho más que la leche de vaca, y esto explicaría la rareza de las anemias de origen alimenticio en los niños alimentados al pecho.

En las anemias alimenticias se administra el cobre bajo la forma de sulfato de cobre, una décima de miligramo por kilo de peso, al mismo tiempo que el protoxalato de hierro.

Otros minerales

Otros elementos, tales como el azufre, el manganeso, el cinc, el cobalto y el flúor, entran en proporciones mínimas en la composición del organismo, y son aportados en suficientes cantidades por la alimentación corriente.

Cedida por gentileza de Dietéticos Ulta.

4. El agua

Importancia del agua

La riqueza en agua de los tejidos del lactante constituye una de sus principales características: basta con pellizcar su piel para darse cuenta de su elasticidad y turgencia. La ciencia nos dice que esta riqueza va disminuyendo gradualmente hasta la vejez; la hidratación es del 72 por 100 en el lactante pequeño y del 60 por 100 en el viejo.

El crecimiento y el aumento de peso en el niño se debe en gran parte a la fijación de cantidades importantes de agua en sus tejidos.

Por otra parte, el contenido hídrico favorece los cambios nutritivos, permitiendo la difusión de sustancias solubles de los tejidos a la sangre y viceversa.

Su poder disolvente, lo mismo que el que consiste en disociar un compuesto químico en sus elementos, por ejemplo, la sal o cloruro cálcico o sódico en el ion-cloro y el ion-sodio, hacen del agua un elemento regulador de primer orden.

Necesidades del lactante

Estas son influenciables por numerosos factores, y son, desde luego, variables de un lactante a otro. La temperatura del medio juega un papel importante: todo el mundo sabe que en verano se bebe más agua que en invierno, ya que el organismo pierde agua por evaporación a nivel de la piel. Esta agua evaporada representa en el niño cerca del doble de la del adulto, perdiendo el lactante de 75 a 300 c.c. de agua por día; esto por transpiración insensible, ya que cuando hay sudoración esta evaporación es más acentuada. Esto nos explica que en el verano presenten los bebés con facilidad fiebre, corriendo el riesgo de caer en un estado grave si no se tiene la precaución de darles suficiente agua.

La cantidad de agua necesaria varía según el régimen del niño. Se sabe que cuando se come salado se está obligado a beber en seguida, ya que la sal llama al agua.

Se comprende que el lactante alimentado con leche de vaca necesita más agua que el que lo es al pecho, ya que la leche de vaca contiene tres veces más sales minerales que la leche de mujer.

Otras circunstancias influyen sobre la eliminación del agua: son la agitación, las reacciones intestinales, la fiebre, etc.

Cantidades de agua ingerida

En comparación con el adulto, las necesidades del lactante son muy elevadas. Alimentado al pecho materno, recibe de 125 a 175 gramos de agua por kilo de peso y por día, en tanto que el adulto no recibe más que de 25 a 40 gramos.

Por tanto, el régimen del niño deberá contener agua en abundancia. De todos modos, no habrá que caer en exageraciones y dar cantidades muy grandes, ya que se correría el peligro de provocar dispepsias y de desmineralizar el organismo. Tampoco conviene cortar la leche de vaca, como tan frecuentemente se aconseja, a la mitad o al tercio. La puericultura aconseja cada vez más la leche completa, que es mejor soportada, utilizando, incluso como se hace en los Estados Unidos, la leche concentrada no azucarada en bote, diluida en un volumen igual de agua, lo que equivale a una leche más concentrada que la fresca.

Evidentemente hay excepciones, ya que ciertos lactantes muy pequeños soportan mal la leche pura. Los estreñidos, los enfermos —excepto ciertos casos, por ejemplo, de vomitadores—, necesitan leche más diluida. En efecto, conviene evitar el caer en el exceso por defecto, es decir, dar una ración insuficiente de agua. Incluso con un régimen bien equilibrado en los diferentes elementos, si el aporte de agua es insuficiente, se producirá poco a poco la deshidratación, que se traducirá por una pérdida de peso, estreñimiento, agitación, insomnio o incluso por accidentes más graves, tales como la fiebre elevada y las convulsiones.

Basta a veces administrar un suplemento de agua a un bebé gruñón que se agita después de haber acabado su biberón con una ración de leche suficiente, para observar que se calma inmediatamente. Las mamás no deben olvidar que con frecuencia los gritos de los niños traducen la sed que sienten.

¿Qué agua daremos?

Al lactante es preferible administrarle el agua hervida —sobre todo si la que se utiliza procede de pozos—, pero después de haberla

agitado, ya que habiendo desaparecido el aire su digestión se hace más difícil.

En las poblaciones donde las aguas se hallen muy tratadas con productos químicos, sería aconsejable la administración de aguas minerales neutras, sobre todo si su envase es de cristal.

No conviene dar agua con las comidas, ya que esto complica el trabajo del estómago con la dilución del jugo gástrico: se dará el agua muy ligeramente salada en verano, tres horas después o una hora antes de las comidas, pura o mezclada con jugos de frutas.

Es superfluo decir que jamás debe darse a los niños vinos ni otras bebidas alcohólicas.

Otras bebidas, tales como el café, té, coca-cola, también deben ser proscritas.

58

Elementos protectores de la dieta (vitaminas)

1. Generalidades

Junto a los elementos fundamentales estudiados anteriormente y que entran, excepto los minerales, en bastantes grandes proporciones en la alimentación humana, ha descubierto la ciencia otros elementos que son indispensables para mantener el buen funcionamiento del cuerpo.

Estas sustancias, que actúan a dosis muy pequeñas, son las vitaminas. Actúan en funciones comunes, tales como el estímulo del crecimiento y del metabolismo de otros elementos, tales como proteínas y grasas.

Se creía antes que todas ellas debían ser aportadas por la alimentación. Hoy se sabe que pueden ser formadas en el organismo generalmente a partir de otros elementos llamados provitaminas. El caroteno, por ejemplo, se transforma en vitamina A.

Estas sustancias presentan la particularidad de no actuar aisladamente, sino en sinergia con otras, reforzando así su acción; de este modo la vitamina E protege a la vitamina A; ésta debe estar en cantidad equilibrada respecto a la D.

Todas las vitaminas tienen gran importancia en la alimentación humana, y es comprensible que sean particularmente indispensables en el régimen de la infancia.

Hoy día, que sus fórmulas químicas son bien conocidas, la mayor parte de las vitaminas se fabrican en los laboratorios. De todos modos, resulta más agradable tomar las vitaminas bajo su forma natural, tal y como la generosa naturaleza nos las ofrece en alimentos agradable a la vista y al gusto.

Estudiaremos aquí, entre las numerosas vitaminas hasta el momento descubiertas, únicamente las que interesan a la dietética infantil.

2. Vitamina A

Esta vitamina, llamada «del crecimiento» porque lo favorece, es una sustancia que se encuentra en ciertas grasas y también bajo la forma de provitamina en el pigmento o materia colorante de numerosos vegetales.

Necesidades

Las necesidades del lactante no son tan grandes como las del niño y las del adulto, y la cantidad en que las recibe por la leche materna es suficiente para asegurarle un buen crecimiento. Necesitando más de 2.000 U.I. diarias durante el primer año y 2.500 a 5.000 diarias hasta la edad adulta.

En lo que se refiere a los niños prematuros y a los alimentados con leche de vaca, y dado el que las leches en polvo, condensadas o descremadas, son pobres en vitamina A, igual que la leche fresca hervida prolongadamente y al aire, resulta muy conveniente dar sistemáticamente una dosis de vitaminas que fijará el puericultor.

Cuando el niño ya es mayor, otros alimentos le suministran esta vitamina: la mantequilla, más rica en verano que en invierno, la yema de huevo, la zanahoria, las espinacas, las coles, las lechugas, etc. En cuanto a las frutas, también aportan una buena cantidad, especialmente la mandarina y el tomate, cuyos jugos pueden utilizarse.

Las fuentes medicamentosas de vitamina A son el aceite de hígado de pescado —de bacalao principalmente—, en el que se encuentra en dosis muy elevadas.

3. Vitamina D

Esta vitamina, también llamada antirraquítica, pertenece al grupo de las vitaminas solubles en las grasas (tales como la vitamina A). Entre las numerosas formas de vitamina D, dos son importantes en la práctica: la vitamina D_3, 37 dehidrocolesterol irradiado, que es de origen animal, y la D_2 o ergosterol irradiado, de origen vegetal.

La alimentación apenas si aporta esta vitamina natural, pero afortunadamente el organismo tiene la propiedad de transformar las sustancias llamadas esterinas en vitamina D cuando se pone la piel bajo la influencia de los rayos solares o de los ultravioleta.

A pesar de que la leche de mujer no contiene más que una pequeña cantidad de vitamina D, el lactante normal que hace vida al aire libre y al sol jamás presenta signos de raquitismo. Y es que, en efecto, la vitamina no lo es todo; la higiene y, sobre todo, la exposición al sol tienen por efecto el activar la formación de la vitamina al nivel de la piel. Resulta, pues, superfluo administrar a estos lactantes un suplemento de vitamina D.

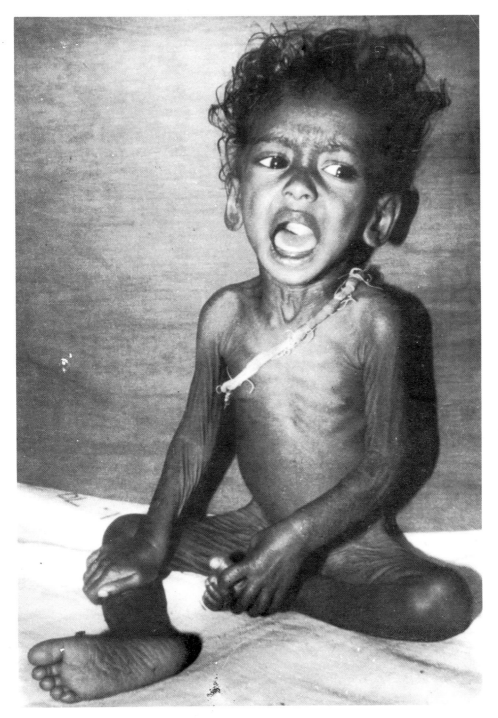

Cedida por amabilidad de la O.M.S., Ginebra.

Una dieta mal equilibrada puede provocar trastornos muy importantes en el niño, los cuales, en muchos casos, pueden dejar secuelas para toda la vida.

Afortunadamente en nuestro país se producen todos los alimentos necesarios para establecer una alimentación correcta.

Los zumos de frutas y hortalizas aportan al organismo vitaminas y sales minerales, al mismo tiempo que constituyen una agradable bebida.

Es conveniente que los zumos sean variados, de modo que se complementen los unos con los elementos que falten en los otros.

Por el contrario, el lactante que no puede ser expuesto diariamente al sol, por ejemplo, a causa del clima, obtendrá positivo beneficio con una dosis diaria de vitamina D, preferentemente bajo la forma de una solución oleosa de ergosterol irradiado.

Una advertencia importante se impone a este propósito: estas tres o cinco gotas de solución deben ser dadas en una cuchara con un poco de leche y no agregadas al biberón con la leche, ya que estas gotas pueden adherirse a las paredes del vaso y, por tanto, no ser absorbidas.

Conviene aún repetir que esta dosis medicamentosa no basta para impedir la aparición de signos de raquitismo. Trastornos diversos que provoquen una insuficiencia digestiva pueden influir en la absorción y utilización de la vitamina de modo negativo. De manera que la mejor profilaxis o prevención del raquitismo continúa estando en el sol, no a través de vidrios o ventanas, que retienen los bienhechores rayos ultravioleta, sino directamente sobre el cuerpo, que se hallará lo más descubierto que sea posible.

Una prueba de esto se halla en que un gran número de niños de las ciudades, con frecuencia gordos y mofletudos, presentan signos de raquitismo: músculos fláccidos, retraso en la estación sentada y en la de pie. Por el contrario, niños mal alimentados, pero que viven en pleno campo, presentan raramente la enfermedad.

La leche irradiada, que parece estar de moda en América, contiene bastante vitamina D, es cierto; pero su utilidad y el gran peligro de la producción de sustancias tóxicas han sido subrayadas por diversos autores.

Necesidades

Las dosis masivas de vitaminas tan en boga estos últimos años, no deben ser administradas más que raramente y bajo prescripción del pedíatra.

Las dosis excesivas pueden ser origen de inapetencia y de trastornos renales. Es más lógico administrar cada día 3 gotas de vitamina D, es decir, 900 unidades.

4. Vitaminas B

Debería más bien decirse complejo vitamínico B, puesto que las vitaminas B son numerosas, pero solamente algunas son útiles al hombre.

Vitamina B₁

Es también conocida con el nombre de tiamina o vitamina antiberibérica, porque su presencia impide la aparición del beri-beri. Esta afección, tan común en Extremo Oriente, es debida al consumo de arroz muy refinado, desprovisto de su cutícula. En efecto: es en la capa más externa de los cereales en donde se encuentra esta vitamina, y las harinas muy blancas se hallan carentes de ella.

También se le llama aneurina, porque es un factor de la regulación de la actividad nerviosa. Es necesaria para la buena asimilación de los glúcidos. Se utiliza como medicamento contra numerosos trastornos: inapetencia, dolores neurálgicos, estreñimiento, etc.

Necesidades del lactante

A pesar de que la leche contiene cantidades mínimas de esta vitamina, se hallan cubiertas las necesidades del lactante: por una parte, a causa de que esta leche es relativamente pobre en glúcidos, cuantos más existen, más vitamina B₁ es necesaria; por otra parte, porque es probable que el intestino la fabrique.

La ración recomendada por el Departamento de Higiene Alimenticia de los Estados Unidos es de 0,25 miligramos a 0,4 miligramos por día.

Estas necesidades son más grandes en el lactante alimentado con leche de vaca, sobre todo si es condensada y azucarada; se ha visto que con frecuencia estos niños padecían anemia, agitación, inapetencia y estreñimiento: trastornos debidos a una falta de vitamina B₁. Los niños que reciben exclusivamente papillas de harinas blancas corren también el peligro de carecer de esa vitamina. De ahí el interés de dar cuanto antes a los lactantes papillas malteadas.

Más tarde, los diversos alimentos aportan al niño esta vitamina, pero en pequeñas cantidades, de modo que, como para el adulto, aconsejaremos tomar una cucharada (pequeña en este caso) de levadura de cerveza alimenticia, o en su defecto, papillas de trigo o de trigo germinado. El pan integral o completo, aunque excelente desde este punto de vista, no puede ser dado al niño hasta los dos años.

Vitamina B$_2$

Conocida sobre todo por el nombre de lactoflavina y factor del crecimiento, es indispensable a los niños. Estos encuentran suficiente cantidad en la leche.

Además, el huevo y las legumbres, y sobre todo los tomates y patatas, aportan una cierta cantidad. Esta cantidad es más importante en la levadura alimenticia, en ciertos pescados (sardina, caballa) y en cereales completos.

Las necesidades serían de 0,5 a 0,8 miligramos para el niño.

Vitamina B$_6$

La vitamina B$_6$, adermina, piridoxina o factor de protección de la piel, se utiliza con éxito en los trastornos nerviosos de la infancia. Se desconocen aún las necesidades del hombre; la leche contiene 2 miligramos por litro.

La vitamina PP

También llamada nicotinamida, favorece el crecimiento y combate la enfermedad llamada pelagra. Se encuentra en la levadura de cerveza seca, legumbres secas y el hígado de animales. Su cantidad en la leche es pequeña.

Acido fólico

También pertenece al grupo B. No se han determinado las necesidades humanas de esta vitamina. Se sabe que interviene, al igual que la vitamina B$_2$, en la maduración de los glóbulos rojos de la sangre; por eso se emplea en el tratamiento de ciertas anemias.

Adición de vitaminas B al régimen

Constituye una medida prudente, ya que el régimen alimenticio del hombre civilizado, a base de cereales y productos muy refinados que con frecuencia no contienen ninguna de estas vitaminas, se halla carente de ellas. Afortunadamente, la leche, sobre todo la de mujer, contiene cantidades suficientes para el niño. Sin embargo, conviene repetir que los lactantes nutridos con leche de vaca deben recibir un suplemento de esta vitamina bajo la forma de papillas malteadas.

Cedida por amabilidad del Sindicato de Agrios, Valencia.

Los frutos ácidos contienen gran cantidad de vitamina C, imprescindible en la lucha antiinfecciosa. El albaricoque posee vitamina A en abundancia, protectora de la piel, de las mucosas y de la visión.

Cedida por amabilidad del Sindicato de Agrios, Valencia.

5. Vitamina C

Es ésta la vitamina más popular; la de los jugos de frutas y de tomate, tan estimados de las madres. La moda impone que se tomen esos jugos; se administran en abundancia, lo que está bien, ya que su exceso no provoca trastornos. Con frecuencia se administra juntamente con la vitamina A, lo que no está bien, pues estas vitaminas no deben mezclarse, dado que la una inactiva a la otra.

La leche de mujer, bastante rica en vitamina C o ácido ascórbico, aporta una dosis suficiente al lactante.

857

La leche de vaca, menos rica a causa de la ebullición que debe sufrir, pierde una gran parte de esta vitamina; conviene, por tanto, administrarla al niño en la «lactancia artificial».

Dado que el niño no posee generalmente grandes reservas, puede comenzarse la administración de jugos de frutas ya hacia el mes de edad: media cucharadita de jugo de tomate o de naranja, bien madura al principio; después, una cucharada, para llegar progresivamente a la dosis de una o dos hueveras por día. Pueden azucararse estos jugos con un poco de miel y administrarse entre las comidas, no debiendo ser mezclados con la leche.

Experiencias hechas con animales han demostrado que una dosis suficiente de ácido ascórbico ayuda al organismo a resistir las infecciones. Se conoce también la función de protección de los vasos sanguíneos, ya que una falta de vitamina se traduce frecuentemente en una tendencia a las hemorragias.

Necesidades

La dosis mínima para el lactante será de 20 a 30 miligramos por día. Estas necesidades son mayores en el prematuro, cuyas reservas son poco abundantes, así como en el niño enfermo.

Fuentes de vitamina C

Todo el mundo sabe que las frutas y las verduras son las mejores fuentes de vitamina C; entre ellas, sobre todo limón, naranja, tomate, fresa, pimiento, espinacas.

Otras verduras la contienen también en fuerte proporción, pero son reducidas a causa de la cocción. Hemos aconsejado a las amas de casa un procedimiento de cocción que apenas destruye la vitamina C: consiste en cocer las verduras a fuego lento, sin sal y apenas sin agua, durante dos horas al menos y en recipiente de barro o de metal especial. La sal (que aumenta la temperatura) se añade después de la cocción, igual que el aceite. Hay que subrayar que las verduras así preparadas son mucho más sabrosas. Si se tiene cuidado de poner en el fondo del recipiente unos tomates, cebollas o calabacines, que son bastante acuosos, se hace inútil la adición de agua.

Las patatas, manzanas y plátanos contienen poco ácido ascórbico, pero su aporte resulta suficiente si se consumen en buena cantidad.

Cuando los jugos de frutas son mal tolerados o rehusados por los niños —lo que es raro—, puede administrarse la vitamina bajo la forma de preparados sintéticos o en comprimidos. Pero está bien demostrado que la vitamina natural da mejores resultados que la artificial.

Cedida por amabilidad del Sindicato de Agrios, Valencia.

6. El consumo de vitaminas

Es necesario que exista un cierto equilibrio entre las diversas vitaminas, dados los antagonismos que existen entre ellas; por eso mismo conviene administrarlas separadamente, habiéndose demostrado que el aceite de hígado de bacalao produce la destrucción de la vitamina C, pudiéndose así explicar que lactantes que tomaban estas dos vitaminas al mismo tiempo hayan presentado signos de escorbuto.

Tal vez haya extrañado al lector el que no hayamos citado todas las vitaminas existentes: B_{12}, P, E, F, K, etc.

Para satisfacerle hemos de decir que el lactante al pecho recibe de manera natural todas las vitaminas que le son necesarias. Después, una alimentación natural, abundante y variada, le suministrará una cantidad suficiente. Hay que insistir sobre este concepto de alimentación «natural», que, por desgracia, tanto ha maltratado la civilización.

Alimentación del lactante

59

La leche en la alimentación infantil

1. Generalidades

«La leche, al igual que el corazón de una madre, no pueden ser reemplazados», decía un célebre profesor. A ningún ser normal se le ocurriría dar a un bebé otro alimento que no fuera la leche. Este alimento excelente que la madre segrega a nivel de sus glándulas mamarias es perfectamente apropiado a las necesidades de su niño. Aún hay más: el calostro o primera leche, que se ha considerado desde antiguo como «leche mala», se ha revelado como un alimento notable y particularmente apropiado para los recién nacidos. Estudiaremos este producto a propósito de la secreción láctea humana, para pasar después a la de los animales más comúnmente empleadas.

Análisis de la secreción láctea

Contrariamente a lo que podría pensarse, los análisis completos de la leche de mujer son de bastante difícil realización, y aún resulta más difícil el establecimiento de medias, ya que la composición de la leche varía según el período de la lactancia, según las horas del día, según que haya sido tomada al comienzo o al fin de la tetada, e incluso según el pecho que la proporciona.

La leche adquiere sus caracteres definitivos sólo a partir del decimoquinto día aproximadamente. Antes de esa fecha está constituida al principio por el calostro y después por una leche calostral de composición intermedia.

2. El calostro

Ese líquido amarillento y denso es segregado ya hacia el cuarto mes de la gestación, aunque en pequeñas cantidades. Su composición se aproxima bastante a la del suero sanguíneo.

Las materias que componen el extracto seco son, además de las proteínas, las grasas, los glúcidos, las sales y los factores inmunizantes y las vitaminas.

Proteínas. Se hallan en cantidades más importantes que en la leche definitiva, y entre ellas, sobre todo la albúmina y la globulina; por el contrario, la caseína es escasa al comienzo y aumenta progresivamente. Los ácidos aminados libres, de digestión particularmente fácil, como hemos visto, se hallan en mayor cantidad: 2,2 gramos por 100 c.c.

Grasas. La cantidad de grasas es menor que en la leche definitiva: 3 gramos por 100 c.c., aproximadamente. Hemos visto que el recién nacido asimila mal las grasas.

Glúcidos. El calostro es menos azucarado que la leche: 4 a 5 gramos de glúcidos en aquél por 7 a 8 en ésta.

Materias salinas. Se hallan en proporción diferente de las de la leche. Así, el calcio se encuentra en menor cantidad. Por el contrario, la proporción de fósforo es más elevada, lo mismo que la del yodo, el cobre y el cinc. La cantidad media en total de estas materias es de 3 gramos por litro.

Vitaminas. El calostro contiene de cinco a diez veces más vitaminas en general y de provitamina A que la leche de vaca, y notablemente más que la leche de mujer.

Factores inmunizantes. Se sabe que, al nacimiento, el niño es incapaz de contraer ciertas enfermedades, porque la sangre de la madre, que contiene sustancias llamadas inmunizantes, transfiere a su hijo las mencionadas sustancias durante el período de la formación.

Así sucede, por ejemplo, que vacunando a la madre contra el tétanos, resulta también vacunado contra la misma enfermedad el niño que lleva en su seno.

El calostro también aporta al niño antitoxinas, si bien en pequeñas cantidades. La leche definitiva no las contiene. Según ciertos autores, aportaría también protrombina, sustancia indispensable a la coagulación de la sangre, comportándose, por tanto, como un preventivo de las hemorragias.

El calostro es más rico que la leche en proteínas, sales minerales y vitaminas. Esta abundancia de materiales plásticos o constructores, la presencia de fermentos que lo hacen más digerible y la de antitoxinas, hacen de este líquido un alimento inigualable para las necesidades del recién nacido. Si el bebé privado de esta primera leche no muere —como suele suceder con el ternerillo privado del calostro de la madre—, está fuera de duda que sus posibilidades de sobrevivir resultan disminuidas. Toda madre digna de este nombre tiene el deber (excepto por imposibilidad absoluta, cosa rara) de dar su leche al niño que ha traído al mundo.

La leche es imprescindible en la alimentación del recién nacido; pero es la leche materna la que más beneficia al niño, ya que, al comienzo de la lactancia, el calostro aporta sustancias de gran valor, que ayudan al bebé en su lucha por la supervivencia.

3. Leche de mujer

La leche es un sistema coloidal líquido con proteínas en dispersión, con azúcar, sales y gotas de grasa emulsionada. El análisis químico corriente sólo informa sobre la cantidad de agua, que normalmente es de 900 a 908 gramos por litro, y del extracto seco, que varía, por tanto, entre los 120 y los 130 gramos aproximadamente.

Un análisis más delicado permite hallar cada uno de los componentes de este extracto seco.

Proteínas

Se adopta en general como cifra media de proteínas la de 11 a 14 gramos por litro, es decir: aproximadamente la mitad de las cantidades que aparecen en el calostro. Igual que en la leche de los mamíferos, las proteínas se hallan en número de tres, pero en proporciones diferentes.

La leche de mujer, relativamente pobre en caseína, es bastante rica en lactoglobulina y lactalbúmina (7 a 8 gramos por litro de caseína y 5 a 7 de las otras).

Una característica de la leche de mujer es su riqueza en ácidos aminados libres y la presencia de todos los ácidos esenciales: arginina, histidina, triptófano, lisina, valina, metionina, leucina, isoleucina, treonina y fenilalanina.

La tasa de proteínas al principio de la lactancia va disminuyendo progresivamente hasta el fin; por el contrario, la de los ácidos aminados libres no disminuye a medida que la lactancia continúa.

Grasas

Se ha dicho, con razón, que las materias grasas son las más variables de la leche. En una misma mujer que lacta, la cantidad varía de un día a otro, de una tetada a la otra y hasta incluso en el curso de una tetada; de esta manera, cantidades pequeñas al comienzo, se elevan después y se estabilizan. En general, la tetada más rica en grasa es la del mediodía; por eso, para que el análisis de una leche dé una referencia suficientemente exacta, debe referirse a diversas muestras recogidas durante el día, y debería incluso ser repetido con diferentes días de intervalo. En general, pueden fijarse cantidades de 35 a 40 gramos por litro.

En lo que concierne a la composición de las grasas, la leche de mujer se caracteriza por la ausencia de ácido butírico (el cual entra en gran proporción en la mantequilla de vaca) y la fuerte proporción en ácido oleico y palmítico (30 y 25 por 100).

Hidratos de carbono o glúcidos

Ya hemos tenido ocasión de decir que la leche de mujer contiene, además de la lactosa, azúcares compuestos que aún no son bien conocidos. Se ha llegado al aislamiento de la ginolactosa y de la alolactosa en el calostro.

Por otra parte, la lactosa, que se encuentra también en la leche de vaca, es, no obstante, diferente, ya que predomina en ella la forma alfa, en tanto que en la de mujer predomina la forma beta.

La cantidad de glúcidos es mayor que en el comienzo de la lactancia, pero pronto se hace fija y estacionaria; la media es de 70 gramos por litro.

Elementos minerales

Se practica el análisis de cenizas y se determina la cantidad de elementos constitutivos. La cantidad total, que era de tres gramos por litro en el curso de los primeros días de la lactación, desciende bastante rápidamente a los dos gramos.

El calcio, en pequeñas cantidades al principio, aumenta hasta alcanzar un máximo hacia el tercer mes, disminuyendo después progresivamente. Sin duda esta variación corresponde a diferencias en las necesidades del niño. Conviene resaltar que un suplemento de calcio dado a la madre no produce un aumento de la cantidad segregada en la leche. La media obtenida es aproximadamente de 30 miligramos por 100 c.c.

Por lo que se refiere al fósforo, hemos de decir que sigue aproximadamente la misma trayectoria que el calcio. La media suele ser de 19 miligramos por 100 c.c. Sin embargo, la disminución es más lenta. El cociente calcio-fósforo se mantiene bastante fijo durante toda la lactancia y es de 1,2 a 1,5.

El cloro es menos abundante que en el calostro y no es influenciado por la ingestión de sal. Por el contrario, el sodio, aumenta gradualmente, alcanzando el nivel de 115 miligramos por litro hacia el final del segundo trimestre. Es más abundante durante el verano, y en las mujeres de países más cálidos. La cantidad de hierro y otros elementos disminuye progresivamente (aunque se observan excepciones), y esto incluso si las madres absorben grandes cantidades de sales de hierro. La cantidad de cobre disminuye también progresivamente. Por el contrario, la tasa de potasio no varía.

Las investigaciones efectuadas han mostrado que el cobre se halla en proporción dos veces más grande en la leche de mujer que en la de vaca. La cantidad, aún más elevada en el calostro, disminuye hasta la mitad en el segundo y tercer mes.

Este tenor en cobre explicaría la rareza de anemias de origen alimenticio en el niño criado al pecho y las anemias de los niños nutridos con leche de vaca (que es pobre en este elemento).

Otro elemento, el cinc, se encuentra también en cantidades más elevadas en el calostro que en la leche definitiva.

Vitaminas

Existe la vitamina A en la leche bajo la forma natural y también bajo la forma de caroteno (que es una provitamina). La investigación de la misma demuestra que su cantidad es muy variable de una mujer a otra, y al igual que las grasas, muy diferente de una a otra tetada; aumenta a medida que el niño mama más. Se ha querido aumentar este nivel, dando a la madre grandes cantidades de vitamina A, pero no se ha obtenido más que un ligero aumento en la leche. Las cantidades encontradas varían entre 30 y 400 gammas por 100 c.c. de leche.

La vitamina B_1 se halla en cantidad muy escasa: de 5 a 12 unidades rata en 100 c.c. La administración de vitaminas, en comprimidos o en forma de levadura de cerveza, hace aumentar notablemente su cantidad en la leche, no disminuyendo rápidamente, como en el caso de la vitamina A.

Según ciertos autores, la falta de vitamina B_2 o lactoflavina en la leche de la mujer lactante provocaría una nutrición defectuosa del niño. La cantidad depende de la riqueza de la alimentación de la madre en esta vitamina; la media sería de 0,04 miligramos por 100 c.c. de leche.

Conviene añadir un suplemento de vitaminas B en el régimen del hombre civilizado; con mayor razón la mujer que lacta deberá tomar una cantidad suficiente de complejo B, consumiendo pan completo (comúnmente llamado pan integral), papillas de trigo desmenuzado, o bien levadura de cerveza alimenticia (10 gramos por día). Esta tiene un gusto agradable y puede mezclarse con las sopas, las pastas o la mantequilla. En muchos países se fabrica, a partir de esta levadura, un excelente producto, dotado de fuerte y agradable sabor y que sirve para realzar el gusto de salsas y sopas. Esta pasta, muy oscura, conocida bajo el nombre de extracto vitaminado, es fabricada especialmente en Suiza por fábricas muy acreditadas.

Vitamina C

La ciencia ha descubierto que las glándulas mamarias contienen reservas de vitamina C. Estas pasan a la leche, aunque de manera irregular, ya que la cantidad es más abundante al comienzo de la jornada. Estas reservas aumentan en el verano a causa de la ingestión de tomates y frutas en esta época, disminuyendo en invierno. La cantidad es muy variable, pero se admiten como medias las cifras de 4 a 7 miligramos por 100 gramos de leche. Teniendo en cuenta que la dosis necesaria para el niño es de 5 miligramos como mínimo, debería concluirse que en ciertas épocas la leche es insuficiente para cubrir estas necesidades; sin embargo, no se observan trastornos consecutivos a esta carencia, ni el escorbuto, en los niños alimentados al pecho. Para explicar este hecho se ha admitido la posibilidad de la fabricación de la vitamina C por el organismo. También hay que tener en cuenta que el niño, al nacer, posee, a nivel de sus glándulas suprarrenales, reservas de vitamina C.

Digamos, como conclusión, que conviene que la nodriza tome cada día frutas y legumbres en abundancia, jugo de limón, y si esto no es posible, vitamina C sintética en comprimidos.

Vitamina D

A pesar de la ínfima cantidad de vitamina D en la leche de mujer, es un hecho cierto la rareza del raquitismo en los niños nutridos al pecho.

· Cedida por cortesía de Chicco.

La vitamina D no es la única que juega un papel en la prevención de esta enfermedad, ya que lo interesante es un equilibrio entre calcio y fósforo, habiendo visto que en la leche que nos ocupa las proporciones de estos elementos son perfectas y sus componentes muy asimilables. Además, el concurso del sol es indispensable para realizar la transformación de las provitaminas de la leche en vitaminas; así los casos de raquitismo de los niños alimentados al pecho se explican por una insuficiente exposición al sol.

En los países con pocos días de sol por año es necesaria la administración de un suplemento de vitamina D a los niños.

Fermentos

Una de las razones por las que la leche de mujer resulta de tan fácil digestión es por la presencia de diastasas o fermentos, habiéndose descubierto una amilasa que degrada el almidón, una lipasa que «predigiere» las grasas y dos fosfatasas para desdoblar los compuestos fosforados. Estas últimas sustancias se hallarían dotadas de un poder antitóxico, y su ausencia provocaría trastornos digestivos en el lactante. Según un sabio japonés, estas sustancias se hallarían ausentes en las mujeres con beri-beri, tuberculosis o durante la menstruación.

869

La leche de mujer proporciona con sus sustancias nutritivas de 630 a 650 calorías por litro.

4. Factores modificadores de la composición de la leche

Embarazo y menstruación

Según estudios muy concienzudos, la mujer puede seguir lactando si su estado de salud y ánimo son satisfactorios. A partir del quinto mes debe destetarse gradualmente.

En general, hacia el cuarto o quinto mes después del parto vuelve a aparecer la menstruación: ordinariamente, antes en las mujeres que han tenido pocos hijos que en las que han tenido más.

Parece que la menstruación influye sobre la secreción de la leche, ya que se observa un estacionamiento del peso del niño en esos días, así como una cierta irritabilidad, vómitos, insomnio, heces algo diarreicas, etc.; pero esto sólo durante tres o cuatro días, volviendo después a la normalidad; no hay, pues, motivo para suprimir el pecho.

Edad de la madre y tiempo de lactancia

No parece que la edad influya demasiado, ya que observaciones hechas en mujeres desde los catorce años (en que la mujer niña lactaba y continuaba creciendo) hasta los cuarenta y más años, no acusaban variaciones sensibles en lo que se refiere a cantidad y calidad.

El tiempo de la lactancia tampoco parece influir mucho, aunque estas lactancias se prolonguen hasta los tres años (caso de una mujer que daba 1.500 gramos de leche por día). Y si muchas veces la leche se hace más escasa, es porque el niño comienza a tomar otros alimentos, perdiendo interés por la misma, y al solicitarla menos «automáticamente» —recuérdense aquellos arcos reflejos— se produce una menor secreción.

Digamos aquí, aunque sólo sea de pasada, que conviene tener un horario fijado para las tetadas, y éstas en cantidad suficiente, teniendo en cuenta que no por dar más veces el pecho al niño va a sacar más leche; esto es así en las mujeres normales. Las que tengan comprobadamente poca cantidad de leche (hipogalactia), harán bien en poner el niño al pecho más veces, pero siempre, como antes, regularmente.

Influencia de los factores físicos y psíquicos

Si el pecho no es vaciado de su contenido, la leche sufre transformaciones, disminuyendo, por ejemplo, las grasas y la lactosa que contiene. El cansancio no influye en la composición y cantidad de la leche.

Esta influencia es notoria: dolores físicos, sustos, angustias morales y preocupaciones pueden disminuir la cantidad de leche, detenerla temporalmente y hasta incluso suprimirla definitivamente. Pero esto, como puede fácilmente comprenderse, depende del psiquismo de la mujer, ya que también se ha comprobado en otras mujeres que la cantidad de su leche no se alteraba a pesar de grandes sufrimientos de todo orden.

Afortunadamente, el dolor de las grietas de los pechos no parece modificar las características de la leche.

Hasta qué punto interviene la «psiquis» de la mujer en la secreción de su leche lo demuestra el hecho del éxito de ciertas sustancias «para aumentar la leche», y que tomadas «con fe» consiguen ese resultado.

La alimentación

Parecería que el régimen alimenticio de la embarazada guardaría una estrecha relación con las características de la leche, y, sin embargo, no es así; ni la ingestión de mucho azúcar ni la de abundantes proteínas produce aumento en las de la leche; únicamente sube la cantidad de grasas, y esto ligeramente, con un régimen muy rico en grasas.

El que una leche sea rica en grasas y más o menos nutritiva, es, sobre todo, una cuestión de herencia y constitución. Si la abuela y la madre de la lactante han sido buenas nodrizas, también tiene la nieta grandes posibilidades de serlo.

No se ha conseguido aumentar las sales minerales de la leche dando fuertes cantidades a la nodriza. Por el contrario, cuando el régimen es pobre en minerales, la leche no se resiste a esa falta. No así las vitaminas, que fluctúan en la leche según el aporte que de ellas se hace con la alimentación materna.

En lo que concierne al mal gusto de la leche de animales, proviene en realidad de gérmenes microbianos de los excrementos de los mismos. No hay por qué prohibir a la madre que lacta la ingestión de col o de nabo, ya que su acción perjudicial sobre la leche no está probada.

Afecciones de los pechos y medicamentos

Parece, sí, que los abscesos de la mama influyen en la secreción láctea, provocando una disminución de la leche.

Contrariamente a lo que se pensaba, los medicamentos no modifican la composición de la leche. Algunas sustancias pasan a la leche en pequeña cantidad, tales como el alcohol, las sulfamidas, la quinina, la cafeína, la nicotina, la aspirina, etc. Como el alcohol pasa a la leche, la nodriza debería de abstenerse de toda bebida alcoholizada.

Otras sustancias pasan en mayores cantidades: éter, cloroformo, formol, por lo que no habrá que administrarlos a las madres lactantes. Los bromuros absorbidos por la madre serían capaces de provocar una intoxicación en el niño. Por el contrario, los medicamentos a base de opio y de digital, a dosis normales, no pasan a la leche.

Tampoco pasa a la leche la sal ingerida en exceso.

5. Leche de animales

En la alimentación del niño se emplea, en caso de lactancia materna imposible, la leche de distintos animales.

Las leches generalmente utilizadas son las de vaca y cabra, cuyas respectivas composiciones vamos a estudiar:

Leche de vaca

La densidad de la leche depende de la cantidad y de la densidad de los distintos componentes (agua, grasas, sales, lactosa), siendo tanto más baja o más alta cuanto más agua o grasas contenga, respectivamente. Varía también con la temperatura, y suele oscilar entre 1.028 y 1.035 a 15 grados.

Agua y extracto seco

La leche de vaca contiene mucha: 860 a 900 gramos por litro. Ciertos animales tienen una leche muy espesa que contiene poca agua; así, la de reno no tiene más que 680 gramos de agua aproximadamente por litro; la de oveja, 840 gramos, también por litro.

Está constituido por las otras materias distintas del agua. Este extracto seco es de 125 a 130 gramos por litro y varía de unas razas de vacas a otras.

Proteínas

Como las de todas las leches, las proteínas se hallan representadas por la caseína, la lactoalbúmina y la lactoglobulina, lo mismo que por algunos ácidos aminados.

En un total de 30 a 35 gramos por materias nitrogenadas se encuentran:

— 0,5 gramos por litro de globulinas
— 4 a 5 gramos por litro de albúmina
— 28 a 30 gramos de caseína
— 1 gramo de ácidos aminados libres

872

Y también 1 ó 2 gramos de urea, que constituye un producto de excreción.

Por tanto, se caracteriza la leche de vaca por su riqueza en caseína. Esta sustancia es el precipitado que se obtiene añadiendo a la leche un ácido. Si esta acidificación es brusca, se obtiene un coágulo muy compacto, cuyo gusto no es demasiado agradable. Por el contrario, si este coágulo se forma lentamente, como en la fermentación láctica, se obtiene, al igual que en el yogur, una masa blanda que es más digerible.

Para fabricar el queso se provoca la precipitación de la caseína por la adición del cuajo o fermento extraído del estómago de terneros, obteniendo así un coágulo que, además de la caseína, encierra muchas sales minerales (fosfatos de calcio) y la grasa de la leche, lo que constituye un producto muy agradable al paladar. En el líquido separado de esta masa se encuentran las otras dos proteínas, el azúcar y las sales.

La lactoalbúmina, menos abundante que la caseína, está constituida, como ella, por 18 ácidos aminados; pero éstos se hallan en proporciones diferentes.

La lactoglobulina, en pequeña cantidad, tiene la misma composición que la globulina del suero sanguíneo; se coagula por el calor, al igual que la precedente, y constituye una parte de esa película que se forma cuando se hace hervir la leche.

Glúcidos

Sería más lógico decir glúcido, ya que la leche de vaca no contiene más que uno: la lactosa. Esta es transformada, para ser absorbida por el organismo, en galactosa y glucosa. Su concentración, muy variable, es de 50 gramos por litro. La leche de vaca es, pues, una leche poco azucarada. La leche de mujer, de burra y de oveja contienen mayor cantidad de glúcidos.

Grasas

A fin de establecer la concentración media de grasas, que en este caso es de 35 gramos por litro, ha sido necesario hacer un gran número de análisis, utilizando un buen número de vacas de diversos ganados. En efecto, la concentración de grasas, como en todos los mamíferos, varía mucho de uno a otro animal, de un día al otro y en los distintos ordeños.

Las grasas se hallan formadas por el colesterol, la lecitina y la mantequilla. Hemos dicho, a propósito de la leche de mujer, que la mantequilla de vaca era rica en ácido butírico, pero muy pobre, por el contrario, en ácidos saturados muy digestibles, tales como el ácido linoleico. La nata de la leche de vaca no contiene todas las grasas de la misma, ya que el colesterol y la lecitina también se hallan dispersos en el plasma.

Elementos minerales

Aparte de las sales minerales bien conocidas, contiene esta leche citratos y ácido cítrico. Este se halla a una concentración de 0,90 gramos por litro, inferior a la de la leche de mujer, que posee 2 gramos. Por el contrario, todos los otros compuestos, tales como los citratos, calcio, cloruros y fosfatos, se hallan a una concentración más elevada, aumentando así mucho más la concentración total de cenizas o extracto seco: 7-8 gramos por litro.

Calcio. Se encuentra bajo la forma de fosfatos y de caseinato de calcio, en la proporción de 1,25 gramos por litro.

Fósforo. La leche de vaca es muy rica en este elemento, cuya concentración muy variable se halla muy elevada en invierno, siendo aproximadamente de 0,90 gramos por litro de leche.

Cloro. Que se encuentra libre y combinado, bajo forma de cloruros y a una concentración bastante constante (1,25 gramos por litro), cantidad que no se modifica por la ingestión de sal por parte de la vaca.

Hierro y otros elementos. Se encuentran en cantidades mínimas: de 0,24 miligramos de hierro por litro como cantidad media. El hecho de conservar la leche en recipiente de hierro aumenta esta proporción, ya que la ligera acidez de la leche disuelve las partículas de óxido. El mismo fenómeno se produce con los recipientes de cobre. Este se encuentra a una concentración media de 0,16 miligramos a 2 gramos por litro.

Vitaminas

Las más importantes se encuentran en la leche de vaca a concentraciones sensiblemente diferentes, según las razas.

Vitamina B_1. Las cantidades de tiamina o vitamina B_1 son muy débiles, con una media de 20 unidades internacionales por 100 c.c., o de 0,2 miligramos. Por el contrario, la cantidad de lactoflavina o vitamina B_2 es aproximadamente diez veces más grande, al igual que la piridoxina.

Vitamina C. Como podía esperarse, la cantidad de vitamina aumenta notablemente cuando la vaca sale a pacer al campo.

Los animales que no se nutren de vegetales ricos en esta vitamina tienen cantidades escasas: 1,5 miligramos aproximadamente. Por tanto, para preservar a los niños del escorbuto, convendrá añadir muy pronto a su dieta un suplemento de vitamina C bajo la forma de jugos de frutas.

Vitamina D. La cantidad de esta vitamina es ínfima, al igual que en la leche de mujer; no obstante, la leche de vaca contiene el factor antirraquítico, sobre todo en la nata de la leche. Desgraciadamente, parece que la caseína anula los efectos de este factor, así que la leche de vaca «en fin de cuentas» favorece el raquitismo, en vez de proteger contra él. Recordemos a este propósito que el uso de leches irradiadas, al objeto de aumentar su contenido en vitamina D, no es de aconsejar.

Los lactantes que son alimentados con leche de vaca tienen mayor necesidad de ser expuestos al sol que los que son lactados al pecho.

Fermentos

Entre los fermentos contenidos en la leche de vaca, el principal es la fosfatasa, cuya importancia se ve disminuida por el hecho de ser destruida por la ebullición.

Se sabe que la leche es ligeramente ácida a causa del ácido cítrico que contiene, así como por la presencia de ácido láctico producido por las fermentaciones. Por término medio, un litro de leche proporciona al organismo 670 calorías.

6. Variaciones en la composición de la leche

Influencia del ordeño. El rendimiento, es decir, la cantidad de leche producida por el animal, es menor si éste es ordeñado dos veces por día que si lo es tres o cuatro. También la cantidad de grasas aumenta con la repetición de los ordeños. Además, esta cantidad es diferente de un ordeño a otro: mayor a mediodía que por la mañana o por la tarde.

Aún hay más: cada una de las cuatro glándulas que componen la ubre de la vaca dan leche de composición diferente.

Influencias estacionales y cotidianas. Según las regiones, la leche más rica es la de la primavera o la del otoño. También interviene el clima, siendo más pobre la leche en los países cálidos. La composición varía de unos días a otros.

Influencia del período de la lactancia. La cantidad de leche producida por una vaca describe una curva ascendente al principio, paralela o estacionaria durante tres o cuatro meses y descendente o de disminución al fin de la lactancia. Las materias minerales aumentan hacia el fin, y las proteínas y azúcares apenas si varían.

7. Comparación entre la leche de mujer y la de vaca

Un estudio comparativo entre estas dos leches muestra que la de mujer es menos rica en proteínas y en materias salinas que la de vaca. Esta contiene aproximadamente tres veces más proteínas, y entre éstas, a una concentración particularmente elevada, la caseína. La lactoglobulina y los ácidos aminados libres, tan importantes en el régimen del niño, se hallan en cantidades más elevadas en la leche de mujer. La cantidad de agua, de extracto seco y la densidad son aproximadamente iguales en ambas.

El calcio, el cloro y, sobre todo, el fósforo se hallan en mayores cantidades en la leche de vaca; no así el cobre y el hierro, más abundantes en la leche de mujer.

Ya dijimos que la leche de mujer se hallaba más azucarada y que, además, posee otros azúcares distintos a la lactosa y que son particularmente asimilables.

Las grasas, que se hallan aproximadamente en la misma cantidad, son de mejor calidad en la leche de mujer. La mujer produce de 35 a 40 gramos de grasas por día, en tanto que la vaca proporciona de 700 a 800 gramos.

En cuanto a las vitaminas, en general, son más abundantes en la leche de mujer.

8. Otras leches

La leche de mujer es llamada albuminosa, porque las albúminas y globulinas son proporcionalmente más importantes que la caseína, catalogándose así junto a las leches de burra y de yegua. La leche de los rumiantes (vaca, cabra, oveja, reno) es caseinosa. En el cuadro que aparece a continuación, inspirado en las cifras dadas por Marfán, hemos reunido las características principales de las leches utilizadas en la alimentación humana.

CUADRO COMPARATIVO DE LA COMPOSICION DE LA LECHE DE MUJER CON LA DE DIVERSOS ANIMALES

	Mujer	Vaca	Cabra	Burra	Oveja	Reno	Yegua
Densidad	1.032	1.033	1.034	1.033	1.035	—	—
Agua	905-908	860-910	885-900	901	835	670	900
Ext. seco	124	130	130	99	90	312	—
Caseína y proteína ...	13	33	35	16	51	98	1,20
Lactosa	68	47	45	65	92	28	60
Mantequilla	36	38	41	11	62	171	22
Cenizas	2,5	7	8	4,50	9,3	15	5,6
Calorías	635-660	600	—	427-490	—	—	—

Puede verse de qué manera varía la composición de unas a otras, y es que ésta se halla adaptada a las especies: cuanto más deprisa crecen los animales, tanto mayor es la cantidad de proteínas. Cuanto más frío es el clima, mayor es la cantidad de grasas, por ejemplo, la leche de reno. Esta cantidad es enorme en la leche del delfín, cetáceo de los mares australes, que al llegar a los 400 gramos por litro, representa casi la mitad de su peso.

La leche que más se parece por su composición a la de mujer es la de burra, por su cantidad moderada de prótidos y de cenizas y su riqueza en glúcidos. Los niños alimentados con leche de burra mejoran de sus trastornos digestivos y no corren el riesgo de complicaciones graves. La leche de oveja, muy azucarada, ha dado muy buenos resultados en los casos en que ha tenido que reemplazar a la leche de vaca.

En cuanto a la leche de cabra, es particularmente rica en caseína, lo que contribuye a disminuir su digestibilidad. Pero, afortunadamente, los glóbulos de grasa, que son muy pequeñitos, facilitan la digestión.

También conviene recordar que, con frecuencia, se producen anemias en el lactante alimentado con esta leche de cabra, a causa de su escaso contenido en cobre. Recordemos también que la pasteurización de la misma en recipientes de cobre aumenta su riqueza en este mineral.

60

Lactancia natural

Decimos que un niño se halla sometido a la lactancia natural cuando —en oposición a la lactancia artificial— es alimentado a base de leche humana. Esta leche le puede ser proporcionada por una nodriza, constituyendo lo que se llama la lactancia mercenaria, o bien por la propia madre: es lo que se llama lactancia materna.

En primer lugar, vamos a hablar de la lactancia materna.

1. Lactancia materna

Esta lactancia, que es la regla en todos los mamíferos, se halla reemplazada con frecuencia en la especie humana por la lactancia artificial, y esto por razones que no siempre son válidas.

Los enormes progresos realizados en la preparación de las leches de animales y la perfección de la técnica del biberón, así como la administración de toda la gama vitamínica, jamás podrá dar al niño las seguridades de vida y de salud que sólo puede dar la lactancia materna.

Es necesario que tanto la sociedad como la madre se hallen convencidas de esta gran verdad y sepan que los derechos del niño a la leche de su madre son absolutos.

Toda madre digna de ese nombre tiene el deber de amamantar a su niño. Y más que un deber, la lactancia debería ser para ella una alegría, ya que de esta manera los lazos que la unían al niño, y que el nacimiento había cortado, parece que se reconstruyan y prolonguen. Y así, por propia experiencia, podemos decir de qué manera la lactancia constituye una fuente de múltiples alegrías para la madre y de provecho para el niño y quien lo sustenta.

Ventajas para la madre

A poco espíritu de observación que tengáis, os habréis fijado en que nunca está más hermosa una mujer que cuando amamanta a su hijo: su piel se afina, su tinte se aclara, sus cabellos brillan. Este florecimiento se explica por la mayor actividad del metabolismo corporal. Por otra parte, la misma mujer se da cuenta de que se encuentra particularmente bien. Si llega a quejarse de dolor de riñones, o de fatiga, un tónico general, una alimentación más rica en proteínas y vitaminas hará desaparecer rápidamente estas molestias.

El prejuicio corriente que hace creer que la lactancia estropea los pechos no tiene ningún fundamento, antes al contrario: para pechos muy pequeños es un excelente medio de desarrollarlos.

La lactancia favorece la regresión del útero hasta su volumen primitivo e impide la obesidad precoz. Se ha observado que las mujeres que lactan se hallan menos sujetas a los padecimientos de la matriz y al cáncer de pecho.

Las estadísticas muestran que muy pocas mujeres se hallan en incapacidad absoluta de amamantar a sus hijos.

Ventajas para el niño

No hay más que comparar las estadísticas de los niños alimentados artificialmente y las de los niños que lo fueron al pecho, para convencerse de la importancia de la leche de la madre; la mortalidad de los primeros es tres veces mayor que la de los segundos. En los países o regiones en que casi todas las mujeres amamantan a sus hijos, la mortalidad infantil es baja.

La lactancia materna es, en efecto, el procedimiento más sencillo, rápido y limpio para alimentar al niño, pues que yendo directamente la leche de la madre al niño, no tiene tiempo ni posibilidad de contaminarse. Es el procedimiento mejor, más práctico y más económico. La leche de vaca, en sus múltiples manipulaciones, puede alterarse o infectarse con facilidad.

Vamos a examinar desde más cerca las razones que hacen de la leche materna el alimento ideal e irreemplazable para el lactante.

Digestión

La leche de mujer es digerida con más rapidez que la leche de vaca. Los fermentos que contiene, puestos en presencia de la saliva (más abundante en el niño que mama), producen un comienzo de digestión antes ya de alcanzar el estómago.

En este último órgano, la leche de mujer permanece poco tiempo, porque el jugo gástrico, rico en ácido clorhídrico, descompone fácilmente los ligeros coágulos de caseína; por el contrario, son necesarias cantidades tres veces mayores de este ácido para digerir

La lactancia materna es el método perfecto de alimentación del niño. La composición de la leche materna, su temperatura, su limpieza y su disponibilidad la hacen de utilización ideal.

la masa compacta que forma el coágulo de leche de vaca y fijar las sales alcalinas, que son en ella muy abundantes.

Los lactantes débiles y enfermos soportan mal la leche de vaca; la secreción del ácido clorhídrico se halla dificultada. Esta secreción elevada que exige la leche de vaca representa un esfuerzo por parte del aparato digestivo. Esta pérdida de energía debe ser compensada por un aporte calórico, por tanto alimenticio, más grande, y este aumento de la ración provoca con frecuencia una dispepsia.

Por el contrario, un exceso de alimento en el niño que mama es mejor soportado, no corriendo por ello el riesgo de presentar una dispepsia grave.

El tránsito digestivo se halla retardado en el niño nutrido con leche de vaca, y convendrá espaciar más las tomas de alimentos: se les administrará cada tres y media o cuatro horas. Hemos visto que esta leche es muy rica en proteínas y sales minerales y que contiene poco azúcar, hallándose poco diluida; es decir, no es tan equilibrada como la leche de mujer.

La leche de mujer llena perfectamente todas las necesidades del niño, el cual no corre el riesgo de deshidratarse. Su nivel suficiente en hierro explica el que casi nunca se vean anemias del lactante al pecho, mientras que son frecuentes en los que reciben leches de animales. Además, la gran proporción de proteínas de la leche de vaca impone al riñón, que debe eliminar sus residuos (urea), un trabajo excesivo y una fatiga que se traduce por el aumento de la cantidad de urea en la sangre.

Las heces

Una de las razones de la rareza de las dispepsias graves en el lactante al pecho es la presencia en su intestino de un microorganismo, el «bacilus bífidus», que impide la multiplicación de los microbios nocivos. Además, bajo la acción de los fermentos normales de la leche de mujer, se formarían ácidos láctico y fórmico, que ejercerían una acción antiséptica en el intestino.

La débil cantidad de proteínas y la riqueza en lactosa favorecen el cultivo del «bacilus bífidus», que se encuentra abundantemente en las heces. Estas son, en el niño nutrido al pecho y sano, de color amarillo oro, bastante fluidas y de reacción ácida. Si permanecen expuestas al aire, toman un color verdoso, que no debe ser interpretado como algo anormal; diferente sería si ya lo fueran así desde su emisión. Las heces del niño alimentado con leche de vaca son de consistencia pastosa, secas, de color amarillo pálido, más abundantes y menos numerosas que las del niño criado al pecho. Su reacción es alcalina y el microorganismo más abundante en ellas es el colibacilo.

También son diferentes en su composición, conteniendo mayor cantidad de grasas y de sustancias minerales. El examen microscópico de las heces demuestra que la digestión de la leche es más completa en el niño lactado por su madre.

Todas las experiencias coinciden en confirmar la superioridad de esta leche con respecto a la de los animales.

Resistencia a las infecciones

Estadísticas muy cuidadosas han demostrado que el niño alimentado al pecho resiste mejor a las infecciones. Los niños alimentados con leche de vaca caen dos veces más frecuentemente enfermos que los alimentados por su madre, y esas enfermedades son siempre graves y de mayor mortalidad.

Cada vez que en un país una buena propaganda hace aumentar el número de mujeres que lactan a sus hijos, baja automáticamente la mortalidad infantil.

Trabajos recientes han permitido explicar el porqué de esta gran resistencia a las infecciones en los niños alimentados al pecho. Conócese hoy que las sustancias inmunizantes o anticuerpos se encuentran en el grupo gamma de las globulinas de la sangre. Estas globulinas son formadas a partir de ácidos aminados esenciales aportados por los alimentos. Hemos visto que éstos, igual que las globulinas de la leche que los contiene, se hallan en mayor cantidad en la leche de mujer.

Además, existen en esta leche sustancias antitóxicas que faltan por determinar. Recordemos que el calostro es particularmente rico en globulinas y que tiene poder para aniquilar numerosos gérmenes microbianos.

La existencia de esos factores antitóxicos es cierta, puesto que basta con añadir una pequeña cantidad de esta leche a los biberones de leche de vaca para preservar al niño de dispepsias graves y de la toxicosis. De nuestros dos gemelos criados con alimentación mixta, el niño, que abandonó el pecho a la edad de seis meses, presentó una dispepsia después de tomar un biberón mal preparado durante un viaje, en tanto que la niña, que continuaba mamando, no acusó ningún trastorno.

Como la leche de la madre es un alimento inigualable y que conviene exactamente al niño, las madres deberían considerar una obligación dichosa la de alimentar a sus hijos algunos meses.

Las necesidades del recién nacido

La leche de mujer es particularmente indispensable al recién nacido, a causa del funcionamiento aún imperfecto de sus paredes intestinales; y más aún que la leche definitiva, es el calostro, muy rico en proteínas y vitaminas, lo que conviene a estos niños y a los prematuros.

La riqueza de esta leche en lactosa —que se desdobla en galactosa— permite al organismo la fabricación de mielina, sustancia destinada a recubrir los nervios que aún no se hallan mielinizados al nacimiento. Se puede decir que la negativa de una mujer a dar de mamar a su hijo sin causa justificada es una falta imperdonable.

2. Normas para la lactancia al pecho

Durante las primeras tetadas —y mientras la madre se halla en cama— el niño será situado cerca de ella y con la cabeza apoyada sobre un brazo de la madre, mientras el niño se halla en decúbito lateral (sobre un costado) y paralelo al suyo. Inclinada lateralmente sobre el bebé, oprimirá un poco el pezón para hacer salir un poco de leche, introduciéndolo en la boca del niño.

La puesta al pecho no es siempre una empresa fácil; es necesario que la madre tenga paciencia y que introduzca no solamente el extremo del pezón, sino también una parte de la aréola, a fin de evitar la aparición de grietas.

Posición habitual

Cuando la madre se haya levantado y tenga que dar de mamar al niño, procurará encontrar una posición que resulte cómoda para los dos; una sillita baja con respaldo y un taburete, sobre el que podrá apoyar, de modo que resulte un poco elevado, el pie correspondiente al seno que vaya a dar. El niño será bien sostenido y en una posición lo más vertical que sea posible. Este detalle es importante, por lo que luego explicaremos.

Para introducir el pezón en la boca del niño, tomará la madre el pecho entre el índice y el medio, teniendo la precaución de sostener el seno con el pulgar, ya que si el pecho es voluminoso tiene tendencia a comprimir la nariz del niño.

¿Un pecho o los dos?

La cuestión de saber si hay que dar uno o dos pechos en cada tetada es importante. Esto depende de la cantidad de leche que el niño retire: si con uno basta, no se dará el otro; si la cantidad de uno es insufiente, se dará también el otro. Lo importante aquí es que al menos un pecho cada vez quede completamente vacío, ya que esto favorece la secreción láctea. En la tetada siguiente se comenzará por el pecho que no haya sido utilizado o del que se haya obtenido menos cantidad de leche. Para no olvidarse conviene fijar sobre la zona un pequeño imperdible bien cerrado.

La regularidad en las comidas es imprescindible. Se debe acostumbrar al niño a tomar alimentos sólo en los momentos indicados.

La madre deberá programar sus ocupaciones teniendo en cuenta las horas de la alimentación del bebé.

Número de tetadas

Este número debe estar en relación con la edad y la salud del niño, si bien se pueden dar seis o siete tetadas por veinticuatro horas al recién nacido y aún más al prematuro (véase el capítulo reservado a éste). Al lactante sano y robusto no se le darán más que cinco tetadas por día, al cabo de tres-cuatro semanas. Cuando es débil o la madre no tiene mucha leche, convendrá darle una sexta tetada.

Es muy importante que ya desde el principio deje el niño reposar a la madre durante toda la noche.

Horario de las tetadas

El niño recibirá sus comidas a intervalos mínimos de tres horas y preferentemente cada tres horas y media. Estas tomas de alimentos serán, pues, a horas fijas, y se establecerá un horario de acuerdo con las conveniencias de los padres.

En general, el horario es éste: siete, diez y media, catorce, diecisiete treinta y veintiuna horas. O bien, si se trata de un bebé menos robusto: a las siete, diez, trece, dieciséis, diecinueve y veintidós horas. Hay que obligarse a ceñirse a este programa, y si una vez se retrasa una comida, no hay que retardar la siguiente, sino darla a la hora fijada.

Ciertas escuelas pediátricas han preconizado el horario libre en las tomas de alimentos.

Esta práctica sólo sería tolerable en caso de alimentación al pecho.

Duración de las tetadas

Según las experiencias hechas con numerosos lactantes, la teta-da no debe durar más de diez minutos, ya que en los cinco o seis primeros minutos el niño ha tomado la casi totalidad de la ración. Además, las madres se dan cuenta de que al comienzo el niño hace un ruido especial al tragar, que demuestra que la cantidad de leche es abundante; después ya no se oye nada.

De nada sirve, si se ve que el niño gana en peso, prolongar las tetadas. Vale más dar una tetada suplementaria o completar con leche de vaca. Por otra parte, el niño se fatiga y la madre se expone mucho más a las grietas si el pezón es succionado durante mucho tiempo.

Eructos

Una práctica muy importante, una vez que el niño ha terminado de mamar, es la de mantenerlo erguido lo más verticalmente posible y apoyado contra el hombro de su madre hasta que expela el exceso de aire ingerido.

Puede provocarse este eructo golpeando ligeramente la espalda del niño; no debiéndose jamás acostar al niño antes de su produc-ción, ya que el aire que se encuentra en exceso en el estómago es la causa de regurgitaciones y de vómitos. Se recomienda poner al niño un cuarto de hora sobre el lado izquierdo y otro sobre el derecho.

Regurgitación o pequeños vómitos

La expulsión de una pequeña cantidad de leche no digerida al fin de la tetada no siempre es debida a la aerofagia (aire tragado), sino también a la sobrealimentación.

Si esas regurgitaciones son frecuentes, convendrá reducir la ra-ción al niño, no dejándolo mamar, por ejemplo, más que de un pecho cada vez. También hay que pensar en los errores de técnica de la lactancia cuando el niño eructa mucho, cuando tiene crisis de hipo, frecuentes gases y presenta un rubicundidez persistente a nivel de las nalgas.

Hipo e hiperalimentación

Las madres se inquietan mucho cuando el peso de su bebé no progresa, y van a consultar al puericultor. Por el contrario, puede decirse que ninguna encuentra a su niño demasiado gordo. Afortunadamente, la sobrealimentación en el lactante al pecho no ocasiona los graves accidentes del que es alimentado artificialmente. Conviene, no obstante, que las madres sepan que los bebés más gordos no son siempre los más normales, y que una disminución en la ración se impone, a fin de evitar trastornos dispépticos e incluso el raquitismo florido.

Heces

Ya hemos hablado del aspecto de las heces normales del niño alimentado al pecho; generalmente son de dos a tres por día. A pesar de ello, es frecuente que el niño no evacue su intestino durante dos y hasta tres días. Evidentemente, hay varias causas que lo motivan, y es el médico quien debe descubrirlas. No obstante, si este estreñimiento coincide con una estabilización del peso, esto significa que se trata de una insuficiencia alimenticia: bastará con aumentar la ración para que todo se arregle.

En ocasiones se trata de un defectuoso funcionamiento del músculo esfínter del ano, y debe provocarse la deposición introduciendo un pequeño supositorio de glicerina. Otras veces basta con cosquillear la región con la punta de una sonda blanda de goma para obtener el efecto deseado. También puede darse antes de la tetada un poco de lactosa o una cucharada de miel.

Por el contrario, a veces ocurre que las mamás consultan porque después de cada tetada su niño emite unas heces más o menos líquidas, acompañadas con frecuencia de dolores abdominales.

En ningún caso será necesario suspender la lactancia.

En ocasiones, un poco de leche de vaca dada con una cuchara en el curso de una tetada bastará para que todo vuelva a la normalidad. Se puede reemplazar por un poco de solución de caseinato de calcio.

Dificultades de la lactancia

Hay casos en los que el niño no puede ser alimentado directamente al pecho, por ejemplo, en el caso de los niños débiles y en aquellos en que la madre no tiene el pezón suficientemente formado. En estos casos se ordeña a la madre y se da la leche después al niño. La experiencia enseña que no se crían tan bien como los niños alimentados directamente al pecho. Esto sería debido a que su secreción gástrica es insuficiente a causa de la ausencia de una saliva abundante, que sólo la succión directa puede producir.

Por parte de la madre

Ciertas mujeres se desaniman pronto en esta noble tarea de amamantar a sus niños y los destetan prematuramente; casi siempre el pretexto que se da es el de que la secreción no es abundante. Pero bastará hacer un poco de psicoterapia con la madre, animarla, para que esta idea se desvanezca y continúe en su tarea. Pero si la hipogalactia (poca cantidad de leche) fuera real, bastará con un poco de sobrealimentación o la toma de un galactógeno para que todo vuelva a la normalidad.

El caso de los defectos de forma del pezón ya es más serio: el niño no puede coger el extremo demasiado deprimido, y será necesario recurrir a un pezón artificial o al ordeño.

El ordeño artificial puede efectuarse mediante un sacaleches, de los que existen diversos modelos, algunos bien concebidos, tales como los eléctricos, que poseen las maternidades. Pero el ordeño puede también realizarse con un poco de paciencia por expresión mamilar. Los pechos habrán de estar perfectamente limpios con agua hervida; la madre —también con las manos escrupulosamente limpias— toma un seno con toda la mano bastante hacia atrás, de modo que la palma de su mano lo abarque por la parte inferior. Presiona de atrás a adelante rítmicamente y sin que la mano se desplace. Este ordeño debe realizarse de cinco a seis veces por día y en casa. La leche se recoge en un recipiente hervido y debe darse al niño inmediatamente.

Por parte del niño

La lactancia se hace difícil en los prematuros y en los niños que maman débilmente. Con frecuencia se está obligado a ordeñar a la madre para darles la leche; éste es también el caso de los niños que presentan malformaciones de la boca, tales como el labio leporino (o boca de liebre).

Cuando el niño se halla acatarrado, la succión del pecho se hace difícil a causa de que, estando la nariz del niño obstruida, se asfixia al mamar. Otra dificultad que con frecuencia lleva al destete es la inapetencia de los niños; pero este rehusar el pecho o una succión poco satisfactoria no constituyen razón suficiente para privar al niño de la leche materna. La alimentación artificial no debe ser instituida en ningún caso sin el consejo de un médico puericultor.

Intolerancia

Pero se dirá que hay casos en que el niño no soporta la leche de su madre. Esta idea, que desgraciadamente se halla demasiado extendida entre el público, sirve de pretexto para la interrupción de la lactancia. Es necesario saber que los casos de intolerancia son extremadamente raros y que no se puede tomar una decisión tan grave

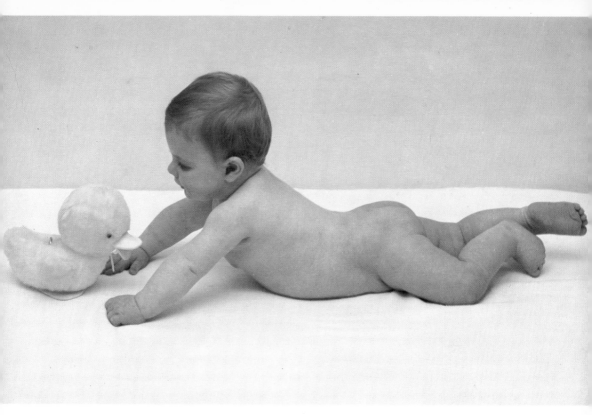

con el solo examen de un análisis hecho generalmente sobre una sola muestra de leche.

Leches conservadas

En algunos países los centros de prematuros disponen de leche de mujer conservada. Se ha ensayado la leche esterilizada y la desecada, pero con resultados mediocres. Parece que el calor destruye importantes factores de la leche. Hoy en día se utiliza más bien la leche fresca conservada en la nevera o leche congelada, que de este modo se conserva largo tiempo y puede ser enviada a grandes distancias.

3. Destete

A partir del cuarto o quinto mes, ya no conviene que el niño continúe alimentándose exclusivamente al pecho.

En efecto, en este momento las mayores necesidades del niño hacen que la leche de la madre sea insuficiente en calidad, ya que no en cantidad. Es frecuente observar que a estas edades se produce una estabilización del peso, y que cuando se comienza a administrar un suplemento bajo forma de papilla, el niño es capaz de ingerir unas cantidades que parecen exageradas.

Por tanto, es conveniente no destetar al niño bruscamente, sino reemplazar progresivamente una o más tetadas por una o varias papillas.

Naturalmente, este destete progresivo será comenzado cuando el niño se halle en perfecta salud. El destete progresivo escalonado en sucesivos meses se terminará hacia la edad de un año aproximadamente. Hay casos especiales en los que el destete debe hacerse prematuramente. Conviene proceder de la misma manera: progresivamente y estudiando en cada sustitución la tolerancia del niño con respecto a cada nuevo alimento.

Siendo los trastornos digestivos más frecuentes en el verano, se evitará destetar al niño en esta época.

4. Lactancia mixta

Llámase lactancia mixta a la adición simultánea o alternante de leche de animal a la lactancia materna.

Se tiene que recurrir a ella obligadamente en el caso de que la madre alimente simultáneamente a gemelos o bien cuando, trabajando fuera de casa, no pueda lactar a su niño a intervalos regulares. En todos los otros casos, la institución de la lactancia mixta deberá ser hecha por un médico puericultor. Este comprobará si se trata de una hipogalactia verdadera, no modificable por los medicamentos y un aumento del número de tetadas, y determinará también si la insuficiencia se refiere a la cantidad o a la calidad de la leche.

Pesada de las tetadas

Para tener una idea aproximada de la ración que recibe el niño, será pesado antes y después de cada tetada durante dos días seguidos.

Podrá así también determinarse la cantidad media tomada en veinticuatro horas. Normal y aproximadamente, el niño debe tomar una cantidad de leche igual a la décima parte de su peso más 200 gramos (fórmula de Apert).

Insuficiencia cuantitativa

Esta puede serlo de todas las tetadas o solamente de algunas. En este caso hay que completar las que son insuficientes; en general, las de la tarde.

890

La salud y el bienestar del niño están estrechamente relacionados con los hábitos de alimentación que adquiera.
La regularidad en las horas de las comidas y una dieta equilibrada serán factores que permitirán al niño un desarrollo armonioso tanto física como mentalmente.

Se dará este suplemento no con el biberón, que el niño preferiría rápidamente, sino con la cuchara y después que el niño haya vaciado bien el pecho. Es lo que se llama lactancia mixta complementaria. Es el mejor método, ya que la leche de mujer ayuda a digerir la leche de vaca dada como suplemento. Incluso si la cantidad de leche materna fuera mínima, sería necesario continuar esta técnica de ponerlo al pecho primeramente.

El otro método dicho, de lactancia mixta, alternante, consiste en reemplazar una o más tetadas por uno o varios biberones; debe ser excepcional, ya que no es tan bueno como el primero, por la razón ya citada y también porque disminuye las ocasiones de estimular la secreción por succiones repetidas. Evidentemente, en los casos en que la madre trabaja fuera del hogar, resulta difícil proceder de otra manera.

En ocasiones, la insuficiencia cuantitativa no es más que aparente, ya que la madre tiene suficiente cantidad de leche, y es el niño el que por diversas razones no saca la cantidad necesaria. Basta con oprimir los senos después de las tetadas para observar que aún queda leche en ellos. En estos casos, la ración complementaria se hará a base de la leche de la madre extraída por medio de un sacaleches.

Generalmente, pasados algunos días, el niño es capaz de tomar por sí solo toda la ración.

Insuficiencia cualitativa

Si las pesadas han demostrado que la cantidad tomada es normal y si el niño continúa perdiendo peso, hay que pensar en una insuficiencia de la leche, muy pobre en uno o diversos elementos.

Parecería lógico tener que recurrir al análisis de la leche para determinar cuál es el elemento deficiente. Hemos visto el poco valor de los análisis corrientes. En general, el médico instituirá inmediatamente la alimentación complementaria para el enriquecimiento de la misma.

Generalmente se recurre a la leche concentrada y azucarada. La cantidad, pequeña al principio, por ejemplo, media cucharada «no diluida» dos o tres veces por día, será aumentada, según los resultados obtenidos en la curva del peso. El método, forzosamente poco exacto, necesita una vigilancia médica cuidadosa.

Inconvenientes y resultados

Es cierto, la lactancia mixta complementaria representa un método complicado: hay que determinar la cantidad de leche artificial que hay que añadir en cada tetada. Para dar una ración exacta hay que hacer la doble pesada de cada una de las tetadas y dar en seguida el complemento correspondiente al déficit. Cuando se trata de gemelos, puédese imaginar todo el tiempo empleado en las tetadas y en la preparación y toma de los suplementos. Pero por propia ex-

periencia podemos decir que este método complementario es mucho mejor que el alternante. Bien conducido y vigilado, da excelentes resultados, mucho mejores que los proporcionados por la lactancia artificial.

5. Lactancia mercenaria

Se llama lactancia mercenaria a la proporcionada por una nodriza voluntaria pagada por la familia. Jamás se debe recurrir a ella sin el consejo de un médico y, sobre todo, sin un examen médico profundo de la nodriza. En ningún caso el niño habrá de ir a casa de la nodriza. La mortalidad de los niños criados a distancia se ha demostrado y es fácilmente comprensible.

Antes de comprometerse, la nodriza deberá presentar al médico de la familia el resultado del análisis de sangre y la imagen radiográfica de sus pulmones. Su niño será también examinado, para tener así un criterio de la calidad de la leche.

Sobre todo al principio, se ejercerá una estricta vigilancia sobre la lactancia, sobre todo en los bebés muy pequeños.

Siendo, por lo general, la leche de la nodriza de «más edad» que el niño, hay peligro de sobrealimentarle.

La nodriza deberá conformarse a las prescripciones higiénicas y alimenticias aconsejadas a las mujeres que lactan.

A pesar de que las ventajas de esta lactancia son grandes, porque proporciona al niño una leche apropiada a sus necesidades, debe ser desaconsejada en la medida de lo posible a causa del aspecto poco moral (desde el punto de vista social), ya que representa para el hijo de la nodriza la privación de la leche de su madre.

Y ya lo hemos dicho otras veces, debe cada madre esforzarse en amamantar a su propio hijo. Afortunadamente, el aumento del nivel de vida hace cada vez menos frecuente la lactancia mercenaria.

61

Lactancia artificial: alimentación con leche de vaca

1. Contraindicaciones de la lactancia materna

Cuando para alimentar a un bebé es necesario recurrir a la leche de un animal, se dice que la alimentación es artificial.

Los casos en los que la lactancia materna es imposible son bastante restringidos, tales como en el caso de muerte de la madre, la ausencia total de leche o la malformación del pezón.

Los casos en que se está obligado a suspender la lactancia materna son también poco numerosos. Incluso en los casos de enfermedades contagiosas agudas, la ciencia desaconseja actualmente el destete. Una madre afectada de gripe, por ejemplo, deberá continuar criando a su niño, tomando la precaución de aislarse del mismo poniéndose delante de la boca un lienzo limpio y desinfectando las manos y pechos antes de cada tetada.

Solamente en caso de que la vida de la madre se halle en peligro, y después del consejo del médico, podrá suspenderse la lactancia.

Afecciones tales como la sífilis, la epilepsia y la diabetes no constituyen, como podría creerse, una contraindicación.

A pesar de que el paso de formas ultravirus del bacilo tuberculoso a la leche no se haya demostrado, la lactancia se halla contraindicada en el caso de tuberculosis de la madre. Ella es una de las raras contraindicaciones absolutas, juntamente con ciertas afecciones graves, como el cáncer y la anemia perniciosa.

En el caso de enfermedades del corazón, cirrosis del hígado y bocio, la lactancia será suspendida según el estado de la madre y la prescripción del médico.

De todos modos, hay que subrayar que hay tendencia a valorar demasiado los peligros de la lactancia para la madre; si la lactancia debe suspenderse, será lo más tarde posible, teniendo en cuenta que la absorción de la leche materna, aunque sólo sea las tres primeras semanas de la vida, aumenta mucho las posibilidades de vida para el niño.

2. Elección de la leche

Prácticamente, es la leche de vaca la que corrientemente se emplea en dietética infantil, bien en estado fresco o conservada (la de cabra provoca fácilmente la aparición de una anemia y la transmisión de la fiebre de malta). En lo que concierne a su composición y sus variaciones, véase el capítulo correspondiente. Recordemos únicamente que esta leche tiene una mayor proporción de proteínas y de sales minerales que la leche de mujer, siendo, por el contrario,

Cedida por cortesía de Dietéticos Ordesa.

menos rica en azúcar y grasas. Es, por tanto, una leche muy diferente de la de mujer por su composición y también porque no es una leche «viva», pues que en general no es ingerida cruda. Sin embargo, debe cocerse para hacerla más digestible y para evitar el riesgo de contaminación de la tuberculosis de la vaca.

3. El ordeño higiénico

Para que la leche pueda ser administrada al niño sin peligro, es necesario que reúna ciertas condiciones: es necesario que proceda de vacas sanas bien nutridas y que no se hallen sometidas a un trabajo excesivo. Debe ser pura, es decir, sin descremar, lo que disminuye su valor calórico y alimenticio, y sin «mojar», ya que la adición de agua no sólo constituye un fraude, sino también un peligro, sobre todo si el agua empleada no es absolutamente limpia.

La leche debe ser ordeñada higiénicamente para evitar que suciedades diversas vengan a sembrar de microbios este líquido, tan particularmente propicio a su desarrollo.

897

La leche debe ser recogida con la mayor limpieza posible, es decir, en recipientes perfectamente limpios y, mejor aún, enjuagados con agua hervida; las vacas, después de ser bien cepilladas y sus ubres lavadas concienzudamente con agua y jabón, deben ser situadas en un lugar limpio, aireado y exento de moscas; las manos del ordeñador serán lavadas repetidamente con agua y jabón. En las grandes centrales lecheras, el ordeño de las vacas se hace por medio de aparatos perfeccionados que evitan múltiples manipulaciones y posibilidades de infección.

Es necesario que los recipientes sean tapados en seguida para evitar a la leche el peligro de la contaminación por el polvo del aire o las partículas de estiércol, portadoras de innumerables gérmenes microbianos.

4. Enfermedades transmisibles

Algunos de estos microbios son muy perjudiciales para el hombre, produciéndole graves enfermedades, tales como la fiebre tifoidea, la brucelosis y, sobre todo, la tuberculosis.

Ya hemos hablado de la transmisión al hombre de la brucelosis o fiebre de malta por la leche de cabra principalmente. En cuanto a la fiebre aftosa, que también ataca a las vacas, es transmisible al hombre, si bien ello no ocurre frecuentemente.

Creíase antes que la tuberculosis, que con tanta frecuencia atacaba a las vacas, no era transmisible al hombre, y ello por la diferencia existente entre el bacilo tuberculoso bovino y el humano. Desgraciadamente, las investigaciones científicas han demostrado que estas transmisiones son frecuentes y que los casos de tuberculosis de origen bovino eran más numerosos en los países en que no existe la buena costumbre de hervir la leche antes de consumirla.

Generalmente, el bacilo tuberculoso bovino provoca tuberculosis óseas y articulares, pero no es raro encontrar tuberculosis pulmonares y cutáneas e incluso meningitis tuberculosas de origen bacilar bovino.

El control por parte del veterinario es indispensable, ya que, aun sin encontrarse lesiones tuberculosas en las ubres, el animal puede estar enfermo.

5. Higienización de la leche

Ebullición

El procedimiento más corrientemente empleado para higienizar la leche es el del calor. En la práctica diaria se hace hervir la leche, lo que al mismo tiempo asegura su conservación durante varias horas. No resulta inútil añadir algunas palabras a este propósito, ya que en buen número de casas no saben aún de qué manera se hierve bien la leche. Efectivamente, es retirada del fuego en el momento en que, bajo el efecto de los gases que la elevan, la película de grasa sube. En esos momentos, la temperatura es aproximadamente de 80 grados. Para que los microbios nocivos sean destruidos, hay que alcanzar la temperatura de 100 a 103 grados, es decir, que después de haber roto la película, hay que continuar calentando la leche durante cinco o diez minutos mientras hierve a borbotones.

La leche así hervida será puesta al abrigo del polvo, bien tapado el recipiente y conservada en un lugar fresco. Repitamos que incluso la leche pasteurizada anteriormente debe ser hervida de nuevo hasta cien grados durante dos o tres minutos antes de su consumición. Cuanto mayor sea el tiempo que haya transcurrido desde el ordeño, más largo será también el tiempo de ebullición.

Pasteurización

La leche muy hervida pierde su sabor natural y toma el gusto de cocida; por otra parte, su constitución sufre otras transformaciones. Hay precipitaciones de sales de calcio, coagulación de proteínas distintas a la caseína y formación de productos sulfurados. Para evitar esto y continuar destruyendo los microbios nocivos, Pasteur imaginó el procedimiento que lleva su nombre, y que consiste en calentar la leche a 65 grados durante una media hora y enfriarla bruscamente, de modo que los esporos de las bacterias que han resistido el calentamiento no puedan desarrollarse.

En la pasteurización alta, que da más garantía en cuanto a la destrucción de los micróbios. La leche es calentada durante tres minutos alrededor de 90 grados y enfriada rápidamente por debajo de los diez. Actualmente se utiliza el procedimiento de Stassano o pasteurización en capa delgada.

Esterilización

Para asegurar una destrucción cierta de todos los gérmenes microbianos y también una conservación de larga duración, se esteriliza la leche. Vertida en frascos especiales o en botes metálicos, es calentada en el autoclave a altas temperaturas. Se procederá a esta operación depués de la homogeneización, es decir, la pulverización de la nata de la leche en innumerables glóbulos de grasa de menor tamaño que los glóbulos pequeños, a fin de evitar el enranciamiento. Los brotes sufren un movimiento rotátorio, a fin de que el calor repartido sobre toda la masa no produzca la caramelización de la lactosa.

En fin, la esterilización se lleva a cabo en el vacío para evitar que el calentamiento en presencia del oxígeno destruya completamente las vitaminas.

Cortesía de Biberón Remond, París, Francia.

La leche así preparada se conserva durante mucho tiempo. Cuando un frasco ha sido abierto para el uso, hay que conservarlo al fresco y al abrigo del polvo.

Uperización

La leche uperizada ha sido sometida a una temperatura muy elevada durante menos de un minuto, lo cual la esteriliza, sin darle el gusto desagradable de la leche esterilizada por el procedimiento clásico.

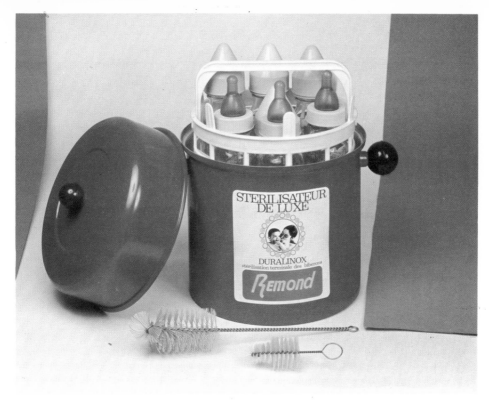

El comercio suministra accesorios cada vez más perfeccionados para la alimentación artificial del bebé. Ejemplo de ello son los diversos procederes para obtener la adecuada temperatura de la leche y para evitar su enfriamiento.

6. Biberones y tetinas

Los mismos cuidados observados en el calentamiento de la leche deben ser prodigados a la limpieza de los biberones y tetinas.

La enseñanza cada vez más extendida de la higiene ha contribuido notablemente a la desaparición de los antiguos biberones de cuello estrecho y formas complicadas, difíciles de lavar, lo mismo que las tetinas con válvula y discos. Hoy en día, el comercio nos ofrece biberones de cristal especial resistentes a altas temperaturas o bien en materia plástica, con cuello muy ancho y forma cilíndrica, muy fáciles de limpiar.

Las tetinas que se adaptan son grandes y de caucho delgado, que se vuelven fácilmente como un dedo de guante; antes de utilizar una tetina nueva, deberá conservarse durante algunas horas en sal para que pierda su gusto a caucho. Conviene que el agujero, que ha de hacerse con una aguja al rojo, no sea muy grande, sino tan sólo lo necesario para que deje salir la leche gota a gota.

Conviene disponer de varias tetinas esterilizadas por ebullición. Conservadas en el mismo recipiente, deben sacarse en el momento de su utilización mediante una pinza hervida o flameada.

7. Técnica de la alimentación artificial

Al lactante que deba ser alimentado con leche de vaca, se le dará, por las razones que ya conocemos, leche concienzudamente hervida y de la mejor calidad posible.

Las tomas de alimento serán más espaciadas que en el caso de la lactancia materna.

Intervalo entre los biberones

Los biberones serán dados cada cuatro horas para permitir al estómago del niño una completa digestión de la leche. Al principio podrán reducirse estos intervalos a tres horas y media.

Durante el primer mes podrá darse seis biberones cada veinticuatro horas, siguiendo, por ejemplo, el siguiente horario: 6 horas, 9,30-13-16,30-20 y 23,30.

Conviene habituar al niño desde el principio a la regularidad en las comidas y no dejarse enternecer por sus gritos, una vez que se está seguro de que recibe realmente una ración alimenticia suficiente. Es también muy conveniente que adquiera la buena costumbre de dormir toda la noche.

Una séptima toma será raramente necesaria, excepto si se trata de un prematuro o de un niño débil. Hacia el cuarto mes, el número de comidas podrá ser reducido a cinco. Precisamos que el intervalo de tres horas y media o cuatro horas debe ser contado desde el comienzo de una comida hasta el comienzo de la siguiente. Si por alguna razón la madre va con retraso en el horario, no habrá que retrasar en otro tanto la comida siguiente, sino que deberá atenerse a la hora fija.

Si el bebé no ha tomado toda su ración, no habrá que dejarla para la vez siguiente, sino desechar lo que reste en el biberón. Siempre hay que tener mucho cuidado al preparar cada vez un nuevo biberón y observar en esta preparación una meticulosa limpieza.

Preparación del biberón

El mejor procedimiento consiste en preparar cada mañana todos los biberones de la jornada, a condición de poder conservarlos en una nevera o lugar fresco y al abrigo de moscas y polvo. Los biberones serán cuidadosamente limpiados inmediatamente después de su uso. Por la mañana serán hervidos o lavados con agua hirviente, lo mismo que los recipientes destinados a hacer la mezcla del agua, de la leche y del azúcar.

La persona encargada de esta preparación se habrá lavado cuidadosamente las manos y vestido un delantal limpio. Durante la preparación o algo antes, no se habrá cometido el error de barrer la habitación ni de limpiar el polvo.

Las moscas, tan peligrosas a causa de los gérmenes que transportan, serán eliminadas si las hay o puestas en la imposibilidad de posarse sobre el biberón y tetinas.

En un recipiente graduado, que se habrá enjuagado con agua hervida, se verterán las cantidades exactas de leche, después agua si hay lugar y, al fin, el azúcar u otro glúcido escogido, haciendo hervir la mezcla. Antes del punto de ebullición, la preparación será removida con una cuchara de madera, y esto hasta tres o cinco minutos después del comienzo de la ebullición. Después, ya enfriada, la mezcla será vertida en los biberones, que habrán de ser recubiertos bien con tapones de goma, bien con trozos de algodón esterilizado. Los frascos, que habrán recibido aproximadamente la misma cantidad de la preparación, serán mantenidos a baja temperatura hasta su uso.

Si no se dispone más que de uno o dos biberones, será forzoso preparar cada vez el alimento, siempre en las mismas condiciones de higiene. Si estos biberones son graduados, la tarea será facilitada. En cuanto a las tetinas, serán conservadas, después de su uso y limpieza bajo el agua corriente, en un recipiente limpio. En el momento de ser utilizadas, deberán ser enjuagadas con agua hervida. No es de aconsejar su hervido frecuente, ya que se estropean con facilidad.

Toma del alimento

La persona encargada de la alimentación del lactante se asegurará de que la leche no está muy caliente, no ciertamente chupando el biberón pero sí vertiendo una gota sobre el dorso de la mano; se sentará cómodamente teniendo al bebé aproximadamente en la misma posición que se mantiene cuando el niño está al pecho, es decir, lo más verticalmente que se pueda. Tendrá cuidado de inclinar suficientemente el biberón para que el líquido llegue a la tetina y el bebé no corra el riesgo de tragar aire. Alimentar a un niño es una cosa seria: por tanto, no se permitirá mantener una conversación durante ese tiempo, leer o distraerse por ningún motivo.

Jamás se dejará que el niño chupe solo en su cuna dejando el biberón contra la almohada. Numerosos son los casos de muerte por asfixia debido a esta imprudencia. En el caso de que el niño rechace la tetina, habrá que asegurarse que la causa no está en una falta de habilidad. En efecto, si no se tiene cuidado, se puede introducir la tetina bajo la lengua en lugar de que quede sobre ella, impidiendo así la succión del niño. Si el niño persiste en rechazar el alimento,

La alimentación artificial, que se ha extendido bastante, aun cuando no sea la ideal para el niño, se ve favorecida por los modernos accesorios creados por la industria dedicada al mundo infantil.

será necesario asegurarse de que su nariz está libre. Sabemos que el catarro se acompaña casi siempre de obstrucción nasal, y en este caso la succión se hace difícil, pudiéndose creer que el niño no tiene apetito. En este caso hay que instilar gotas especiales para lactantes —tales gotas, mejor sobre una torundita de algodón— desinfectantes y descongestionantes en la nariz del bebé antes de cada toma de alimento y también aportarle vitaminas bajo forma de jugos de frutas o comprimidos.

La tetada debe durar de diez minutos a un cuarto de hora. Si el niño tarda mucho, hay que asegurarse de que el agujero de la tetina es suficiente; si el niño tiene poca fuerza para chupar, se agrandará este orificio, y si, por el contrario, bebe muy de prisa, habrá que retirarle el biberón de tiempo en tiempo.

Al fin de su toma, igual que en la lactancia al pecho, se pondrá al niño en posición vertical hasta que haya eructado.

¿Hambre o sed?

En ocasiones, apenas una hora después de la tetada, el niño llora, se agita, introduce sus puños o sus dedos en la boca, creyendo los padres que tiene hambre. En ese caso, constituiría un grave error el de continuar dando aún leche al niño. Más bien hay que pensar que el niño tiene sed, sobre todo si la estación es calurosa y el niño suda; se le dará agua hervida en pequeñas cantidades y ligeramente salada, por ejemplo, 30 gramos y una pequeña pulgarada de sal. Los jugos de frutas, que deberán darse entre las comidas, también contribuirán a la desaparición de la sed y de los gritos.

Jugos de frutas y vitaminas

Ya hemos visto que la ebullición de la leche hacía perder a ésta una buena parte de sus vitaminas. Por tanto, es lógico y útil la administración al niño que se alimenta artificialmente de una dosis de vitaminas, sobre todo C.

Vitamina C

En lo que concierne a la vitamina C, se preferirá la forma natural aportada por los jugos de frutas. Desde el comienzo del segundo mes se le dará media cucharada de jugo de limón o de naranja, preferiblemente diluida en agua; a falta de estas frutas, podrá utilizarse con provecho el jugo de tomate o el de uva fresca.

Estos jugos se darán fuera de las horas de las comidas, por lo menos una hora antes de la toma del biberón y preferentemente dos horas después. No se mezclarán otras vitaminas. Los jugos de frutas, que generalmente son bien aceptados por el niño, tienen la ventaja, además del aporte de vitaminas al organismo, de regularizar el funcionamiento de un intestino perezoso y de apagar la sed.

Hacia la edad de cuatro meses, la cantidad de jugos que se den podrá sobrepasar los 75 c.c. Si el niño no pone obstáculos a su absorción, vale más no añadir azúcar, excepto en el caso del limón, y si ésta es necesaria, se escogerá preferentemente como edulcorante una pequeña cantidad de miel.

Otras vitaminas

En el caso de la alimentación con leche fresca de vaca, la adición de una dosis suplementaria de vitamina A no es tan necesaria como en el caso de que el niño sea alimentado con leches modificadas, tales como la condensada azucarada y las transformadas en polvo.

Conviene administrar vitamina D a partir de los cuatro meses en cantidad de cinco a diez gotas por día y bajo forma de ergosterina.

En cuanto a la vitamina B_1, cuya administración se descuida generalmente, estimo que es indispensable añadirla a un régimen de leche artificial, para evitar la dispepsia llamada de «la leche de vaca» y asegurar un buen crecimiento. Puede darse bajo la forma de papillas malteadas.

Esta adición de vitamina B_1 se hace aún más indispensable si el régimen tiene pocas grasas.

Zumos en conserva

A falta de frutas frescas, se podrán utilizar los jugos· de frutas conservados. Contrariamente a lo que se piensa, estos últimos contienen aún una cantidad notable de vitaminas. Esto es particularmente cierto para los jugos de tomate en conserva y, en grado menor, para los jugos de naranja, de limón o de piña. Por el contrario, los jugos de uva conservados son muy pobres en vitaminas. Una vez abierto el frasco de jugo esterilizado, hay que consumirlo rápidamente, ya que el ácido ascórbico desaparece rápidamente al contacto con el aire.

A falta de los jugos frescos y esterilizados, queda aún el recurso de las vitaminas sintéticas en comprimidos; se diluirá en una cucharita de las de café con agua medio comprimido de 5 centigramos de esta vitamina.

8. Modo de empleo de la leche de vaca

La puericultura moderna no preconiza las grandes diluciones, que aún son empleadas frecuentemente y mantenidas durante largo tiempo. En lo que concierne a los recién nacidos, aconseja la leche pura. En efecto: a esta edad no es lógico diluir la leche, dándose el caso de que el calostro, o primera leche, presenta en los humanos una mayor proporción de proteínas y menos azúcar que la leche definitiva. Se acerca, pues, por su composición a la leche de vaca pura. Se dará, por tanto, durante los primeros días de la vida leche sin diluir. Después será diluida a la mitad durante un tiempo corto, disminuyendo la cantidad de agua que se añada a partir del segundo mes, llegando al cuarto mes a la proporción de una parte por tres de leche. Hacia el quinto mes, la leche será dada pura. Ciertos autores aconsejan las mismas diluciones hasta el cuarto mes y una dilución del cuarto hacia el quinto mes, dando leche pura a partir del sexto mes. Otros ya dan la leche pura a partir del tercer mes. Todo es una cuestión de tolerancia, que varía mucho de un niño a otro.

A pesar de todas las ventajas supuestas y reales de la dilución, no conviene sobrepasar la proporción máxima de la mitad, ya que esta adición de agua reduce el valor calórico de la leche y produce, además, la disminución de grasas y azúcares ya menores en la leche de vaca con respecto a la de mujer.

Cocimientos

En vez de agua, será preferible añadir a la leche una preparación obtenida haciendo hervir dos o tres cucharadas soperas de arroz o de avena en un litro de agua, filtrándola previamente.

La presencia de pequeñas cantidades de almidón transformado favorece la precipitación fina de la caseína. No obstante, no se administrarán estas decocciones más que alrededor del segundo mes.

Maternización de la leche

Edulcoramiento de la leche

Dado que la leche de vaca es menos rica en glúcidos que la leche de mujer, conviene para «maternizar» un poco la primera añadir una cierta cantidad de azúcar. Además, esta adición tendrá la virtud de aumentar el valor calórico de la leche, rebajado por el hecho de la dilución.

CUADRO ESQUEMATICO DE ALIMENTACION CON LECHE DE VACA

Tiempo	Número de tomas por día	Cantidad total de líquido por toma (gramos)	Leche (gramos)	Agua (gramos)	Azúcar (gramos)
Días:					
1 *	—	—	—	—	—
2	6	10	5	5	0,5
3	6	20	10	10	1
4	6	30	15	15	1,5
5	6	40	20	20	2
6	6	50	25	25	2,5
7	6	60	30	30	3
8	6	70	35	35	3,5
9-14	6	80	40	40	4
15-21	6	90	45	45	4,5
22-28	6	100	50	50	5
Meses:					
1-1½	6	110	73	36	5,5
1½-2	6	120	80	40	6
3	6 ó 5	130-160	98-120	33-40	6,5-8
4	5	170	136	34	8,5
5	4	180	180	0	9

* Primer día, algunas cucharaditas de agua hervida y enfriada con un 5 por 100 de lactosa (a partir de las 6 primeras horas).

Después del tercer mes ya se emplean otros alimentos: caldos de verduras, papillas (no más de dos al día), verduras tamizadas y frutas maduras bien machacadas.

Adición de grasas

El tenor de las grasas también se halla rebajado, y ciertos autores aconsejan añadirlas a la leche de vaca. Sábese hoy que las grasas vegetales son mejor digeridas por el lactante que las grasas animales; de manera que en lugar de enriquecer la leche por la adición de nata o de mantequilla, se le añade más bien aceite de oliva puro, que proporciona mejores resultados. Desde hace algún tiempo se fabrican en Estados Unidos leches en polvo enriquecidas con aceite de oliva.

A los prematuros que soportan mal incluso la leche de mujer, se les da leche descremada, a la que se añade aceite de oliva.

En la práctica, los lactantes se desarrollan bien, incluso con la proporción reducida de grasas que aporta la leche de vaca.

Adición de glúcidos

Es la sacarosa —azúcar ordinaria— la más corrientemente empleada, a pesar de su tendencia a provocar dispepsias; para evitar eso, conviene a veces reemplazarla por lactosa o miel y, sobre todo, por la mezcla de dextrino-maltosa. El extracto de malta conviene particularmente en los casos de estreñimiento.

En cuanto a los otros hidratos de carbono, hoy en día se incorporan al régimen del bebé a partir de los cuatro o cinco meses y hasta incluso antes a dosis progresivas y bajo una forma fácil de digerir. Se comienza por harinas, cuyos granos de almidón sean muy finos, tales como las de arroz, de arrurruz, de maíz, etc.

Cómo emplear una harina

Conviene transformar este almidón en elementos más digeribles por la adición de extracto de malta, sobre todo si, bajo la prescripción médica, estas harinas deben darse antes de la edad de cuatro meses. El comercio expende harinas malteadas, incluso predigeridas, prestas para su uso inmediato.

9. La ración alimenticia

En el capítulo consagrado al estudio de los diversos constituyentes del régimen hemos visto que la combustión, la asimilación de los alimentos, producía calor en el organismo.

Recordemos que un gramo de proteínas o albúminas proporciona en números redondos cuatro calorías, y un gramo de grasas, nueve.

Un adulto de 60 kilogramos que trabaje necesita de 2.400 a 3.500 calorías por día, o sea, 40 a 50 calorías por kilogramo de peso.

El niño, y sobre todo el lactante, que se desarrolla muy rápidamente, tiene necesidad de una cantidad de calorías proporcionalmente mucho más importante: 90, 100 e incluso 120 calorías por kilogramo, mientras que la leche de vaca proporciona de 680 a 700 por litro.

Cálculo de la ración

También a partir de la ración media consumida por bebés normales alimentados con leche de vaca se ha elaborado toda una serie de fórmulas a fin de facilitar el cálculo. Algunas de esas fórmulas deben ser repudiadas formalmente; por ejemplo: las que indican la ración alimenticia según la edad del niño, ya que es, en efecto, ilógico dar a un niño delgado o pequeño la misma ración que a un niño más desarrollado o gordo. Sin embargo, y por desgracia, es el procedimiento que utilizan los fabricantes de productos de régimen al indicar el modo de empleo según la edad. Sería de desear que, siguiendo el ejemplo de las casas de régimen americanas, los botes no llevaran el modo de empleo, ya que solamente al puericultor corresponde establecer el régimen de un lactante.

Las fórmulas del cálculo de la ración según el peso aún son utilizadas, pero sus resultados son sólo muy aproximados. El método muy empleado de Apert consiste en añadir 250 gramos al décimo del peso en gramos, del niño, para tener la ración de las veinticuatro horas.

Por ejemplo, un niño que pesa 4.500 gramos debe tomar:

$$\frac{4.500}{10} + 250 = 700 \text{ gramos por día.}$$

Otros autores fijan la ración por cada biberón en gramos: así, multiplicando el peso del niño por 25, se tiene el número de gramos que debe tomar en cada biberón durante los tres primeros meses.

Estos cálculos son más bien algo elevados, excesivos para algunos bebés e insuficientes para otros. La madre puede variar las cantidades en más o en menos si lo hace discretamente.

Necesidades calóricas

Para fijar la ración de un lactante conviene utilizar el método calorimétrico más exacto, que calcula, basándose en ciertas leyes y reglas, el número de calorías a dar por kilo de peso, teniendo también en cuenta la edad.

El número necesario de calorías disminuye gradualmente durante el curso del primer año. La Sección Internacional de Higiene aconseja por kilogramo de peso las cifras medias siguientes:

— En el primer trimestre, de 110 calorías.
— En el segundo trimestre, de 100 calorías.
— En los seis últimos meses, de 90 calorías.
— Durante el segundo año, de 80 calorías son suficientes.

Ración mínima y curva de peso

Estas cifras no son más que medias, y no sirven más que como base cuando se vaya a instituir un régimen. Al comienzo, en efecto, hay que comenzar por la ración mínima, la que mantiene al niño en buena salud, pero no produce aumento de peso. Esta ración mínima es de 5 a 15 calorías menos que las primeras cifras medias dadas anteriormente.

Evidentemente, no hay que mantenerse ahí, dado el que el crecimiento en talla se detendría. Se aumentan progresivamente las cantidades teniendo en cuenta el crecimiento en peso, el estado de las heces y el apetito del niño.

Las pesadas regulares deben hacerse no todos los días, mas sí todas las semanas durante las seis primeras, y cada quince días, hasta los cuatro meses y medio.

Si el niño aumenta demasiado de peso, no hay que temer en disminuirle la ración, es decir, la cantidad de leche, pero no la de agua. Si no toma lo suficiente, puede aumentarse bien la cantidad de leche, bien la de azúcar o la de harina.

Método calorimétrico

Para evaluar la ración según el procedimiento calorimétrico se recurre a la ley de Budin, según la cual el volumen de leche a emplear durante veinticuatro horas representa un décimo del peso del niño. Además, el volumen total del alimento es aproximadamente de:

1/5 del peso del cuerpo durante el primer mes
1/6	»	»	de 2 a 6 meses
1/7	»	»	de 7 a 9 »
1/8	»	»	de 10 a 12 »

Sabiendo, por otra parte, que el coeficiente energético (número de calorías por kilogramo de peso) es como promedio de 110 el primer trimestre, 100 el segundo y 90 hasta el año; que el valor calórico de un litro de leche de vaca es esquemáticamente de 600 calorías, y que el azúcar que hay que añadir representa el 5 por 100 del volumen total del alimento, se puede calcular la ración a administrar.

Tomemos, por ejemplo, un niño de tres meses que pese 4.600 gramos.

El volumen de leche a administrar será $\dfrac{4.600}{10}=460$ c.c. Siendo el volumen total de alimento correspondiente a 1/6 del peso $\dfrac{4.600}{6}=766$ c.c.

Por tanto, el agua de dilución que habrá que añadir será:

$$766-460=306 \text{ c.c.}$$

El azúcar que habrá que añadir será: $\dfrac{766\times5}{100}=39$ gramos aproximadamente.

Al establecer la ración alimenticia diaria hay que tener en cuenta la inevitable pérdida de calorías a causa de la incompleta asimilación de los alimentos y también de las que se pierden en el curso de la preparación.

Como la digestibilidad de la leche de vaca es menor que la de mujer, deberá darse en general una ración mayor al niño criado artificialmente. No obstante, insistimos de nuevo en que conviene llegar progresivamente a la ración óptima teniendo en cuenta la tolerancia individual. Una buena ración para un niño puede ser insuficiente para otro. No hay que seguir ciegamente las indicaciones de las tablas de alimentación, establecidas generalmente sobre las bases de cifras medias; también resultaría insensato querer calzar a todas las personas con el mismo número, con el pretexto de que es la media de todos los números de calzado estudiado.

Esquema de la ración de leche hasta el tercer mes

Para facilitar el establecimiento de la ración del bebé, damos a continuación un cuadro en el que figuran las cantidades medias.

Naturalmente, estas raciones no son más que cantidades medias, y no deben servir de modelo para seguirlo al pie de la letra. El método calorimétrico continúa siendo el único suficientemente exacto para el establecimiento de la ración individual. Los padres pueden distraerse calculándola según las reglas dadas.

Estados varios de salud y otras circunstancias pueden hacer imperativo el que sea el puericultor en persona quien fije las raciones alimenticias y sus diversas modalidades.

62

Lactancia artificial: alimentación con leches conservadas y modificadas

1. Modificaciones de la leche

Aunque un cierto número de lactantes se desarrollan normalmente con leche de vaca diluida y azucarada, una buena parte de ellos no prosperan y presentan signos de intolerancia: heces de mal aspecto más o menos diarreicas, pérdida de peso, pérdida de apetito e incluso vómitos. Incluso en los que las soportan bien, basta a veces con un simple catarro para que aparezca la dispepsia. Es ésta la razón por la que la puericultura marca cada vez más la tendencia a aconsejar las leches industriales, cuyo modo de conservación o la modificación que sufren aumenta la digestibilidad.

Hoy en día, al revelar la ciencia los detalles de la composición química de la leche, ha demostrado que querer hacer de la leche de vaca una leche semejante a la de mujer constituye una empresa imposible.

Diga lo que diga la publicidad hecha en torno a ciertos productos lácteos industriales, ninguna leche, por modificada que esté, puede pretender dar los resultados obtenidos con la lactancia materna ni convenir a todos los lactantes. Solamente el médico puericultor ha de decir qué leche conviene a cada niño.

Leche modificada en casa

Fijémonos en que la leche de vaca fresca dada al lactante ya es una leche modificada y conservada. En efecto, el calentamiento la conserva un poco de tiempo, así como modifica sus caracteres físico-químicos. Bajo la acción del calor, las albúminas y globulinas se coagulan, ciertos fosfatos se precipitan, el gas carbónico escapa, etcétera. Parece que tanto la adición de agua a la leche como la de azúcar facilitan la digestión de la misma. La adición de pequeñas cantidades de almidón favorecen la precipitación y la digestión de la caseína.

Leches industriales

La industria lechera, que por cierto se halla hoy en día muy perfeccionada, ha llegado, por una parte, a conservar la leche durante mucho tiempo por destrucción de todos los gérmenes patógenos, y por otra parte, a modificar su constitución, mejorando su digestibilidad y acercándose a la leche materna. Las leches desecadas son muy utilizadas en dietética infantil.

2. Leches desecadas

Las leches desecadas se imbiben fácilmente de humedad, debiendo, por tanto, ser conservadas en latas metálicas bien cerradas; las mejor preparadas son las que se presentan en botes herméticamente cerrados en una atmósfera de aire enrarecido. Una vez abiertas, hay que conservarlas en un lugar seco, pero no en la nevera, y conviene utilizarlas en un tiempo máximo de tres semanas. De lo contrario se enrancian.

La leche en polvo contiene aún una notable cantidad de vitamina C, pero ésta, al perderse rápidamente después de la dilución, hace que sea necesario consumir la leche en polvo inmediatamente después de su preparación.

Se fabrica industrialmente leche en polvo grasa o entera y leches descremadas en diverso grado. Hay que saber que en dietética infantil no debe utilizarse continuamente una leche desnatada a tres cuartos, es decir, que contenga menos del 8 por 100 de cuerpos grasos. Según los procedimientos de fabricación, las leches en polvo pueden diferir bastante en la proporción de sus diversos componentes y en el peso del polvo que dan 100 litros de leche entera. Así, cuanto más ha sido descremada la leche, menos peso de polvo darán los 100 litros de la misma.

Estas leches muy desnatadas es solamente el médico quien puede prescribirlas.

Si la leche ha sido totalmente descremada, de 100 kilos de leche entera se obtienen por desecación 8,5 kilos aproximadamente; descremada a la mitad, 10,5 kilos aproximadamente, y si no lo ha sido nada, cerca de unos 12 kilos.

Modo de empleo

Hay que añadir 12 gramos de polvo a 88 gramos de agua para hacer 100 gramos de leche entera. Es decir, que hay que poner siete veces más de agua que de polvo para reconstruir la leche fresca entera.

Para la leche semidescremada hay que poner ocho veces y media más de agua que de leche en polvo. Para la leche totalmente descremada hay que poner casi diez veces más.

El valor calórico de esas leches varía también según su composición más o menos rica en grasa: un gramo de leche entera en polvo da 5 calorías; un gramo de leche semidescremada da unas 4,3 calorías; un gramo de leche descremada unas 3,8 calorías.

Por tanto, 100 gramos de polvo de leche entera darán unas 500 calorías; 100 gramos de leche semidescremada 430 calorías; 100 gramos de totalmente descremada unas 380 calorías.

De todos modos estas cifras no son más que aproximadas, pues cada fabricante ofrece una composición diferente, siendo necesario enterarse por las etiquetas de los envases de cuál es el valor calórico de cada gramo de polvo de leche, o del litro de leche reconstruida.

Por ello, es el médico puericultor quien debe aconsejar el preparado a utilizar y en qué forma y cantidad.

Las tablas comerciales

No hay que dejarse llevar demasiado de las tablas de dilución pegadas por el fabricante sobre los botes, y que con frecuencia dan raciones muy elevadas. Hay que tener cuidado en diluir suficientemente la leche seca, ya que se puede llegar a producir la fiebre llamada de la «leche seca», debida a la insuficiencia de agua. Recordemos que en el recién nacido las necesidades de agua son de 130 a 150 gramos por kilogramo de peso, disminuyendo después a 120 y más tarde a 100 gramos.

Generalmente, para una leche seca entera hay que añadir 5,5 a 6,5 veces más de agua que de polvo, a fin de reconstruirla.

Para la leche semidesgrasada, la proporción es de un poco más de ocho veces de agua que de polvo.

Cantidad de polvo

Teóricamente, 10 gramos de polvo de leche por kilogramo de peso bastarían para aportar la ración necesaria de proteínas; pero en la práctica se utilizará la proporción de 15 gramos por kilogramo de peso.

El mejor procedimiento para preparar la ración en los biberones consiste en pesar el polvo, el agua y el azúcar. Como todo el mundo no posee balanza suficientemente exacta, se miden las cantidades en volumen, lo que evidentemente no es el ideal, dado que, según la proporción más o menos grande en grasas, la leche varía de peso. Lo mismo ocurre si ésta se halla más o menos comprimida, si la cuchara es más o menos grande.

Medidas útiles

He aquí, a título de indicación, algunas cifras que pueden ser útiles:

Sustancias	Cucharita		Cuchara grande	
Agua	5 gramos		15 gramos	
Leche fresca	5 »		15 »	
» en polvo	3 »	rasa	6 »	
» »	5 »	colmada	10 »	
» condensada	10 »		23,5 »	
Harina	2,5 »	rasa		
»	5 »	colmada		
Azúcar	5 »	colmada		

En general, 5 gramos (una cucharadita) de polvo, más dos cucharadas soperas de agua reconstruyen 35 gramos de leche.

Cálculo de la ración por el método calorimétrico

Dado que el lactante necesita, por término medio, 100 calorías por kilo de peso; que un gramo de hidratos de carbono o glúcidos

916

proporciona cuatro calorías; que un gramo de polvo de leche entera corresponde aproximadamente a 4,5 calorías (150 gramos de leche, necesarios para reconstruir un litro, equivalen a 600 calorías), y que la cantidad de glúcidos a prescribir es de aproximadamente el 1/100 del peso del niño, se puede calcular fácilmente la ración individual de cada niño.

Ejemplo: Un niño de dos meses que pesa 4.300 gramos necesita 430 calorías. El 1/100 es proporcionado por el azúcar: 43 gramos, que harán $43 \times 4 = 172$ calorías. Por tanto, la leche deberá proporcionar $430 - 172 = 258$ calorías.

Si 600 calorías son proporcionadas por 150 gramos de polvo, 258 lo serán por $\dfrac{150 \times 258}{600} = 64,5$ gramos de polvo. Lo que significa: $64,5 : 6 = 10,7$ gramos por biberón.

El agua que habrá que añadir será en este caso: $10,7 \times 5,6 = 60$ gramos.

Como se ha diluido aproximadamente a la mitad, resultará: $60 \times 2 = 120$ de agua.

Siendo la cantidad de azúcar por biberón de $\dfrac{43}{6} = 7,1$ gramos, el volumen total por biberón será:

10,7	gramos de polvo	
120	»	de agua
7,1	»	de azúcar
137,8	»	aproximadamente.

Esto representa:

$10,7 : 3 = 3,5$ cucharaditas rasas de polvo
$120 : 15 = 8$ cucharadas grandes de agua
$7,1 : 5 = 1,5$ cucharaditas de azúcar

(Comprobación: polvo de leche a prescribir para las veinticuatro horas $= 15$ gramos por kilo de peso: $15 \times 4,3 = 64,5$ gramos.)

Es evidente que el procedimiento de medir en peso es más exacto. Si se tratara de leche semidesgrasada, se harían los mismos cálculos. Partiendo de la base de que 110 gramos proporcionan 420 calorías aproximadamente, el agua que habría que añadir para reconstruir la leche sería 8,5 veces la cantidad de leche.

Ración del recién nacido

La leche en polvo puede servir para alimentar al recién nacido. Se utiliza con preferencia durante los primeros días la leche parcialmente descremada, según la proporción normal de 8,5 veces la cantidad de polvo, pero no diluida.

Sabiendo que las necesidades caioricas del recién nacido son progresivamente crecientes (30 calorías por kilo el segundo día, 50 el tercero, 60 el cuarto, etc.), se puede calcular la ración a administrar.

Así, por ejemplo, al octavo día, si la leche empleada es semidescremada (110 gramos proporcionan 420 calorías) y un poco diluida, la ración calórica será: 90 calorías $\times$ 3,100 kilogramos $=$ 279 calorías.

Azúcar (aproximadamente 1/100 del peso), 20 gramos $\times$ 4 $=$ 80 calorías.

199 calorías (279$-$80) serán proporcionadas por

$$\frac{199 \times 110}{420} = 52,12 \text{ gramos;}$$

o sea, 52,12:6$=$8,7 gramos por biberón.

El agua que habrá que añadir será: 8,7 $\times$ 8,5 $=$ 74 gramos. Se completa hasta 90 c.c.

$$\text{El azúcar } \frac{30 \text{ gramos}}{6} = 5 \text{ gramos por biberón.}$$

Por tanto, las cantidades por biberón serán:

90 gramos de agua representan $\dfrac{90}{15} = 6$ cucharadas de agua.

9 gramos de leche semidescremada representan $\dfrac{9}{3} = 3$ cucharaditas.

Aproximadamente, una cucharadita de azúcar.

Para un niño que pesa al nacimiento aproximadamente tres kilos, las raciones serán las siguientes:

Días	Calorías por kilo de peso	Gramos		
		Leche	Agua	
2.°	30	4		Polvo (leche semidescremada no cortada), un poco más de una cucharadita.
			32	Agua, o sea, 2 cucharadas.
3.°	50	6,5		Polvo, o sea, 2 cucharaditas.
			55	Agua, o sea, 2,5 cucharadas soperas.
4.°	60	7,8		Leche, o sea, 2,5 cucharaditas.
			66	Agua, o sea, 4 cucharadas soperas.
5.°	70	9		Leche, o sea, 3 cucharaditas.
			76	Agua, o sea, 5 cucharadas soperas.
6.°	80	10,5		Leche, o sea, 3,5 cucharaditas.
			89	Agua, o sea, 6 cucharadas soperas.
7.°	95	11		Leche, o sea, 3,5 cucharaditas.
			93,5	Agua, o sea, 6 cucharadas soperas.

Después del octavo día

A partir del octavo día, época aproximada en que la leche intermediaria es reemplazada por la leche definitiva, menos rica en prótidos, conviene diluir la leche que se da al niño. Esto equivale a disminuir la cantidad de polvo. La adición de azúcar suministra el resto de las calorías.

Ya antes del cuarto mes la puericultura moderna aconseja la reducción del número de biberones y la introducción de harinas y verduras en la alimentación del lactante. (Véase el capítulo 63.)

Preparación del biberón

Se puede poner en el biberón la cantidad deseada de polvo y verter después la cantidad necesaria de agua hervida, y rebajada su temperatura (a 45 grados), se agita bien la mezcla, después de haber tapado el biberón con un capuchón de caucho pasado por agua hirviente.

Pero para evitar la formación de grumos es mejor echar el polvo en forma de lluvia sobre el agua tibia y batir la mezcla. Se añade azúcar si hay lugar y se hace hervir. Hay que preparar cada biberón en el momento de su empleo y no dar los restos del biberón precedente.

Ventajas e inconvenientes

Las leches en polvo se hallan de moda porque ofrecen grandes ventajas: se conservan bien, se preparan fácilmente y no presentan riesgos microbianos. Sin embargo, se les hace el reproche de que es difícil darlas a las dosis precisas (por ejemplo, no todas las cucharas semejantes tienen la misma capacidad). Las mamás tienen siempre la tendencia a forzar las dosis de polvo, explicándose así muchas fiebres de leche seca. Por tanto, conviene mucho pesar el polvo en las cantidades prescritas por el médico puericultor.

Esta leche, que es fácil de digerir, es preferible a la fresca de vaca, sobre todo en los casos de prematuros, a los que se les dará semidescremada en polvo. Desgraciadamente, su precio, bastante elevado, no la pone al alcance de todas las familias.

3. Leches concentradas

Si la vaporización del agua contenida en la leche no se lleva hasta la desecación, se obtiene una leche concentrada. Esta puede obtenerse en casa calentando durante bastante tiempo la leche fresca. Para obtener una reducción a la mitad sería necesario calentarla durante más de una hora y media. La leche así obtenida ofrece

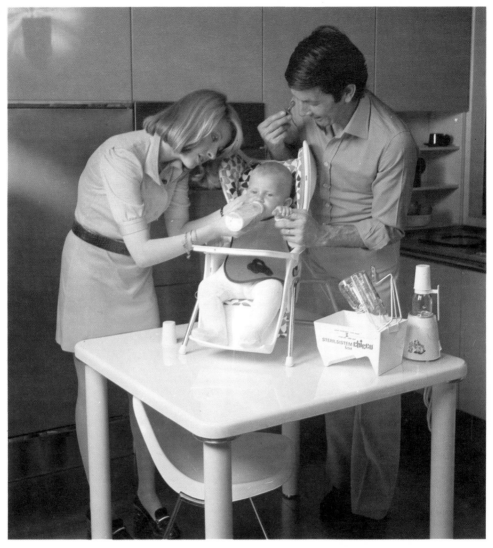

un sabor salado que no desagrada a los niños. Se utiliza frecuentemente y con éxito en los niños que no se desarrollan bien y que tienen un peso por debajo del normal.

En algunos países la industria fabrica en grandes cantidades la leche concentrada.

Para evitar la formación de una capa grasa en la superficie de esta leche esterilizada se procede a su homogeneización, es decir, al fraccionamiento muy fino de los glóbulos de grasa.

920

Cedida por cortesía de Chicco.

Características

La leche concentrada, aparte de su olor y gusto agradables, presenta la ventaja de contener más vitaminas que la leche fresca, y se recomienda particularmente por su pureza y su perfecta conservación.

Esta leche, que en América se conoce con el nombre de «Evaporated Milk», es considerada como la mejor leche después de la materna. Por el hecho de su homogeneización, es de digestión fácil.

Para reconstituirla hay que añadir exactamente el 60 por 100 de agua; teniendo una leche equivalente en composición y riqueza calórica a la leche fresca. Para darla al lactante hay que maternizarla, es decir, «cortarla» y azucararla exactamente como si se tratara de leche fresca. Véase, pues, para las cantidades el capítulo dedicado a la leche fresca.

921

Preparación del biberón

Después de haber lavado bien el bote y vertido agua hirviente sobre la tapa, se hacen dos agujeros en dirección diametralmente opuesta. Una vez calculada la ración a tomar de leche fresca, se vierte la mitad de esa cantidad de leche concentrada y después la misma cantidad de agua hervida tibia; después el agua hervida tibia necesaria a la dilución deseada, y finalmente el azúcar en polvo. En los primeros momentos de la vida, y por las razones expuestas, no será necesario ni «cortar» ni azucarar la leche.

Indicaciones

Esta leche concentrada no azucarada puede utilizarse, después de la tetada, para completar o «enriquecer» la leche materna insuficiente o muy pobre.

Dada a razón de media cucharada de café antes de la tetada, esta leche concentrada es suficiente en ocasiones para detener la diarrea que sigue a las comidas en los lactantes muy pequeños.

Se utiliza también con éxito en los niños hipotróficos y vomitadores; de todos modos, habrá de administrarse siempre bajo prescripción médica, ya que esta leche espesa podría producir deshidratación si no se toman otras precauciones.

4. Leche condensada azucarada

En el siglo pasado se descubrió que la leche se conservaba bien si se le añadía mucho azúcar; se tuvo la idea de concentrarla para reducir el peso y el precio del transporte, a pesar del hiperazucaramiento. Esto fue el origen de las primeras industrias lecheras para la producción de leche conservada.

Fabricación

Se comienza por pasteurizar la leche; se añade sacarosa al 40 por 100; se procede después a su evaporación a temperatura moderada en el vacío, a fin de conservar las vitaminas. Reducida así a las 4/5 partes de su volumen primitivo, la leche es enfriada y envasada en botes de lata —de capacidad aproximada de 400 gramos— esterilizados y cerrados inmediatamente por soldadura.

Características

Todo el mundo conoce bien esa crema blanca y azucarada, verdadera confitura de leche. El azúcar impide el desarrollo de los microbios; por tanto, esta leche no necesita ser hervida. De gran riqueza calórica (325 calorías por 100 gramos), sólo contiene un 25 por 100 de agua, un 40 por 100 de azúcar añadido, 12 por 100 de azúcar natural, 9 a 10 gramos de prótidos y lípidos y 2 gramos de cenizas.

Por tanto, contiene esta leche toda la mantequilla y la caseína de la leche. A causa de la pérdida progresiva de las vitaminas y del posible desarrollo de microbios, conviene para los lactantes exigir botes de fabricación no anterior a los seis meses.

Cálculo de la ración

La leche concentrada y azucarada no es sólo una leche conservada, sino también modificada, dando a dilución normal un valor calórico mayor que la leche fresca.

Para obtener una leche del mismo valor calórico que la fresca y normalmente azucarada, hay que añadir 18 gramos de leche condensada a 82 gramos de agua. Habida cuenta de la gran viscosidad de esta leche, el cálculo en peso no es utilizado en la práctica.

Los fabricantes han puesto a la venta biberones que indican la cantidad de leche y de agua a dar en cada toma. Como las raciones han sido calculadas según la edad, estas graduaciones casi siempre dan cifras falsas. Los padres que se confían en ellas corren el peligro de administrar raciones desequilibradas.

Conviene más, si se quiere alimentar al niño con leche condensada —lo que no es lo mejor—, aconsejarse de un puericultor, quien después de pesado y medido el niño fijará la ración exacta que se le debe administrar.

Como norma general se da:

Hasta los 15 días, una cucharadita y media por 100 gramos de agua.

Hasta el tercer mes, 2 cucharaditas por 100 gramos de agua.

Después del tercer mes, 2 cucharaditas y media por 100 gramos de agua.

Esquemáticamente una cucharadita de leche+dos cucharadas y media soperas (37 gramos) de agua reconstituyen 45 gramos de leche fresca.

Preparación del biberón

Desde la tercera semana de vida se puede reemplazar el agua de dilución por un caldo de cereales al 3 por 100. Se cuecen durante una hora 30 gramos, aproximadamente una cucharada sopera, de avena o de arroz en grano en un litro de agua. Se filtra y se reemplaza el agua evaporada por agua hervida hasta restablecer el litro.

Cuando se cría un niño con leche condensada, no hay que olvidar darle desde la tercera semana zumo de naranja o tomate, empezando por una cucharadita y aumentando poco a poco la dosis.

Objetos y utensilios útiles

Después de haberse asegurado de que el bote de leche no tiene más de un año de existencia y de que su tapa no se halla abombada, se procede a su abertura: se puede hacer con un abrelatas hervido, lo mismo que la tapa. La leche será tomada con una cucharita también hervida, o bien se agujerea con un punzón hervido haciendo dos agujeros opuestos, virtiendo la leche poco a poco en una cuchara.

Después de su empleo se recubrirá el bote con una tapa de metal, que será esterilizada cada vez que se abra un nuevo bote. Toda lata abierta será consumida en dos o tres días.

Si se dispone de un biberón graduado, se verterá primero el agua en la cantidad adecuada y después el número necesario de cucharadas de leche. Una vez tapado el biberón, se agitará bien la mezcla hasta completar la disolución de la leche.

Esta mezcla puede hacerse mejor en un vaso con escala graduada, agitando con una cuchara hervida y vertiendo en seguida esta leche en un biberón no graduado.

Ventajas de la leche condensada

La leche condensada tiene la gran ventaja de conservarse bien durante varios días una vez abierto el bote; pero cuando se trata de la alimentación del lactante hay que consumirla en dos o tres días.

Esta es una leche limpia, de composición constante y que contiene aún ciertas vitaminas. Es utilizada con éxito en los niños que vomitan y como complemento de la lactancia materna.

Inconvenientes

No es recomendable como alimentación exclusiva del lactante. En efecto, como las madres tienen la desgraciada tendencia a dar una cantidad excesiva, resulta que los niños se ponen muy gordos; pero este aspecto florido es anormal y a la menor causa provoca una pérdida brusca de peso acompañada de deshidratación aguda, trastorno frecuente en estos niños.

Esta leche hiperazucarada tiene tendencia a estreñir a los niños y a quitarles el apetito; por ello hay que emplear el caldo de cereales como líquido de dilución y añadir al régimen vitamina B, por ejemplo, bajo forma de levadura de cerveza alimenticia.

No se empleará esta leche en los niños que tengan una enfermedad de la piel, como el eczema, forúnculos, ni en los de digestiones lentas.

5. Leches modificadas

Las diferentes leches conservadas estudiadas anteriormente son, una vez reconstruidas, muy semejantes a la leche fresca y constituyen, como esta última, la base de la alimentación llamada «artificial» de los lactantes con buena salud.

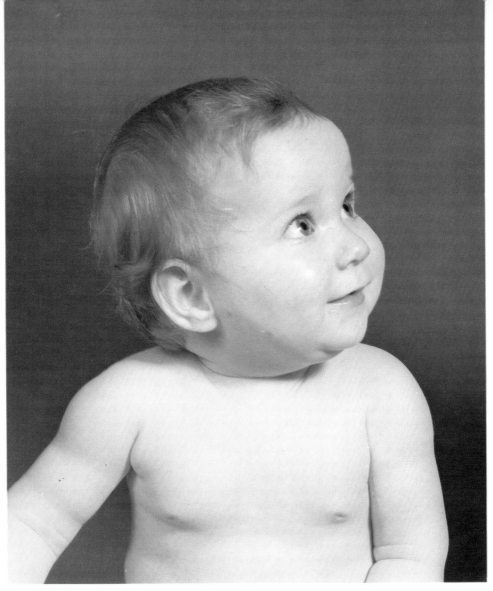

Pero cuando el niño presenta trastornos digestivos, no tolerando la leche fresca o conservada, el médico prescribe leche modificada en su composición, que es de digestión más fácil. Las más corrientemente utilizadas son las leches fermentadas o acidificadas, tales como el babeurre, leche ácida en polvo.

Babeurre

Se da este nombre a una leche descremada y hecha ácida por fermentación. Los bacilos lácticos contenidos en la leche hacen que ésta fermente, transformando la parte de lactosa en ácido láctico.

Cuando éste se halla en cantidad suficiente, la leche se coagula. La leche así coagulada no debe ser utilizada en la alimentación del lactante.

Para consumir sin peligro la leche fermentada es necesario primeramente hervirla bien y después sembrarla con fermentos vivos especiales: así se fabrica el yogur con el «bacillus bulgaris» y el kéfir, el leben y otros con fermentos aproximadamente semejantes. Estas leches modificadas con fermentos no deben ser dadas al niño antes de los nueve meses.

Por el contrario, se utilizan leches fermentadas después de haberlas hecho hervir de nuevo: es el caso del babeurre dietético o de leche fermentada por el bacilo acidi-lácticus. Hay que saber que el babeurre fresco obtenido en las granjas, y que constituye el residuo de la fabricación de la mantequilla, es impropio para el consumo. Incluso el que es producido por las lecherías a partir de la nata pasteurizada y sembrada con fermentos puros no puede ser utilizado.

El que se utiliza en dietética es leche semidescremada, sembrada con fermentos lácticos de laboratorio. Cuando la cantidad de ácido láctico alcanza de cuatro a seis gramos por litro, la caseína de la leche es precipitada por aquél. Se detiene entonces la fermentación haciendo hervir la preparación y añadiendo generalmente un poco de almidón.

La preparación, que debe ser muy minuciosa, sólo se lleva a cabo en los hospitales dotados de cocinas dietéticas y por técnicos competentes.

Este producto, pobre en grasas (con leche descremada totalmente o en buena parte), contiene aún lactosa no transformada totalmente en ácido láctico y todas las albúminas de la leche; pero éstas se hallan coaguladas y reducidas a fragmentos muy finos, lo que explica mejor su digestibilidad. Este alimento es pobre, con un valor calórico aproximado de 450 calorías por litro. Se enriquece generalmente por la adición de glúcidos como el almidón, la sacarosa o una mezcla de dextrinomaltosa, obteniéndose así la sopa de babeurre.

En la práctica se utiliza el babeurre en polvo.

Los botes vendidos en el comercio contienen generalmente una medida equivalente a 8 gramos (o los que indiquen). Si se quiere reconstruir 100 c.c. de babeurre simple, hay que verter 16 gramos de polvo (dos medidas de 8 gramos) sobre 90 gramos de agua hervida tibia.

Indicaciones

El babeurre simple es el mejor «alimento-medicamento», apropiado para la alimentación de los lactantes tras una dispesia, contribuyendo también a la curación de ciertas afecciones. También es empleado como alimento de transición en los prematuros y débiles. A pesar de que la sopa de babeurre, que no es más que un babeurre enriquecido, puede ser empleada bastante tiempo, conviene, **no obstante**, no hacer de ello el alimento exclusivo del lactante. A causa de su pobreza en vitamina C, hay que añadir siempre a este régimen la administración regular de zumos de frutas o de comprimidos de ácido ascórbico.

Leches acidificadas no fermentadas

Para acidificar una leche y hacer precipitar la caseína se puede utilizar un procedimiento distinto al de la fermentación láctica: basta con añadir a la leche fresca ácido láctico en la cantidad necesaria; pero para obtener grumos muy finos es necesario añadir este ácido gota a gota, removiendo enérgica y constantemente.

Se puede sustituir el ácido láctico por el ácido cítrico, del jugo de limón. Se obtiene así leche entera acidificada, de digestión más fácil que la leche ordinaria.

Leche ácida en polvo

Las leches acidificadas en polvo han dejado de ser la forma más utilizada de estas leches «modificadas». Empleadas para los prematuros y los niños afectos de trastornos digestivos, tienen aún su plena indicación; pero, como alimento básico en los lactantes de corta edad, han sido desplazadas por las leches maternizadas.

Puede fabricarse leche acidificada añadiendo simplemente a la leche un poco de jugo de limón: 15 a 30 gotas por 100 gramos, inmediatamente antes de dar el biberón, agitando bien para obtener una precipitación fina.

El ácido cítrico del jugo de limón, que favorece la fijación del calcio y del fósforo, tiene una acción antirraquítica.

Preparación

La industria ofrece cada vez mayor tendencia a fabricar leche acidificada más modificada añadiendo azúcar y harina. Para reconstruir 100 gramos de esta leche debe ponerse 21 gramos de polvo, o sea, dos cucharadas soperas colmadas, en 90 gramos de agua hervida (seis cucharadas soperas).

La preparación de los biberones exige mucho tiempo, siendo interesante preparar de una vez todos los biberones de la jornada.

Los niños que son alimentados con leche ácida raramente presentan trastornos nutritivos, lo que explica el gran éxito de este alimento.

Dosis

Los primeros quince días se darán siempre esas leches acidificadas semi-descremadas a la dosis del 12,5 por 100.

Después del decimoquinto día y hasta los tres meses se darán parcialmente descremadas a una concentración del 15 al 17,5 por 100.

Esas leches acidificadas no deben darse a los niños que vomitan con frecuencia, ni a los que tienen tendencia a presentar rojeces de las nalgas.

Una vez abiertas las latas, la leche se conserva largo tiempo, lo cual supone una gran ventaja.

Las modernas leches maternizadas

De acuerdo con las últimas conclusiones de la ciencia pediátrica y con las normas y recomendaciones de la F.A.O. y de la O.M.S. acerca de la alimentación del niño, los laboratorios de dietética infantil se esfuerzan en preparar una leche casi igual a la materna, apta para la alimentación del lactante desde el primer día de su vida.

Composición

La fabricación de estos preparados se efectúa, en general, a partir de: leche de vaca, lactosuero parcialmente desmineralizado, materias grasas vegetales, vitaminas y sales minerales.

He aquí sus principales características:

Prótidos: Cociente óptimo entre caseína-proteína solubles; estas últimas a expensas, sobre todo, de la lactalbúmina y de la lactoglobulina.

Lípidos: Equilibrio entre las grasas de origen lácteo y vegetal.

Glúcidos: Elaboración exclusiva mediante la lactosa.

Sales minerales: Cantidades que evitan la retención de agua y el aspecto hermosote y fofo de los bebés.

Vitaminas: Cantidades adecuadas a las necesidades del lactante.

Esta leche se administra a la concentración constante del 13 por 100 (y sólo excepcionalmente al 15,5 por 100), con lo que se evitan los problemas de dilución cambiante y los escollos que eran habituales.

Sin embargo, estas leches, que son más caras que las otras, ya que obedecen a normas muy rigurosas en su fabricación y que son, sin duda, después de la leche materna, las que más convienen al niño de 1 a 3 meses, pierden buena parte de su interés a partir del 4.º mes, en que la diversificación de la alimentación no hace ya necesaria una composición tan cuidada y estricta.

Desde este momento, el aporte de leche puede hacerse, bien a partir de esta misma leche, o sirviéndose de las leches llamadas clásicas, a cuya composición y utilización ya nos hemos referido anteriormente.

COMPOSICION DE LAS MODERNAS LECHES MATERNIZADAS

(comparándolas con la leche de mujer y con las normas preconizadas por diversos Organismos Internacionales)

ANALISIS MEDIO

COMPOSICION	Ejemplo de leche maternizada			Normas de Organizaciones Internacionales Científicas y Sanitarias (*)	Leche de mujer
	100 gramos granulado	100 c.c. reconstituidos 13 por 100	100 kilocalorías	100 kilocalorías	100 c.c.
Prótidos (gramos)	13,6	1,7	2,5	< 6 gramos	1,2
Lípidos (gramos)	28,1	3,6	5,3	Acido linoleico $\left\{ \begin{array}{l} > 300 \text{ mg} \\ < 600 \text{ mg} \end{array} \right.$ Materias grasas vegetales < 40 por 100 Aceite de cacahuete, de palma, de soja	3,8
Glúcidos (lactosa) (gramos)	55,1	7,1	10,4	100 por 100	7
Calorías	529	68,7			71
Sales minerales (gramos)	1,9	0,2	0,3		0,2
— Calcio (miligramos)	505	65,6	95,4	Deben hallarse en cantidades mayores que en la leche de mujer. Si se incrementan debe ser en cantidades al menos dobles que en la leche de mujer.	33
— Fósforo (miligramos)	346	45	65,4		15
— Magnesio (miligramos)	54	7	10,2		4
— Potasio (miligramos)	533	69,2	100,7		55
— Cloro (miligramos)	180	23,4	34,0		43
— Sodio (miligramos)	156	20,2	29,4	> 21 mg y < 40 mg	15
— Hierro (miligramos)	4,1	0,5	0,7	> 0,75 mg y < 1,5 mg	0,1
Vitaminas — A (U.I.)		190		2 veces las cantidades de la leche de mujer	176
— E (miligramos)		0,80		> 1 miligramo	4,3
— B₁ (miligramos)		0,03			0,01
— B₂ (miligramos)		0,05			0,04
— B₆ (miligramos)		0,01		Han de encontrarse en cantidades superiores a las presentadas por la leche de mujer. En caso de incrementarlas no debe ser en proporciones mayores a tres veces las contenidas en la leche de mujer.	0,01
— B₁₂ (microgramos)		0,05			0,03
— PP (miligramos)		0,24			0,17
— C (miligramos)		7,5			0,56
— Pantotenato de calcio (miligramos)		0,24			0,19
— Acido fólico (microgramos)		10			5

(*) Del «Boletín Oficial de la República Francesa» del 14 de septiembre de 1976.

Sólo hay que reconstruirla, siempre del mismo modo, mezclando una medida de leche en polvo con 30 c.c. de agua. He aquí las cantidades aconsejadas durante el primer mes:

	Agua	Leche	
2.º día	15	0,5	medida
3.ᵉʳ »	30	1	»
4.º »	45	1,5	»
5.º »	60	2	»
6.º »	60	2	»
7.º »	75	2,5	»
2.ª semana	90	3	»
3.ª »	90	3	»
4.ª »	105	3,5	»

A partir de aquí, el niño mismo regulará el volumen de los biberones según su apetito y necesidades, sirviéndonos de referencia general las normas que se han dado anteriormente.

Para evitar las molestias y el peligro de la manipulación del polvo de leche, en algunos países se expende ésta ya preparada y envasada en botes de lata e incluso en biberones a uso único que luego se desechan.

6. Alimentación sin leche

Digamos, aunque sólo sea de pasada, que en ciertos casos (afortunadamente raros) de intolerancia absoluta, incluso a la leche de mujer, se está obligado a alimentar al niño con productos diferentes a la leche. En los países budistas, en los que la religión prohíbe el uso de la leche de vaca, se recurre a la leche de soja, que se obtiene machacando los granos (especie de judías) después de haberlos tenido en remojo un día en agua. Después del filtrado se hace hervir esta leche vegetal, que sube como la leche animal, y que acidificada también flocula, dando finos copos. Aun cuando hay la posibilidad de encontrar este producto en los comercios de nuestro país, utilizamos más bien la leche de almendras, obtenida añadiendo agua a las almendras remojadas y después molidas o machacadas en el mortero. Esta leche no es utilizada como alimentación exclusiva, sino que se utiliza para diluir otras preparaciones, tales como los «pudings» con huevo.

Estos regímenes sin leche no pueden ser seguidos mucho tiempo, sobre todo en los lactantes muy pequeños, que presentan fácilmente reacciones de intolerancia.

Sección XVII

Alimentación
del niño

63

Alimentación complementaria y destete

1. Generalidades

En otros tiempos el bebé era alimentado durante largos meses exclusivamente con leche, y no se osaba darle farináceos hasta el séptimo u octavo mes.

Hoy en día la ciencia ha demostrado la perfecta digestión del almidón por parte del niño a partir del tercer mes, administrándosele papillas ya a esta edad.

De todos modos, no se darán verdaderas papillas al niño antes del tercer mes, excepto por prescripción médica y siempre bajo forma predigerida por adición de malta.

Importancia de la alimentación complementaria

Es no solamente conveniente, sino también indispensable, que se dé al niño, a partir del tercero o cuarto mes, un complemento alimenticio aparte de la leche. Incluso el niño criado al pecho presenta a esta edad una disminución de peso y un retraso en el desarrollo si su alimentación es exclusivamente láctea; esto se explica por el hecho de que el niño tiene necesidades energéticas mayores, ya que se agita más y duerme menos tiempo.

Esta necesidad de mayor cantidad de calorías debe satisfacerse no solamente por el aporte del azúcar añadido a la leche, sino aun por el de otros glúcidos, tales como el almidón aportado sobre todo por las harinas. Además, estos alimentos añaden al organismo minerales, tales como el hierro y las vitaminas, sustancias indispensables para un buen desarrollo.

El niño, que tenía al nacer abundantes reservas de hierro, no tiene ya demasiadas hacia el cuarto mes de su vida.

2. Primeras papillas

Como ya hemos visto, las primeras papillas deben ser de digestión particularmente fácil, escogiéndose las preparadas con harinas
de grano de almidón fino, tales como la del arrurruz, o mejor de
cremas de harina, es decir, harinas de fina textura obtenidas por
cernido repetido· al máximo y también almidones industriales, tales
como la maizena.

Las mejores harinas son, a esta edad, las malteadas o predigeridas.

También se encuentran harinas malteadas ya preparadas en el
comercio.

Como estas harinas son de un precio bastante elevado, conviene
preparárselas uno mismo siguiendo los detalles de la técnica expuesta.

Errores que hay que evitar

La crema de arroz y la maizena de grano de almidón fino pueden
también ser usadas desde el principio, aunque a condición de que
una cocción suficiente haya transformado el almidón en engrudo perfecto. Sólo con esta condición podrán los fermentos digestivos del
niño sacarificar o digerir el almidón.

Ya hemos hablado del peligro de las papillas mal preparadas.
Cuanto más pequeño sea el niño, mayor cuidado habrá que tener
con la preparación.

La harina blanca jamás debería ser dada en esta forma, aun
cuando con frecuencia así se aconseja. Esta se da con frecuencia
dextrinada, torrefactada o panificada. La torrefacción de la harina
de trigo hace estallar los granos de almidón, haciéndolos más fáciles
de digerir.

No deberían ser consumidas por los niños más que las raspaduras del pan tostado, de los bizcochos y de las galletas. La ventaja
de estos alimentos estriba en que no exigen una larga cocción como
las harinas.

Entre las diversas harinas producidas por la industria, para empezar hay que escoger la de arroz, por la calidad de su almidón
a causa de su débil contenido en celulosa. Más tarde podrán utilizarse otras harinas, tales como las de cebada y avena, que siendo
ricas en celulosa, tienen más bien un efecto laxante. Ciertas fábricas
las venden mezclándolas con las harinas de arroz o de trigo, lo que
tiene la ventaja de agrupar las virtudes de cada una: así la débil
cantidad de hierro contenido en el trigo es compensada por la riqueza
de la avena en este elemento. Las harinas ligeras —trigo, arroz,
cebada—, ricas en almidón, completan las harinas fuertes —avena,
maíz—, ricas en grasas y proteínas.

Las harinas de leguminosas —garbanzos, judías, guisantes— no serán dadas al lactante. La fécula de la patata, que es extraída industrialmente, será dada mucho más tarde que las harinas.

3. Harinas lacteadas

De cualquier harina o fécula que se trate, repetimos que jamás hay que darla simplemente diluida en la leche o en·el agua, ya que el almidón crudo no se digiere. Incluso cociéndolo, existe el peligro, si esta cocción no se ha prolongado lo suficiente, de hacer ingerir al niño un almidón no atacable por los jugos digestivos. Para evitar este peligro hay que añadir a la harina empleada proporciones suficientes de agua para impedir que la papilla espese demasiado de prisa. Si se emplean harinas, la proporción debe ser de diez partes de éstas por cien de agua. Si se trata de maizena o de crema de arroz, será del 6 por 100. Hay que mantener la ebullición cerca de un cuarto de hora removiendo sin cesar y evitando la formación de grumos. Una papilla que tiene grumos nunca debe darse al niño, ya que su almidón está poco cocido, y será tanto más perjudicial al niño cuanto más pequeño sea éste. Si la papilla espesa demasiado durante la cocción, podrá añadirse durante el curso de la preparación un suplemento de agua.

Si se utilizan leches conservadas, hay que preparar primeramente la papilla con agua y desleír después la leche en polvo o concentrada, como si se tratara de preparar un biberón de leche pura.

Tendencias modernas

Cada vez es mayor la tendencia a dar al lactante harinas malteadas predigeridas que no necesitan cocimiento alguno. Al mes, se pueden añadir a las dosis de un gramo por biberón, de dos, al segundo y de tres, al tercero. Se trata de decocciones harinosas. Las verdaderas papillas, cuya preparación ha sido detallada más arriba, se dan a partir del tercer mes.

Número de papillas

Como la digestión de una papilla láctea dura más de tres horas, sobre todo si se trata de harinas distintas a las de arroz o maíz, conviene dejar un intervalo de tres y media a cuatro horas entre las papillas y la comida siguiente. O mejor aún, se le dará de preferencia en la toma de la noche, pues que dispondrá de toda ésta para digerirla.

La mayor parte de las madres dan la papilla con el biberón. Es un profundo error. Es necesario que la saliva del niño tenga tiempo de impregnar bien la papilla, haciéndola así más digerible. Por esto se dará la papilla bastante espesa, con cuchara y sin precipitación. Esta buena costumbre hará que el destete sea más fácil cuando llegue el momento.

No hay ninguna razón para añadir cacao o edulcorantes a las papillas.

4. Las primeras hortalizas

Saben todas las mamás hoy en día que hay que dar papilla de verdura a los bebés. ¿Por qué hay que dar este alimento? Porque el niño necesita muchas sales minerales para constituir sus huesos y sus dientes, y porque las reservas que tenía cuando nació van agotándose poco a poco. La leche no aporta suficientes minerales —hierro y cobre sobre todo—, razón por la cual las verduras, a causa de su riqueza en estos elementos, se hallan particularmente indicadas. Además, las verduras verdes son ricas en clorofila, útil para la fabricación de la sangre; en provitamina A y vitamina C; aportan también almidón; proteínas, que compensarán las de la leche cuando ésta se hallara disminuida en cantidad, y sobre todo la preciosa celulosa, que juega el papel de escoba en el intestino al mismo tiempo que de fijadora de toxinas.

Verduras más corrientemente utilizadas

Entre las mejores plantas herbáceas para el niño están las espinacas y lechugas; entre las raíces, las zanahorias; entre los tubérculos, la patata; entre los tallos se escogerán preferentemente los puerros, y entre los frutos herbáceos, la calabaza y el calabacín.

Verduras de hoja verde

Reputadas como poco nutritivas por su escaso contenido en grasa, proteínas y glúcidos, las verduras de hoja verde tienen, por el contrario, gran cantidad de minerales y vitaminas. Así, las espinacas tienen 0,60 gramos de hierro por kilo, en tanto que la carne no pasa de los 0,04 gramos, también por kilo. Muy rica en calcio es la coliflor (125 miligramos, casi tanto como la leche de vaca, que contiene 128 miligramos).

El perejil también es rico en hierro, y las judías verdes y lechugas contienen cantidades apreciables. En cuanto al cobre, necesario para la síntesis de la hemoglobina, las verduras frescas lo contienen en cantidades bastante grandes, de 2 a 3 miligramos, sobre todo las coles verdes. Estas coles son particularmente ricas en vitamina C, hasta el punto de reemplazar ventajosamente a limones y naranjas. El adulto puede consumirlas en ensalada, pero al niño deben

dársele muy cocidas. A pesar de que la cocción haga perder una buena parte de vitamina C a las verduras, queda aún suficiente cantidad. En cuanto a la vitamina A, se encuentra en forma de provitamina, sobre todo en las hojas verdes de la lechuga. Otras vitaminas se encuentran también en las verduras de hoja verde, sobre todo la vitamina B_2.

Entre las verduras de tallo, el puerro es la preferida en la alimentación infantil, a causa del gusto excelente que comunica al caldo; tiene, además, efectos curativos en las inflamaciones de las vías respiratorias y actúa como depurativo.

Las zanahorias son también básicas en la alimentación infantil. Son ricas en caroteno, ya que 100 gramos contienen aproximadamente 3.000 unidades internacionales (aproximadamente dos veces la cantidad diaria necesaria al hombre). Además, es bastante nutritiva, a causa de su 9 a 10 por 100 de hidratos de carbono, cuya mayor parte se halla constituida por azúcar.

Ventajosamente puede administrarse a los niños jugo de zanahorias crudas cuando presentan afecciones de la piel. Veremos más adelante que también se utilizan contra las diarreas.

De digestión fácil, la calabaza puede servir para preparar el caldo y puré de verduras. Puede añadirse también a esta preparación una cebolla, pues es rica en azufre, ácido fosfórico y azúcar.

Preparaciones industriales

Las casas especializadas en alimentación infantil ofrecen un buen número de verduras, de raíces y de tubérculos, perfectamente preparados, homogeneizados y pasteurizados, aptos para su rápida y cómoda utilización.

Suelen presentarse en tarritos de cristal de 100, 130, 150 ó 200 gramos, apropiados a la edad o al apetito del niño.

Entre los diferentes preparados de hortalizas, solas o combinadas entre ellas, citemos los de: alcachofa, zanahoria, espinacas, judías verdes y macedonia de hortalizas. Digamos asimismo que tales casas comerciales, preparan también, para servir las modernas tendencias de la pediatría, hortalizas mezcladas con carnes o pescados. Y así, se encuentran en el comercio: rape con puré de patata, verduras con lenguado y hortalizas con merluza, entre las mezclas con pescados; y, entre las combinaciones de hortalizas con carnes: ternera con espinacas, carnes con verduras, verduras-ternera-hígado de buey, crema de verdura y sesos, carne y zanahoria, judías verdes y cordero, puré de patatas y ternera, alcachofas y cordero.

Sus ventajas. Estos preparados ofrecen la ventaja de su cuidadosa cocción al vapor, de su perfecta trituración y homogeneización, de su correcta conservación y de su inmediata disponibilidad y uso.

Sus inconvenientes. En contrapartida, su utilización continua resulta cara, no hallándose al alcance de todas las fortunas. Además, si se abusa de estos preparados, el niño puede rehusar los productos naturales e incluso presentar la enfermedad del atomizador o de las conservas.

Una buena norma. Por todo ello, si se dispone de buenas verduras y de tiempo suficiente para prepararlas adecuadamente, tal y como explicábamos más arriba, lo mejor es preparar las verduras en la propia casa. De lo contrario, lo mejor será adquirir estos tarritos que encontramos en las farmacias u otros buenos establecimientos. Su interés y utilidad son máximos en caso de escasez de estos productos en el mercado, cuando la madre trabaja fuera del hogar y no dispone de mucho tiempo, y durante los viajes.

La patata

Utilizada bajo forma de puré en la alimentación del niño hacia la edad de seis meses, no debe darse antes a causa del grosor de su

grano de almidón. No obstante, podrá formar parte de la preparación de caldos de verduras a partir del tercer mes.

Contiene de un 15 a un 18 por 100 de almidón en su parte externa próxima a la piel; ésta es la razón por la cual se recomienda cocerla con la piel más bien que pelarla. Contiene también una excelente albúmina, aunque en pequeña cantidad; particularmente rica en fósforo y potasio, aporta más sustancias minerales que la harina blanca, por ejemplo. En cuanto al hierro, 200 gramos de patata contienen 2 miligramos o 1/6 de las necesidades diarias del cuerpo, lo que ya es apreciable.

Suministra también una regular cantidad de vitaminas, sobre todo el complejo B, y ácido ascórbico (12 a 14 miligramos). Para ser un alimento completo no le falta más que la grasa, que ya se utiliza de una manera instintiva con las patatas. Todos los especialistas en dietética ponderan su valor nutritivo.

Preparación de las verduras

Las verduras, incluso cocidas y reducidas a puré, no son utilizadas para los niños de menos de tres meses; no se utiliza más que el caldo. Este tiene un cierto valor nutritivo a causa de la disolución de elementos constitutivos en el agua de cocción; además, una buena cantidad de sales minerales pasa a este agua, lo mismo que las vitaminas.

Se aconseja echar las verduras cortadas a pequeños trozos en la justa cantidad de agua hirviente y cocerlas rápidamente a fuego vivo.

El caldo de verduras será espesado y enriquecido con tapioca, crema de arroz y más tarde con fideos finos pasados por el tamiz. Se aconseja añadir un poco de mantequilla, pero si ésta no está pasteurizada, vale más añadir una cucharadita de buen aceite de oliva. Se salará el caldo en el momento de servirlo y de manera que resulte aún un poco soso, ya que el exceso de sal puede perjudicar al niño.

Hacia la edad de cuatro meses podrá añadirse a este caldo una cucharada de las de café de puré de hortalizas, y se aumentará la dosis a razón de una cucharadita por mes. El puré de patata será introducido en el régimen al sexto o séptimo mes, según la tolerancia del niño.

Cuanto más frescas y tiernas son las verduras, mejor se digieren. La adición de aceite, féculas o harinas, así como su división en puré fino, acortan su estancia en el estómago.

Técnica

Después de haberlas lavado bien se ponen:

Dos patatas bien cepilladas o peladas finamente, dos zanahorias, un puerro, algunas hojas de espinacas o lechuga, o algunas judías verdes o guisantes y medio litro de agua hirviendo.

Se deja hervir durante todo el tiempo necesario a la cocción, añadiéndole de cuando en cuando el agua necesaria; después se vierte en el pasapurés.

Este caldo de legumbres espesado será dado en lugar de una tetada o biberón y no en vez de una papilla lacteada, que debe continuar administrándose. En efecto, siendo todavía la leche irreemplazable, a causa de sus albúminas ricas en ácidos aminados indispensables, debe continuar dándose, sin disminuir la cantidad por debajo de los 600 gramos.

Conservas de verduras

A falta de verduras frescas, no hay que temer utilizar las conservas, ya que las preciosas sustancias minerales son aún conservadas, al igual que una cierta cantidad de vitaminas. No obstante, cada vez que puedan obtenerse verduras frescas hay que preferirlas, a condición de que sean recientemente cogidas; las verduras poco frescas han perdido una buena parte de sus vitaminas. Las amas de casa jamás deben despreciar las aguas de cocción de las verduras, ya que contienen importantes cantidades de sales minerales.

5. Las primeras frutas

Instintivamente los niños gustan de las frutas, que además de ser agradables al paladar, calman la sed. Algunas de entre ellas son muy nutritivas, tales como el plátano. Todas son alimentos protectores a causa de su riqueza en vitaminas. Además, presentan la ventaja de ser muy digeribles, pudiendo consumirse crudas. Son, al mismo tiempo, incluso alimentos-medicamentos, que los enfermos toman con tanto provecho como gusto. Con mayor razón convienen a los niños pequeños, a condición, sin embargo, de que estén bien maduras y de darlas en edades adecuadas.

Por el azúcar que contienen constituyen un alimento energético de valor. Se utilizan los jugos de frutas desde la segunda o tercera semana de la vida para preservar a los niños del escorbuto y asegurarles un buen crecimiento. Protegen contra el estreñimiento y favorecen el equilibrio ácido-básico de la sangre.

Cuando el niño alcanza los cinco o seis meses puede comenzarse a darle una ración de puré de frutas.

Frutas jugosas

Como frutos utilizados por su jugo, tenemos en primer lugar la naranja, el limón y el tomate, que también puede considerarse como verdura. Se utiliza el jugo de tomates bien maduros a causa de su riqueza en vitaminas, ácido ascórbico principalmente. Su contenido de glucógeno y caroteno o provitamina A es también elevado. Las vitaminas del grupo B también se hallan representadas. Este jugo reemplaza, pues, con ventaja a los de naranja y limón. En cuanto a la pulpa, reducida a puré, puede darse al niño a partir del sexto mes.

Las naranjas, los pomelos y los melocotones son frutos que, igual que la uva, se pueden emplear para los niños.

Frutas carnosas

Entre las frutas más nutritivas puede utilizarse la chirimoya, el caqui, bien limpios de semillas y, sobre todo, el plátano. Este contiene una importante proporción de azúcar (22 por 100) y de materias extractivas (23 por 100). Si la cantidad de grasas y proteínas fuera más elevada constituiría un alimento completo. Según los análisis, contiene más del doble de fósforo que las manzanas, cuatro veces más magnesio que los limones, dos veces más hierro que las manzanas, las peras o las naranjas. Por el contrario, es pobre en calcio. Contiene también vitaminas A, B, B_2 y C. Esta última, en mayor cantidad si el fruto se halla maduro.

En dietética infantil se utilizan los plátanos crudos y cocidos. Crudos y bien machacados, se pasan a través de un tamiz fino, adicionándoles jugo de naranja, siendo así muy apreciados por los niños.

A pesar de que muchos niños toleran bien pequeñas cantidades de plátano crudo desde la edad de cinco meses, es preferible esperar al sexto o séptimo mes para dárselos, y siempre a dosis progresivamente crecientes. Las personas que posean una batidora pueden preparar rápidamente una verdadera papilla de plátanos, de fácil digestión.

Manzana

Esta fruta es un excelente medicamento contra las diarreas. Puede darse a partir del quinto mes, cruda y finamente rallada, a razón de 25 a 100 gramos por comida, según la edad del niño y durante cuarenta y ocho horas. Pueden utilizarse cocidas con azúcar, igual que las peras, melocotones y albaricoques, a partir del quinto mes.

Para aumentar el valor calórico de estos platos de fruta se añaden raspaduras de bizcocho o de galletas. No debe darse confituras a los lactantes, a causa de su excesiva riqueza en azúcar.

Uva

El químico Henry, comparando la composición del jugo de uva y de la leche de mujer, encuentra (exceptuando la grasa) proporciones casi semejantes.

	Jugo de uva	Leche de mujer
Albúminas	1,7	1,50
Azúcar	12 a 20	11,—
Sales minerales	1,3	0,40
Agua	75 a 83	87,—

La fuerte proporción de azúcares hará, pues, de la uva un alimento energético muy apreciable. Contiene las siguientes sales minerales: potasio, magnesio, calcio, sodio, hierro y yodo (sustancia particularmente asimilable).

Los ácidos tártrico y málico actúan favorablemente sobre el intestino, igual que otros fermentos. En fin, las vitaminas C y B_2 son particularmente abundantes.

La uva negra tiene una acción tónica debido a la ocianina, materia colorante que no existe en la uva blanca.

Alimento líquido de digestión muy fácil, pues su principal azúcar es la glucosa, el jugo de uva es, según la expresión del profesor Larre, un verdadero «suero viviente».

El jugo puede ser dado a los niños muy pequeños a condición de que las uvas sean muy maduras y se administren en pequeñas cantidades.

Frutas y jugos de frutas de origen industrial

Al igual que para las verduras, frutas y jugos de frutas de origen industrial y las carnes, pescados y sus eventuales combinaciones con verduras, las casas de dietética infantil preparan tarritos de frutas o de combinaciones de frutas y botellines de jugos de frutas. Su preparación suele ser de toda garantía. La posibilidad de disponer de ellos en cualquier momento no hace más que aumentar su interés.

He aquí algunas de las frutas y combinaciones de frutas ofrecidas por la industria en los mencionados tarros de cristal: albaricoque y manzana, manzana y plátano, membrillo y manzana, naranja y plátano, manzana y frambuesa, melocotón, melocotón y naranja, ciruela y manzana, manzana, melocotón y melocotón y albaricoque.

En cuanto a los jugos de frutas pasteurizados, ofrecidos generalmente en botellines de 150 gramos, he aquí los que con más frecuencia se encuentran en el comercio:

Manzana y naranja, piña y naranja, ciruela-manzana-cereza, manzana y albaricoque, uva y manzana, uva y frambuesa, manzana y piña, ciruela y uva, uva y albaricoque, manzana-naranja-albaricoque, uva-melocotón-albaricoque, uva-pera-naranja.

Tarros y botellines no consumidos inmediatamente, deben ser cerrados con cuidado y conservados en la nevera o en un lugar muy fresco, durante un tiempo máximo de cuatro días, no debiendo ser ofrecidos nunca al niño helados o muy fríos.

El ideal consiste sin duda en la utilización de las frutas bien maduras y frescas, y en la preparación de los jugos instantes antes de su administración. Sin embargo, en países donde no existe la fruta que nos interesa, o fuera de la época de su disponibilidad, o cuando se carece de tiempo para procurarse las frutas o preparar sus jugos, estos preparados resultan de incalculable valor. En cuanto a los inconvenientes de su uso exclusivo o continuado, véase lo dicho a propósito de las hortalizas preparadas industrialmente.

6. Alimentos de origen animal

Carnes y pescados

A estos alimentos nos referimos ampliamente en el capítulo 63. Digamos, no obstante, que consideramos innecesario el uso de los

944

mismos en el lactante, si bien ciertas escuelas los preconizan ya a partir del tercer mes.

Los huevos

Los huevos constituyen un excelente alimento para el niño pequeño, a causa de su riqueza en albúminas y el alto valor biológico de éstas. En el capítulo siguiente daremos los detalles de su composición. Diremos que a los lactantes no se da más que la yema, comenzando por pequeñas cantidades. La mejor forma de administrarla es mezclada y cocida con puré de patata, aumentando poco a poco la cantidad.

A pesar de que ciertos pediatras la prescriben ya a los cuatro meses, es preferible esperar a que el niño tenga seis o siete meses para introducirla en el régimen.

Los huevos, aun incluso frescos, se hallan contraindicados en los lactantes que padecen insuficiencia hepática o manifestaciones alérgicas.

Miel

Constituye para el niño un excelente alimento. Compuesta por diversos azúcares, glucosa y fructosa, sobre todo, es de un alto valor energético: 325 calorías aproximadamente por 100 gramos.

Las investigaciones y experiencias científicas han demostrado que es de fácil digestión aun en los lactantes, y si bien tiene propiedades laxantes, no es causa de diarreas.

Aparte del agua, contiene sales minerales y diversos ácidos: málico, acético y fórmico. Este ácido y otra sustancia que ha podido ser aislada en la miel le comunica su poder bactericida, es decir, su propiedad de destruir los microbios.

La miel debería ser más empleada para reemplazar el azúcar refinado o blanco, que es un alimento desvitalizado.

7. Los derivados de la leche

Nata

Es la materia grasa de la leche que sube a la superficie cuando ésta se halla en reposo.

La nata de leche cruda no debe ser utilizada por el gran riesgo de contaminación por parte del bacilo tuberculoso bovino. Por el contrario, una vez hervida la leche, puede utilizarse la nata, que ha sufrido la acción esterilizante del calor.

Podrá, pues, emplearse en lugar de mantequilla en el caldo de verduras de los niños, mezclada con los caldos y después con los purés.

Mantequilla

Resulta ésta de la aglomeración de glóbulos de grasa de la nata, liberada de su agua por el batido.

En las granjas, la mantequilla se fabrica a partir de la nata retirada durante varios días, y nunca debería ser utilizada para la alimentación de los niños.

En las fábricas lecheras se pasteuriza primeramente la nata de la leche y después se siembra de bacilos lácticos seleccionados y, al fin, se bate; debería utilizarse mantequilla pasteurizada garantizada, sobre todo si se trata de lactantes.

Hay que desconfiar de las mantequillas muy amarillas vendidas en el comercio. Las materias colorantes empleadas para colorearla no se hallan desprovistas de peligro.

Las ventajas de la mantequilla son debidas a su alto valor calórico a causa de su fuerte porcentaje de materias grasas (82 a 85 por 100, por 13 a 16 por 100 de agua), su riqueza en vitamina D, en particular, y su conservación, bastante prolongada. Sin embargo, en razón de los riesgos microbianos mencionados, vale más abstenerse si el procedimiento de fabricación no comprende la pasteurización seguida de la acción de los fermentos lácticos, en cuyo caso será mejor reemplazarla por aceite de oliva de buena calidad.

No conviene reemplazar la mantequilla por margarina, que con frecuencia es fabricada a base de grasas animales de calidad inferior.

Queso

Se obtiene haciendo actuar sobre la leche el cuajo (fermento del estómago de buey). Los quesos contienen caseína, grasas y buena parte de sales minerales.

Entre los quesos frescos, el requesón puede ser empleado en la alimentación infantil a partir de la edad de nueve meses, mezclado con miel o galletas.

Otros quesos frescos, tales como los de doble crema, triple crema o «petit suisse», son obtenidos mezclando el cuajo con la nata fresca.

Los quesos fermentados son utilizados a partir de los quince a dieciocho meses. Nosotros no los aconsejamos porque favorecen la inflamación del apéndice.

Yogur

Es una leche finamente cuajada bajo la influencia de la fermentación láctica, debida a la acción de dos microorganismos: el «bacterium bulgaris» y el «estreptococus lactis thermofilus».

Después de haber hervido la leche y de haberla enfriado, se siembra con este fermento, cultivado en estado puro en los laboratorios. Diversas casas especializadas en esta fabricación venden un yogur bien preparado.

También se puede fabricar en casa, con ayuda de yogurtera, a partir de un yogur del comercio como levadura.

Al día siguiente, uno de los yogures puede servir de levadura. No obstante, es preferible comprar yogur en un laboratorio cada ocho días.

A pesar de que en ciertos países el yogur se utiliza para alimentar a lactantes muy pequeños, es preferible esperar que el niño tenga ocho o nueve meses. Mezclado con miel, constituye un buen alimento de digestión fácil.

8. ¿Hay que dar pan a los lactantes?

Es una costumbre muy arraigada la de dar al bebé una corteza de pan aun cuando no tenga ningún diente. Esto es no solamente una «herejía», sino también una práctica antihigiénica; esta corteza llena de saliva va de la boca del niño a sus manos, a su cama o al suelo, y después que las moscas se han posado en ella, vuelve bien llena de microbios a la boca del niño.

Hay que saber que en tanto el niño no tiene los molares, es decir, 20 dientes, le es imposible masticar. La corteza no masticada, y aún menos la miga, no son digeribles por el lactante. A esta edad hay que darle pan tostado pulverizado, raspaduras, galletas finamente ralladas, mezcladas y cocidas de nuevo con la papilla; nunca miga ni corteza de pan.

Se evitarán también los bizcochos al huevo, en tanto el niño no tenga siete meses por lo menos.

9. Esquema y normas de la alimentación complementaria

Principios fundamentales

Una tendencia muy marcada de la puericultura moderna consiste en añadir muy pronto al régimen del lactante diversos alimentos. Sin embargo, es necesario ser muy prudente y no olvidar las posibilidades digestivas del niño. He aquí una regla muy importante: todo alimento nuevo debe ser introducido de manera muy progresiva, vigilando constantemente las excretas para ver si ha sido bien digerido. Si aparecieren trastornos tales como diarrea o erupción de granos, será necesario hacer marcha atrás inmediatamente.

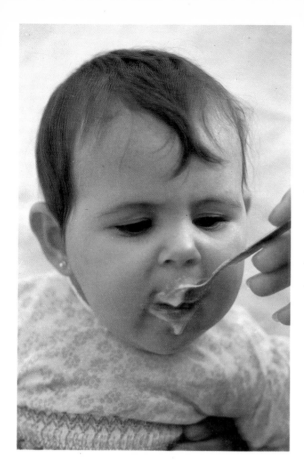

Organización del régimen

Hasta los tres meses, se administra una alimentación exclusivamente láctea: seis tetadas o seis biberones por día.

El tercer mes constituye una primera etapa en el régimen. Es el momento en el que, si el niño se desarrolla normalmente, se pasa a 5 tomas de alimento en lugar de 6, espaciando las tomas cuando menos 4 horas.

Las necesidades del lactante en sales minerales hacen necesaria la administración de caldo de verduras —zanahoria, puerro, apio y hojas de lechuga o espinacas— y de harina.

Esta, que ya antes era dada en ínfimas cantidades —un gramo por mes de edad— y bajo forma predigerida, puede ser utilizada en mayor cantidad. Se comenzará por una cucharadita de las de café de harina muy fina, tal como la maizena o la crema de arroz. Recordemos que la cocción debe ser llevada a cabo con todo cuidado y removiendo sin cesar. Hay que comenzar dando esta papilla únicamente por la noche. Después, se aumenta progresivamente la cantidad de harina, para llegar a dar, hacia el cuarto mes, una segunda papilla por la mañana.

El agua de cocción de las hortalizas, entre las que no habrán figurado las patatas, puede servir, salando muy ligeramente, de agua de dilución del biberón.

Si esquematizamos diremos que, a los tres meses, se dan tres biberones y dos papillas.

Hacia los cuatro meses se puede sustituir el biberón de mediodía por una pequeña comida constituida por un puré de hortalizas bien tamizadas, con un poco de aceite y de sal y un poco de yogur edulcorado con miel.

El **quinto mes** aporta otro cambio al régimen. En general, se pasa a cuatro comidas y la leche se da pura ya, sin dilución alguna.

La alimentación se halla, pues, constituida por tres biberones, a dos de los cuales se ha añadido harinas, y una verdadera comida.

Ejemplo de horario:

A las 7: Una papilla con leche pura.

11,30: Jugo de frutas: un vaso pequeño.

12: Verdadera comida con un puré de hortalizas bien tamizadas, sazonadas con sal y aceite o mantequilla y dadas al niño con la cucharita y no en el biberón.

16,30: Biberón de leche.

21: Papilla.

A partir **del sexto mes** la modificación del régimen alimenticio es casi definitiva. Ya se dan dos verdaderas comidas por día: la del mediodía y la de la noche. Se hallarán constituidas por el puré de patatas recientemente preparado, al que se añade yema de huevo en cantidades progresivamente crecientes, administrado a mediodía. Por la noche, la comida consistirá en una sopa de hortalizas espesada con tapioca o fideos y en un poco de queso fresco. Ambas comidas serán completadas por un pequeño postre, tal como la compota de manzana o un plátano bien maduro.

A partir **del octavo mes** se pueden variar aún más las comidas. Sin embargo, no hay que olvidar estos principios fundamentales: antes de los 3 años, solamente se darán alimentos sencillos, sin fritos ni patatas fritas. Antes de los 6 años, nunca deben darse el niño especias, vinagre, salsas, ni salazones. Mejor sería no dárselos tampoco después.

10. Destete

Procediendo de esta manera se evitará un cambio muy brusco en el régimen y se llegará progresivamente al destete del niño, es decir, a la supresión de la lactancia materna.

En ningún caso se debe destetar bruscamente a un niño, ya que se le pueden producir en ocasiones trastornos digestivos graves.

Con razón se aconseja desde hace mucho tiempo no destetar a los niños durante los fuertes calores, ya que, bajo su influencia, un simple trastorno digestivo puede agravarse mucho.

El destete deberá ser, pues, progresivo, para llegar a la supresión definitiva de la lactancia entre los nueve y los doce meses.

En lo que concierne a la lactancia artificial, no puede hablarse de destete, sino más bien de alimentación complementaria, que debe reemplazar poco a poco a la alimentación láctea exclusiva.

Los distintos alimentos no deben ser introducidos bruscamente y en grandes cantidades en el régimen, bajo riesgo de ver aparecer ciertos trastornos: vómitos, diarrea con pérdida de peso a veces importante, etc. Así, la administración de una yema de huevo puede provocar una diarrea de putrefacción, y en los sujetos predispuestos, urticaria, asma o eczema. Hay que comenzar con una punta de cuchillo y dos días después una punta de cuchara, después un cuarto, media cucharadita, etc., siempre cocido con el puré de patata.

Un punto capital es el de no dar más que alimentos susceptibles de ser digeridos y en cantidad equilibrada; el abuso de los farináceos provoca dispepsia con diarrea y heces pastosas, pálidas e incluso gaseosas.

El uso prolongado y exclusivo de la leche provoca anemia; la falta de verduras y frutas produce avitaminosis (escorbuto, xeroftalmía), trastornos del crecimiento, estreñimiento.

Un régimen equilibrado, tal como lo hemos descrito anteriormente, aporta todos los elementos necesarios a la salud y al crecimiento, sin exceso de algunos ni deficiencias de otros.

11. Las bebidas

La mejor bebida para el niño, y también para el adulto, es el agua.

Si el agua es dudosa, no vigilada bacteriológicamente, se recurrirá al agua mineral, o bien al agua hervida. Si ha sido purificada, puede atenuarse su mal gusto por la adición de algunas gotas de limón.

El agua se dará preferentemente fuera de las comidas, mezclada si se quiere con los jugos de frutas.

Si el niño tiene sed, hay que darle agua ligeramente salada, nunca helada y tampoco leche, que es un alimento.

Por descontado que el lactante ni siquiera debe probar el té, el vino ni otros alcoholes, licores, etc.

Puede darse un poco de malta sin abusar.

64

La alimentación
después del primer año

Generalmente el niño a los doce meses anda: sea solo, sea sosteniéndolo. Suele tener varios incisivos, pero aún no premolares. Si bien es cierto que puede cortar ciertos alimentos con sus dientes, no lo es menos que no puede masticarlos. Sus jugos digestivos son más abundantes y también más activos. Su crecimiento, aunque más lento después de esta edad, continúa no obstante con un ritmo bastante acelerado. Hay que contar con estos factores en el establecimiento del régimen.

El aumento de la actividad, sobre todo, requerirá un aumento del aporte calórico, es decir, una ración aumentada de alimentos energéticos.

1. Necesidades calóricas

Además de las calorías necesarias para sostener la actividad muscular, el presupuesto energético también comprende las que deben asegurar el funcionamiento del organismo, las que son absorbidas en la función asimilativa y las que son eliminadas con las excreciones. Además, hay que tener en cuenta las necesidades calóricas para asegurar el crecimiento y para mantener constante la temperatura del cuerpo.

Hemos visto que el coeficiente energético —relación entre el número de calorías y el peso del niño—, muy elevado al comienzo de la vida (110), tenía tendencia a disminuir en el curso del primer año. Esta disminución progresiva se prosigue gradualmente hasta la edad adulta, cuyo cociente es de 40 a 50 calorías por kilo de peso.

A la edad de un año, pesando el niño de nueve a 10 kilos, el cociente energético es de 90 a 95 calorías por kilo.

De dos a siete años disminuye de 90 a 85; hacia los doce años no es más que de 75 a 80. En tanto que el crecimiento continúa, este cociente, es decir, la ración alimenticia, es proporcionalmente más elevado que en el adulto.

Necesidad en proteínas

En tanto que el adulto necesita un gramo y hasta menos de albúminas por kilo de peso y por día, el niño necesita, al menos, 1,5 a 2 gramos hacia el primer año. Esta proporción disminuye gradualmente con la edad.

Estas proteínas serán suministradas por una ración cotidiana de leche y otras proteínas de origen animal, tales como las que proporcionan los huevos, el queso, etc. Las proteínas vegetales serán aportadas por las legumbres secas, los frutos oleaginosos y los cereales. Conviene, en efecto, para asegurar el mejor desarrollo, la combinación en el régimen de estas dos clases de proteínas. Más que la cantidad de albúminas, es la calidad de las mismas lo que hay que tener en cuenta.

Ciertas proteínas, tales como la legumina de los guisantes y la faseolina de las judías, son pobres en ácidos aminados indispensables. Convendría, sobre todo, dar al niño proteínas completas y de alto valor biológico, es decir, ricas en todos los elementos esenciales. Sería deseable que el uso de la soja se extendiera como en Asia, ya que su proteína, la glicina, es de la mejor calidad. Ciertas proteínas de cereales, la gluteína del trigo sobre todo, son albúminas completas.

Siendo que las proteínas de origen animal son generalmente completas, una parte de la ración proteica será cubierta por ellas, escogiendo, sin embargo, las que ocasionen menos trastornos: leche y sus derivados y huevos.

Ración de hidratos de carbono

Puesto que la actividad muscular del niño va aumentando más bien que disminuyendo con la edad, y que los glúcidos son los alimentos del músculo por excelencia, se dará una ración suficiente de estos alimentos. Evidentemente, esta ración puede variar mucho de un niño a otro y según el clima y otros factores. Se darán siempre más de 8 gramos por día y por kilo, que es la ración media del adulto, o sea, de 10 a 12 gramos.

La cualidad de los glúcidos tampoco es para despreciar. A pesar de que el azúcar es un alimento energético, no se usará más que con prudencia, sobre todo si se trata de un azúcar refinado, que equivale a decir desvitalizado. Se utilizará preferentemente la miel y el azúcar natural de frutas, evitándose cuidadosamente los azucarados y caramelos, en tanto el niño no alcance los dos años.

Los alimentos ricos en almidón, tales como la patata y las harinas, podrán ser dados en abundancia; por el contrario, habrá de usarse gran prudencia en la administración de verduras, a causa de su riqueza en celulosa, que es necesaria, sí, pero no en exceso. Los niños pequeños de uno a tres años no son aún capaces de digerir perfectamente el almidón contenido en la profundidad de los tejidos vegetales. Por eso se continúa dando las verduras reducidas a puré por lo menos hasta los dos años y medio.

Ración de grasas

Constituyen una importante fuente de calorías, ya que cada gramo proporciona nueve de ellas. También deben formar parte del régimen del niño.

Recordemos que la leche materna aporta al lactante unos 4 gramos por kilo de peso.

A partir de un año las necesidades diarias en grasas son menores, aproximadamente de 3,5 gramos por kilo de peso hasta los tres años. Después la proporción va disminuyendo hasta los doce años, en que ya no es más que de 3 gramos.

Estas no son más que cifras medias, y hay que tener en cuenta en el establecimiento de la dieta diversos factores, sobre todo el factor clima: cuanto más frío sea éste, más grasas habrá que dar; pero hay que recordar que el organismo tolera mejor un exceso de hidratos de carbono, y que a partir de éstos pueden formarse las grasas.

¿Qué grasas daremos al niño? Evidentemente, las que se digieran mejor. Entre las grasas vegetales, aceites de girasol, maíz, oliva y cacahuete; entre las grasas animales, la nata, la mantequilla y la yema de huevo. La manteca de cerdo, la grasa de oca y la de otros animales jamás deberían darse a los niños.

Sales minerales y vitaminas

Las necesidades de sales minerales y de vitaminas son grandes en el lactante y mayores incluso después del destete. No volveremos sobre lo que se ha dicho en el capítulo de dietética general. Digamos solamente que una alimentación variada, que comprenda la leche, cereales, verduras, legumbres y frutas, aporta suficiente cantidad de estos elementos al organismo en vías de crecimiento. Subrayaremos, no obstante, que nuestro régimen de «civilizados», que se compone de alimentos muy refinados —azúcar, pastas, harinas blancas, etc.—, en general, es carente de vitamina B_1. El remedio consiste en evitar todo lo posible los alimentos que hemos citado y utilizar más los cereales, arroz, trigo, etc., completos. En lo que se refiere a los niños, la dificultad reside en el hecho de que las harinas completas —con el salvado— y otros elementos separados por el cernido son mal digeridas antes de los cuatro años. Sin embargo, puede introducirse una buena cantidad de vitamina B_1 mediante el uso de extracto de malta o de levadura alimenticia.

2. El régimen de uno a cinco años

A partir de un año ciertos alimentos son dados en mayor cantidad y bajo otras formas: los huevos, el queso y las frutas. Otros alimentos nuevos, tales como las pastas alimenticias, las legumbres secas, las confituras y los frutos oleaginosos, son añadidos progresivamente al régimen.

Alimentos de origen animal

Los huevos

Se sabe que el huevo se halla compuesto de la yema en su parte central y de la clara alrededor, siendo más nutritiva la yema que la clara.

A pesar de que una parte importante de la clara se halla constituida por albúmina (12 por 100), ésta se halla en mayor proporción en la yema, bajo forma de lecitina y de ovolecitina (15 por 100). La cantidad de agua es mayor en la clara (85 por 100) que en la yema (48 por 100).

Aparte de una importante cantidad de vitamina B_1, la clara contiene pocas vitaminas y sales minerales y pocas grasas. Por el contrario, la yema es rica en fosfolípidos, lecitina sobre todo, que son grasas combinadas con el fósforo (30-35 por 100). Las grasas contienen una importante cantidad de vitaminas A y D, variable según la estación. También se halla en la yema la vitamina B_1.

Vemos, pues, que el huevo constituye un alimento de valor, tanto más cuanto que sus proteínas contienen todos los ácidos aminados esenciales.

Sin embargo, para que no ofrezca peligros para el niño, es necesario que reúna ciertas condiciones, sobre todo que sea fresco.

En efecto, los huevos que no son frescos no sólo pierden agua por evaporación, sino que a consecuencia de esta deshidratación contienen toxinas. Además, cuanto más pasa el tiempo, el peligro de infección se aumenta, pues que la cáscara no protege al huevo contra los microbios. Se han visto gérmenes peligrosos en los huevos de gallina, y más en los de pata, animal que frecuenta más la suciedad.

¿Cómo conocer que un huevo está fresco? Por su transparencia a la luz y también sumergiéndolo en agua salada —una cucharadita de las de café por un litro de agua—: el huevo fresco de un día se va al fondo, el de dos días flota. El de más de cinco días flota en la

superficie. En fin, cuando se abre el huevo, yema y clara no deben presentarse disgregadas o diluidas, sino compactas y como en relieve. Si se hallan mezcladas, el huevo debe ser desechado, incluso si no presenta ningún otro signo de alteración.

La segunda condición a tener en cuenta es que los huevos estén muy cocidos. En efecto, las investigaciones científicas han demostrado que el huevo insuficientemente cocido no es bien digerido. Atravesando el intestino sin que sea absorbido, y en los niños, cuya permeabilidad intestinal es aún imperfecta, esta albúmina puede, penetrando en la circulación, provocar fenómenos muy graves. La cocción, al coagular las albúminas, las transforma y ayuda al mismo tiempo a la digestión de las grasas, que son fragmentadas entre las mallas de albúmina.

Se creía antes, al contrario, que el huevo poco cocido era mejor digerido; se daba así a los niños, siendo frecuente observar urticaria, eczema, hinchazones parciales de la cara e incluso trastornos gastrointestinales.

He aquí, pues, a las mamás advertidas, si no lo estaban ya, y tranquilas, ya que la cocción no disminuye el valor alimenticio del huevo y no destruye sus vitaminas.

Prescripción. Se comenzará a darlo hacia los seis o siete meses, a dosis crecientes, del modo que hemos dicho, mezclado y cocido con puré de patatas o de harinas. No hay que darlo pasado por agua, ni menos aún frito, en tanto que el niño no tenga tres o cuatro años, pues lo toleraría mal. Bajo forma de «soufflés» —especie de bizcocho— o mezclado con purés, se podrá dar un huevo entero hacia la edad de un año. La administración de la clara se hace progresivamente como con la yema, tanteando la tolerancia.

Quesos

Muy nutritivos a causa de la gran cantidad de caseína y mayor o menor de grasas, los quesos aportan una importante cantidad de calcio. Se utilizarán preferentemente los quesos frescos, obtenidos a partir de la leche hervida. Hacia los quince meses se podrán dar quesos fermentados, pero solamente los que están cocidos y tengan una masa dura, como los de Holanda y Gruyère.

La carne como alimento

Ciertos médicos aconsejan dar carne a partir de un año e incluso desde el cuarto mes. En otro tiempo no se aconsejaba antes de los cuatro o cinco años, y los niños no se encontraban peor. Los métodos antiguos no siempre son malos, ni los nuevos siempre buenos. Nosotros creemos que la carne no es necesaria, ni al adulto ni al niño, si se disfruta de un régimen alimenticio equilibrado que proporcione todos los elementos necesarios a la vida y al crecimiento. Por eso nuestros propios hijos, que gozan de una excelente salud, así como numerosos niños nutridos según los mismos principios, no toman carne.

Si se quiere dar carne, lo cual no es indispensable, no será antes de los dos años, cuando el niño, en posesión de todos sus dientes, puede masticarla bien.

Algunos aconsejan dar antes de esta edad caldos grasos de carne; pero es un error, puesto que el niño no digiere bien esta preparación. Según un profesor eminente, no hay que dar grasas animales a los pequeños, ya que son de digestión difícil (por eso los sesos son desaconsejables). En cuanto a la carne, incluso aplastada y triturada, produce con frecuencia heces malolientes, enterocolitis, descargas urinarias de ácido úrico, estreñimiento, nerviosidad, infecciones urinarias y mayor frecuencia de leucemias.

Se cree generalmente que la carne blanca es mejor digerida que la roja, sin que hasta ahora lo haya demostrado ninguna experiencia científica.

Según lo que se ha dicho, las carnes grasas son más indigestas que las magras, tales como el pollo, pichón y ternera. Por tanto, se evitará cuidadosamente la oca, el pato y el cerdo, incluso el jamón magro, tan apreciado por las mamás, así como todos los embutidos.

Absolutamente prohibido a los niños pequeños están también los pájaros muertos en la caza, a causa de las sustancias tóxicas formadas en el curso del proceso de descomposición desde el momento de su muerte hasta el de su consumo. Tampoco deben comer caracoles, muy indigestos y a veces venenosos.

El pescado

Casi tan rico en proteínas como la carne, el pescado es nutritivo y proporciona los principales ácidos aminados necesarios para la vida. Algunos son muy ricos en grasas: atún, sardina, salmón, etc. Estos serán proscritos de la alimentación infantil.

Pueden utilizarse los pescados llamados magros, tales como la merluza, el lenguado, el salmonete, el besugo y la trucha. Por contener pocas grasas y mucha agua, su digestión es fácil, Se les puede dar a los niños hacia el final del primer año, bien hervidos, en pequeños trozos mezclados con el puré de verduras.

No obstante, las condiciones de conservación (si está o no fresco) dejan con frecuencia mucho que desear, en cuyo caso no es aconsejable su uso. En efecto, el pescado se hace rápidamente tóxico si no está fresco o no se halla perfectamente conservado. Vale más privarse de este alimento que consumirlo en malas condiciones.

Nunca se darán al niño los mariscos, gambas, calamares, a causa de su toxicidad y posible aporte de microbios, tales como el de la fiebre tifoidea.

Carnes y pescados ya preparados

La industria ofrece diversos preparados de carnes y pescados especialmente dedicados a la alimentación infantil. Estos se hallan envasados en tarritos de vidrio, perfectamente preparados, conteniendo un volumen de 100 gramos, ya cocido y triturado y dispuesto para su uso inmediato. La comodidad de su empleo es notoria. Entre los preparados de carne o asociación de carnes, contamos con las siguientes: ternera, buey, pollo y ternera. Los preparados de carne en los que se asocian las hortalizas, son abundantes.

Los preparados de pescado suelen ir asociados a los purés de patatas o de verduras.

El uso prolongado de estos preparados conduce a· los inconvenientes señalados a propósito de las verduras preparadas por la industria.

Alimentos de origen vegetal

Entre los alimentos de origen vegetal hemos visto que los cereales juegan un papel importante en la alimentación humana ya desde el comienzo de la vida: los primeros alimentos introducidos en el régimen del lactante son las harinas, bien libres de todo lo que

Cedida por amabilidad del Sindicato de Agrios, Valencia.

pueda irritar el intestino, y mejor aún, el almidón de los cereales obtenido industrialmente.

A medida que aumentan las posibilidades digestivas del niño, se le darán harinas malteadas y dextrinadas, transformadas por la panificación (ralladuras); después, las diversas harinas, solas o mezcladas, pero siempre perfectamente cocidas. La composición de las harinas varía frecuentemente según el grado de cernido a que han sido sometidas: la harina blanca o flor de harina, muy rica en almidón, es, por el contrario, pobre en grasas y proteínas y casi desprovista de vitaminas. Por esta razón las pastas alimenticias fabricadas a base de esta harina constituyen un alimento desvitalizado. Las preciosas vitaminas B, contenidas particularmente en la cutícula y en el embrión de los cereales, se hallan ausentes en las harinas. La harina integral no cernida las contiene, siendo además rica en proteínas y grasas; pero hemos visto que el exceso de salvado las hace de difícil digestión. Se utiliza, pues, un producto intermedio entre las dos, llamado harina gris, que contiene aún bastantes vitaminas y sales minerales. Podrá darse al niño hacia los quince meses, bien en forma de sopas, bien en forma de papillas.

Sopas y papillas

Al caldo de verdura hirviendo se le añaden algunas cucharadas de harina de trigo, de maíz, de avena o de arroz desleídas en un poco de caldo frío, continuando la ebullición durante diez minutos aún, añadiendo sal y aceite hacia el fin de la preparación.

Se pueden hacer lacteadas con azúcar y nata. También con agua, miel o jugo de albaricoques, manzanas o peras.

Pan

El pan preparado con esta harina medio completa, lo mismo que el pan blanco, no debe ser dado al niño en tanto no pueda masticar. Todo el mundo sabe que la miga de pan es indigesta. En efecto, su almidón no se halla suficientemente cocido, y el agua que contiene la hace pastosa y no obliga a masticarla lentamente, tal y como debería ser el caso.

Si se da la miga a los niños, se corre el riesgo de que no sea asimilada y de producir fermentaciones intestinales.

Según experiencias hechas en animales con régimen rico en pan, se produce raquitismo.

No se debería hacer consumir al niño más que panecillos casi enteramente constituidos por corteza, o bien hacer tostar el pan ordinario.

A los lactantes se da este pan tostado o biscotel finamente desmigajado y se hace cocer con leche. Repetiremos que no hay que dar cortezas de pan para chupar al niño pequeño en tanto que no tenga dientes. Cuando tenga sus cuatro primeros molares, podrán

dársele galletas, pan bien tostado sin huevo, pero en pequeñas cantidades, y enseñando al niño a masticar, ya que tiene la tendencia a tragar los alimentos sin masticarlos.

Pastas alimenticias

Ya sea en forma de fideos, de macarrones u otras formas más complicadas, las pastas son ampliamente utilizadas hoy en día en la alimentación. Si fueran fabricadas a partir de harina menos cernida, aportarían una proporción más importante de sales minerales y vitamina B_1.

Generalmente, y por desgracia, se fabrican con harinas muy purificadas, desprovistas de vitaminas, lo que también hace de ellas un alimento desvitalizado. No obstante, su elevado contenido en hidratos de carbono les confiere un alto valor calórico.

La pasta es fabricada a partir de una mezcla de sémolas y harinas de trigo duro y blanco; se amasa con agua caliente, formando una pasta que es laminada, modelada y después secada; antes se añade un colorante amarillo. Hay que desconfiar de las pastas llamadas «al huevo» y no darlas a los niños.

Las pastas deben ser bien cocidas antes de consumirlas. Se echan en un recipiente que contenga mucha agua hervida salada y se mantiene la ebullición a fuego lento hasta que se cuezan. Esto depende evidentemente del grosor de las mismas: los fideos no exigen más que de ocho a diez minutos, en tanto que los macarrones necesitan cerca de media hora.

Quitada el agua, se preparan, bien con puré de tomate, queso rallado o simplemente aceite. Generalmente los niños las aceptan muy bien, pero conviene dárselas pasadas por el tamiz en tanto la dentición no es completa.

Pasteles

La pastelería es muy apetecible, y generalmente los niños la desean. Suele fabricarse a base de harinas, leche, huevos y grasas y, por tanto, tiene un alto valor calórico.

Sin embargo, hay que resistir a la tentación de dar pasteles complicados —adquiridos en la tienda— a los niños no sabiendo cuál es la calidad de las materias —sobre todo de los huevos— que se han empleado en su fabricación.

Vale más dar bizcochos o pasteles preparados en casa con productos de calidad conocida y que no comprendan un gran número de ingredientes. Hay que evitar en la medida de lo posible la mezcla de grandes cantidades de leche y azúcar y la utilización de levadura química.

Los pasteles más sencillos, compuestos de harina, miel y aceite, son los mejores.

Se pueden dar a partir de los dos años en las comidas y en pequeña cantidad como postre. De otro modo se caería en la sobrealimentación.

Sémolas

A partir de los quince meses se pueden empezar a dar a los niños preparaciones a base de sémolas, que son hechas a partir de granos de cereales no molidos finamente y también de copos, obtenidos rompiendo y aplastando los granos en aparatos especiales.

Se utilizan sobre todo los copos de avena en papilla, en potajes, en tortilla, etc., y también crudos, según fórmula del doctor Bircher.

La avena es un cereal muy nutritivo a causa de su riqueza en proteínas y grasas. Es muy vitalizante en razón de su proporción en sales minerales, hierro sobre todo, y su riqueza en celulosa, que la hace recomendable en los niños estreñidos.

Cereales en grano

Deben ser consumidos bien cocidos, a pesar de lo cual son de digestión difícil, no debiendo ser dados antes de los cinco años. Hay que exceptuar el arroz ordinario, que puede ser dado a partir del decimocuarto mes, a condición de que esté bien cocido, mezclándolo con caldo o leche.

Los granos de otros cereales (trigo, avena y cebada) serán dados, de preferencia machacados groseramente y bajo la forma de un triturado, en papillas y diversas preparaciones bien cocidas al niño de más edad.

El maíz tostado, tan estimado de los niños, debe darse con prudencia, ya que, con frecuencia, se le encuentra entero y sin digerir en las heces. Además, por sus efectos diuréticos, es desaconsejable por la noche.

Legumbres secas

Las más empleadas en nuestro país son los garbanzos, las judías, las lentejas, las habas y los guisantes. Son alimentos particularmente nutritivos a causa de su riqueza en proteínas (tantas o más aún que la carne: 20 a 25 por 100) y en hidratos de carbono (57 a 62 por 100).

Contienen una pequeña cantidad de grasas (1,5 por 100 como media), más sales minerales que los cereales y vitaminas del grupo B. Su gran inconveniente es el de la difícil digestión para ciertos estómagos delicados. Hay que cocerlas despacio y durante mucho tiempo, añadir sal al fin de la cocción y pasarlas por un tamiz fino. Sólo de esta manera se podrán dar a los niños a partir del decimoquinto mes. Hay que esperar a que el niño tenga al menos cinco años para dárselas enteras y con piel.

Para asegurar una insalivación perfecta del puré de legumbres secas, se dará al niño entre cada cucharada un poco de pan tostado.

Estas mismas legumbres, cuando son frescas, tales como las judías o guisantes de desgranar, son también muy nutritivas y de más fácil digestión.

Soja

Una mención especial debe ser hecha de la soja. Esta leguminosa es muy utilizada en Asia y actualmente en los Estados Unidos. Es un alimento completo de gran valor biológico: contiene todos los elementos necesarios para la vida, en particular una proteína llamada glicina, que contiene todos los ácidos aminados esenciales. Su aceite, rico en fosfolípidos, es de calidad superior: rico en sales minerales (potasio, hierro y cobre sobre todo) y en vitaminas A, B_1, PP, E y K.

Aparte otras cualidades, sus granos son más nutritivos que la carne, no dejando como ésta en el organismo desechos tóxicos, poseyendo además una acción alcalinizante y no acidificante en la sangre.

En dietética infantil se utiliza la leche y harina de soja de que hemos hablado. Esta última, obtenida por machacamiento de los granos de soja, es privada del aceite que contiene, desecada y desodorizada.

Actualmente la industria alimenticia americana fabrica albúmina de soja (reemplazando al huevo), harinas, copos de soja, lecitina vegetal y otras preparaciones combinadas con fosfatos, dextrinomaltosa y almidón de arrurruz.

Generalmente, se utiliza para los niños pequeños una preparación compuesta de harina de soja, cocida con agua, aceite y sal. También se hacen excelentes recetas, ya con la soja en grano, ya con la harina, sobre todo galletas y golosinas, las cuáles se encontrarán en el capítulo «Recetas».

Este precioso alimento, poco conocido y apreciado aún en Europa, merece ser ampliamente utilizado, sobre todo por los niños.

Verduras

Ya hemos indicado la importancia de las verduras en la alimentación infantil. Después de los purés finos dados al niño durante el primer año, se podrán introducir gradualmente en el régimen las verduras tiernas menos trituradas a partir de los dieciocho meses; pero vigilando en las heces si han sido bien digeridas.

A partir de los tres años, el niño es generalmente capaz de digerir la mayor parte de las verduras. Se darán cocidas al vapor o, mejor aún, al «baño María», con muy poca agua y fuego lento. Por este último procedimiento los alimentos serán más sabrosos y contendrán mayor cantidad de vitaminas.

Frutos secos y frescos

Ya hemos visto que debe comenzarse dando las frutas cocidas en compota; después, ralladas —manzanas, peras— o machacadas, escogiéndolas siempre bien maduras. Hacia la edad de tres años el niño podrá comer toda suerte de frutas frescas, quitándoles la piel y las pepitas. Las ciruelas secas y los higos secos se darán molidos.

Las nueces, las almendras, las avellanas y los cacahuetes, que son los más utilizados, son alimentos muy nutritivos, ricos en todos los elementos indispensables y de un valor calórico muy elevado. Desgraciadamente, su elevado contenido en grasa los hace bastante indigestos y no pueden darse, por tanto, a los lactantes, excepto bajo formas tales como la leche de almendras. Por el contrario, constituyen para el niño, a partir de los tres años, un alimento excelente, que reemplaza con ventaja a los alimentos cárneos. No obstante, no hay que olvidar dos cosas fundamentales: a causa de su gran riqueza calórica y nutritiva, no deben emplearse los frutos oleaginosos en gran cantidad y, por otra parte, hay que darlos finamente divididos o reducidos a pasta. Efectivamente, si se le dan enteros, el niño no los digiere, encontrándose la mayor parte en las heces. Se preparan deliciosos productos, que pueden mezclarse con higos secos, plátanos, miel y darlos bajo forma de pasta sobre pan tostado.

Los frutos oleaginosos entran también en la composición de croquetas y en múltiples combinaciones culinarias.

Las castañas no son frutos oleaginosos, pudiéndoseles llamar farinosos. Tienen una composición que se acerca a la del trigo.

Bien tostadas pueden darse al niño hacia los tres años. Bajo forma de harina se podrán dar un poco antes. Las papillas son de digestión fácil. Reducidas a puré y mezcladas con nata, puré de manzana o miel, son muy del agrado de los pequeños.

Chocolate y bebidas

Este producto tan estimado de los niños, ¿debemos recomendarlo? Compuesto de cacao en polvo, azúcar y a veces de leche e incluso de harina, el chocolate tiene un valor calórico elevado. Sin embargo, a causa de su contenido en teobromina y la cantidad de grasas, que lo hacen bastante indigesto, se empleará moderadamente y tan sólo a partir de la edad de los tres años. No se dará a los niños nerviosos, hepáticos o que tienen la tendencia a orinarse en la cama.

Como el lactante, el niño en la segunda infancia no beberá más que jugo de frutas. Si se quiere utilizar un correctivo del gusto, el regaliz o el jugo de limón podrán ser utilizados.

3. Conducción del régimen

Del mismo modo que para los lactantes, no puede pretenderse dar a todos los niños de la misma edad o del mismo peso la misma cantidad de alimento ni incluso la misma calidad.

En efecto, ciertos niños que toleran mal las grasas sufren crisis de vómitos acetonémicos. Habrá que disminuir la cantidad de éstas en el régimen. Otros, predispuestos a la urticaria, el asma o a otras manifestaciones alérgicas, deberán ser privados de ciertos alimentos. Una misma cantidad de azúcar dada a dos niños podrá provocar en uno de ellos diarrea. Un régimen, a pesar de ser normal, podrá, por el contrario, producir estreñimiento en algunos; es decir, que el régimen, la ración alimenticia, debe ser individual y teniendo en cuenta las posibilidades digestivas, la salud del niño, el clima y otros factores.

Hay que insistir en la noción de alimentación variada, comprendiendo toda la gama de alimentos permitidos en una determinada edad. De esta manera se tendrá la seguridad de que el niño recibe todos los elementos necesarios para su crecimiento. Así, la leche no debe faltar jamás en el régimen infantil, a causa del alto valor biológico de sus proteínas y de su riqueza en calcio. No se dará como bebida entre las comidas, mas sí como alimento y siempre en cantidad suficiente, 300 a 500 gramos por día.

Otras proteínas podrán ser aportadas con los huevos, las legumbres secas y las harinas, debiendo constituir en total un 15 a 16 por 100 del total de calorías.

La mayor parte de éstas, 50 por 100 al menos, serán proporcionadas por los farináceos —almidón de cereales, verduras, patatas— y los azúcares.

La cantidad de grasas representará aproximadamente el 30 por 100 del total de calorías necesarias. Esta cantidad disminuirá en el curso de los años a medida que la de hidratos de carbono o farináceos vaya aumentando.

En fin, no se despreciará jamás el cuidar el aporte de vitaminas, dando al niño jugos de frutas y después, al ser mayor, frutas crudas.

Alimentos que hay que evitar

Para evitar la monotonía, y sobre todo si el niño tiene poco apetito, la persona encargada de la preparación de los platos deberá ingeniarse para variar la presentación de éstos, lo mismo que sus combinaciones, evitando, no obstante, la mezcla de alimentos poco compatibles: habrá de cuidar, pues, de no servir las frutas en la misma comida que las verduras, ni las legumbres secas con la leche.

Hay que evitar, no obstante, una comida complicada y que comprenda especias: la pimienta, el vinagre, la guindilla y la mostaza jamás deberían ser dados a un niño.

También hay que evitar los alimentos de digestión difícil, tales como los fritos, las salsas, la mahonesa, los embutidos e incluso la pastelería.

Las patatas fritas, tan simpáticas a los niños, no deberán ser permitidas antes de los tres años.

Número e intervalos entre las comidas

Aún existen muchas madres que, preocupadas de la buena nutrición de sus niños, dan a éstos cinco o seis comidas por día al año y hasta los dos años.

Si importa bien alimentar al niño, sobre todo en los períodos de crecimiento intensivo, también es verdad que la sobrealimentación es un peligro. Esta puede provocar dilatación de estómago, un aumento del panículo adiposo y una sobrecarga del organismo en desechos proteicos, que desembocan con frecuencia en trastornos glandulares.

Se ha demostrado que los niños muy hermosos, rollizos, son menos resistentes a los resfriados y enfermedades infantiles que los niños delgados y ligeros.

Evidentemente, hay que facilitar una nutrición de primera calidad, pero sin sobrecargar el organismo.

En general, antes de un año, el número de comidas es de cuatro por día.

La necesidad de una merienda por la tarde no se ha demostrado científicamente, pero la vieja costumbre de hacer tomar una pequeña comida hacia las cinco se halla fuertemente arraigada. Valdría la pena suprimirla y dar, por el contrario, la última comida más copiosa y bastante antes. Dar esta cena hacia las nueve y las diez de la noche, como se ve frecuentemente, constituye un grave error, ya que el niño debe haber hecho su digestión antes de acostarse, y sobre todo, acostarse temprano.

Régimen de los doce a los quince meses

Entre el primer año y el decimoquinto mes, el régimen contendrá aún bastante leche, mañana y tarde, bajo forma de papillas espesas, de las que podrá variarse la composición: crema de arroz, harina de trigo tostada, mezcla de dos o tres harinas, tapioca, maizena. En ocasiones el niño se cansa del gusto de la leche azucarada; entonces sería ventajoso mezclar un poco de compota de frutas dulces con la papilla, o dar ésta alternando con cucharadas de compota.

También será conveniente reemplazar el azúcar por la miel.

A mediodía se dará una verdadera pequeña comida, compuesta de un caldo de verduras espesado con fideos pasados por el tamiz, o de cortezas de pan bien tostadas, con aceite o con mantequilla, sin olvidar un poco de sal. Después de un puré de patatas, y un día de cada dos, yema de huevo cocida al mismo tiempo. Al día siguiente se reemplazará el huevo por nata de leche o leche sola. Se acabará esta comida con un pequeño postre ligero de frutas cocidas y machacadas, y en su defecto, puré de tomate. Ciertos autores aconsejan dar las frutas al comienzo de la comida.

Por la tarde, la merienda será ligera y compuesta por una taza de leche o un yogur con miel y algunas galletas.

En el curso de la jornada se tendrá cuidado de dar jugo de frutas del tiempo (naranja, tomate, uva), y sobre todo, si hace calor, agua ligeramente salada.

Por la noche, la cena se compondrá de una papilla con leche (225 gramos aproximadamente), espesada con un farináceo diferente del de la mañana.

Desde los quince meses a los dos años

Las comidas se aproximarán ya a las de la segunda infancia; se disminuirá la ración de leche, suprimiendo la papilla de la tarde y reemplazándola por una pequeña comida.

Por la mañana, el menú será poco más o menos el mismo que antes, introduciéndose en la gama de los farináceos las sémolas y los copos de avena; la cantidad de compota será aumentada. A las once se darán los jugos de frutas tradicionales en mayor cantidad. A la una, la comida podrá hallarse bien constituida, uno de cada tres días, por un puré bien fino de legumbres secas —lentejas, judías, guisantes— seguidos de verduras bien machacadas y con aceite, completado todo por un postre de frutos secos o galletas.

Los otros días se dará el clásico puré de patatas y una yema de huevo bien cocida, o se hará la tortilla con verduras. Un plátano machacado con un poco de jugo de frutas y raspaduras de bizcochos puede completar agradablemente el menú.

Lo principal consiste en dar siempre una proteína —legumbre seca, huevo o queso— acompañada de hidratos de carbono —verduras, patatas, fideos—, grasa —aceite, mantequilla— y elementos crudos ricos en vitaminas.

Se dará siempre una ración de al menos 150 gramos de leche, o bien un yogur con miel acompañado de galletas blandas.

Por la noche la comida será más consistente que en el trimestre anterior y comprenderá dos platos de digestión fácil, por ejemplo, y según lo que haya sido dado al mediodía, un caldo espeso con puerros y patatas, bien tamizado, seguido de un derivado lácteo (queso o yogur), o bien una preparación a base de leche como primer plato y una compota de frutas después.

De los dos a los cinco años

El niño en posesión de todos sus dientes es capaz de masticar alimentos tales como el pan previamente tostado y las verduras bien cocidas.

Hay, pues, que introducir una mayor variedad en el régimen, que se acerca ya más al del adulto. Se continuará, no obstante, dando al niño legumbres secas tamizadas y huevos enteros bien cocidos.

Por la mañana, el desayuno deberá ser siempre una comida con-

sistente, ya que es al arrancar cuando la máquina necesita más combustible. Los especialistas en dietética aconsejan mucho las frutas acompañadas de papilla de leche, y el pan tostado con mantequilla de vaca o de cacahuete. También se puede dar, para variar un poco y suprimir la papilla, el excelente plato de mueslí.

Otro desayuno puede consistir en 200 ó 250 gramos de papilla lacteada: 20 a 30 gramos de harina, sémola o copos, 15 gramos de azúcar o de miel y 5 gramos de mantequilla fresca pasteurizada. Además, una rebanada de pan tostado y una cucharada sopera de jugo de frutas.

A un niño de más de tres años será bueno darle una o dos rebanadas de pan tostado con pasta de cacahuete y miel, o algunos cacahuetes bien tostados.

Al mediodía, en general, no habrá necesidad de cocinar especialmente para el niño, al menos si los adultos de la familia tienen la prudencia de nutrirse de manera higiénica y equilibrada. Esta comida no debería comprender diversos platos complicados y ricamente sazonados, lo que es perjudicial, sino uno o dos platos sustanciales seguidos de un postre o ensalada. Los platos sustanciosos aportan la ración suficiente en proteínas e hidratos de carbono y se hallarán constituidos, bien por legumbres secas y verduras, bien por patatas y huevos o por preparaciones a base de cereales, pastas alimenticias o queso. El plato complementario podrá estar constituido, sea por una ensalada —lechuga, col, tomate, zanahorias ralladas— con olivas negras, si el niño las digiere, y jugo de limón, o bien por frutas del tiempo liberadas de su piel y pepitas. O aun por frutos secos reducidos a pasta. Dos a tres rebanadas de pan tostado, mejor si es completo o integral, complementarán esta comida.

Para mayores y pequeños convendrá cocer las verduras no con agua hirviente y salada, sino al vapor en su propio jugo, con sólo el agua suficiente para impedir que se quemen, en un recipiente bien cerrado. La sal y el aceite serán añadidos después.

Recordemos que los alimentos cocidos con grasa o aceite son indigestos, y según el profesor Roffo, eminente cancerólogo, una causa favorecedora del cáncer.

La sal no se empleará en exceso y las especias serán prohibidas.

En ocasiones se pueden reducir a uno solo los platos sustanciales, por ejemplo: los guisantes, finamente machacados o desprovistos de su piel para los niños, con verduras y patatas constituyen un plato muy completo.

Si se quiere dar al niño alguna cosa más, se le podrá dar sencillamente una taza de leche, acompañada o no de una rebanada de pan con miel. La mermelada, alimento demasiado artificial, no es de aconsejar.

Si el plato complementario está constituido por la ensalada de verduras crudas, no deberán servirse después frutas frescas, ya que la mezcla es origen de fermentaciones.

Si aún quiere darse otra cosa, se escogerán preferentemente los frutos oleaginosos, siempre en pequeña cantidad o confitura, o mejor aún, la miel.

Se acostumbrará al niño a no beber en las comidas. Para esto se le habrá dado un cuarto de hora antes de las mismas, bien agua, bien jugos de fruta. Así sus digestiones serán mejores.

Por la tarde, si el niño no reclama esta pequeña comida suplementaria, convendrá más no dársela. Comerá así mejor en la última comida, que será más temparana que de costumbre.

Lo que podrá dársele será un vaso de jugo de tomate o de naranja.

Por la noche, si el menú de la mañana no lo comprendía, un excelente plato puede ser el muesli, sea con albaricoques secos, sea con almendras machacadas, completando el tradicional plato de sopa, que para los niños siempre debe ser espesa y acompañada de boca-ditos de pan crujiente, «colines», por ejemplo. En lugar del mueslí puede darse un yogur con pan tostado y miel, que generalmente gusta mucho a los niños. Por la noche hay que abstenerse de dar a los niños alimentos salados, que provocan una demanda de agua y una consecuente acción diurética, facilitando el hacerse «pipí» en la cama, igual que toda preparación que exija una digestión larga.

4. Alimentos medicamento

Algarroba. La harina de algarroba posee propiedades antidiarreicas muy acusadas. Ha sido aplicada a la dietética infantil por el profesor Ramos, de Barcelona. La harina de algarroba se emplea como anti-diarreico en las diversas sopas o alimentos a la concentración del 5 al 10 por 100. Cuando se quiere espesar la leche en los lactantes que vomitan fácilmente, se emplean los mucílagos conte-nidos en los granos de algarroba, a la concentración del 1 al 2 por 100.

Zanahorias. La zanahoria posee virtudes antidiarreicas. Se utiliza en forma de sopa de zanahorias. Para ello se hace hervir, durante una hora y media, en un litro de agua con una pulgarada de sal, medio kilo de zanahorias frescas previamente troceadas. Luego se reducen a puré y se reconstituye el agua perdida por la ebullición. El agua de las zanahorias no tiene ninguna virtud; es la sopa de zanahorias, así preparada, la que debe administrarse.

Arroz. El arroz es astringente. En los pequeños se utiliza en las diarreas, bajo forma de agua de arroz. He aquí su preparación: Se pone a remojo una cucharada sopera de arroz bien colmada en 500-600 c.c. de agua. Al cabo de una hora se añade otro tanto de agua hirviente y se cuece durante media hora. El agua resultante de la cocción, se pasa por un tamiz antes de ser administrada.

Manzanas. La manzana sola, o el agua resultante de su cocción, tam-bién tienen propiedades antidiarreicas. He aquí cómo se prepara el agua de manzana: se lavan muy bien dos manzanas medianas, sin pelar, y se cortan en trozos. Se hacen hervir, hasta que se ablanden, en medio litro de agua; ésta debe reconstituirse tras la ebullición.

Membrillo, castaña y plátano. Estas frutas también poseen virtudes antidiarreicas, sobre todo la primera.

65

Menús y recetas de cocina infantil

Es buena cosa el no ofrecer siempre al niño los mismos alimentos, por buenos y sanos que sean. Frecuentemente puede conducir esta práctica a una pérdida del apetito o a una franca repugnancia.

Para orientar a las mamás preocupadas por variar los alimentos destinados a sus hijos, siempre dentro de un régimen equilibrado, añadimos en este capítulo algunos ejemplos de menús y también algunas recetas de cocina infantil, todas ellas de fácil preparación y adaptadas a las especiales necesidades del niño y de gran valor nutritivo.

1. Menús tipo

En la edad de los cinco años las necesidades calóricas aumentan por el ejercicio. En general, estas necesidades oscilan entre las 1.200 y 1.500 calorías.

En los cuadros que a continuación ofrecemos, tanto de menús tipo como de recetas, han sido tenidas en cuenta las necesidades del niño. Hemos dividido los menús tipo en tres edades: el primero hasta los quince meses; el segundo, que alcanza hasta los dos años, y el tercero, que llega hasta los cinco.

Somos conscientes de las posibilidades ilimitadas en la alimentación y que bien podrían hacerse otros tipos distintos de menús. Siguiendo la orientación calórica antes mencionada, véase el capítulo 14, en el que presentamos una tabla completa de multitud de alimentos. Esto ofrece la posibilidad de hacer todo tipo de combinaciones, dentro de una alimentación equilibrada.

MENUS TIPO PARA NIÑOS DE UN AÑO A QUINCE MESES

	DESAYUNO	A LAS ONCE
1.ª SERIE	Papilla de crema de arroz, 225 gramos (una gran taza). Compota de manzana: algunas cucharadas.	Un vaso de jugo de naranja o de uva.
2.ª SERIE	Papilla de sémola con leche. Jugo de ciruelas secas remojadas.	Zumo de frutas frescas.
3.ª SERIE	Papilla de crema de avena. Un poco de plátano.	Zumo de tomate.

MENUS TIPO PARA NIÑOS DE QUINCE MESES A DOS AÑOS

1.ª SERIE	Leche, una taza, con pan tostado. Plátano machacado y miel.	Jugos de frutas.
2.ª SERIE	Papilla de sémola con leche. Uno poco de puré de castañas.	Zumo de frutas frescas.
3.ª SERIE	Copos de avena con leche. Un poco de compota de manzanas o melocotón.	Zumo de tomate (un gran vaso).

MENUS TIPO PARA NIÑOS DE DOS A CINCO AÑOS

1.ª SERIE	Mueslí, una taza grande.	Jugos de frutas.
2.ª SERIE	Taza de leche con malta. Pan tostado y miel. Un plátano.	Zumo de tomate.
3.ª SERIE	Papilla de maizena con leche. Compota de manzanas. Pan tostado y mantequilla de almendras o cacahuete.	Zumo de frutas con un poco de sal si hace calor.

MENUS TIPO PARA NIÑOS DE UN AÑO A QUINCE MESES

COMIDA	MERIENDA	CENA
Caldo de verduras espesado con fideos, en puré, 200 gramos. Puré de patatas y yema de huevo cocido, 50 gramos (un fondo de plato). Frutas frescas machacadas o puré de tomate.	Un yogur con miel. Dos o tres galletas.	Papilla de tapioca, 225 gramos.
Caldo espesado con tapioca. Puré de espinacas o coliflor con mantequilla. Yogur con miel.	Una taza de leche con galletas.	Papilla de maizena con leche.
Caldo espesado con pan tostado. Patatas al horno con leche. Frutas frescas dulces (chirimoya, caqui) o boniato bien cocido.	Queso fresco machacado con galletas.	Una taza de leche con galletas.

MENUS TIPO PARA NIÑOS DE QUINCE MESES A DOS AÑOS

Sopa de arroz bien cocido. Yema de huevo duro, una cada dos días, con verduras machacadas. Frutas frescas sin pepitas.	Un yogur con miel y galletas.	Caldo con fideos. Patatas cocidas al vapor con mantequilla. «Pudding» de maizena con leche.
Puré de lentejas (50 gramos). Coliflor o espinacas machacadas con aceite de oliva. Yogur o queso fresco con miel.	Plátano machacado con galletas o zumo de naranjas y galletas.	Caldo de verduras con tapioca. «Soufflé» de arroz con leche. Pan tostado y miel.
Caldo de verduras espesado con sémola. Puré de patatas con mantequilla y leche. Fruta dulce tipo chirimoya, caqui o melón bien maduros.	Una taza de leche con pan tostado y mantequilla.	Sopa de puerros y verduras en puré. Huevo escalfado con leche. Dulce de boniato.

MENUS TIPO PARA NIÑOS DE DOS A CINCO AÑOS

Puré de patatas. Huevo a la cacerola. Relleno de manzanas.	Una taza de leche, o mejor aún, un gran vaso de zumos de frutas.	Caldo con pastas. «Pudding» de frutas. Yogur con miel.
Puré de judías. Coliflor en ensalada. Postre exótico.	Taza de leche o vaso de zumo.	Caldo de verduras espesado con copos de avena. «Soufflé» de crema de arroz. Queso fresco con pan tostado.
Arroz con tomate. Queso fresco y pan tostado. Compota de albaricoque o fruta semejante.	Plátanos con zumo de limón.	Sopa de puré de guisantes. Crema-puré de castañas. Huevos Irene (véase receta más adelante).

2. Recetas de cocina infantil

Sopa de puerros

Cortar 100 gramos de puerros (parte blanca) y 200 gramos de patatas peladas en pedazos grandes. Después de cocerlo lo suficiente, se pasa todo por el pasapurés fino. Volver el cazo al fuego y añadir 15 gramos (tres cucharadas de café) de mantequilla. Echar en una fuente con tres rebanadas de pan tostado.

Sopa de copos de nieve

Echense en forma de lluvia dos cucharadas soperas de copos de avena en medio litro de leche o agua o caldo de verduras que esté hirviendo. Déjese cocer a pequeños borbotones en cacerola destapada durante un cuarto de hora. Sálese y añádase una cucharadita de mantequilla.

Papilla de harina

Un cucharada sopera de harina en tres o cuatro cucharadas de agua. Evitar la formación de grumos. Añadir dos cucharadas soperas de leche tibia, una pizca de sal y dos cucharaditas de azúcar. Cocer al fuego durante quince a veinte minutos, removiendo sin cesar. Al momento de servir, añadir aún un poco de mantequilla fresca.

Bircher Mueslí

Se pone en remojo por la noche una cucharada de copos de avena en cuatro cucharadas de agua; al día siguiente se añade un poco de zumo de limón o naranja, una manzana rallada, una o dos cucharadas de leche condensada y, si se quiere, trozos de plátano o de higos secos. Se espolvorea cada plato con almendras picadas.

Pastel de arroz

(Para dos platos.) Una tacita de arroz que se pasa primero por agua fría varias veces y después por agua hirviente durante cinco minutos. Escurrirlo y poner a hervir dos vasos de agua y un poco de vainilla; cuando hierve se añade el arroz, un poco de sal y ocho azucarillos y 20 gramos de mantequilla (cuatro cucharaditas de las de café). Dejarlo cocer a fuego muy lento durante una hora. Mientras se enfría el arroz, batir un poco el huevo sin que haga espuma y mezclarlo al arroz templado. Engrasar un molde con mantequilla, espolvorear con pan rallado, poner el arroz y llevarlo al horno durante media hora.

«Soufflé»

Preparar una taza de papilla de maizena con leche. Una vez enfriada, añádase una yema de huevo y después una clara batida a punto de nieve. Untese con mantequilla un molde y viértase la preparación. Métase al horno suave durante quince minutos.

Huevo revuelto

Bátase compactamente una cucharadita de las de café de leche con un huevo y déjese reposar. Durante este tiempo úntese una cacerola pequeña con una cucharadita de mantequilla y viértase en ella el huevo batido. Cuézase al baño María removiendo sin cesar en todos los sentidos. Cuando la mezcla haya espesado, póngase un poco de sal y vuélvase a remover por última vez.

Huevos al baño de María

Déjese caer contenido de un huevo en un poco de caldo de verduras y déjese al baño de María durante cuatro-cinco minutos. Sálese ligeramente y tómese cuanto antes.

Patatas con leche al horno

Se pelan las patatas y se cortan en rodajas bastante finas. Se ponen en un un molde plano de horno previamente untado con mantequilla o aceite. Según la cantidad, se baten uno o dos huevos en una cantidad suficiente de leche adicionada de sal. Se vierte esta preparación sobre las patatas y se cuece al horno. El molde habrá de ser lo suficientemente hondo para que la leche que cubra las patatas no se vierta cuando hierva.

Postre exótico

Aplástese un plátano y mézclese con una cucharadita de buena miel y otro tanto de jugo de limón. Pásese por el tamiz y tómese así sobre rebanadas de pan o galletas.

«Pudding» de frutas

Cuézase en un poco de agua 250 gramos de ciruelas secas sin hueso. Cuando comiencen a hervir, añádanse 125 gramos de pasas de Corinto o Esmirna (sin pipas) y 500 gramos de manzanas cortadas en rodajas muy finas. Después prepárese un molde bien untado con mantequilla o caramelizada su superficie y viértanse las frutas. Cuézase al horno durante una media hora o al baño de María durante una hora.

Mermelada macedonia

Prepárese un jarabe de azúcar con 250 gramos de azúcar y un poco de agua. Córtense en rodajas dos naranjas grandes, dos manzanas en cuartos y dos plátanos en rodajitas. Hay que cocer las naranjas durante diez minutos en el jarabe de azúcar. Añádanse las manzanas, que se cocerán otros diez minutos, y después los plátanos, que cocerán durante cinco minutos.

976

Cedida por amabilidad del Sindicato de Agrios, Valencia.

Huevos Irene (sin huevos)

Hágase hervir medio litro de leche aromatizada con vainilla junto con tres cucharadas de azúcar en polvo. Dilúyanse dos grandes cucharadas de sémola de arroz en un poco de leche fría, viértase suavemente en la leche hirviente y cuézase a fuego lento hasta que la preparación se espese. Viértase esta crema en un plato y déjese enfriar. Después póngase a espacios regulares mitades de grandes albaricoques en almíbar (y si fueran al natural, cuézanse durante cinco minutos en un jarabe de azúcar).

Puré de castañas

Después de haber quitado la cáscara de las castañas, pónganse a hervir en un recipiente bien tapado durante cerca de una hora; quítese entonces la piel interior, aplástense en el mortero o en un pasapurés y vuélvanse al fuego con leche y un poco de azúcar o sal. Cuézanse a fuego lento durante media hora, sin dejar de remover, y añádase un poco de mantequilla en el momento de servirlo.

Plátanos al horno

Quitar la mitad de la piel en toda la longitud. Hágase cocer al horno reposando sobre la mitad de la cáscara.

Relleno de manzanas

Dilúyanse 300 gramos de harina en medio litro de leche y añádanse aproximadamente seis manzanas peladas, sin pepitas y cortadas en rodajas. Póngase en un molde al horno y retírese cuando la superficie se halle bien dorada.

Pasta de cacahuete

Se tuestan los cacahuetes y se les quita la cascarita fina. Se machacan en un mortero hasta conseguir una pasta bastante fina. Puede añadirse miel o azúcar.

«Pudding» de pan

En tres tazas de leche póngase en remojo una taza de pan cortado en trozos pequeños. Pásese por el tamiz, añádase media taza de azúcar, un poco de vainilla, dos huevos y un cuarto de taza de pasas. Mézclese bien y póngase al horno. Sírvase con jugos de frutas.

«Pudding» crudo

En un molde pónganse capas de plátano cortado en rodajitas y pasas, alternando con otras de galletas. Cubrir de jugo de uva sin fermentar y de yogur o 100 gramos de nata.

Bocadillos de frutos secos

Poner en remojo ciruelas e higos secos. Tritúrense finamente con nueces, almendras o cacahuetes. Se puede añadir un poco de zumo de naranja. Se extiende sobre el pan como si fuera mantequilla.

Crema de jugo de frutas

Desleír dos cucharadas colmadas de maizena en dos tazas de zumos de frutas (naranja, fresa, uvas, etc.). Azucárese a voluntad, cuézase a fuego lento cinco minutos aproximadamente hasta que espese. Viértase la mezcla en pequeños moldes pasados previamente por agua fría. Se puede adornar con cerezas o albaricoque en almíbar.

Leche de soja

A una libra de harina de soja, añadir cuatro litros y medio de agua fría. Poner al fuego y remover hasta la ebullición. Pasar a través de un lienzo. Si está aún muy espeso, se añade agua fría. Añádase sal o miel o azúcar y empléese como la leche de vaca. El residuo del filtrado puede ser utilizado en ensaladas, croquetas, etc.

La leche de soja puede también prepararse a partir del grano de soja. Se pone a remojo por la noche, se machaca después, se añade agua y se cuece.

Queso de soja

A la leche de soja hirviendo se añade un quinto de su volumen de una solución al 2 por 100 de ácido cítrico, con lo cual se obtendrá un cuajado. Luego se lava dos o tres veces y se comprime.

Croquetas de soja

Pónganse dos tacitas de queso de soja rallado, dos huevos bien batidos, dos o tres huevos cocidos y duros reducidos a puré, dos cucharadas de mahonesa, sal y cebolla rallada si se desea. Mézclese todo y se hacen croquetas que se envuelven en pan rallado. Pónganse a cocer en el horno o fríanse con bastante aceite. Sírvase con perejil o rodajas de tomate.

3. Platos ya preparados

La industria dietética infantil prepara una variada gama de platos infantiles, aptos para su utilización inmediata. Los alimentos se hallan perfectamente triturados y homogeneizados cuando son destinados al bebé aún incapaz de masticar y, en pequeños fragmentos para cuando éste ya tiene sus dientes. Además, estos alimentos se hallan pasteurizados y perfectamente envasados. Se presentan en frascos de 100, de 130, de 150 o de 200 gramos, lo cual permite adaptar el contenido de los mismos a la edad y al apetito del niño.

En los capítulos 62 y 63 nos hemos referido a las hortalizas, a las mezclas de éstas con carnes y pescados, y a las que sólo contienen carne. Aquí solamente citaremos los platos más complejos: carne-zanahoria-ternera, espinacas-huevo-queso, ternera y fideos, pollo y sémola, zanahoria-guisante-carne, zanahorias con mantequilla, zanahorias y arroz, pollo con arroz, cordero con fideos, carne con huevos, verduras-carne-arroz, verduras-pollo-ternera, pavillo con guisantes, pescado con arroz, pollo-ternera-sémola.

Recordemos las frutas y jugos de frutas ya preparados, y añadamos aquí únicamente los postres preparados a base de albaricoque y la combinación de manzana-naranja-piña-mirtilos.

En cuanto a las ventajas e inconvenientes de estos preparados, véase el capítulo 62.

Accidentes
y prevención
de enfermedades

66

Educación física del lactante y del niño

Decimos educación física refiriéndonos, en buena parte al menos, al ejercicio físico: éste puede ser tanto natural y espontáneo como dirigido e incluso impuesto, no debiendo permitir que sobrepase ciertos límites en modalidades y tiempo de su práctica, pues de lo contrario los resultados serían contraproducentes.

1. Aire, sol y agua

En las primeras edades del niño hay que huir sistemáticamente de todo espíritu de competición, ya que esto puede forzar las posibilidades del niño.

El agua, el sol y el aire son magníficos coadyuvantes del ejercicio físico, haciéndolo más agradable, complementándolo y ayudando al mantenimiento de la salud y de la alegría.

Un ejercicio físico bien orientado y un deporte beneficioso tienen que tener como base ineludible una adaptación no sólo a la edad del niño, sino que también a sus peculiares condiciones físicas y aun psíquicas.

2. Bases anatómicas y fisiológicas

Para que un músculo pueda trabajar es necesario que tenga sangre en cantidad suficiente, aumentando ésta por el hecho de la actividad o del esfuerzo. Y esto que decimos para el músculo acontece con los demás órganos de la economía: así, cuando acabamos de comer sentimos una gran somnolencia, o un pesado sueño cuando la comida ha sido copiosa, puesto que por el trabajo de la digestión la sangre afluye al estómago, abandonando en buena parte el cerebro (dificultad para estudiar).

El ejercicio físico es imprescindible para la salud, pero debe practicarse con moderación y de acuerdo con la edad y posibilidades de cada persona, ya que el exceso es perjudicial.

Durante el ejercicio aumenta la velocidad de circulación de la sangre y la cantidad, pues se vacían los depósitos de reserva del hígado, bazo, etc.

Pero, además, el trabajo produce un aumento del calibre de los vasos que traen esa sangre: la llamada vasodilatación, cuya finalidad no es en esencia más que la de facilitar la salida de esa sangre venida al terreno en que se trabaja con mayor intensidad.

Esta sangre sale de los vasos y nutre en mayor abundancia los tejidos a que va destinada, llevándoles abundante oxígeno y también, por tanto, sustancias nutritivas; pero no solamente trae materiales, sino que se lleva aquellos otros que ya no tienen objeto y cuyo acúmulo resultaría perjudicial: son éstos los productos finales o de desecho del metabolismo y los productos de la respiración de los tejidos, en particular el anhídrido carbónico.

Este anhídrido carbónico tiene la propiedad de excitar el centro respiratorio, de cuya excitación se sigue un aumento en el número de respiraciones por minuto y, por tanto, un aumento en la ventilación de los pulmones, con mayor aporte de oxígeno, que absorbido por la sangre en los alvéolos pulmonares irá a difundirse no solamente, aunque sí en especial, a los músculos en actividad, sino también a todo el organismo, que de este modo se verá activado y «bañado» vitalmente en una atmósfera de oxígeno. Y como el oxígeno es vida y un activador de la vida, tendremos que solamente por este mecanismo, sin citar otro, el deporte, el ejercicio físico, los movimientos que se produzcan por uno u otro determinado mecanismo en el niño en edad escolar (seis a doce años) en el de la edad de los juegos, dos a seis años, y en el lactante, de uno a dos años, han de repercutir así favorablemente en la vitalidad del mismo, que es tanto como decir en su salud, en su desarrollo y en su fortaleza.

3. Peligros del ejercicio físico

El ejercicio tiene que ser adecuado a la edad y al estado físico del sujeto. Y añadimos que al sexo y hasta al psiquismo y temperamento de los sujetos que hayan de realizarlo.

¡Con cuánta frecuencia se encuentra el médico en general, y con mayor frecuencia el radiólogo, con individuos que han estado practicando deporte o haciendo gimnasia durante toda su vida y que presentan tremendas lesiones de corazón o estados tuberculosos importantes! Por eso la educación física debe ser algo mucho más avanzado que «hacer gimnasia» o «hacer deporte» sin mayores miras ni mayor dirección.

De lo que hemos estudiado en el apartado anterior referente a la fisiología, se infiere que si bien una moderada cantidad de ejercicio activa del modo dicho las funciones celulares, tisulares y biológicas, puede llegar a perturbar esos mismos mecanismos vitales porque la excitación sea excesiva de un modo natural, o porque el niño no esté preparado para resistir unos esfuerzos normales (a causa de su falta de entrenamiento, de enfermedad, etc.).

Si el anhídrido carbónico es producido en gran cantidad no puede ser eliminado fácilmente, y entonces son perturbadas no solamente las funciones de respiración, sino también las de todo el organismo en general.

Las personas competentes en estos asuntos saben cómo valorar los signos incipientes y establecidos de fatiga física, basándose en el aumento de la frecuencia del pulso, en el aumento del número de respiraciones por minuto, en las variaciones de la presión arterial, en la temperatura, etc.

No habría que caer en el error de pensar que si un niño se habitúa pronto a hacer deporte o ejecutar ejercicios atléticos —no en consonancia con su edad y posibilidades físicas— va a desarrollarse de una manera extraordinaria. A ningún mecánico o conductor con los mínimos conocimientos de mecánica o automovilismo se le ocurrirá lanzar a velocidades de 100 kilómetros por hora a un automóvil recién salido de la fábrica con la pretensión de que en el resto de su vida mecánica funcione a las mil maravillas, porque sabido es que los coches tienen que ser «rodados» a pequeñas velocidades, que van aumentándose progresivamente para que pueda hacerse suave y paulatinamente la adaptación y perfecto ajuste de unas piezas con otras.

Pero el organismo del niño es algo mucho más delicado que el del adulto y más aún que el de cualquier artificio mecánico. El sistema muscular del niño es más excitable que el del adulto, responde con mayor celeridad, pero también se fatiga más fácilmente.

Enfermedad del esfuerzo

Hemos hablado antes de la fatiga y de los signos físicos apreciables por el personal idóneo. Pero basta con un poco de sentido de observación para darse cuenta de cuándo el niño ha llegado ya a los límites de la fatiga y ha entrado en ésta.

Después de grandes cansancios, ténganse siempre en cuenta las posibilidades de todo orden del niño, puede presentarse fiebre violenta, pero que suele ser de poca duración y que no aparece con el esfuerzo o inmediatamente después de él, sino de tres a seis horas después del mismo, pudiendo durar hasta tres o cuatro días y caracterizándose por insomnio o inapetencia. También puede producirse diarrea, bronquitis con escalofríos, etc.

De todos modos, un aumento un poco alto de la temperatura tiene que hacernos pensar en que la salud del niño no es normal, y hasta incluso en la posibilidad de lesiones o enfermedades de tipo tuberculoso.

4. Ejercicio físico en el lactante

En este primer estadio de la vida, la práctica del ejercicio físico se reduce especialmente a su cuidadosa observancia y desarrollo.

El niño tiende espontáneamente a toda una serie de movimientos, ya desde que es bien chiquitillo: «parece que tiene azogue», y así es en realidad. Lo que nosotros tenemos que procurar es no molestar al niño en sus movimientos. Hemos visto ya que son trascendentales para su biología, que en estos momentos quiere decir tanto como para su desarrollo.

¡Craso error el de esos pueblos que fajan inmovilizando o, mejor diríamos aún, «momificando» al niño en cuanto éste nace, ya que le privan de todo movimiento, al mismo tiempo que dificultan su respiración y otras funciones!

Al sacar al niño de la cuna, al tenerlo sentado, etc., habrá que cuidar de que sus posiciones no sean viciosas y darle toda la libertad de movimientos compatible con la mayor seguridad.

El niño con alteraciones funcionales en su biología o con alteraciones de tipo físico en la misma tendrá que ser considerado con atención, al objeto de hacerle ejecutar aquellos movimientos de que se ve privado por fallo de sus normales mecanismos o para corregir tendencias o anomalías constitucionales.

La vida y los ejercicios del lactante tendrán lugar en una habitación, cuya temperatura, si la externa no es apacible, habrá de calentarse si hace frío, o de refrescarse si hace calor, cuidando de las corrientes de aire. Claro que si la temperatura y el tiempo lo permiten el mejor lugar es al aire libre. El niño se hallará ligeramente vestido o con el cuerpo desnudo y sobre una mesa suficientemente amplia, que se habrá recubierto con un tapete.

El niño puede tomar el sol, pero cuidando de que sus ojos no lo reciban de frente y de que la cabeza se halle protegida contra el mismo.

5. Ejercicio físico en el niño de dos a seis años

Los juegos en el niño no deben ser de competición, en el sentido de exigirle esfuerzos para los que no está preparado o que habrán de fatigarle. Debe quedar bien claro que lo que nosotros perseguimos con los ejercicios físicos en estas primeras edades es, sobre todo, un estímulo de la biología del niño, con su segura influencia sobre todas las funciones vitales.

Por eso dicen los pediatras que los requisitos de esta educación física e infantil deben ser los que consigan para el niño mayor agilidad y prontitud en sus juegos y reacciones.

Esta edad de los dos a los seis años es precisamente la llamada

988

«edad de los juegos», y en ella, de manera especial, el niño tiende a ellos de una manera espontánea, natural y «seria», que también podríamos decir. De todos modos, conviene que los mayores orienten y dirijan esta actividad. Ya lo hemos insinuado; pero digamos ya claramente que no solamente intervienen en el juego los factores físicos: el niño discurre, idea nuevos juegos, construye juguetes o sencillos medios de diversión. Y no solamente se mueve, sino que también piensa y disfruta; es decir, goza y se divierte.

Hemos de repetir la idea de que estos juegos, en tanto sea posible, habrán de tener como escenario mejor el campo, y si no el aire libre, no debiendo en ningún caso faltar la luz y el aire puro.

Las familias que tienen niños y que no pueden vivir en el campo habrían de huir sistemáticamente de los grandes núcleos de población, y a ser posible —sería el ideal—, vivir en una casita con jardín

en las afueras de la ciudad. Cuando menos en casas higiénicas, ventiladas y soleadas, con al menos un buen balcón y, coincidiendo con esto o sin esto, cerca de algún gran jardín en donde puedan solazarse en mayor contacto con la naturaleza.

En el caso de que la vida del niño y sus juegos se desarrollen en lugares cerrados, habrá que evitar las temperaturas extremas, que sabido es obran disminuyendo la vitalidad. Ya sabemos que los vestidos del niño deben ser sencillos, de modo que puedan moverse libremente y transpirar con facilidad. El tono de los juegos se regula también según la estación: lentos en verano, más activos en invierno. Conviene mucho que los juegos de los niños, cuando no están solos, sean entre individuos de la misma edad. De este modo evitamos posibles lesiones, conocimientos tal vez impropios para la edad y, de manera segura, que el niño, por imitación, se entregue a prácticas o juegos que no convienen aún a su edad y que pueden perturbarle de una u otra manera.

Si por circunstancias especiales deben jugar conjuntamente niños de distintas edades, habrá que procurar, cuando estos juegos sean dirigidos, elegir los que sean apropiados para los más pequeños o débiles.

Conviene que haya pequeñas pausas de descanso entre los juegos cuando éstos sean dirigidos.

En los juegos y ejercicios se tenderá a un comienzo suave y a un fin también suave, ya que de este modo las adaptaciones del organismo se verifican gradualmente y sin brusquedades.

Baño y cambio de ropa

Después del ejercicio, y a los efectos, más que de limpieza, de tonificación general, está perfectamente indicado un baño de esponja o una ducha con agua a temperatura agradable, así como un cambio de los vestidos del niño, al menos en lo que se refiere a las prendas interiores.

A causa de estos juegos y de la transpiración que provocan, suele producirse una pérdida de agua orgánica: pérdida de agua que se traduce en una sensación de sed.

¿Se puede beber estando acalorado?

Para reponer esta pérdida de agua orgánica y al mismo tiempo satisfacer la sed, que puede presentarse hasta incluso de modo imperioso, no hay ningún inconveniente en satisfacer con mesura el deseo y necesidad del niño. Para ello nos guardaremos muy bien de ofrecerle bebidas frías, cosa que es del conocimiento vulgar; no así el de que podemos administrarle bebidas calientes, bien agua, bien té, que por el hecho de estar calientes se absorben con mucha mayor facilidad, disipando prontamente la sensación de sed. ¿Quién no ha observado que después de tomar un helado tiene más sed que antes?, la razón está aquí: el helado frío provoca una contracción de los vasos que habrían de absorberlo; por tanto, no se produce el ingreso del líquido más que tardíamente. Para acelerar ese ingreso, diluimos y calentamos el helado con el agua que solemos pedir después.

Si a esta bebida caliente le añadimos azúcar, no solamente calmamos la sed, sino que además administramos una cantidad de sustancia energética, que viene prontamente a compensar las pérdidas producidas por la actividad física. Y esto tiene mucha importancia, porque el niño es muy sensible a todas las variaciones que se producen en su economía.

Habrá que cuidar muy bien de que el niño no desarrolle más actividad física que la que está en consonancia con la alimentación que recibe, pues de lo contrario pueden observarse, y de hecho se observan, detenciones del crecimiento que de otro modo no hubieran acontecido.

¡Qué duda cabe de que para el desarrollo físico del niño lo ideal sería una vida al aire libre y en la playa o la montaña!... Pero éste es privilegio reservado a pocos (excepto a aquellos a quienes la vida o la Providencia ha puesto ya en esos lugares). Por eso en España y en otros países y, cada vez más, el Estado hace esfuerzos para sacar a los niños a campos y montañas, sobre todo durante los meses del estío.

6. Ejercicio físico en el niño de seis a doce años

Estamos en la llamada «edad escolar». Nosotros creemos que, excepto cuando hay necesidades de fuerza mayor, los niños no deberían ser arrancados —así, arrancados— del hogar antes de esa edad. Ya que si bien es verdad que la escuela les es necesaria, no lo es menos que también les es necesario el hogar.

Aquí ya tiene más amplitud la educación física, pues que no se detiene en los fines biológicos propiamente físicos a los que antes nos referíamos, sino que también se dirige de una manera más especial a la educación moral del niño y al desarrollo de sus instintos y tendencias de convivencia social. Por otra parte, el niño, que hasta ahora había vivido una vida más o menos libre dentro de su hogar, «su vida», que podríamos decir, tiene que vivir, si no «la vida de otros», por lo menos sí la que los otros le imponen. El niño habrá de permanecer largas horas del día en su banco más o menos incómodo y con su actividad reducida en gran manera. Por otra parte, estará ocupado en mayor o menor grado, según el estado de salud y de capacidad o de vocación, en las labores del intelecto. Teniendo todo esto en cuenta, véase cuán conveniente ha de resultar el

ejercicio físico, como contrapartida, como medio para lograr un desarrollo o equilibrio de ambos sistemas y tendencias.

¡Qué duda cabe de que los ejercicios o juegos, que tendrán en buena parte lugar en la misma escuela, deben ser agradables y alegres!

Sobre todo los maestros, y los educadores en general, habrán de tener buen cuidado en no dirigir demasiado pronto a los niños hacia los aparatos de gimnasia, en los que habrán de desarrollar un esfuerzo para el que no están preparados. Menos aún habrán de excitar la competencia entre ellos, personalmente o entre los «partidos» que formen, pues que esto conduce nada más que a la fatiga, y a «la corta o a la larga» influyen desfavorablemente en el niño.

No es suficiente que el niño juegue en su hogar. Debe tener ocasión de jugar en el campo, ya que las ventajas que aporta el contacto con la naturaleza son inestimables.

El niño efectúa un ejercicio físico muy completo por medio de sus juegos. Al mismo tiempo estimula su imaginación creando juegos y utensilios que, en su mente, sirven de medios para insospechadas aventuras.

Aquí repetimos lo de la paridad de edades y todo lo dicho en cuanto a baño, ropa, medio ambiente.

Queremos decir también que más que tres horas de ejercicio físico dos días por semana, convendrá una hora de ejercicio físico diario, es decir, que lo ideal es, aunque sea poco, diaria y continuadamente.

La gimnasia en casa

La conveniencia de esta gimnasia radica principalmente en el hecho de que hay la segura posibilidad de poder practicarla en casa diariamente.

En el tiempo en que éramos estudiantes del Profesorado de la Educación Física y que, por tanto, tuvimos que hacer prácticas gimnásticas y de todos los deportes —incluso la equitación, con más de un susto por cierto— recordamos de qué manera notoria y físicamente apreciable influyó esa gimnasia en todos los que nos sujetamos a su práctica. Y eso que nuestras edades, por lo general, habían rebasado los veinticinco años. Pues bien, júzguese de la importancia que puede tener la práctica diaria de la gimnasia en organismos jóvenes, con gran plasticidad física y con unas funciones que aún no se hallan ni del todo ni definitivamente establecidas.

Llamamos otra vez la atención acerca de las competiciones en la escuela. Deben ser, al menos en principio, totalmente proscritas. Los paseos, las excursiones constituyen un buen medio de ejercicio, pudiendo recomendarse deportes tales como el tenis y otros análogos. La carrera no debe prolongarse más de un minuto. La bicicleta, con moderación, siempre y cuando en ella se monte correctamente y no esté provista de manillar de carreras.

Ejercicios y deportes recomendables

La marcha es un ejercicio físico natural y muy adecuado. Es particularmente eficiente y agradable si se practica en el campo o en la montaña, conviniendo a todas las edades.

Las prácticas del atletismo en sus variadas formas adaptadas a la edad y las de los juegos, como el tenis, el baloncesto, el voleibol, el fútbol y otros, son placenteras y útiles para el desarrollo y el fortalecimiento orgánicos, siempre que, como hemos dicho y repetido, se practiquen con moderación y sin llegar a la fatiga.

Particularmente recomendables son la natación y el esquí; y ello porque su marco natural suele ser agradable e higiénico, aumentando la resistencia del organismo al medio ambiente y provocando sensaciones de alegría y expansión, así como un armónico desarrollo físico.

67

Prevención de las enfermedades agudas del niño

1. Generalidades

La prevención de las enfermedades o el que éstas sean fácilmente superadas cuando se presenten se apoya en una serie de factores de gran importancia. Helos aquí:

Herencia de una constitución robusta, sin enfermedades ni predisposiciones a las mismas

De la herencia ya hemos hablado en un capítulo de esta obra que se halla dedicado a este exclusivo fin. Esta herencia ya sabemos que se refiere a varios factores: cualidades físicas, psíquicas, predisposición a ciertas enfermedades, si no por herencia propiamente dicha, sí por contagio antes del nacimiento, etc.

Un régimen de vida, en general, que sea adecuado

Un régimen de vida adecuado. Factor es éste de gran trascendencia a los efectos que nos interesan en este libro. La razón es sencilla: el hombre, o el niño si se quiere, es fruto no sólo de lo que herede de sus padres, sino también del medio ambiente en que se desarrolla, y esto en toda la extensión del concepto (física, psíquica, moral y religiosamente). En otro capítulo de esta obra hablaremos de este tema particular.

Una alimentación apropiada y correcta

En lo que se refiere al segundo factor, el de la alimentación, también tratamos en un capítulo de esta obra e «in extenso» de todo lo que concierne a las generalidades de la misma y que resulta de tantísima importancia; y en otros, a las cuestiones especiales de la alimentación en orden al recién nacido y al niño.

Medidas terapéuticas apropiadas y de higiene especial

Y, por último, vamos a tratar lo que se refiere al cuarto factor, en que, decimos, se apoya la prevención de enfermedades o el padecimiento benigno de aquellas que, a pesar de todo, se presenten.

El niño que nace sano está inmunizado contra el padecimiento en general de las diversas enfermedades, a causa de las sustancias llamadas inmunitarias que su madre le transmitió por intermedio de su sangre y a través de la placenta.

Afortunadamente esto es así, ya que de lo contrario el niño se hallaría sujeto a un sinfín de enfermedades, que al atacarle se llevarían su vida.

Queremos decir que el niño, organismo aún en sus balbuceos biológicos en el medio externo, es un ser francamente débil y, por tanto, muy vulnerable a las enfermedades. Habremos, pues, de procurar protegerlo de la enfermedad en esos primeros momentos de su vida; más aún si el niño es débil al nacimiento o si se halla debilitado por alguna razón, tal como trastornos nutritivos.

Portadores de gérmenes

Hay razón para este cuidado: primero, por lo ya expuesto; segundo, porque el contagio es muy fácil y, sobre todo, para ciertas enfermedades. Téngase presente que hay individuos que llevan en su boca o en su intestino gérmenes que, como el bacilo diftérico o el disentérico, no le producen enfermedad, bien porque sean inmunes a ellos, bien porque ya la hayan padecido.

Pues bien, estos «portadores de gérmenes», que así se llaman, van sembrando la enfermedad a su alrededor. También hay personas que en su primera fase de enfermedad o de incubación, cuando la enfermedad aún no se ha manifestado, contagian a las personas que entran en contacto con ellas. Otras también, padecida una enfermedad, «se dan de altas solas», sin estar totalmente curadas y contagian a los demás. Y, sobre todo, los verdaderos enfermos en la cumbre o período fundamental de su padecimiento.

Hemos dicho que el niño es fácilmente atacable por las enfermedades. Véase, pues, cómo cuando éste entre en contacto con

Su vida en una cámara de plástico.

El pequeño David, de tres años de edad, no sabe de los besos maternos ni de las caricias de una mano humana. Desde su nacimiento vive en el interior de una cámara de plástico que le ha sido habilitada en el Centro Médico de Baylor, de Houston (Texas). El pequeño sufre de una rara enfermedad conocida como deficiencia inmunológica. No obstante su limitado espacio vital, es tan despierto como cualquier otro chico de su misma edad.

997

personas mayores o lactantes, cuando participe en los juegos con otros niños y cuando esté en la escuela tendrá infinidad de ocasiones de contagiarse.

Y para esas enfermedades, de que forzosamente habrá de contagiarse por hallarse muy extendidas y ser muy infectantes, procuraremos, si ello es posible, inmunizar al niño por una parte, y por la otra, para aquellas para las que no haya medio de inmunización, procurar aislar al niño de las fuentes de contagio cuando éstas nos sean conocidas.

Hay un grupo de enfermedades, tales como el sarampión, la rubéola y la varicela, que, más tarde o más temprano, van a atacar al niño o al adulto. Pues bien, dada su benignidad en sí, relativa al menos, lo que habremos de procurar es que el niño no las padezca hasta pasados los dos años, y mejor más tarde aún, pues de este modo las complicaciones y resultados pueden ser más fácilmente evitados y vencidos. Pero estas mismas enfermedades, llamadas benignas, cuando atacan a un niño en deficientes condiciones orgánicas pueden resultar fatales. Y es que la enfermedad no es función exclusiva de un microbio. A nadie extrañará que haya microbios de la misma familia —difteria, tétanos, etc.— que sean «mejores» o «peores», del mismo modo que en una familia puede haber personas de carácter más apacible o más nervioso. Pues bien, ciertos microbios «buenos» o «débiles» atacando organismos débiles de nacimiento o enfermos, o convalecientes, pueden vencerlos.

La lucha se entabla, pues, entre microbios y organismo.

Por nuestra parte habremos de procurar que el organismo de nuestros niños se encuentre en las mejores condiciones, y preservarlo de una manera especial, sobre todo, de ciertos contagios o posibilidad de los mismos, cuando están en mal estado de nutrición, pasando otra enfermedad, etc.

Y digamos aquí también que el contagio puede verificarse directamente, bien por contacto con el sujeto enfermo, sus ropas, su tos, sus manos, etc., bien por intermedio de objetos, aguas contaminadas, excreciones, etc. En el caso de los niños, los juguetes juegan también un importante papel.

2. Aislamiento

Todos los médicos poseen una lista de enfermedades infectocontagiosas de declaración obligatoria a los organismos sanitarios oficiales. Cuando el caso lo requiere, a juicio del médico o de las autoridades sanitarias, y por diversos motivos, el enfermo, niño o adulto, es internado en un establecimiento especial. En caso contrario, el médico aconseja qué medidas higiénicas y de precaución deben tomarse. De todos modos, con mucha frecuencia, cuando el médico hace el diagnóstico y marca las pautas del aislamiento fuera o dentro de casa, con facilidad el enfermo ha contagiado ya a personas de la casa o de la vecindad, y lo más frecuente ambas cosas.

Así que en los hospitales, en los orfanatos, en las guarderías y en las escuelas existe gran facilidad para este contagio y transmisión de enfermedades. Por eso se impone que en esos lugares se haga un aislamiento riguroso de los enfermos; en casa, que se guarden las máximas precauciones, y cuando los niños se hallen ya en edad escolar, que dejen de frecuentar la escuela al menor indicio de comienzo de enfermedad, no volviendo a la misma hasta que la curación se haya hecho completa y que la contagiosidad haya también desaparecido.

Hay países que en sus reglamentos y leyes marcan qué número de días deben estar aislados los enfermos según la enfermedad padecida. Recomendamos se consulte el cuadro de enfermedades contagiosas del capítulo 73.

3. Medidas de desinfección

No hemos hablado aún de las precauciones que hay que tomar en el cuidado de los enfermos infecciosos cuando éstos permanecen en la casa. Las principales son éstas: la habitación será la más soleada y mejor ventilada de la casa, con el mínimo número de muebles y objetos; preferentemente de piso de azulejos y desprovisto de cualquier posible nido de polvo o microbios, evitando incluso los visillos y cortinas, si es que los hay.

Asistentes y visitas

Tanto las personas que entran como las que salen de la estancia han de observar las siguientes reglas: entrar lo menos posible, poniéndose antes de entrar una bata blanca con manga larga. Se procurará no rozar o tocar nada, excepto con las manos, las cuales habrán de lavarse después escrupulosamente y precisamente ya dentro de la habitación.

En esta habitación, del niño enfermo en nuestro caso, no se permitirá la entrada más que al número imprescindible de personas, incluso a pesar de que pertenezcan a la familia. Las visitas de fuera con mucha mayor o, si se quiere, igual razón. Ni adornos, ni libros, ni juguetes, excepto aquellos que se puedan lavar.

En lo que concierne a las medidas de limpieza de la habitación del enfermo, creemos muy útil dar algunos consejos prácticos.

Limpieza del polvo y suelos

Se efectuará diariamente con un paño mojado empapado en una solución desinfectante.

En cuanto a la limpieza del polvo debe hacerse de modo que éste no se desplace de lugar dentro de la habitación, ya que eso no es limpiar el polvo. El mejor procedimiento consiste en utilizar una aspiradora eléctrica, medio utilizado en hospitales y clínicas; pero a falta del aspirador utilícese un trapo humedecido, mejor con una solución antiséptica. Este paño deberá después ser muy hervido y en el caso de la aspiradora, también el filtro.

Recogida y desinfección de la ropa

Nos referimos ahora a las ropas de cama, a las propias del vestido del enfermo, pijamas, camisones, etc., y a las de uso personal, pañuelos, toallas, etc. Para la recogida de las mismas —mejor con guantes de goma— se habrán dispuesto sacos especiales en los que se meterá toda esta ropa.

En lo que toca a la desinfección de las mismas y los procedimientos caseros, pero eficaces, el mejor procedimiento es el de la ebullición de la ropa en agua jabonosa, o bien la colada misma, con una previa adición de suficiente lejía.

Si lo que queremos desinfectar son las ropas de calle, el procedimiento correcto es éste: pónganse las ropas en palometas no muy próximas entre sí, y en el fondo del armario un recipiente de boca ancha que contenga un litro de solución acuosa de formol al 40 por 100, que se habrá calentado previamente. Se cierra el armario durante setenta y dos horas, al cabo de las cuales, y a expensas de los vapores desprendidos, la desinfección estará hecha.

Desinfección de retretes, excretas y orinales

Las materias fecales, productos del vómito, el pus, etc., deben ser sujetos a fuerte desinfección inmediatamente. Para ello, si son sustancias líquidas, habremos de añadir 10 gramos de cresol por litro, o 10 gramos de sulfato de cobre, también por litro, dejándolos actuar durante veinticuatro horas. Si las mencionadas sustancias fueran sólidas o espesas, para que el desinfectante sea eficaz debe ser de otra naturaleza, tal como el hipoclorito cálcico o polvos de gas, que se utilizarán a la concentración del 2,5 por 100 (en un cubo de 10 litros de agua disolver 250 gramos de estos polvos). Bastará con treinta minutos de cocción.

El comercio expende todos estos preparados de desinfección bajo un sinfín de marcas.

Para la desinfección de los retretes se deben verter cantidades suficientes de desinfectantes; se deja que actúen durante treinta minutos, y después se hace funcionar el tiro del agua varias veces consecutivas.

En cuanto a la desinfección de orinales, hay que sumergirlos en las soluciones de cresol o de hipoclorito que acabamos de mencionar.

Desinfección de platos y utensilios de comer

En el medio doméstico el mejor procedimiento consistirá en la ebullición directa de estos utensilios antes de que se hayan separado de ellos los restos de comida. La ebullición durará un mínimo de cinco minutos. Después podrá procederse al lavado normal. No deben ser sumergidos en soluciones antisépticas, porque además de la posibilidad de que queden residuos que tal vez intoxiquen, quedará posiblemente algún olor o sabor que repugne al enfermo.

Desinfección de la cama y habitación

Si ésta es metálica, se procederá a su lavado con agua caliente y jabón, y después se pasará un desinfectante de los que hemos hablado. En la mesilla se hará otro tanto.

Si estos muebles, y otros que pudiese haber, son de madera habrá que volver a pintarlos.

Hay agentes infecciosos, tales como el del sarampión, que mueren a las veinticuatro-cuarenta y ocho horas, pero hay otros que resisten largo tiempo, meses incluso.

La desinfección de la habitación es difícil, aun realizada por personal técnico.

Sin duda, un cómodo y buen procedimiento es el volver a pintar la habitación. Si las paredes fueran de estuco o lavables habría que proceder con ellas como hemos dicho para los muebles metálicos. En el caso de que las paredes se hallen empapeladas, será necesario el lavado de éstas con agua y jabón y la aplicación de un desinfectante de los que el comercio ofrece. Ya sabemos cómo se lavan y desinfectan los suelos.

No se olvide que un buen medio de desinfección es el de la ventilación, la luz y el sol.

Para la desinfección con agentes químicos, los métodos más empleados son la sulfuración, la cianhidrización y la formolización; pero la práctica de estas medidas resulta peligrosa para los no habituados, pudiendo dar lugar incluso a accidentes mortales. Por eso no las describimos, quedando su práctica para los técnicos con ellas familiarizados.

4. Prevención inmunitaria de las enfermedades (sueros y vacunas)

Remitimos al lector a la introducción de este capítulo, en donde hablamos de las medidas generales de protección a la infancia, medidas que también resultan protectoras para otras edades.

Ahora bien, si todo lo dicho es cierto, no lo es menos que, a pesar de todo, hay enfermedades que atacan al niño, enfermedades que suelen ser más graves cuanto más pequeño sea éste. Por ello habremos de procurar vacunarlo.

Cuando la enfermedad ha hecho su aparición o tememos que se presente inmediatamente —difteria, rabia— procederemos a la administración de sueros.

Vacunas y sueros

Vamos a dar una ligera idea de qué son estas sustancias y cuáles sus mecanismos de acción.

Cuando los microbios y los venenos que producen, «antígenos», ejercen su acción en el organismo de un ser viviente, éste se defiende de la infección mediante una serie de reacciones muy interesantes. Se ha entablado una lucha. Si vence el germen infeccioso, se producirá la muerte del individuo. Si vence el organismo, serán eliminados los microbios, pero quedarán en el cuerpo, y principalmente en la sangre, una serie de sustancias llamadas «anticuerpos», anticuerpos que serán los que atacado otra vez el organismo por el mismo germen, pronto darán cuenta de él. Cada enfermedad o cada microbio provoca la formación de sus anticuerpos, que se llaman «específicos», es decir, especiales y apropiados para la lucha contra esa infección.

Por este mecanismo se obtiene la «inmunidad adquirida». El sujeto no vuelve a padecer la enfermedad.

Esta inmunidad hay que distinguirla de la «inmunidad natural», que es aquella que presentan algunas especies a determinados padecimientos.

Vacunas

He aquí el fundamento de la vacunación: consiste ésta en la introducción en el organismo de sustancias microbianas y microbios muertos, y aun vivos, que desprovistos de su acción perniciosa por medios artificiales, provocan en el organismo la formación de aquellos anticuerpos, que llegado el momento de la infección correspondiente, impiden que ésta tenga lugar. Es decir, que de este modo nosotros inmunizamos al sujeto contra el padecimiento que queremos.

No vamos a entrar en la historia ni en los detalles de la preparación de las vacunas por interesantísimos que éstos sean. Digamos, eso sí, que éstas suelen prepararse a partir de «microbios muertos» o de «microbios atenuados», bien por procedimientos físicos (el calor), químicos (antisépticos) u otros. Estos microbios, en concentraciones de millones y millones, son envasados en las ampollas que luego han de inyectarse. Estos antígenos son llevados al organismo que queremos inmunizar. El resultado inmediato es la formación de anticuerpos en el organismo que los recibe: inmunización activa. El mediato, ya lo hemos dicho, es el de la prevención de las correspondientes enfermedades.

Claro que no poseemos vacunas eficaces para todas las enfermedades ni tampoco una vacunación de hoy sirve para toda la vida; pero, de todos modos, la vacunación es de unos beneficios e importancia extraordinarios en lo que se refiere a la higiene y vida de los pueblos.

Moderno y cómodo procedimiento de vacunación. El Dermo-jet del doctor Krants, es un aparato para inyectar que se halla desprovisto de agujas. Permite la introducción de cualquier líquido que sea en el interior de la piel o bajo ella sin necesidad de aguja.

El aparato contiene un depósito especial en el que caben 4,5 c.c. de la solución inyectable: anestésica, medicamentosa, vacunal u otra.

Con él puede practicarse la vacunación intradérmica en serie, en dosis de una décima de centímetro cúbico, lo cual permite un gran número de vacunaciones con sólo una carga del aparato. Aparte de utilizarse para la vacunación en serie, rápida e indolora, se utiliza también este confortable y práctico aparato para lograr anestesias locales, para infiltrar, para punciones o para incidir en procesos dolorosos, infecciosos u otros. Su uso es muy práctico en Medicina, en Veterinaria y en Odontología.

Sueros

Estos tienen su indicación especial cuando tememos la infección (heridas, por ejemplo).

En este caso inyectamos los anticuerpos, que, de haberse producido la contaminación de la herida, impedirán el desarrollo de la enfermedad. También se emplean los sueros preparados contra determinada enfermedad en los casos en que la enfermedad ya se ha declarado, aportando al organismo estos anticuerpos ya hechos, que unidos a los que forma el propio organismo atacado, contribuirán a la derrota de los atacantes: inmunidad pasiva.

Los sueros antidiftérico, antigangrenoso, etc., se obtienen vacunando a los animales, los cuales formarán los correspondientes anticuerpos. Después se extrae sangre de estos animales (de los caballos en cantidades impresionantes), y de esta sangre se separan los anticuerpos. En otras ocasiones se obtienen los sueros de personas convalecientes de la misma enfermedad, o, en su defecto, de personas que ya la hayan padecido (poliomielitis, sarampión, escarlatina, etc.).

Vamos a entrar ahora en la prevención de las enfermedades por estos procedimientos y medios.

Vacunación contra la viruela

Aún quedan algunos individuos que llevan en su cuerpo las señales de esa horrible enfermedad, que hoy ha desaparecido de los hogares civilizados gracias a la vacunación.

Este inmenso beneficio débelo la humanidad a las observaciones del médico inglés Jenner, quien observó a fines del 1700 que los individuos que estaban en contacto con las vacas (sobre todo los ordeñadores) no sufrían la viruela ordinaria; lo que padecían, eso sí, eran unas lesiones contagiadas de la vaca y que producían en ellos una enfermedad (del ganado vacuno o viruela vacuna) que, una vez padecida, los dejaba inmunes contra la viruela humana.

Para su preparación se toma el pus procedente de las lesiones o pústulas de la vaca u otros animales, y después de varias manipulaciones y semanas, se halla dispuesta para su uso en los tubitos capilares que la contienen.

Técnica de la vacunación

Es bien conocida: consiste en la escarificación de la piel mediante una lanceta o plumilla, haciendo dos o tres rayitas o escarificaciones que sólo interesen la epidermis. Antes se habrá limpiado la región convenientemente y aseptizado con éter. Realizadas las escarificaciones de modo que no salga sangre, se procede a «untar» o mojar la superficie escarificada con la vacuna, o bien se habrá procedido, antes de rayar la piel, a mojar el vaccinostilo en el líquido vacunal. Una vez éste bien seco, se protege la región con una gasa estéril y esparadrapo o una venda.

Suele practicarse la vacunación en la parte externa y superior del brazo, del muslo o del dorso del pie, a fin de evitar la fealdad de las cicatrices, muy visibles.

El moderno procedimiento de la multipuntura consiste en vacunar apretando con un anillo de sello provisto de nueve puntas.

Evolución

Hacia el cuarto día —en la vacunación externa— aparecen nódulos y pápulas, rodeados de un halo rojizo e inflamatorio; al quinto día esas pápulas se transforman en vesículas transparentes, cuyo contenido se va opacificando y cuyo centro se deprime. Alrededor

En la prevención de las enfermedades, las vacunas juegan un papel decisivo.
Temibles enfermedades, que no hace muchos años afectaban a los niños de una manera mortal en bastantes casos, hoy han sido prácticamente desterradas.
Cada padre debería tener cuidado en observar el calendario de vacunaciones recomendado por los servicios de Sanidad de su país.

Cedida por amabilidad de la O.M.S., Ginebra.

de las vesículas se acentúa la coloración rojiza y la infiltración o espesamiento de la piel. Al octavo día se hace purulento el contenido de la pústula, que se umbilica más en su centro, acentuándose los fenómenos de alrededor. Estos se hacen más manifiestos hacia el undécimo día, para desaparecer a partir de este momento. La pústula comienza a secarse por el centro. Hacia las dos semanas ya no queda más que una costra, que se desprenderá al cabo de algunos días.

Habrá que procurar vacunar y revacunar al niño fuera de los períodos de debilidad y enfermedad, sobre todo cuando no tenga eczemas, granos o cualesquiera otras lesiones de la piel, ya que de ese modo podría inocularse el virus en esas zonas y pustulizarlas, dando lugar a esas temibles cicatrices.

Epoca de la vacunación

Esta puede realizarse entre el fin del medio año y el fin del segundo. En España, obligatoriamente, antes de los seis meses de edad y en otros países es antes de un año.

La vacuna, en sus efectos, suele durar de seis-ocho años, al cabo de los cuales habrá que revacunar. La inmunidad se establece a partir del duodécimo día.

Si la vacuna no «prendiere», se repite a los diez días, y si a los diez días tampoco, se dejará para el año siguiente.

Vacunación contra la difteria

Esta vacunación tiene mucha más importancia, ya que si bien es cierto que casi siempre con el suero se puede vencer la enfermedad, no lo es menos que, en ocasiones, éste fracasa. Por tanto, convendrá vacunar a los niños.

Los bacilos diftéricos se hallan muy extendidos en la naturaleza en general y las personas en particular, extrañando el relativamente escaso número de casos de difteria. Y es que hay sujetos que son inmunes, por lo menos ordinariamente en tanto que otros son receptivos, y al ponerse en contacto con el bacilo productor de la enfermedad se contagian.

Para la vacunación suelen utilizarse las toxinas producidas por el bacilo diftérico, y cuyo poder tóxico, no el antigénico —que provoca la aparición de anticuerpos— se ha anulado por la adición de formol. La vacunación puede hacerse en tres inyecciones, con intervalos de varios días; pero con otros preparados se hace en una sola inyección. La combinación de vacunas parece reforzar el efecto particular de cada una. Al cabo de un año convendrá practicar otra inyección o vacuna pequeñísima, y que se llama «de recuerdo». Esta vacuna puede combinarse con la del tétanos, tos ferina y poliomielitis y administrarse simultáneamente.

La vacunación puede ya practicarse con efectos útiles hacia el primer año de edad, no estableciéndose la inmunidad hasta las tres o cuatro semanas de la vacunación.

Vacunación contra el sarampión y rubéola

Aunque decimos que el sarampión es una enfermedad benigna, todo el mundo sabe que a causa de éste o de sus complicaciones aún mueren niños, sobre todo en Africa negra, Asia e Hispanoamérica. Recientemente se ha conseguido una vacuna eficaz que se administra a partir de los nueve meses. Inyección única de vacuna liofilizada.

Dados los peligros que ofrece el padecimiento de la rubéola durante el embarazo, es muy deseable la vacunación contra la misma antes del casamiento, si es que anteriormente no se ha padecido.

Vacunación contra la tos ferina

Las vacunas contra las tos ferina son útiles no sólo para la profilaxis, sino también para la curación de la enfermedad.

Se preparan con diversos tipos de bacilos, ya que el productor de la enfermedad no es uno solo, de modo que habría varias enfermedades de tos ferina muy parecidas en sus síntomas. Por tanto, para una mayor eficacia conviene una mezcla de esos bacilos, al mismo tiempo que también se añaden otros gérmenes de otros grupos para evitar las frecuentes complicaciones.

Como la formación de anticuerpos tiene lugar con gran rapidez, se utiliza también para el tratamiento, ayudando mucho al curso de la enfermedad.

Vacunación contra la poliomielitis

Verdadero azote en otro tiempo, la poliomielitis disminuye en los países europeos gracias a la práctica de la vacunación.

La primera vacunación exige tres inyecciones subcutáneas de un centímetro cúbico a intervalos de tres a cuatro semanas; mas como la inmunidad declina, es necesario practicar una inyección en un centímetro cúbico, llamada «de recuerdo», al cabo de un año; posteriormente, aún serán necesarias otras inyecciones «de recuerdo».

Antes de proceder a las inyecciones conviene analizar la orina del niño para descartar una posible nefritis, que constituye una contraindicación a la vacunación. Si el sujeto fuese asmático habría que señalarlo al médico, quien tomaría las debidas precauciones (inyección intradérmica de 0,2 c.c. de vacuna diluida al centésimo).

La vacuna mencionada es la preparada por Lepine con virus inactivados por el formol. Esta vacunación puede verificarse en cualquier edad, sobre todo en los sujetos de menos de treinta años y en los

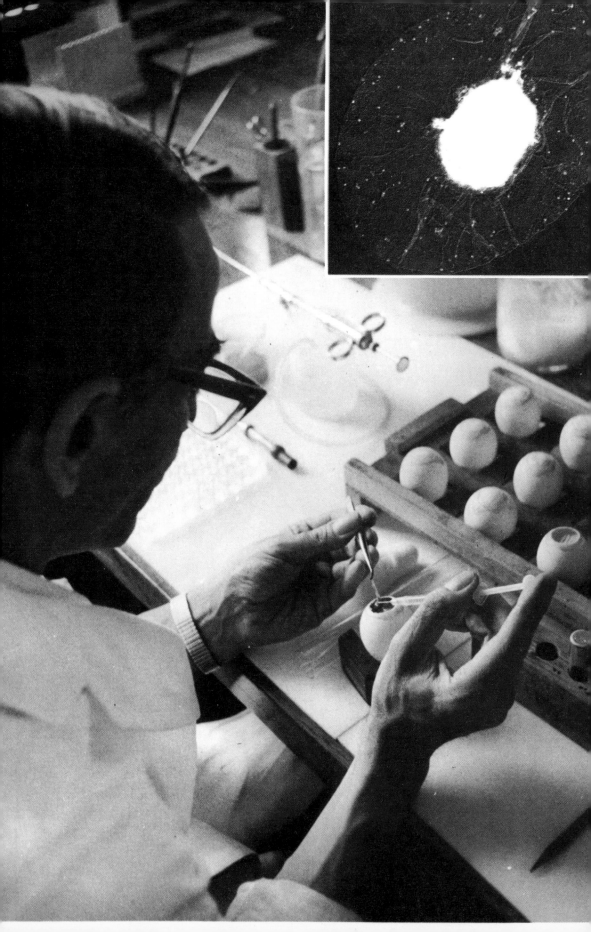

lactantes a partir de los seis meses de edad. Por lo general, se asocia a la vacuna antitetánica, antidiftérica y antitosferinosa.

Si se prefiere una revacunación «antipoliomielítica» sin inyecciones, la vacuna Sabin bebible se administra en tres tomas, a cuatro-seis semanas de intervalo, luego una dosis «de recuerdo» un año después y cada cinco años.

Vacunación contra las fiebres tifoidea y paratifoidea

La vacunación es de mucha utilidad en los países cálidos y en el seno de las colectividades (cuarteles, colonias escolares, etc.).

La vacuna T. A. B. se prepara a partir de bacilos muertos por el calor. La inmunidad aparece aproximadamente un mes después de la última inyección y su efecto dura varios años.

Se efectúa en el adulto, mediante tres inyecciones a intervalos de tres semanas, y en los niños, por cuatro inyecciones de unas pequeñas dosis (a partir de los seis años). Inyecciones «de recuerdo», cada cuatro-cinco años, mantienen la inmunidad.

En Francia, el Instituto Pasteur fabrica una vacuna asociada a la difteria y el tétanos.

Vacuna contra la influenza o gripe

Esta gripe es muy importante, ya que produce entre los lactantes, durante el invierno y por complicaciones broncopulmonares, tantas víctimas como producen en el verano los trastornos gastrointestinales.

Hoy poseemos vacunas bastante buenas a partir de las cepas A Singapur 1957 y otras cepas que han producido gripes graves (una sola inyección es suficiente). La protección aparece entre los ocho-quince días y dura unos seis meses.

Vacunación contra la rabia

La rabia, o hidrofobia, es una terrible enfermedad que solía producir la muerte entre dolores espantosos. Decimos «solía», porque

Una de las enfermedades que más víctimas origina anualmente n el mundo y que más pérdidas económicas produce por absentis-o laboral es la gripe. La Organización Mundial de la Salud controla s variaciones de los virus productores, con el fin de preparar acunas para atajar o paliar esta enfermedad.

Uno de los Centros más importantes de la lucha contra la gripe e halla en Londres.

Cedida por amabilidad de la O.M.S., Ginebra.

1009

hoy, afortunadamente, apenas si la produce. De todos modos, aún de cuando en cuando muere de rabia algún sujeto, bien porque no se diagnostique la enfermedad o este diagnóstico se haga tardíamente.

La rabia se transmite no sólo por el perro, sino también a través de gatos, caballos, asnos, etc., que la padezcan, necesitando para su ingreso en el organismo una «puerta de entrada», es decir: una herida de la piel por mordedura de perro, por ejemplo, bien una herida inapreciable a simple vista: un sencillo arañazo. Véase, por tanto, lo absurdo y lo terriblemente expuesto que es dar la mano a lamer a los animales, como se ve tan frecuentemente, ya que nuestro mejor amigo, el perro —el nuestro propio tal vez—, puede contaminarnos, si bien el perro suele abandonar la casa, tal vez en un fatal presentimiento de peligro para los suyos.

El primer ser humano que se salvó de morir de rabia fue el niño Juan Meister, alsaciano, a quien Pasteur, gloria y genio de la Medicina —aunque él no fuese médico— practicó la vacunación.

Obtención de la vacuna

Consiste ésta en aprovechar el tiempo de incubación de la enfermedad para provocar «rápida y urgentemente» una «inmunidad». Se realiza a base de inyectar suspensiones del agente productor de la enfermedad, el virus rábico, en diferentes estados de vitalidad. La virulencia de este agente es atenuada por la desecación a partir de la medula de perro.

Las inyecciones, que constituyen una buena serie en el número, se practican usualmente bajo la piel del costado.

Cuando muerde un perro u otro animal conviene aprehenderlo y llevarlo al Instituto Antirrábico o, en su defecto, al centro de Sanidad más caracterizado para su examen. Si el animal no aparece será prudente vacunarse.

¡Padres, enseñad a los niños a huir de los perros!... Por su intermedio prodúcense además otras afecciones, tales como el gravísimo quiste hidatídico.

Vacunación contra el tétanos

Penetrando el bacilo tetánico en el organismo a favor de pequeñas heridas (clavo de zapato, por ejemplo), el tétanos se observa sobre todo en el medio rural, pues el germen se halla muy extendido en el estiércol. Los niños y los soldados deben ser especialmente vacunados. La toxina producida por el bacilo de Nicolaier es tratada por el formol, según el método del profesor Ramón, obteniéndose así la anatoxina apta para la vacunación.

Se practican tres inyecciones separadas por intervalos de dos a tres semanas generalmente, asociándolas a otras vacunas (anti-

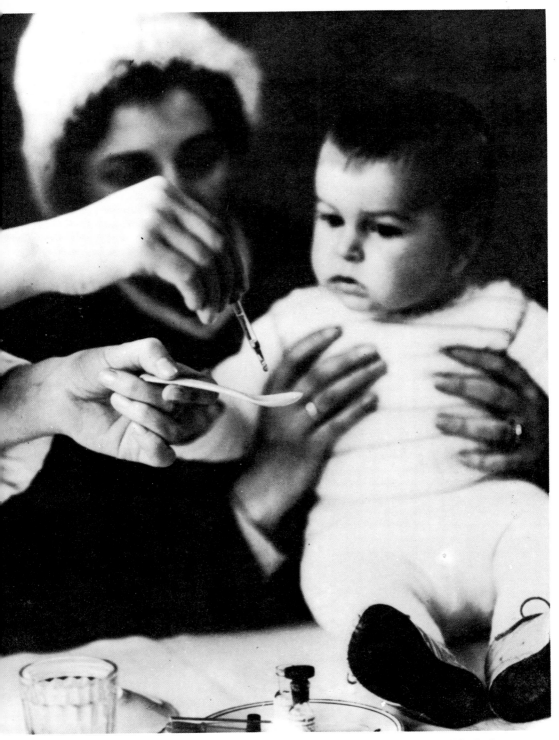

Cedida por amabilidad de la O.M.S., Ginebra.

diftérica, antitosferinosa, T. A. B.). Un año después, y en ocasión de heridas, se hacen inyecciones de «recuerdo». Si no ha habido vacunación o si ésta es ya lejana, la anatoxina no basta y es necesario inyectar suero antitetánico preventivo.

Vacuna contra la tuberculosis (B. C. G.)

Se efectúa la vacuna mediante el B. C. G., compuesto de bacilos tuberculosos vivos, pero cuya virulencia se ha atenuado por 231 pases, durante trece años, sobre patata impregnada de bilis de buey glicerinada.

Estos bacilos «domesticados», incapaces de hacer enfermar de tuberculosis, no crean la «inmunidad» de otras vacunas, sino un estado de «premunición», que impide que bacilos sanos virulentos puedan atacar con éxito al sujeto así preparado.

La vacuna puede administrarse por vía bucal, por inyecciones y por escarificación. Obligatoria en algunos países (Francia, por ejemplo), debe hacerse preferentemente en los diez primeros días o dos meses de la vida; o más tarde, hasta los veinticinco años, comprobando previamente, por el parche tuberculínico u otras pruebas, que el sujeto no ha sido ya atacado por el bacilo tuberculoso.

Esta vacuna es inocua, y su valor en materia de profilaxis parece ser muy elevado. No por ello debe despreciarse el valor del aislamiento de los enfermos.

Cuadro sobre las enfermedades contagiosas

Damos estas fechas a título indicador. Es el médico quien debe fijarlas y asegurarse de su oportunidad en cada uno de los casos.

Los intervalos a observar entre las fases de una misma vacunación, las revacunaciones y las inyecciones llamadas de «recuerdo» serán fijadas por el médico de acuerdo con el estado general e inmunitario del sujeto.

Contraindicaciones

Las constituyen las enfermedades infecciosas en evolución, las enfermedades graves del riñón, los estados de déficit inmunitario, el asma y los estados de debilidad constitucional. En el caso de la vacuna contra la viruela hay que añadir el eczema del lactante y todas las enfermedades extensas de la piel, así como las quemaduras.

Cuando un niño presenta síntomas de enfermedad, sus familiares no deben tratar de poner remedios caseros para sanarlo sin contar antes con el consejo del doctor. Sólo el médico está capacitado para ver e interpretar en su conjunto el variado y complejo cuadro de síntomas de una enfermedad y para establecer, de acuerdo con su diagnóstico, el tratamiento adecuado.

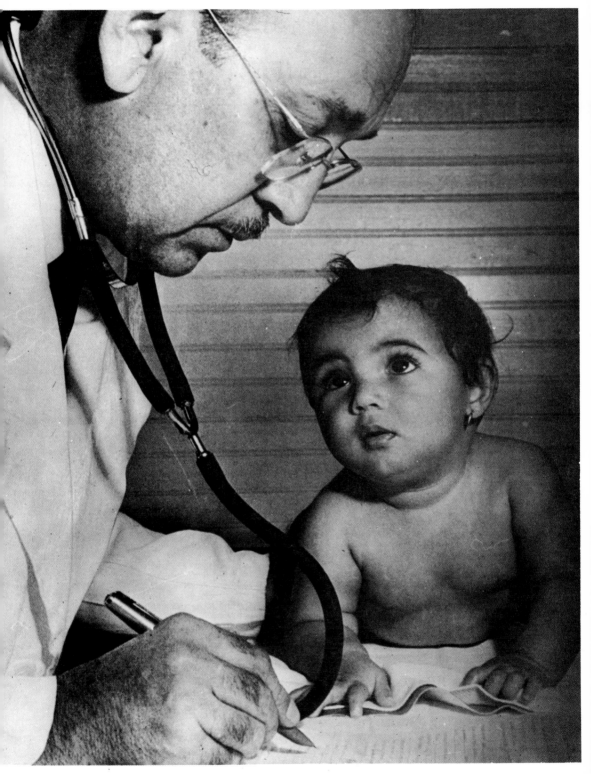

CUADRO SOBRE LAS ENFERMEDADES CONTAGIOSAS

ENFERMEDADES	INCUBACION	DECLARACION N=necesaria	AISLAMIENTO DEL ENFERMO	AISLAMIENTO FAMILIAR
Anginas			Hasta curación clínica	Ninguno
Cólera	2 a 6 días	N	Hasta la curación	
Difteria	2 a 7 días	N	30 días, a menos que dos análisis sean negativos a 8 días de intervalo	Sí, los no vacunados
Disentería amebiana	Hasta tres meses	N	15 días después de la curación	No
Disentería bacilar	7 días	N	20 días después de la curación	20 días despué. del aislamient del enfermo
Encefalitis epidémica	3 días a 7 semanas	N	Hasta la curación	
Erisipela	1 a 8 días	Facultativa	Hasta la curación	
Escarlatina	4 a 7 días	N	40 días, o 15 si hay tratamiento antibiótico y análisis negativos	8 días, con certifi cado médico
Fiebre amarilla	2 a 7 días	N	Hasta la curación	
Fiebre de Malta (Brucelosis)	Hasta 21 días	N	Hasta la curación	
Fiebre recurrente	7 días, aproximadamente	N	Hasta la curación	
Fiebres tifoidea y paratifoidea	4 a 20 días	N	4 semanas o menos si las coproculturas son negativas	21 días, para los n vacunados
Gripe epidémica	5 días	Facultativa	Hasta la curación	5 días

PREVENCION E INMUNIDAD	EDAD DE MAS FRECUENTE APARICION	DESINFECCION C=en curso T=terminal	CIERRE DE LAS ESCUELAS	OBSERVACION TRAS SOSPECHA DE CONTAGIO	DISPOSICIONES ESPECIALES
		C.			Análisis de exudados
Vacuna anti-colérica		C. y T. y W.C.	En caso de epidemia		Rehidratación rápida
Vacuna antidiftérica Sueros Inmunidad relativa	Edad escolar	C. y T.			Inyección «de recuerdo» de anatoxina
Hallazgo de portadores de gérmenes y tratamiento		C. y T. y W.C.			Análisis repetidos de heces
Inmunidad corta		C. y T. y W.C.			Higiene de las cantinas escolares
Falta prevención específica					
Falta prevención específica	Edad escolar	C. y T.		8 días	Hallazgo de formas larvadas. Análisis de orina.
Vacuna específica		C. y T.			Lucha contra los mosquitos
Esterilización de la leche de cabra		C. y T.			Higiene de las cantinas
Inmunidad definitiva		C. y T.			Lucha contra los piojos.
Vacuna específica T. B. A.		C. y T.			Esterilización del agua
Vacuna antigripal. Carencia de inmunidad			Eventual		Evitar las aglomeraciones en tiempo de epidemia

1015

ENFERMEDADES	INCUBACION	DECLARACION N=necesaria	AISLAMIENTO DEL ENFERMO	AISLAMIENTO FAMILIAR
Hepatitis por virus	7 días a 2 meses	Facultativa	Hasta la curación	
Impétigo	3 a 10 días	Facultativa	Hasta la curación	
Enfermedad de Weiler				
Meningitis cerebro-espinal	1 a 5 días	N	20 días después de la curación	20 días o menos si 2 análisis son negativos con días de intervalo
Neumonía	2 a 7 días	Facultativa	Hasta la curación	
Parotiditis	Hasta tres semanas	Facultativa	15 días después del comienzo	
Poliomielitis	Hasta tres semanas	N	Un mes después del comienzo	4 semanas después del aislamiento del enfermo
Rubéola	12 a 15 días	Facultativa	8 días	
Sarampión	10 a 12 días	N	Hasta la curación clínica	15 días los menores de 6 años
Sarna		Facultativa		
Tétanos	Hasta tres semanas	N	Hasta la curación	

PREVENCION E INMUNIDAD	EDAD DE MAS FRECUENTE APARICION	DESINFECCION C=en curso T=terminal	CIERRE DE LAS ESCUELAS	OBSERVACION TRAS SOSPECHA DE CONTAGIO	DISPOSICIONES ESPECIALES
Esterilización de jeringas y agujas al autoclave					Selección de donantes de sangre
Higiene en escuelas y cantinas. Carencia de inmunidad	Edad escolar				
					Arrozales
No hay prevención específica. Inmunidad relativa	Adolescencia	C.	Eventual		Siembra con exudado rinofaríngeo en sospechosos
Falta prevención específica Carencia de inmunidad					
Falta prevención específica. Inmunidad relativa	Edad escolar	C. y T. y W.C.			
Vacuna antipolio. Gammaglobulinas. Inmunidad relativa		C. y T.			Hallazgo de formas atenuadas
Vacuna preventiva de los púberes. Inmunidad definitiva	2 a 6 años	C.			Vigilancia de mujeres embarazadas
Vacunación de los niños raquíticos, o gammaglobulinas sin enfermedad. Inmunidad definitiva	2 a 5 años	C.	Eventual en las escuelas maternales	14 días	Hallazgo de formas de comienzo
Vacunación antitetánica a intervalos regulares. Carencia de inmunidad					

ENFERMEDADES	INCUBACION	DECLARACION N=necesaria	AISLAMIENTO DEL ENFERMO	AISLAMIENTO FAMILIAR
Tifus	Una a tres semanas	N	Hasta la curación	
Tiña			Certificado de dos exámenes negativos	
Tos ferina	3 a 15 días	N	30 días después del comienzo de las quintas	21 días para los no vacunados de 3 a 6 años
Tracoma	10 días, aproximadamente	N	Hasta la curación	
Tuberculosis		Facultativa	Hasta la curación, confirmada por baciloscopia	
Varicela	14 días	Facultativa	Hasta la curación	
Viruela	12 a 15 días	N	40 días a partir del comienzo, y ausencia de costras	18 días para los no vacunados, o vacunados de más de 5 años
Vulvo-vaginitis			Hasta la curación	

PREVENCION E INMUNIDAD	EDAD DE MAS FRECUENTE APARICION	DESINFECCION C=en curso T=terminal	CIERRE DE LAS ESCUELAS	OBSERVACION TRAS SOSPECHA DE CONTAGIO	DISPOSICIONES ESPECIALES
Vacunación específica. Inmunidad definitiva		C. y T.			Lucha contra la suciedad, piojos y ratas
Carencia de inmunidad	Edad escolar	C.			Vigilancia de los escolares
Vacunación antitosferinosa. Suero a título preventivo. Inmunidad relativa	Edad escolar	C.		14 días	
Falta prevención específica. Carencia de inmunidad		C.			Examen ocular en países de endemia
Vacunación B.C.G. Inmunidad relativa					Educación del enfermo
No hay prevención específica. Inmunidad definitiva	2 a 7 años	C. y T.			
Vacuna antivariólica. Inmunidad definitiva,		C. y T.			En caso de epidemia, revacunación preventiva
		C. y T. y W.C.			

BOTIQUIN

Desinfectantes:
  Tintura de yodo al 2 por 100
  Alcohol de 96°
  Agua oxigenada
  Mercurocromo
Bicarbonato sódico
Pomada para quemaduras
Vaselina
Gotas para los oídos
Laxante suave
Un antidiarreico
Compresas adherentes
  (tiritas o similares)
Gasa esterilizada
Algodón hidrófilo
Preparado de carbón
Pomada antibiótica
Amoníaco
Analgésico

Antihistamínico
Tijeras
Termómetro
Cuentagotas
Copa para lavado de ojos
Para poner inyecciones:
  Jeringuillas de 2, 5 y 10 c.c.
  Agujas para inyecciones (sub-
    cutáneas, intramusculares e
    intravenosas)
Coramina en gotas e inyectable
Torniquete
Pinzas
Vendas
Esparadrapo
Cuchillas de afeitar
Bolsa para agua caliente
Bolsa para hielo
Linterna

INDICE DE CASOS DE URGENCIA

68

Accidentes, intoxicaciones y otras urgencias en el niño

Afortunadamente, la mortalidad infantil por enfermedades es cada vez menor, en tanto que los accidentes de la infancia se van elevando de manera alarmante, de tal manera que en algunos países constituye la principal causa de muerte en las edades comprendidas entre uno y diecinueve años; pero no son solamente las muertes lo que cuenta, sino también el número de mutilados y heridos, que suele ser el doble del de muertos. Según las estadísticas de una importantísima compañía de seguros, he aquí los accidentes mortales ocurridos en niños de uno a cuatro años de edad provocados por:

Automóviles	37,2 por 100
Quemaduras y explosiones ...	19,9 por 100
Ahogamiento	15,4 por 100
Caídas	6,0 por 100
Envenenamientos	5,2 por 100
Asfixia	4,4 por 100
Otras causas	11,9 por 100

De los accidentes a que acabamos de hacer alusión, una gran parte, y no la de los menos graves, es la que tiene lugar en el hogar —y en la calle—, por lo general en ausencia de los padres y lejos de su mirada.

Uno de los más repetidos es el juego con cerillas, prendiendo fuego a la casa y pereciendo asfixiados o carbonizados y, cuántas veces, varios hermanos al mismo tiempo.

Otro accidente, casi podríamos decir diario, es el de la caída desde sillas, mesas o escaleras, y el de beber venenos creyendo que se trata de limonada o jugos de fruta, o el de intoxicarse tomando el rico jarabe-medicina, que tan a gusto beben, y que les intoxica por el abuso en la cantidad.

El cortarse o pincharse con cuchillos o tijeras, el jugar con armas de fuego o de aire comprimido, también es muy frecuente, más que el caerse por un balcón.

La posibilidad de asfixia de un bebé vuelto boca abajo, o demasiado tapado por el hermanito, o sobre cuyo rostro se ha dormido un gato, exigen, como tantos otros accidentes en el hogar, una vigilancia de cada minuto.

El meter las tijeras en un enchufe eléctrico, el quemarse las manos o el cuerpo con una plancha eléctrica o en la cocina, o en el fuego de gas, o el verterse encima un puchero con líquidos o sólidos hirvientes, constituye otras tantas causas de accidente en el hogar.

Ya en el exterior, el atravesar la calle sin cuidado, el correr tras una pelota en la calzada, el bañarse sólo o imprudentemente, el jugar o acercarse a perros incluso pacíficos, los deportes violentos o peleas, el uso imprudente de bicicletas o velomotores, el uso o juego con armas o explosivos, y tantas otras ocasiones y motivos que no enumeramos, son también causa frecuente de accidentes que en la mayoría de los casos podrían haber sido evitados con una sana disciplina del niño o con una mayor vigilancia del mismo por parte de sus confiados padres.

Por tanto, de lo dicho se deducirá cuán interesante es que en este tratado de Puericultura y Pediatría nos ocupemos también de este apartado tan importante que se refiere a los accidentes, intoxicaciones y otras urgencias, tanto médicas como quirúrgicas, que afectan a la vida, a la integridad o la salud del niño.

1. Urgencias médicas más frecuentes

Nacimiento antes de término

Cuando el niño nace es fundamental que no se enfríe, debiendo ser abrigado convenientemente; pero donde este cuidado debe ser ejercitado con la máxima urgencia y diligencia es en el niño nacido antes de término, o prematuro, y tanto más urgentemente y con mayor cuidado cuanto más prematuro sea. He aquí lo que hay que hacer:

1. Envolver al niño en una manta limpia, lo más suave posible y calentada por medio de una plancha. Preparar bolsas calientes, que se pondrán (envueltas en lienzos) rodeando al niño.

2. Eliminar las mucosidades de la boca, nariz y faringe, limpiando con una gasita estéril la boca y fauces del niño; también poniéndole boca abajo (sobre la cama).

Si, a pesar de eso, el niño está asfíctico habrá que hacerle la respiración artificial, no debiendo golpearlo ni utilizar los baños. Si hubiese oxígeno, administración del mismo.

3. Procurar que la temperatura de la habitación se halle entre los 22 y 25 grados (puede quemarse alcohol en la habitación si hay

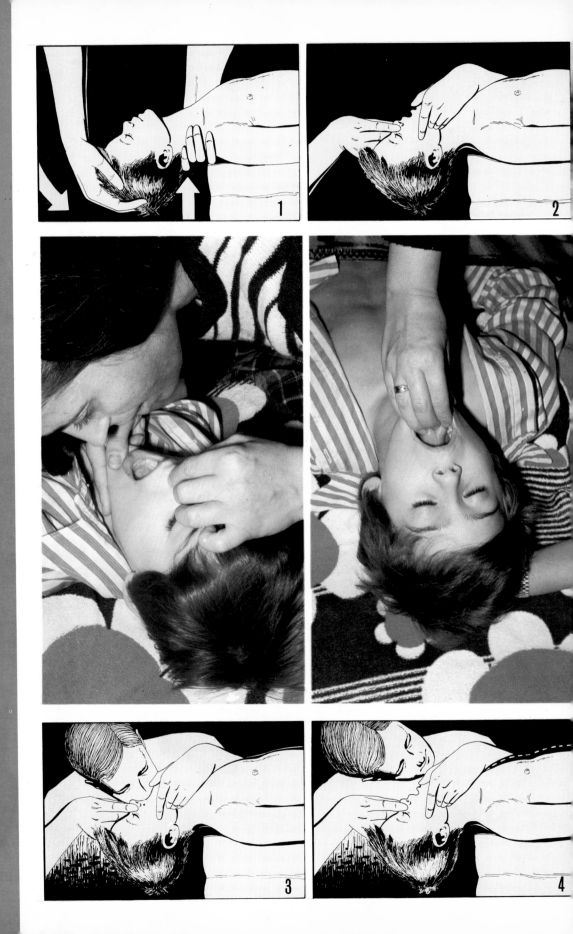

urgencia); una vez pasado este primer momento, se puede utilizar una estufa eléctrica, un brasero o un hornillo de petróleo, aunque estos últimos no sean recomendables a causa de las emanaciones que desprenden.

4. Introducir al niño en una incubadora. De no poseerla, cuanto antes avisar a un centro de puericultura para que se hagan cargo de la asistencia del niño y hasta incluso determinen su traslado a un centro hospitalario apropiado.

La respiración boca a boca

Este procedimiento, bastante antiguo, pero que vuelve a estar de actualidad, por no decir de moda, consiste en la insuflación de aire procedente de una persona sana, que lo envía a través de su boca y la del paciente a las vías respiratorias de éste. Tal método tiene su más lejano antecedente en la creación del hombre, tal cual se relata en el primer libro de la Sagrada Escritura, capítulo II y versículo 7: «... e insufló en sus narices aliento de vida, y resultó el hombre un ser viviente.» Tal procedimiento se aplica al recién nacido en estado de asfixia azul o blanca y a los niños o adultos víctimas de ahogamiento, de electrocución, y de envenenamiento o accidentes acompañados de dificultad o sufrimiento respiratorio.

1.° En el caso de un recién nacido téngase en cuenta todo lo dicho en el apartado anterior, sobre todo el párrafo número 2.

2.° Comiéncese tirando del cuello hacia arriba y empujando la cabeza hacia atrás (véase Fig. 64).

3.° Impulsar el maxilar inferior hacia adelante y arriba y acentuar la flexión de la cabeza hacia atrás.

4.° Seguir tirando con el pulgar; pinzar la nariz con la otra mano a fin de que el aire no salga indebidamente mientras se insufla. Apliquése la boca del reanimador contra la boca del paciente, bien directamente o bien a través de un lienzo fino (pañuelo, etc.). En el niño pequeño debe soplarse simultáneamente sobre boca y nariz.

Comprobar que el tórax se abomba y escuchar, al retirar la boca, el susurro que al salir debe hacer el aire de la víctima.

Soplar durante uno y medio o dos segundos y cesar otro tanto: En el adulto, de 16 a 20 veces por minuto. En el niño, de 20 a 25 veces.

5.° Dejar de soplar y retirarse un poco. Comprobar si baja el pecho y el susurro del aire al salir.

Volver a soplar y así sucesivamente.

¡Cuidado! Si a pesar de la cabeza hacia atrás y la tracción del maxilar inferior hacia arriba y adelante la pared del pecho no se levanta cuando insuflamos, es que existe un obstáculo que impide la entrada de aire. En tal caso, rápidamente pondremos al enfermo de lado y le golpearemos enérgicamente entre los omoplatos (paletillas) con la palma de la mano; continuando la respiración artificial.

Si el pulso no se percibe en «el pulso» (arteria radial en la muñeca) ni en la ingle (arteria femoral), puede practicarse simultáneamente el masaje cardíaco. Apoyando la palma de la mano izquierda sobre el hueso esternón (delante, en medio del pecho y hacia la izquierda), se ejerce con la mano derecha una presión fuerte y breve sobre la otra mano a manera de sacudida enérgica, cuidando de no romper las costillas.

Se harán cinco presiones sobre el corazón por cada insuflación en la boca. En el niño, basta con las sacudidas ejecutadas con una sola mano; en el bebé, con dos dedos.

Continuar el masaje cardíaco y «boca a boca» hasta que respiración y pulso se restablezcan, incluso durante horas, o hasta la llegada de auxilio competente.

La primera tetada

Antiguamente se recomendaba no dar el pecho al niño hasta pasadas las veinticuatro horas del nacimiento, entreteniéndolo con agua azucarada y otros procederes. Puede dársele de mamar a partir de la sexta hora después del nacimiento.

Convulsiones

Conviene saber que el sistema nervioso de los niños es muy frágil y dotado de una sensibilidad mucho mayor que el de los adultos.

Aparecidas las convulsiones, hay que aflojar las vestiduras del niño, examinar boca, nariz y orejas para ver si ha sido introducido algún cuerpo extraño.

Acostarlo con la cabeza alta, airear ampliamente la habitación. Rociar su cara y pecho con agua fría. Si se tuviera éter a mano, hacerle aspirar cinco o seis gotas vertidas en un pañuelo.

Se le puede administrar una pequeña irrigación de agua tibia salada o, mejor aún, con glicerina, a razón de una cucharadita de café por un vaso grande de agua.

Un baño tibio a 37 grados durante veinte minutos al menos, sobre todo si las convulsiones tienden a repetirse y si el niño tiene fiebre. Si la temperatura del niño sobrepasa los 39 grados, convendría aplicarle una bolsa de hielo sobre la cabeza.

Si las convulsiones se producen en el curso de una jornada de verano o en una pieza sobrecalentada, hay que transportar inmediatamente al niño a una pieza fresca, administrarle un baño a 36 grados y darle a beber abundantemente.

Contracturas y tetania

Para calmar o eliminar esas rigideces que la caracterizan, conviene, mientras viene el médico, calmar al niño sumergiéndolo en un baño a 36,5 grados, ejerciendo tracciones rítmicas de la lengua, combinadas con respiración artificial si el niño amenaza asfixia.

Epilepsia

La fase aguda del ataque no tiene remedio realmente adecuado y eficiente.

Aflojaremos las vestiduras del enfermo y lo vigilaremos para evitar que las convulsiones le produzcan golpes y heridas.

Impediremos que se muerda la lengua, para lo cual introduciremos un palo en su boca, cuidando que no nos muerda un dedo.

Lipotimia o desvanecimiento

Se observa con frecuencia en los niños que son mantenidos en ayunas durante bastante tiempo, después de una marcha prolongada, con exposición excesiva al sol.

El tratamiento consiste en acostar al niño a la sombra, con la cabeza más baja que el resto del cuerpo. Aspersión de la cara con agua fría, fricciones en el tórax, especialmente sobre la región del corazón.

Si se tiene alcohol a mano, algunas gotas bajo la lengua.

Como generalmente se halla cubierto de sudor, secarlo, taparlo y darle bebidas azucaradas calientes.

Golpe de calor o insolación

Este accidente puede presentarse no sólo durante la exposición prolongada al sol, sino también después de haber permanecido en una atmósfera muy caliente.

Si el niño presenta temperatura elevada, convendrá administrarle prontamente un baño a 37 grados, dejando que el agua vaya enfriándose hasta alcanzar los 32 y aun 30 grados de temperatura.

Al mismo tiempo se le dará a beber abundante agua fresca. Si el niño vomita o rehúsa beber, se le podrá dar agua con un cuentagotas. Si el niño no quisiera beber, el médico dispondrá la hidratación del niño por inyecciones de suero. Conviene no darle de comer (en doce horas al menos) y asegurar la refrigeración de la habitación. Si se dispone de hielo y de un ventilador, podría ponerse el hielo delante de la corriente de aire y no lejos del enfermito. Si esto no fuera posible, convendría trasladar al niño a un hospital con salas climatizadas.

Asfixia y accesos de sofocación

En estos casos, en que el niño parece que se va a ahogar —el cuerpo rígido del bebé se cubre de sudor, su cara se halla violácea, sus ojos desorbitados y fijos— pueden presentarse convulsiones y también la muerte. Convendrá desnudar al niño rápidamente, aplicándole una esponja o compresas empapadas en agua caliente sobre el cuello en tanto que se flagelará su rostro con agua fría.

Hay que hervir agua en la habitación con objeto de humidificar la atmósfera y hacerle respirar vapor de agua.

Si se trata de un lactante sujeto a espasmos de laringe, darle un baño caliente a 39 grados o, mejor aún, un baño sinapizado con 150 gramos de harina de mostaza (desleír esta harina en agua fría y verter la mezcla en unos 10 litros de agua tibia). Sacar al niño del baño en cuanto su piel comience a enrojecer.

La respiración artificial puede ser necesaria, así como las tracciones rítmicas de la lengua, en tanto llega el socorro médico.

Vómitos del lactante

La primera cosa que hay que hacer cuando un lactante empieza a vomitar es someter su estómago a reposo durante doce horas, suspendiendo tetadas o biberones.

Dar agua mineral fresca, adicionada de algunas gotas de limón con la cuchara o con el cuentagotas.

Algunos lactantes nerviosos se beneficiarán de una aplicación caliente sobre el estómago durante la digestión.

Si dejamos al niño en la cuna, convendrá que se le acueste de lado, mejor sobre el derecho, para evitar que el producto de sus vómitos pueda ahogarle.

Vómitos de la segunda infancia

Convendrá acostar al niño vomitador en una habitación oscura y silenciosa. Las bolsas calientes sobre el vientre no son aconsejables, ya que puede tratarse de una apendicitis. Nada de purgantes.

Se suprimirá todo alimento y bebidas, y únicamente si el niño lo reclama, se le podrá administrar, si es posible, una cucharada de agua de Vichy bien azucarada. Debe llamarse al médico cuanto antes.

Diarreas

Si se trata de un lactante al pecho, podrá reemplazarse una tetada de cada dos por la administración de agua hervida, y si el niño tuviera más de cinco meses, por agua de arroz edulcorada con sacarina o agua de manzana.

Si se trata de un lactante alimentado al biberón, la suspensión de la alimentación será absoluta durante doce a veinticuatro horas, dándose solamente biberones de agua hervida, endulzada con sacarina, o de agua de arroz, también con sacarina. Si se trata de un pequeño lactante cuya diarrea no cede en escasas horas, debe avisarse al médico.

Si se trata de la ingestión de algún alimento tóxico (caza, embutidos, crustáceos, alcohol), habrá que suprimirlo de la alimentación.

En el niño mayorcito, en el caso de diarreas, lo primero que procede es también instituir una dieta absoluta o hídrica, en tanto el médico dispone el tratamiento definitivo.

Hemorragias en general

Epistaxis o sangre por la nariz

En ocasiones basta con apretar el tabique de la nariz contra el ala correspondiente al orificio nasal que sangra para que la hemorragia cese instantáneamente.

Un paño frío en la nuca también puede dar muy buenos resultados.

Si la hemorragia es abundante, colocad al sujeto acostado y con la cabeza hacia atrás. Y si aún fuera rebelde a estas medidas, procedería dar unos toques con:

Antipirina al 20 por 100 ... ...   10 c.c.
M. para toques.

Si tampoco cesa de este modo, habrá que recurrir al taponamiento nasal y a la inyección de medicamentos adecuados al caso.

Hemorragias del cordón umbilical

Si el cordón aún no ha caído, habrá que ligarlo cuidadosamente, mejor con «cordoncete» o cinta hervida. Si a pesar de un buen atado continúa sangrando, no habrá más remedio que utilizar unas pinzas de las llamadas de forcipresión (mejor una de Kocher).

Si el cordón ya ha caído, se aproximarán los bordes del ombligo, comprimiéndolos un buen momento entre los dedos, que sostendrán un tapón de algodón embebido de agua oxigenada; después, dejando el algodón en el mismo lugar, se le recubrirá con un objeto plano, tal como una moneda o un trozo de cartón, fijando el todo con un vendaje suficientemente apretado.

Por la boca

Si el niño echa sangre por la boca, no hay que asustarse, ya que puede proceder de grietas de los pechos de la nodriza, de una herida del frenillo de la lengua, etc.

En todos los casos el niño será puesto en atmósfera caliente e inmovilizado, con la cabeza más baja que el cuerpo. Se suspenderá la alimentación.

Hemorragia genital de la recién nacida

En ocasiones suele presentarse en los recién nacidos del sexo femenino una pequeña hemorragia o menstruación en miniatura que dura algunas horas o algunos días y que tiene el mismo significado que la inflamación de las tetillas, incluso con secreción láctea, y que la hinchazón de los genitales en el «bebé». Constituye lo que se llama la crisis genital del recién nacido, y no requiere ningún tratamiento. En todos los casos, abstenerse de tocar para evitar infecciones y no apretar los lienzos del vestido.

Hernias

La cavidad abdominal está cerrada por músculos y estructuras que impiden el que los órganos en ella contenidos salgan al exterior; pero a veces ocurre que los orificios que hay en ellas, en las paredes, son anormalmente grandes o bien se dejan dilatar con facilidad, en cuyo caso la hernia se produce a poca causa que haya.

No se puede desechar la influencia que en la producción de las hernias tiene la presión intraabdominal, la cual empuja los órganos hacia afuera. Un esfuerzo, ya violento, ya moderado, puede dar lugar a que el intestino (enterocele) o el epilón (epiplocele) salgan al exterior.

Puede la afección que nos ocupa aparecer en distintos lugares del cuerpo recibiendo un nombre diferente, según la región en la cual hace su aparición, y así tendremos las hernias: umbilical, crural, obturatriz, inguinal, de la línea blanca, lumbar, del triángulo de Petit, isquiática, piramidal.

Es curioso el hecho de que haya familias de herniados, lo cual quiere decir que existen ciertos factores hereditarios que se transmiten a los sucesores.

Una hernia no tratada adecuadamente está expuesta a «complicaciones»: se va haciendo cada vez más voluminosa, dilatando el orificio de salida, adhiriéndose a los tejidos vecinos y, lo que es más importante, poniéndose en peligro de estrangulación.

Las hernias de los niños y aun de los jóvenes pueden curar espontáneamente.

Estrangulación de las hernias

En ellas el asa intestinal, el fragmento de tubo digestivo que se halla fuera de la cavidad abdominal, queda desprovisto de nutrición, estando remansado allí su contenido. El mecanismo del estrangulamiento, según las diversas teorías, es vario, no pudiendo ni debiendo entrar aquí en consideraciones acerca del mismo.

Sintomatología

Percíbese en el lugar donde tiene su asiento la hernia, por simple inspección, un bulto que a la presión resulta doloroso; este dolor es agudo y fuerte.

Preséntanse vómitos que pueden llegar a ser fecaloideos (de excrementos).

El paciente se da o no cuenta de su gravedad, pero generalmente sí. El dolor se va extendiendo a todo el vientre, la respiración se hace superficial, la lengua se seca, la sed es intensa, el corazón late apresuradamente, etc.

El caso es que cuando un sujeto con hernia note que a partir de ésta acusa molestias no comunes, junto con el dolor de ella, debe mandar inmediatamente a buscar un médico, el cual comprobará si efectivamente se trata de una estrangulación, en cuyo caso no pasa nada, mientras que del otro modo, difiriendo la consulta médica, puede llegar al caso de que, aun operando, no pueda conseguirse nada práctico.

Tratamiento

Podéis dar un baño a la temperatura de 36 grados. Reposo del enfermo en la cama, con quietud. Tal vez haciendo un poquito de presión se consiga el que entre la hernia dentro del vientre, cosa que no es recomendable para el no práctico. Pero si así entrase por vuestra maniobra, pondréis una pelota de algodón que sujetaréis con una venda, al objeto de evitar que vuelva a salir.

Por tanto, ante la más mínima sospecha acudid al médico.

Asma bronquial

El asma se manifiesta por unos ataques de respiración dificultosa.

Estos ataques ahogan al enfermo y le hacen llegar a pensar que su fin se acerca; no obstante, muy raramente algún paciente muere por un ataque de éstos.

Estos ataques pueden producirse durante el día o por la noche, ya acostado el sujeto y después incluso de haber dormido, presentándose como norma general siempre a la misma hora.

Hacia las tres de la mañana se despierta el sujeto con una tos que al principio es seca y con una manifiesta sensación de que se le acaba el aire.

La dificultad en la salida del aire hace que se produzcan ruidos como silbidos o maullidos, que a veces se perciben hasta a unos cuantos metros de distancia.

El enfermo experimenta extraordinaria angustia, cree ahogarse; la cara, los labios y las orejas se ponen lívidos, claro exponente externo del deficiente recambio de oxígeno y de la intensa perturbación fisiológica que el ataque provoca.

Cedida por amabilidad de la O.M.S., Ginebra.

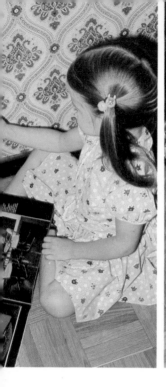

Por muchas que parezcan las precauciones que se tomen en el hogar para evitar la ocasión de que un niño se accidente, siempre serán pocas. Los niños, con su deseo de conocer y experimentarlo todo, pueden accidentarse gravemente.

Aparte de las precauciones que se deben tomar, es conveniente educar y prevenir al niño de los peligros que pueden encerrar ciertas cosas.

Son dos o tres horas, en el decurso de las cuales el enfermo se cree morir; tal es la angustia que le invade ante el ataque y durante el mismo, que le pone, al parecer, en trance de muerte.

Al cabo de este tiempo el esputo comienza a hacerse más blando, la expectoración es más fluida, expulsándose unas masas como de vidrio, muy consistentes y pegajosas.

En el niño pequeño el asma presenta más bien la forma de bronquitis de repetición.

Tratamiento

Procuraremos una buena ventilación de la estancia en la cual se encuentre el paciente, y si es posible, el traslado a otra cuanto más distante mejor, siendo el ideal llevarle a la parte más alta de la casa, con el objeto de apartarle de la posible causa del ataque.

Pondréis cataplasmas, fomentos o ventosas en el pecho.

El tratamiento profiláctico es de gran utilidad.

Es primordial el averiguar cuál es la causa que provoca los accesos —a veces las fresas, los mariscos, etc.— para apartarse de tales productos o para vacunarse contra ellos.

A veces es suficiente con cambiar de colchón o de habitación.

Hay pacientes que al cambiar de localidad, en el sentido de trasladarse de un lugar bajo a otro de altura o viceversa, curan totalmente, aunque volviendo a sufrir los ataques si tornan al lugar o lugares en los que aquéllos se les producían.

2. Intoxicaciones

Con cierta frecuencia el niño es víctima de un accidente a causa de los diferentes tóxicos —gas del brasero— o al contacto o ingestión de un veneno —lejía, raticidas, etc.— que, desprevenidamente, se ha dejado a su alcance.

Dada la casi siempre extrema gravedad del accidente, «habrá que llamar al médico con toda urgencia, o bien llevarlo a él a la casa de socorro o al hospital con la misma rapidez». No obstante, expondremos con brevedad la conducta correcta de primeros auxilios de tipo hogareño en las intoxicaciones más frecuentes; pero, repetimos, el médico debe intervenir rápidamente. Si se posee el tubo de pastillas que han intoxicado al niño, la botella de la que bebió, el bote de polvos, etc., aun cuando estén vacíos, es necesario presentarlos al médico para que éste pueda hacerse cargo inmediatamente de qué tóxico ha actuado y, consecuentemente, administrar el antídoto oportuno. En defecto de restos del tóxico o de su envase, será necesario guardar el producto de los vómitos o excretas si éstas o aquéllos se hubieran producido.

Medidas generales en caso de intoxicación

Llamar al médico con urgencia.

Acostar al niño, aflojando sus vestiduras y poniéndolo de lado, si es que vomita.

Airear bien la habitación.

Tranquilizarlo.

Calentamiento con bolsas calientes si es que se halla frío. Estas se envolverán en lienzos, de modo que de ninguna manera puedan quemar al niño.

Tóxicos inhalados

Gas ciudad, gas de butano. Lo primero que habrá que hacer es llevar al niño a una atmósfera de aire normal y proceder al aflojamiento de sus vestiduras.

Respiración artificial.

1) Llámese al médico (quien posiblemente recomendará el traslado a un centro hospitalario).

2) Atmósfera de aire puro.

3) Fricciones enérgicas a la piel.

4) Aplicación de calor a las extremidades (bolsas de agua caliente).

Tóxicos sobre la superficie del cuerpo

Aplicar gran cantidad de agua, o de agua jabonosa. Si sabemos que se trata de un ácido (clorhídrico, sulfúrico, etc.), neutralizar con bicarbonato sódico, y si de un alcalino (sosa, lejía, etc.), con un ácido, limón o vinagre, por ejemplo.

Tóxicos sobre el ojo

Cuando el tóxico ha entrado en el ojo, hay que irrigarlo abundantemente durante media hora con agua. Si el tóxico es sólido y se ofrece a la vista, puede intentarse su extracción con una brizna de algodón o una punta de pañuelo bien limpia.

Tóxicos ingeridos

Estos pueden ser de gran variedad y de muy diversa naturaleza. Como no podemos entrar en el antídoto de cada uno de ellos, y como la cosa es muy grave, digamos que el medicamento más común para todos ellos es el llamado «antídoto universal»:

Carbón orgánico en polvo	2 partes
Oxido magnésico	1 »
Acido tánico	1 »

INTOXICACION POR INGESTION

Acido bórico

Lavado del estómago con agua y bicarbonato.
Llamar al médico.

Alimentos (hongos venenosos y conservas en mal estado)

Llamar al médico.
Ingestión abundante de agua, que ha de vomitarse.
Suero antitóxico contra los hongos venenosos.
Abrigar bien al intoxicado.
«Antídoto universal».

Detergentes

Dar inmediatamente leche.
Llevar a un centro médico por si aparecen depresión respiratoria o convulsiones.
No dar bebidas alcohólicas.

Lejía y amoníaco

Se hará beber al niño vinagre diluido o zumo de limón.
Seguidamente, y con frecuencia, pequeñas dosis de aceite de oliva.
Llevar el niño al hospital.

Petróleo y gasolina

Hágase beber al niño agua tibia con bicarbonato sódico.
Llámese al médico.

Sublimado corrosivo

Llamar al médico.
Ingestión repetida de leche o de clara de huevo crudo y vomitarlo.

Aguarrás (esencia de trementina)

Ingestión abundante de agua con bicarbonato sódico.

Veronal, Luminal, Dial, Somníferos y otros barbitúricos

Llamar al médico.
Ingestión de agua tibia o solución de permanganato potásico al 1 por 2.000 y hacer que sea vomitado.
Respiración artificial.
Calor y aire puro.

Fósforos (cerillas)

Introducir en el estómago 50-100 c.c. de parafina líquida, en espera del médico, o agua oxigenada al 2 por 100.
Proteger contra los vómitos, que son cáusticos.

Naftalina (bolas contra la polilla)

Ingestión abundante de agua, que se hace vomitar cosquilleando la campanilla con el dedo o una pluma de ave.
Evitar los aceites.
Llamar al médico.

Polvos raticidas (arsénico y otros)

Llamar al médico.
Lavado del estómago con agua y bicarbonato.

Vinos y alcohol de bebidas

Ingestión de agua, que se procura sea vomitada en seguida.
Café fuerte. Calor.
Dar a oler agua amoniacal.
Llamar al médico.

Alcohol de quemar

Llamar al médico.
Lavado del estómago con agua y bicarbonato sódico al 35 por 100.
Respiración artificial.
Café cargado.

Clorato potásico

Llamar al médico.
Lavado del estómago con abundante agua caliente, que debe vomitarse.

Insecticida D. D. T.

Llamar al médico.
Agua tibia para lavar el estómago.
Si hay convulsiones, baños calientes a 37-39 grados.

Nicotina del tabaco

Administrar al niño té o café cargados.
Respiración artificial.
Llamar al médico.

Salicilatos

Llamar al médico.
Ingestión de agua, que se procura sea después vomitada.
También agua con permanganato potásico al 1 por 1.000.
Ambiente tranquilo.

Yodo

Administración de una papilla diluida de almidón o harina.
Llamar al médico.

Una cucharada mediana en un vaso pequeño de agua tibia. Como quiera que en el hogar no se hallan fácilmente estos productos, damos a continuación cómo sustituirlos:

Carbón = Pan tostado bien quemado y pulverizado.
Acido magnésico = Leche de magnesia.
Acido tánico = Té bien cargado.

3. Picaduras y mordeduras venenosas

Escorpiones y víboras

Haremos en primer lugar que la sangre continúe fluyendo durante el mayor tiempo posible.

Antiguamente, y aun hoy, se chupaban las mordeduras con el fin de evitar el envenenamiento. A pesar de ser un veneno poderosísimo, no ocurría nada a las personas que ejecutaban esta práctica. Hoy se sabe que es debido a que el veneno tomado por la boca —no habiendo ninguna herida en el conducto digestivo— es totalmente innocuo.

Dase por descontado que se debe llamar al médico o transportar al accidentado a un centro médico, en el cual se le podrá administrar suero antiponzoñoso, etc.

Reposo.

Quienes transiten por zonas infectadas de reptiles deben proveerse de ampollas de suero antiponzoñoso.

Picaduras de insectos

Si se quedó el aguijón, se intentará sacarlo cogiéndolo por su extremo, aplicando inmediatamente agua amoniacal o de sosa.

Si no se pueden aplicar estas sustancias, póngase jabón en cantidad o una cebolla hecha trocitos.

Esto se hace con el objeto de neutralizar el veneno antes que la hinchazón haya cerrado el orificio de entrada de la herida producida por el aguijón.

Si las picaduras son muchas, habrá que ligar el miembro entre las picaduras y corazón. Pomada antialérgica.

Llamar al médico.

Mordeduras de araña

Procuraremos que la herida producida por el arácnido sangre bastante.

Podemos poner sobre ella sal mojada, no recomendando la tierra húmeda por el peligro de que se infecte de tétanos o gangrena.

Si el dolor es muy fuerte, pueden darse baños calientes en la parte afectada.

Podemos hacer aplicaciones de compresas empapadas en solución de acetato de alúmina.

Acetato de alúmina al 10 por 100 ... ...   50 c.c.

4. Accidentes más frecuentes

Mordedura de perro

Conviene apoderarse del perro, a ser posible vivo, para llevarlo al Instituto Antirrábico o al de Higiene, en donde será sometido a observación.

Límpiese la herida, que se habrá procurado que sangre, con agua y jabón.

Presentación del mordido en el centro antirrábico.

Quemaduras

Para las quemaduras de primer grado (con enrojecimiento de la piel y formación de ampollas), siempre que no sean muy extensas (en cuyo caso son gravísimas), podemos aplicar compresas de agua fría o compresas de alcohol o de acetato de alúmina al 2 por 100. El frío tiene la propiedad de que quita el dolor instantáneamente. Si la quemadura es pequeña, bastará con hacer lo que es de conocimiento vulgar, y que se ejecuta casi mecánicamente de generación en generación, que es poner la parte quemada debajo del chorro del agua fría. El comercio expende tules grasos impregnados de antibióticos, que impiden la adherencia y la infección.

En fin, fuera de la pequeña ampolla de la quemadura banal ordinaria siempre habrá que dirigirse al médico.

Congelación

En los casos moderados en los que la piel presenta una palidez cérea o un color amoratado, o hasta algunas ampollas dolorosas como de quemaduras, se aflojará la ropa al niño y se le acostará, calentándolo poco a poco, sin aplicar el calor en la parte afectada.

En los casos graves, con pérdida de la sensibilidad de la parte congelada, temperatura elevada y hasta gangrena, el tratamiento será inmediato y en un centro hospitalario. Durante el traslado no se calentará el miembro congelado ni se friccionará, protegiéndolo contra la infección con gasa y vendajes estériles. En el hospital se le inyectarán los antibióticos, anticoagulantes y antitoxinas necesarios.

Hemorragias a causa de heridas

Al corazón, y circulando por las venas, llega la sangre venosa; del corazón, por las arterias, sale la sangre arterial que se distribuye por todo el cuerpo. Cuando la herida afecta a un vaso (arteria o vena) importante, habrá que ver si la sangre es arterial o venosa, cosa no difícil de comprobar ya que la arterial es más roja y además sale a golpes, que coinciden con los latidos del corazón; la sangre venosa es más oscura y sale de un modo continuo, sin golpes.

Hay otra variedad de hemorragias, en la cual la sangre no sale de un determinado vaso, sino de muchos: es la hemorragia capilar o «en sábana».

En la hemorragia arterial y venosa, si se trata de una extremidad, bien del brazo o de la pierna, procederemos a cerrar el vaso que sangra. Para ello rodearemos el miembro con una cuerda, una correa, un pañuelo, lo que tengamos a mano (véase Fig. 65), teniendo en cuenta que si la hemorragia es arterial habrá que hacer la compresión entre la herida y el corazón, y si es venosa, entre la herida y la extremidad del miembro, tal como se indica en la figura.

Si la hemorragia es capilar, procederemos a hacer presión sobre la herida para evitar que la sangre salga, con gasa o algodón, o lo que tengamos a mano, a ser posible, claro está esterilizado.

Podemos comenzar a dar en seguida líquidos para que el volumen sanguíneo se reponga con facilidad. Procederemos a levantar el miembro afectado a fin de que la sangre llegue a él con mayor dificultad.

Si la cosa es grave, llevaremos el accidentado a un sanatorio, hospital, clínica o lugar en el cual puedan prestársele mayores y más eficaces auxilios.

Fracturas

Debe tenderse en estos casos a evitar ante todo los movimientos anormales del hueso roto, con el fin de que no se produzcan más lesiones y de que no haya más separación de los fragmentos (véase Fig. 66).

En las fracturas del antebrazo

Se improvisa un aparato de contención mediante la corteza de un árbol, con una tabla, con un trozo de cartón, con unas cuantas varillas de madera, etc. El caso es prestar la máxima inmovilidad al fragmento roto.

Después de hecho esto, se coloca el antebrazo en un pañuelo o servilleta doblado y se anuda al cuello.

En las fracturas del brazo

Habrá de inmovilizarse éste contra las paredes del tronco, sobre las costillas, lo cual se conseguirá mediante un lienzo o una corbata ancha. Si esto no fuera posible, se despojará al paciente con sumo cuidado de su chaqueta, para volvérsela a poner de modo que el

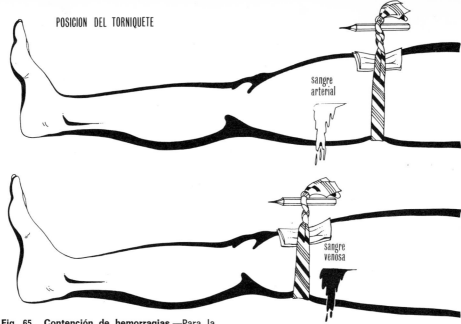

POSICION DEL TORNIQUETE

sangre arterial

sangre venosa

Fig. 65. Contención de hemorragias.—Para la arterial se hace presión por encima de la herida, entre ella y el corazón. Para la venosa hay que comprimir por debajo de la herida, entre ella y la parte más distante de la extremidad.

Fig. 66.—1, coja dos chaquetas; 2, vuelva las mangas al revés; 3, pase por las mangas dos barras de madera o de hierro, como en el dibujo; 4, acueste al herido siempre sobre el lado abotonado.

Para inmovilizar fracturas de los miembros inferiores se pueden emplear bastantes objetos caseros: mantas, cuerdas, bastones, que confieran rigidez al muslo sin dañarlo.

CAMILLA IMPROVISADA

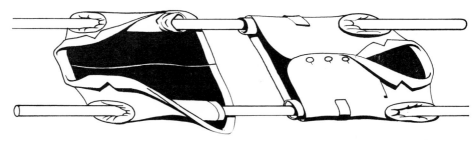

INMOVILIZACION DE FRACTURAS

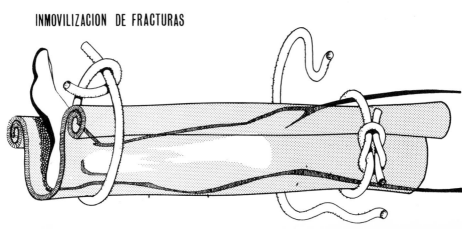

brazo lesionado no entre en la manga y quede comprendido entre la prenda y el tronco, con objeto de que esté aprisionado, a fin de que no se mueva.

Fractura del miembro inferior

Hemos de tender a lo mismo que en la de los miembros superiores, procurando para la de las piernas hacer lo mismo que para las del antebrazo, sujetando luego la pierna enferma a la otra sana.

En las del muslo nos valdremos de cañas, palos, fusiles, bastones, etc. Varillas rígidas que presten rectitud al muslo, impidiendo sus movimientos bruscos. Luego completaremos la obra rodeando con lienzos, o cuerdas, o pañuelos, o lo que sea: con lo que tengamos a mano.

Transporte de los fracturados

Cuando el accidente ocurra en casa, lo mejor será que el enfermo, convenientemente ayudado, se tienda en la cama o se siente, haciendo que sea visitado por el médico.

Si es en la calle o en el campo, el procedimiento ideal consiste en el traslado en camilla; no obstante, a falta de esto, puede cogerse al paciente en brazos, cuidando dos ayudantes de las extremidades inferiores, una de las cuales será la fracturada.

Para improvisar una camilla puede recurrirse a una escalera, a dos tablas sobre dos palos largos y gruesos, a ramas de árboles, a una manta con cuatro escopetas, dos cruzadas en aspa y dos laterales, etc. (Fig. 66).

Se procurará mover lo menos posible al trasladado, haciendo reposar el peso del cuerpo en el extremo más distante del foco de fractura.

El traqueteo de los carros es de lo peor en un fracturado; mejor van en automóvil o ferrocarril, a condición de que el paciente vaya tumbado y con el miembro inmovilizado.

Si esperamos en casa la visita del médico, pondremos al sujeto en una superficie dura, o bien en la cama, sobre la que colocaremos una tabla recta, impidiendo que el peso de la ropa de la cama caiga sobre el miembro lesionado.

Si la fractura es abierta y hubiera discreta o intensa hemorragia, recurriremos para su contención a los remedios especificados.

Si tenéis gasa estéril, podréis proteger la herida poniendo unos trocitos sobre ella y después de haber tocado los bordes y alrededor de ella con tintura de yodo.

Torceduras y contusiones articulares

Si la torcedura o la contusión es muy intensa (en cuyo caso habrá que proceder a una exploración técnica y reglada, incluso con el auxilio de la radiografía), se procederá como sigue:

1041

1.º Una vez cómodamente situado el paciente, sumergiremos la parte afectada en agua caliente hasta 50 ó 55 grados durante diez o doce minutos, hecho lo cual, con mucho mimo, con toda suavidad, la envolveremos en algodón, poniendo una venda moderadamente apretada sobre ella, a fin de que sujete sin oprimir.

2.º Reposo absoluto de la parte enferma, buscando la posición en que le duela menos y esté más cómoda.

3.º Se deja así durante veinticuatro horas. Si al cabo de ellas no ha bajado la hinchazón, se repite la misma cura.

4.º Después de cuarenta y ocho horas puede comenzarse el masaje con una solución de:

Alcohol de 85 grados ... ...　100 c.c.
Alcanfor ... ...　10 gramos

Masaje que debe dar, cuando menos, un practicante.

5.º Para iniciar los movimientos habrá que esperar a que la hinchazón desaparezca totalmente. Se empezará con movimientos pasivos, o sea los provocados por vuestras manos o las de otro, y se continuará por los activos, por los que dependen de la voluntad del sujeto. Pero teniendo siempre en cuenta que para los miembros inferiores no hay que tener prisa en abandonar el lecho o el lugar de descanso. La vigilancia y el consejo médico son lo más aconsejable.

Dislocación

Nos limitaremos a procurar reposo, inmovilización absoluta de la región enferma y reclamar los servicios facultativos, toda vez que la reducción es tanto más sencilla, duradera y de mejores resultados, cuanto más precoz sea su oportuno tratamiento.

Contusiones o golpes

Comprimiréis con fuerza la parte lesionada, a los efectos de que la sangre no continúe derramándose, aunque sea internamente. Esto ya lo conocen las madres, que cuando sus hijos se caen ponen inmediatamente una moneda sobre la frente para impedir que se «hinche».

Si el derrame es muy intenso, o bien no desaparece espontáneamente, recurriremos a fomentaciones antisépticas calientes, esto es, a la aplicación de paños húmedos y calientes empapados con:

Timol ... ...　1 gramo
Mentol ... ...　2 gramos
Agua ... ...　100 c.c.

o bien con:

Solución de sulfato de cobre al 2 por 1.000, 250 c.c.

Heridas en general

Limpieza de la herida con agua hervida o agua oxigenada diluida. Nada de pomadas, tintura de yodo ni alcohol.

Si se tienen a mano, puede espolvorearse la superficie cruenta con polvos de sulfamidas, aplicación de una gasa estéril, algodón, vendas o esparadrapo.

El médico decidirá el tratamiento y la necesidad de suero anti-tetánico u otros.

Ahogamiento

Poner al ahogado boca abajo y con la parte anterior del cuerpo más baja que la posterior, al objeto de facilitar la salida del agua.

Poner al paciente en un sitio aireado, con el pecho levantado por una almohada y la cabeza caída hacia atrás. Procederemos a hacer una fricción enérgica de todo el cuerpo, golpeando ligeramente la región del corazón.

Abrigarle bien con mantas, botellas, ladrillos, todo ello caliente.

Si hay posibilidad, aplicación de corrientes farádicas, pero esto por un técnico.

Pero la medida más oportuna consiste en la práctica de la respiración artificial, que por el método de Sylvester consiste en lo siguiente: colocar al paciente echado sobre la espalda y con la cabeza colgando hacia atrás. Un ayudante verifica tracciones rítmicas de la lengua que se hacen coincidir con el ritmo respiratorio, ritmo (de 16 a 20 veces por minuto) que se imprime al movimiento de las extremidades superiores en las maniobras que estamos describiendo.

En su primer tiempo se elevan los miembros superiores de un solo golpe hasta por encima de la cabeza, y en su segundo tiempo se les hace descender también bruscamente hasta la posición primitiva.

Este método se modifica beneficiosamente en el sentido de, al descender los brazos, hacerlos doblar un poco por la articulación del codo, apretando antebrazo y brazo contra la caja torácica, de modo que la respiración resulte de este modo más forzada y, por tanto, más eficiente.

Habrá que tener en cuenta cuál es el número de respiraciones en el estado normal, número que, como terminamos de decir, asciende en la persona adulta de 16 a 20 por minuto; número de respiraciones que debemos alcanzar, pero no sobrepasar, al objeto de que nuestro esfuerzo resulte más aprovechable.

Este método, combinado con las tracciones rítmicas de la lengua y las inhalaciones de oxígeno, ha vuelto a la vida a muchos a quienes se creía perdidos, por lo cual recomendamos persistir sin desmayo hasta obtener un resultado positivo.

Actualmente es muy utilizado el método boca a boca descrito en el apartado número 1 de este mismo capítulo.

No olvidaremos proporcionar calor, y una vez reanimado el sujeto, una bebida caliente y el sueño completarán el tratamiento.

Shock (o estado colapsal)

En muchos casos, tales como quemaduras, hemorragias, intoxicaciones, traumatismos graves, etc., se produce un estado de «shock» con o sin pérdida de conocimiento, caracterizado por sudoración, palidez, debilidad, pulso débil y rápido y presión arterial disminuida.

Se acostará al niño con la cabeza más baja que el cuerpo en una habitación silenciosa y caliente. Se le calentará con mantas y bolsas calientes y, en espera del médico, llamado urgentemente, se le podrá dar una cucharadita de café cargado.

Descargas eléctricas

Nuestros primeros esfuerzos han de tender a librar al paciente de la muerte inmediata. Para ello procederemos, sin pérdida alguna de tiempo, a practicar la respiración artificial; esto ya lo saben los obreros de las fábricas de electricidad, los cuales, al sufrir algún compañero este accidente, lo llevan a un sitio apartado y le hacen la respiración artificial.

El médico añadirá a esto la inyección de tónicos cardíacos, pues la cosa es grave.

Si es necesario se hace masaje al corazón, y si se puede, electrificación del mismo, según técnicas bien precisas.

Cómo prestar auxilio a un electrocutado

Cuando el accidentado está sobre un cable eléctrico, debe tenerse gran cuidado para socorrerle. El que le presta auxilio no debe interponerse entre la fuente de la corriente y el paciente de modo que deje pasar la corriente por su propio cuerpo. Si él se coloca sobre cualquier material seco, como madera o ropa seca, la corriente no pasará fácilmente por el cuerpo al suelo. Además, si aparta al paciente del cable mediante una soga seca, ropa seca o sábana, o manta seca, corre poco peligro de recibir la corriente él mismo. Algunas veces puede separarse el cuerpo del alambre por medio de un palo o madera seca. En cualquier caso, cuídese de que la persona que quiere socorrer a la víctima esté aislada del suelo y del paciente según lo ya explicado.

Una de las formas más sencillas de liberar a una persona de semejante trance consiste en quitarse la chaqueta, si está seca, para que dos personas, trabando de las mangas, la pasen por debajo del cuerpo del paciente y presto, pero firmemente, lo levanten de encima del cable. Téngase mucho cuidado de que el cable no vuelva para atrás a tocar el cuerpo de la víctima o de cualquiera de sus auxiliadores. Una soga, también seca, es ideal para este fin, y se usa del mismo modo que la chaqueta.

Cedida por amabilidad de la O.M.S., Ginebra.

Anafilaxia y reacciones séricas

Después de la inyección de sueros o la ingestión de ciertos alimentos pueden producirse reacciones violentas, llamadas de «alergia», por ser el organismo de ciertas personas especialmente sensible a agentes que en otras no producen nada. Estos disturbios pueden ser asma, fiebre del heno, trastornos gastrointestinales (especialmente en los niños), urticaria, etc. Cuando se produzca un acceso, se suprimirá todo alimento durante algunas horas y se dará el antihistamínico prescrito anteriormente por el médico.

Si se trata de urticaria y hay picor intenso de la piel, se aplicarán paños frecuentemente renovados de agua con bastante bicarbonato.

El médico especialista hará pruebas especiales para descubrir la causa de los accesos (polvo, caspa, plumas, olores, alimentos, etc.).

Hipo

Si es un acceso limitado, puede «cortarse» dando al niño agua fría, que absorberá lentamente, al mismo tiempo que se ejercerá una presión sobre los globos oculares. La aplicación de un paño húmedo caliente sobre el estómago también se puede practicar, así como el contener la respiración durante un momento.

En caso de hipo persistente o repetido, hay que consultar con un médico, que averiguará la causa.

Cuerpos extraños

En las orejas

Si se trata de un insecto que se ha introducido accidentalmente en el conducto auditivo externo, bastará con rellenarlo, hasta que rebose, con aceite de oliva o glicerina y esperar algunos momentos. Muriendo el insecto, podrá ser expulsado con el líquido cuando se incline la cabeza hacia el otro lado, o podrá ser extraído delicadamente con una pinza pequeña.

La misma técnica podrá ser seguida si se trata de un cuerpo extraño poco voluminoso; pero en el caso contrario, sólo un lavado de oídos u otro proceder propio del especialista podrá conseguir la salida del obstáculo, ya que casi siempre, por poco voluminoso que sea el cuerpo extraño, las tentativas de extracción no sirven más que para empujarlo e incrustarlo, con los peligros que ello representa: heridas o incluso perforaciones del tímpano.

Se puede ensayar una irrigación dulce de agua hervida tibia que se proyectará con una pera de goma, no contra el cuerpo extraño, sino contra la pared superior del conducto; excepto si se trata de una sustancia que se hincha: algodón, miga de pan o semillas.

En la nariz

Contrariamente a lo que se hacía en el apartado anterior, nos guardaremos aquí de hacer ninguna clase de lavados, que podrían muy bien ocasionar una otitis o una sinusitis.

Si el accidente es reciente, procuraremos que el niño se suene con energía mientras se comprime la fosa nasal libre. También se puede ensayar una presión suave sobre la nariz desde la parte superior hacia los orificios de la misma. Algunos recomiendan soplar fuertemente en la boca del niño, recubriéndola con un lienzo; pero esto deberá ser hecho por una persona sana, a ser posible la madre o el padre del niño.

Se puede ensayar, si se conoce la naturaleza del objeto, y si se está seguro de no producir heridas, el provocar estornudos sirviéndose de los polvos de rapé.

Si no se consigue extraer el cuerpo extraño, más vale no insistir y conducir el niño al médico, y mejor a un especialista.

En el ojo

Procederemos a evertir el párpado siguiendo los tiempos y las normas que se indican en la figura 67, hecho lo cual, con la punta de un pañuelo, con una brizna de algodón o con un pelo de crin doblado y atado en un palito procuraremos arrastrar y sacar aquel cuerpo molesto.

Si no se tiene éxito, puede sumergirse el ojo en una copa ocular o incluso en el hueco de la mano con agua limpia y mejor hervida y tibia con un poco de sal: una cucharadita por un vaso de agua, o una solución saturada de ácido bórico.

Después de esto es fácil que persista la sensación de que aquello está dentro todavía, así como el enrojecimiento, que una vez desaparecida la causa que lo producía no tardará mucho en dejar de hacerse aparente.

En el tubo digestivo

Si se está seguro de que el objeto tragado es liso y poco voluminoso, sin asperezas ni puntas, se procurará su expulsión provocando el vómito por los medios ordinarios.

Si el cuerpo extraño presenta puntas o asperezas, a fin de evitar las heridas en la mucosa se procurará envolverlo en materias alimenticias, tales como la miga de pan sin masticar, o bien dar pan, arroz, purés, espárragos o copos de algodón. Nada de purgantes. En ocasiones conviene practicar un examen por rayos X.

En la laringe y bronquios

No deben emplearse vomitivos ni cosquillear la campanilla.

Si se percibe a tiempo el accidente, se pondrá al niño cabeza abajo, a fin de probar la posible expulsión espontánea del cuerpo extraño.

Con toda la diligencia posible se trasportará al niño a un especialista de nariz, garganta y oídos, quien podrá practicar la extracción tanto mejor cuanto el cuerpo se halle más altamente situado en el aparato respiratorio.

Téngase en cuenta que el accidente puede ser gravísimo. La sofocación puede calmarse con inhalaciones de éter.

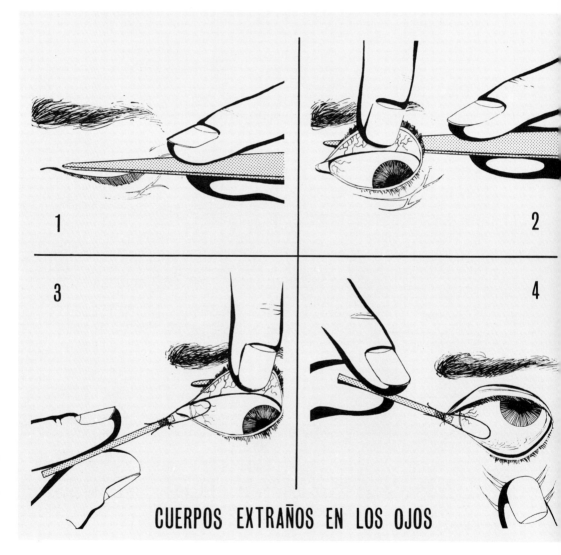

CUERPOS EXTRAÑOS EN LOS OJOS

Fig. 67. **Forma de proceder para evertir los párpados y extraer un cuerpo extraño de un ojo.**
1, portaplumas sobre el párpado superior; 2, párpado superior levantado sobre el portaplumas; 3, extracción con una mechita de algodón; 4, párpado inferior separado.

1048

69

Niños prematuros y débiles

1. Concepto de debilidad y prematuridad

Siempre ha habido niños que han nacido con una vitalidad disminuida. Antes de nuestros tiempos modernos, en que la puericultura ha hecho tantos progresos y salvado tantas vidas, estos niños estaban condenados fatalmente a perecer: aún más, en ciertos países y tiempos antiguos estas pobres criaturas eran abandonadas a su triste suerte por sus propios padres; únicamente los más fuertes tenían derecho a la vida. El Cristianismo modificó radicalmente esas costumbres crueles, subrayando con razón que un cuerpo débil puede albergar un alma noble y también una inteligencia excepcional.

Estos niños débiles pueden haber nacido al término de la gestación, pero presentan una deficiencia funcional que hace difícil su desarrollo normal. Deben ser objeto de cuidados especiales y, sobre todo, en lo que se refiere a la alimentación.

Con frecuencia estos débiles son también prematuros, es decir, nacidos antes de término, concibiéndose que su desarrollo sea aún más difícil.

Por el contrario, el prematuro no es necesariamente un débil; es por definición un ser no maduro, un niño sano cuyo nacimiento se ha producido más o menos lejos del término.

El criterio esencial de la prematuridad y de la debilidad es el peso. Son niños que, al nacer, pesan menos de 2.500 gramos. Los prematurísimos son aquellos que pesan menos de 1.800 gramos.

Hay casos de supervivencia en niños con pesos increíblemente bajos, pero éstos son una excepción. El límite de la viabilidad se sitúa entre los 700 y 800 gramos.

2. Mortalidad

El 97 por 100 aproximadamente de los niños de menos de un kilo de peso mueren dentro de las primeras veinticuatro horas.

Entre las causas de muerte tenemos las alteraciones respiratorias —anoxia, procesos neumónicos, membrana hialina, etc.—, viniendo después las hemorragias, las infecciones, la sífilis, etc.

La mortalidad es muy elevada en las primeras veinticuatro horas; pero también mueren muchos prematuros antes de cumplir los diez primeros días. A medida que crecen va desapareciendo esa amenaza de muerte, y hacia el tercer año la cifra de mortalidad no es superior a la cifra de mortalidad de los nacidos a término.

La higiene y los progresos técnicos han podido disminuir las cifras de mortalidad en los prematuros, aunque no demasiado, ya que los medios humanos no pueden hacer de una criatura muy inmatura un ser «terminado». Por ejemplo, por mucho oxígeno que se dé a un prematuro, si su hemoglobina, por inmatura, no puede cederlo rápidamente a los tejidos, perecerán éstos fatalmente por anoxia.

La mejor manera de rebajar esa mortalidad consiste en evitar que los niños nazcan antes de término.

Ahora bien, para los nacidos en esas condiciones habrá que poner en marcha todos los medios propicios para hacerlos sobrevivir.

La asistencia al prematuro representa una conquista de la puericultura moderna. Hoy en día, con las incubadoras perfeccionadas que se construyen y con los cuidados de un personal especializado, se pueden salvar muchos niños.

3. Características del prematuro

En cuanto a las causas de la prematuridad, véase el capítulo 46.

Aspecto físico

Los niños prematuros tienen un aspecto diferente a los recién nacidos normales: dan la impresión de una «muñeca frágil». Son pequeños y delgaditos, siendo la grasa subcutánea poco abundante. La piel es fina y arrugada, de un color más o menos rojizo y recubierta de lanugo (vello) más o menos abundante, sobre todo al nivel de espalda y miembros. Las uñas son blancas en los prematuros precoces, bien formadas en el niño de ocho meses. Los cabellos son raros.

El tórax es estrecho de circunferencia y más pequeño que el del recién nacido normal. Los músculos intercostales se hallan poco desarrollados, la respiración se hace mal y el tórax tiende a deformarse.

El cráneo es pequeño aunque desproporcionado con relación al cuerpo y a veces blando en ciertos lugares; la fontanela anterior presenta una depresión, que con frecuencia es acentuada.

Los órganos genitales se hallan bien desarrollados con relación al resto del cuerpo; sin embargo, en los niños el testículo no ha descendido aún a su lugar en el escroto, y en las niñas los grandes labios se hallan menos desarrollados que los pequeños, no llegando a recubrir los orificios urinario y vaginal.

Los miembros son pequeños y gráciles, y la musculatura, poco desarrollada y en un estado de hipertonía acentuada.

Se observa con frecuencia que en estos recién nacidos se presentan deformaciones congénitas, tales como la espina bífida, imperforación del ano, anomalías del corazón, etc.

Comportamiento del prematuro

Los prematuros, sobre todo de poco peso, son niños somnolientos, inmóviles y silenciosos. Duermen de noche y de día, siendo necesario despertarlos con algunos golpecitos para hacerles tomar el alimento.

A medida que el tiempo pasa y el niño se fortalece, sus débiles gritos se hacen más fuertes y llega a despertarse solo. No hay que olvidar que el prematuro no es más que un feto fuera del útero, un «infante fetal».

4. Características

La característica principal del prematuro es la inmadurez. Esta es con frecuencia exterior —piel roja, uñas frágiles, etc.— pero también es interior, y en esos casos se manifiesta exteriormente por fenómenos anormales, tales como la piel azulada, crisis de asfixia, etc.

Inmadurez del sistema nervioso. El desarrollo del cerebro y de la medula espinal son insuficientes, lo que explica que los movimientos sean raros y limitados. Si el centro de deglución no está aún desarrollado, el niño no es capaz de tomar alimento.

Inmadurez del sistema respiratorio. En el pulmón hay pocas fibras elásticas, zonas de alvéolos no desplegados, y la caja torácica es endeble a causa del escaso desarrollo de los músculos intercostales. Todo esto, unido a lo que se ha dicho de los centros respiratorios, explica el característico modo de respirar de los prematuros.

También se observa con frecuencia la enfermedad de la membrana hialina.

Inmadurez circulatoria. Son frecuentes en el prematuro y en el débil los accidentes hemorrágicos, sobre todo a nivel del cerebro. Esto es debido a la inmadurez (fragilidad) de los capilares aún no completamente desarrollados, y a la inmadurez de la sangre, en la cual la hemoglobina se halla disminuida, así como las sustancias agentes de la coagulación.

El corazón, salvo en caso de anomalías, está por lo general bien desarrollado, aunque los latidos sean débiles.

Inmadurez digestiva. La debilidad de los músculos bucales y linguales hace que le sea difícil mamar. Además, la escasez de glándulas salivales provoca la sequedad de la boca y, por consiguiente, favorece el desarrollo del muguet, afección producida por un hongo microscópico.

Inmadurez hepática y renal. Es frecuente la ictericia prolongada en los prematuros, así como la anemia; esto traduce un defectuoso funcionamiento del hígado, que además tiene pocas reservas de hierro y de glucógeno.

Lo mismo se puede decir del riñón, cuya escasez de capilares y canales excretores es característica. La deficiente eliminación produce edemas —hinchazón de zonas, tales como el escroto, el pubis— y otros fenómenos graves.

Inestabilidad térmica. Todo el mundo sabe que hay que cuidarse de no dejar enfriar a los prematuros o débiles. Basta dar un paseíto breve al aire libre para observar cómo baja la temperatura en dos o más grados.

También el excesivo calor perjudica a estos niños, elevándose su temperatura y produciéndose fenómenos graves, tales como las convulsiones, deshidrataciones, etc.

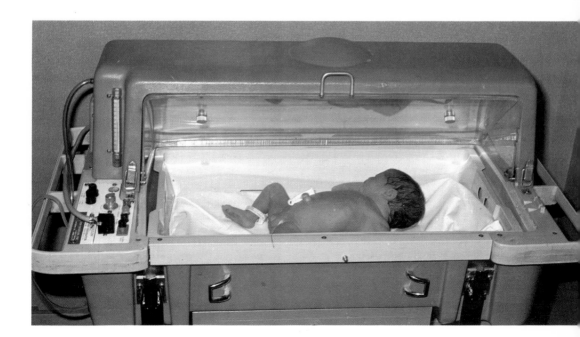

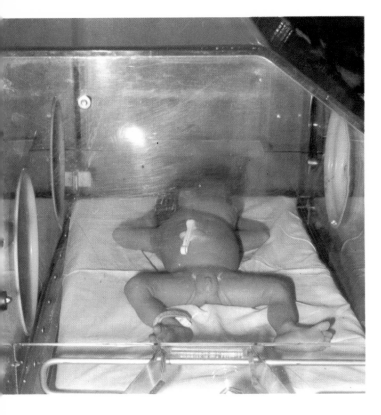

Para combatir las deficiencias de la prematuridad, una de las armas más eficaces es la incubadora. Todos los centros médicos disponen de estos aparatos tan útiles y que salvan tantas vidas.

Protegen al niño en esa época en que el bebé tiene una constitución débil y es, por tanto, tan fácil presa de muchas enfermedades.

5. Cuidados que hay que prodigarle

Durante el parto hay que evitar en todo lo posible hacer una anestesia general a la madre, no dándole medicamentos que refuercen las contracciones y haciéndole respirar oxígeno.

Cuidados de urgencia

Verificada la expulsión del niño, se le cubrirá con una toalla caliente y se esperará cortar el cordón a que éste haya cesado de latir; de este modo el niño gana algunas decenas de gramos de sangre.

Si el niño presenta signos de asfixia y no grita, no se le sacudirá y se guardará muy bien de intentar reanimarlo utilizando el método del baño caliente y frío. Se aspirarán las mucosidades de su faringe, y una vez cortado el cordón, se le podrá mantener durante algunos momentos en un baño de agua tibia, al mismo tiempo que se efectúan los movimientos de respiración artificial. Se evitará toda maniobra brusca y hasta incluso el ponerle la ordinaria solución de argirol en los ojos, ya que los frágiles tejidos del prematuro no lo soportan.

También se habrá advertido lo más pronto posible a un centro de incubadoras, a fin de hacer ingresar al niño. Si el nacimiento se ha producido en casa, se habrá preparado una cuna bien calentada, pues no hay que olvidar que todo prematuro enfriado, aun cuando sólo sea unas horas, se halla condenado casi fatalmente a morir. El médico habrá inyectado rápidamente al niño diversas sustancias, sobre todo vitaminas antihemorrágicas.

Incubadoras

Estas cajas aislantes, en las que el niño se halla casi en las mismas condiciones que en el seno materno, han salvado millares de vidas. La famosa «Isolette» canadiense se halla perforada por diversas aberturas laterales fácilmente obturables y que permiten introducir las manos para cuidar al niño. En la parte superior también hay un orificio que permite el paso del tallo de la balanza para pesar al niño sin que éste salga de su «nido».

La calefacción es constante gracias a un sistema eléctrico perfeccionado.

Este mismo sistema asegura la humidificación en el grado deseado —50 a 75 grados por 100 en general—. La llegada de oxígeno es regulable en la proporción del 40 al 80 por 100.

Lucha contra la infección

En lo que concierne a los cuidados del niño, el baño es reemplazado por un lavado con agua hervida. Primeramente de las partes altas del cuerpo. Las partes bajas ensuciadas son limpiadas por otra persona que no sea la encargada de la alimentación, a menos que se lave y esterilice las manos y se cambie la bata.

Las enfermeras deberán llevar continuamente una mascarilla de tejido ocultando la boca y la nariz. Las máscaras se fabrican ahora con tejido muy absorbente y con una capa de celofán en medio. Deben sumergirse en un desinfectante después de usarlas.

La enfermera no debe sonarse estando en servicio activo, y si se halla afectada de resfriado no debería estar en contacto con los niños.

Todas estas precauciones, igual que la manipulación a distancia de los niños, tienen por objeto evitar la infección de origen aéreo. Se extiende también a los visitantes, que no pueden ver al niño más que a través de los vidrios de la pieza en donde están las incubadoras. Con frecuencia también es desinfectado el aire con auxilio de ciertas sustancias o la proyección prolongada de rayos ultravioleta.

En caso de un nacimiento prematuro o de un niño muy pequeño lo mejor que se puede hacer es transportar al bebé, cuanto antes, a uno de estos centros con todas las precauciones necesarias para evitar el enfriamiento. Si la madre no puede ser admitida, se hará todo lo posible para que su leche le sea extraída varias veces al día y se haga llegar hasta el niño. El centro de prematuros lo devolverá a la familia cuando sus condiciones sean las de un bebé normal.

6. Crecimiento y desarrollo

En general, el crecimiento del prematuro es más rápido que el del recién nacido a término: el ritmo de crecimiento es, en efecto, de tipo fetal intrauterino. De manera que en lugar de doblar el peso del nacimiento hacia el quinto mes, lo dobla hacia fines del tercero. En lo que concierne al desarrollo estatural ocurre lo mismo, ya que en los últimos meses de vida intrauterina hay un desarrollo funcional elevado y un impulso de vitalidad enorme.

La dentición se halla, en general, retardada en estos niños, al igual que la marcha y el lenguaje. Pero hay que tener siempre en cuenta su edad real corregida, que se obtiene deduciendo de la edad cronológica (después del nacimiento) los meses de prematuridad. Parecería que estos niños, a primera vista, tardan en controlar sus esfínteres; es decir, que tienen tendencia a hacer «pipí» en la cama durante más tiempo.

Desde el punto de vista del carácter, estos niños son más «difíciles» que los nacidos a término. Con frecuencia hay desarmonía con respecto a los hermanos y una inclinación particular hacia la madre.

La estatura de estos niños se hace igual a la del niño normal alrededor de los tres años, recuperándola las niñas más deprisa que los niños. En cuanto al peso normal, los niños que al nacimiento pesan dos kilos, tardan de tres a seis años en recuperarse.

Ya insistimos sobre la particular fragilidad de estos niños, cuya mortalidad es grande incluso después del primer año. Conviene que los padres tengan siempre presente que los prematuros se defienden peor contra la infección y que tienen una gran predisposición a la anemia, a la espasmofilia y al raquitismo.

Gracias a constantes cuidados, los prematuros muy tempranos llegan a sobrevivir a pesar de las dificultades que tienen durante los primeros años de su vida, llegando a alcanzar no sólo la edad adulta, sino también edades muy avanzadas.

Repetimos aquí lo que ha sido dicho en el capítulo de la puericultura prenatal: el mejor tratamiento de la prematuridad es su prevención; hay que evitar a toda costa el nacimiento prematuro de un niño si se quiere reducir al máximo los riesgos de muerte durante los primeros años de la vida.

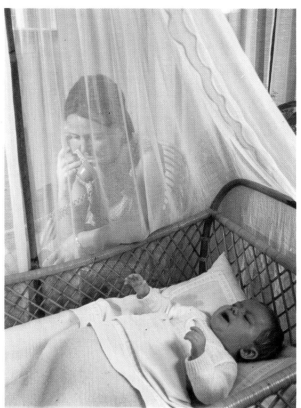

Con los modernos adelantos de la Medicina es posible combatir aun las enfermedades más terribles, siempre que, claro es, se recurra a tiempo.

La madre debe prestar atención al desarrollo del niño, ya que cualquier retraso en su normal desarrollo puede ser un indicio de una enfermedad.

Pero debe tenerse en cuenta que sólo el médico se halla capacitado para diagnosticar las enfermedades.

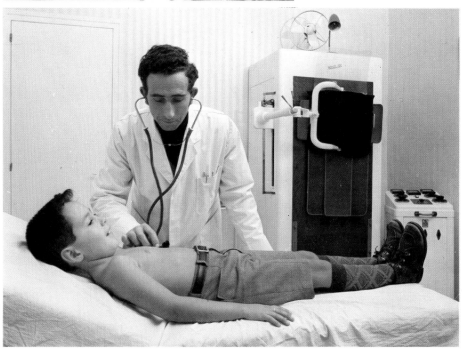

70

Signos de enfermedad. Cuidados generales al niño enfermo

1. Signos de enfermedad

No es necesario que la madre sea muy observadora para apercibirse de que un niño es normal y se halla en buena salud. El estado de nutrición del niño, su color, su vitalidad, su alegría, sus deseos de jugar, su aspecto en general, su apetito, su sueño, le dicen de una manera muda, pero elocuente, al menos en general, que su pequeño goza de una buena salud. Claro que, reconocemos que, en muchas ocasiones la madre sin experiencia, sobre todo la que tiene su primer hijo, se halla con frecuencia un poco desorientada en cuanto a la apreciación y a la valoración de ciertos signos que le causan extrañeza. Por el contrario, madres muy observadoras o que ya han tenido varios hijos, disciernen con facilidad lo que hay de anormal y se conducen con sabiduría. Vamos a dar una serie de síntomas de anormalidad, así como las medidas más oportunas en cada una de ellas. Todo lo que la madre haga en los primeros momentos tenderá a la no agravación de los procesos que pueda padecer el niño y a su más fácil curación.

Pérdida de la alegría natural. El niño, hasta entonces contento, juguetón, curioso, locuaz, pierde en más o en menos estas características y aparece decaído en su espíritu, perdiendo interés por las personas y las cosas.

Cansancio. El aspecto del niño ha variado. Presenta fatiga física, desgana y cansancio, que van aumentando a medida que el proceso toma cuerpo, y que en muchas ocasiones hacen que el mismo niño reclame el acostarse.

Cefalea (dolor de cabeza). El niño siente pesadez y malestar general en la cabeza, o limitado en alguna zona de ella, bien de una manera muy difusa o de una manera muy concreta; habiendo muchas gradaciones en lo que se refiere a la intensidad. Claro que, en el niño

1057

muy pequeño la expresión de este síntoma, como de otros que descubrimos, puede hallarse muy dificultada por la falta de expresión hablada o su deficiente manifestación. En el caso concreto del dolor de cabeza, el niño pequeño mueve la cabeza de un lado a otro y hasta incluso puede llevarse las manos a la misma.

Irritabilidad. No sólo el niño puede perder la alegría natural, sino que puede hacerse llorón, malhumorado e irritable. Este cambio de humor nos pone en la pista de que algo anormal está sucediendo.

Anorexia o pérdida del apetito. El niño muy pequeño puede rechazar el pecho o el biberón, y el mayor pierde el interés por la comida. Toda madre que haya alimentado a niños con buen apetito, desde el principio descubrirá fácilmente una alteración de éste e intuitivamente le atribuirá todo su real y positivo valor.

Insomnio. El niño no es más que un hombre o una mujer en pequeño. Oímos decir: como bien, duermo bien. Tanto valor como en el adulto, o mayor aún, tiene en el niño la pérdida de la capacidad de dormir el tiempo habitual; así como el que este sueño sea tranquilo y normal.

Fiebre. Para empezar este apartado diremos que el niño presenta normalmente una temperatura más elevada que la del individuo adulto. Las madres suelen notar que el niño está febril, aparte de por los otros signos que acompañan, por el color de las mejillas en ocasiones, y sobre todo poniendo las manos sobre la frente; pero claro, esto es engañoso, porque aun en el mejor de los casos no nos dice de manera exacta cuál es la temperatura verdadera. Cuando la temperatura del niño tomada en el recto supere los 38 grados, consideraremos que está febril, y acudiremos al médico, sin disculpa, cuando ésta supere los 38,5 grados. En la parte segunda de este capítulo daremos las normas prácticas para la toma de la temperatura.

Erupciones. Generalmente éste ya no es un signo que tenga tanto valor para denunciar una enfermedad general, ya que ordinariamente las erupciones aparecen cuando anteriormente se han establecido signos claros de enfermedad: trastornos generales del tipo de la pérdida del apetito, de la irritabilidad, del malestar, de la fiebre, etc. Al decir erupciones queremos referirnos no a los vulgares granos y sarpullidos, sino a las manchas en sus distintas características, que no son más que una manifestación de la enfermedad general.

Dolores. Qué duda cabe de que hay muchas enfermedades que cursan prácticamente sin dolor. Sin embargo, en otras, el primer conocimiento de la enfermedad nos vendrá por un dolor, bien generalizado o bien localizado. Luego nos referimos de una manera más concreta a ciertos dolores: de garganta, de pecho, de abdomen, de oído, etc.

Vértigos y mareos. Constituyen éstos otro signo de enfermedad. Muchas veces el primero que percibe el enfermo. Bien durante el día, bien por la mañana, al levantarse, el niño experimenta una sensación de mareo, de que lo que hay alrededor de él vacila o cambia de lugar; de manera segura, su estado no es normal.

Vómitos. Hay que advertir, al hablar de vómitos, que no hay que confundir la simple regurgitación, frecuente en el lactante y sin mayor trascendencia, con el vómito, signo y expresión de una simple indigestión, de un trastorno nutritivo más acentuado o hasta incluso de grave y aun muy graves enfermedades e intoxicaciones.

Diarreas. Este signo también puede deberse a una sencilla indigestión, o sea, el exponente de una infección en ocasiones muy distante del aparato digestivo —otitis, por ejemplo—, pero que generalmente lo será de éste.

Otros signos de enfermedad. La fotofobia o molestia ocular ante la luz, el dolor de garganta, el dolor de vientre, el prurito o picazón anal, el dolor de oídos, el de articulaciones, etc.

2. Cuidados generales al niño enfermo

Cuidados personales

La limpieza general y particular del enfermo es muy conveniente. El médico dirá si hay que bañar al niño, y en caso afirmativo fijará la temperatura del agua, el eventual añadido de sustancias medicamentosas, etc.

Pero de lo que no podemos escapar es de hacer de modo obligado una «toilette» del enfermo. Lavado de las manos, limpieza de la boca (cepillo y pasta, o polvos dentífricos y un trozo de lienzo, o enjuagues de la boca): esto es muy importante.

Peinado y cepillado de los cabellos y recogida de los mismos. Por supuesto, habrá también de lavarse la cara, y las uñas habrán de mantenerse limpias y bien recortadas. Cuando el niño sea capaz de lavarse solo, no hay ningún inconveniente en que sea él mismo quien lo haga. Cuando sea muy pequeño o el estado de postración se lo impida, tendrá que hacerlo la persona que lo cuide.

La cama habrá de ser hecha y bien removida y aireada al menos una vez al día. Conviene que haya un hule debajo de la sábana inferior en orden a las posibles eventualidades.

El camisón o pijama deberán cambiarse al menos una vez al día.

El niño será cambiado de posición con cierta frecuencia para evitar la fatiga y aun trastornos de la piel. Puede ayudar a la consecución de estos fines la conveniente disposición de almohadones mullidos o de una silla tras la espalda, etc., cuidando de no provocar o facilitar posiciones viciosas.

La administración de líquidos será en general muy conveniente, excepto en los dolores de vientre y cuando el médico lo considere oportuno. En tanto no haya el consejo del médico, los líquidos consistirán sencillamente en agua hervida y después enfriada.

El vaciamiento de los reservorios naturales, vejiga y recto, debe efectuarse con regularidad, dejando, al menos la primera vez, y cada vez que el médico lo indique, una muestra suficiente para su observación y eventual envío al laboratorio. En caso de estreñimiento estará indicada la administración de un enema o lavativa.

En lo que concierne a la alimentación del niño enfermo, ya indicará el médico con exactitud cuál ha de ser el régimen según el proceso de que se trate. Sin embargo, en el comienzo de cualquier enfermedad, sobre todo del aparato digestivo, una abstención total de alimentos (en los primeros momentos, bien entendido) puede resultar particularmente beneficiosa.

Establecido el oportuno régimen, habrá de respetarse éste en todos sus detalles: calidad de los alimentos, cantidad, forma de administración, horario, etc.

Como normas generales podemos decir que los alimentos, salvo indicaciones especiales, deben hallarse templados, que debe comerse despacio y que deben ser bien masticados.

Afortunadamente ya han pasado los tiempos en que se tenía a los enfermos a unas dietas muy restringidas con pretexto de la fiebre. Hoy en día los enfermos comen más y se reponen mejor.

Administración de medicamentos

Quede bien sentado que no se debe administrar a un determinado enfermo más que el medicamento expresamente indicado por el médico para ese enfermo. No sólo porque el medicamento sea útil para tal enfermedad —y no para otra, tal vez parecida—, sino porque los organismos son distintos, las edades de los individuos, su sexo, su robustez.

Las dosis deben ser seguidas escrupulosamente, ya que hay medicamentos que administrados con un exceso, a veces de muy pocas gotas, pueden incluso producir graves disturbios.

También se respetará el número de tomas y la frecuencia de las mismas dispuesta por el médico.

Queremos llamar la atención sobre el empleo de sulfamidas, penicilina, terramicina, etc., medicamentos potentes que no escapan a la norma general de que «no deben ser administrados sin el consejo del médico».

Es importante que los medicamentos sean guardados en lugar inaccesible a los enfermitos.

También es de recomendar que antes de la administración de un medicamento, la persona encargada se asegure una y otra vez de que el frasco que ha recogido es el que se ha ordenado y que la dosis corresponde exactamente a la prescrita.

Toma de la temperatura

Como antes decíamos, el mejor medio de saber si el niño tiene o no temperatura, y la cuantía de ésta, consiste en la utilización del termómetro; utilizando el termómetro clínico, cuyo general conocimiento nos exime de mayores descripciones. Con un poco de hábito llega a leerse muy bien la temperatura. Esta debe tomarse lo más alejadamente posible de las tomas de alimento sólido y líquido. Se toma usualmente por la mañana temprano, incluso antes de la «toilette», y por la tarde a las seis, momento en el cual alcanza ordinariamente su mayor elevación.

Antes de aplicar el termómetro, y sobre todo si ha sido utilizado con anterioridad, debe hacerse bajar la columna de mercurio hasta los 35 grados imprimiéndole sacudidas enérgicas y suaves, mejor sobre una cama por si acaso se escapa de la mano. Ni que decir tiene que antes y después de cada aplicación debe ser enjuagado con agua a la temperatura ambiente y frotado con un algodón embebido en alcohol.

Cuatro lugares son habituales para la toma de temperatura, dos de ellos externos: axila e ingle; y dos internos: boca y recto. La temperatura de boca y recto suele superar casi en un grado a la de axila e ingle. Para tomar la temperatura en estas dos zonas será conveniente que se hallen desprovistas de sudor, recurriendo a su oportuna limpieza con un paño y agua.

El termómetro deberá permanecer aplicado diez minutos para axila e ingle y dos minutos en boca y recto. Si se trata de un niño habrá que vigilar no solamente que no se caiga o rompa, sino también el que esté bien colocado, sujetando el miembro sobre el termómetro de modo que los resultados leídos correspondan a la realidad. En caso de duda, vuélvase a colocar el termómetro, extremando los cuidados.

Cuando se aplique en la boca, el depósito de mercurio habrá de quedar bajo la lengua y mantener los labios cerrados durante dos minutos. En el recto habrá de permanecer durante el mismo tiempo, estando introducido convenientemente y suficientemente el depósito de mercurio.

La temperatura habrá de ser anotada cuidadosamente en un papel, mejor aún en una gráfica de temperatura, como referencia constante y para que el médico pueda servirse de ella.

Número de respiraciones por minuto

Se aprecian colocando una o ambas manos sobre el pecho del niño y contando las veces que se eleva y desciende cada minuto la pared del tórax. El número de respiraciones varía con la edad, siendo en el adulto de 16 a 20 veces por minuto y en el niño más frecuentes, tanto más cuanto más pequeño sea. También se anotarán para presentarlas al médico.

Pulsaciones por minuto

La normalidad de las pulsaciones se ve alterada por el estado de enfermedad en sus diversas características y frecuencia (70-80) por minuto. La intensidad, la dureza, el ritmo, etc., expresan distintos procesos y la evolución de los mismos.

Cuidados de limpieza

Como ya hemos dicho en más de una ocasión, debe ser el médico quien se ocupe de trazar el plan del tratamiento del niño y de seguir el curso de la enfermedad. Según el padecimiento así será el tratamiento instituido. Sin embargo, siempre habrá cosas que podrán ser hechas por la familia y de las que el médico se hallará satisfecho. En este mismo capítulo nos referiremos a múltiples facetas de lo conveniente en caso de enfermedad del niño: aislamiento, desinfección del personal que atiende al niño, modo de tomar la temperatura, administración de medicamentos, alimentación, cuidados de limpieza.

Limpieza de la boca. Es fundamental: puede llevarse a cabo cepillando los dientes con un dentífrico o con perborato sódico y agua, o con agua a la que se agregan unas gotas de alcohol mentolado, haciéndose gárgaras.

Limpieza de la nariz. Esta debe mantenerse limpia por fuera y por dentro, y se puede poner en cada ventana nasal unas gotas de una solución de aceite gomenolado con eucaliptol como la de la siguiente fórmula, tomada del profesor Velázquez:

Eucaliptol ... ...   1 gramo
Gomenol ... ...   2 gramos
Aceite de oliva ... ...   50 c.c.

Para uso externo: toques en amígdalas e instilaciones en fosas nasales.

Apliquense estas gotas empapando un trocito de algodón, que se retirará.

Cuidado de los ojos. Estos deben mantenerse bien limpios también, sobre todo cuando se hallan visiblemente irritados. Pueden lavarse con: solución bórica al 4 por 100; también podrá instilarse: Argirol al 10 por 100, una o dos gotas.

Cuidado de los genitales. Tanto en el varón como en la niña, con mayor atención en ésta si cabe, deben mantenerse limpios los genitales haciendo una «toilette» minuciosa dos veces al día; después se podrá instilar la misma solución de argirol al 10 por 100.

Cuidado de la piel. Si en sujeto sano, adulto o niño, tiene importancia la higiene de ésta, mayor la tendrá en el enfermo. Al mismo tiempo, la piel tiene gran importancia como órgano de excreción de impurezas. Debe cambiarse al enfermo de posición con cierta frecuencia para evitar las úlceras llamadas por decúbito. Ya hemos hablado de los baños tibios, de las fricciones suaves con agua de colonia y de la renovación de la ropa limpia. Será muy conveniente aplicar sobre las superficies que rozan con la cama polvos de subnitrato de bismuto.

Alimentación del enfermo

Diremos que salvo trastornos del aparato digestivo, vómitos, diarreas, dolores abdominales, y en tanto el médico no haya dispuesto otra cosa, convendrá la administración de líquidos: leche, zumos de frutas, así como la dieta blanda de purés y papillas, y siempre en tanto dure la enfermedad, en la cual el enfermo, como decíamos en otra ocasión, habrá de ser bien alimentado, tomando alimentos apetitosos en cantidad suficiente y mejor en comidas más frecuentes. Repetimos que esto es como norma general.

71

Enfermedades del aparato respiratorio

Entre estas afecciones que atacan con mayor frecuencia a los niños hay que citar en primer lugar las de las vías respiratorias. Muchos padres ven llegar el invierno con ansiedad a causa del inevitable cortejo de afecciones respiratorias que lleva consigo; en ciertos niños, resfriados y bronquitis se suceden, repitiéndose y no desapareciendo más que en la estación calurosa, es decir, en el verano.

Lo que importa, más que curar estos males, es prevenirlos; por eso nosotros insistiremos sobre la profilaxis a propósito de los males más frecuentes.

1. Resfriado

Esta desagradable afección ataca con mayor frecuencia a los niños de dos a seis años. Aunque bastante benigno, es de temer a causa de las complicaciones que lo acompañan (otitis, sinusitis, bronquitis). Conviene, pues, curar concienzudamente al niño resfriado.

Si existe fiebre se le meterá en la cama, tomando la precaución, si no quiere permanecer acostado, de ponerle un pijama caliente, medias de lana e incluso un jersey si es necésario. La habitación será mantenida a una temperatura de 18 grados como máximo, aireada convenientemente, sin corrientes de aire, humidificando de preferencia por la evaporación de agua hirviente con hojas de eucaliptol en la que se habrá vertido una cucharada de la receta que damos a continuación:

Eucaliptol ... ... ⎫
Gomenol ... ... ⎬ aa un gramo.
Alcohol de romero ... ... 120 gramos.

Una cucharada sopera en agua hirviendo.

Podrá utilizarse la instilación o las instilaciones nasales para descongestionar la nariz, pero solamente bajo prescripción médica: ciertos productos a base de efedrina u otras sustancias demasiado fuertes no deben ser empleadas en los niños pequeños. Convendrá, antes de poner las gotas, aspirar primeramente las mucosidades nasales con ayuda de una pequeña pera de caucho. En los bebés, en lugar de aplicar directamente las gotas, se embeberá un pequeño trozo o vedija de algodón que se dejará en el sitio, primeramente en un lado, en una ventana de la nariz, después en la otra, durante algunos instantes, sobre todo antes de la toma de los alimentos, ya que un bebé cuya nariz estuviera muy tapada no podría mamar bien.

En todas las edades se puede dar, a sorbitos y con frecuencia, agua hervida, en la que se habrá disuelto miel y vertido jugo de limón. La alimentación habrá de ser hipotóxica, a base de leche y de frutas o jugos de frutas durante algunos días. La absorción o toma de bebidas calientes no alcoholizadas (nunca hay que dar alcohol a un niño) puede ser útil a condición de que ésta sea dada en la cama durante la jornada, a fin de que la mamá pueda cambiar las sábanas y los lienzos mojados por la inevitable transpiración que sigue. No hay que dar una bebida caliente al niño que debe salir de casa. Es útil el dar un poco de vitamina A desde el principio —con leche condensada y no con jugo de frutas o vitamina C— esto puede ser suficiente para acortar un resfriado y evitar complicaciones.

En cuanto a la prevención de estas molestas afecciones, hay que observar las prescripciones de higiene bien conocidas: aire puro, ejercicio y sueño suficientes, limpieza del cuerpo y de las manos, alimentación sana y bien equilibrada y reemplazamiento del azúcar refinado por la miel.

2. Vegetaciones adenoideas

Hay un gran número de niños que respiran por la boca entreabierta, lo cual les da un aire un poco atontado y es la causa frecuente de resfriados. Así es fácil, a causa de este padecimiento, que penetren polvo y microbios en los bronquios. Con frecuencia, pues, decíamos, se encuentran resfriados y no oyen bien a causa de la inflamación del oído que suele acompañarlos. Al mismo tiempo duermen mal por la noche, de manera que su desarrollo físico se resiente; en la escuela no progresan como los demás, pues son incapaces de una atención sostenida.

Estos chicos presentan vegetaciones adenoideas, es decir, que sus glándulas de la faringe se hallan hipertrofiadas en el lugar en que las fosas nasales se unen a la garganta y obstruyen la parte posterior de la nariz.

El remedio consiste en extirpar estas vegetaciones, operación rápida y benigna que ni siquiera exige anestesia general. Si esto es posible se esperará a que el niño tenga al menos tres años, si bien algunos médicos prefieren esperar a que el niño tenga alrededor de los siete años. Los especialistas prefieren la estación caliente y un momento en el cual el niño no padezca ni anginas ni resfriado; el médico desaconsejará la intervención en período de epidemia de parálisis infantil, puesto que el niño correría el grave riesgo de contraer esta dolencia con mucha mayor facilidad.

3. Laringitis aguda

Después de una enfermedad infecciosa, tal como el sarampión, la gripe, etc., es frecuente que el niño se ponga a toser y presente una voz ronca «perruna», así como una disfonía —dificultad para hablar— o incluso una extinción de la voz (afonía).

Todos estos síntomas, no acompañándose de fiebre y de mal estado general, hacen que uno no se inquiete en gran manera.

Lo que sí suele alarmar a los padres es el acceso brusco nocturno que puede presentar el niño a partir de los tres años. Bruscamente éste se pone a toser con una voz ronca, se sienta en la cama y su rostro se pone azulado, su respiración se hace difícil y parece que la asfixia sea inminente. Los padres se asustan extraordinariamente y piensan en seguida que se trata del garrotillo o crup; sin embargo, existen bastantes diferencias entre este falso crup o seudocrup y el crup diftérico; el primero comienza bruscamente, dura poco y no ocasiona fiebre, desapareciendo en la jornada y no hallándose precedido de una voz ronca.

Sin embargo, es conveniente llamar al médico, el cual practicará tomas del exudado de la faringe y en caso de duda inyectará suero antidiftérico.

Mientras se espera al médico, la madre tomará al niño sobre sus rodillas y le hablará para tranquilizarlo. Se le cubrirá para que esté bien caliente, se le administrará una tisana caliente también y se le aplicarán compresas húmedas calientes en el cuello.

El médico llamado prescribirá calmantes para el niño, tal vez luminaletas o noctinaletas, a la dosis conveniente según la edad y preparados a base de calcio.

Para prevenir estos accesos, que afectan más particularmente a los niños nerviosos, se les dará alimentos ricos en calcio; leche y queso, coliflor, higos secos; y, por el contrario, se evitarán la carne y los huevos, así como cualquier tóxico (café, alcohol).

En el caso de laringitis aguda simple, las mismas prescripciones sirven. Se harán inhalaciones a base de sustancias, tales como el gomenol, eucaliptol, o bien se hará hervir en la habitación del niño agua que contenga hojas de eucalipto.

En las formas intensas el médico puede prescribir aerosoles de estreptomicina y penicilina, etc.

4. Bronquitis

Ciertos niños padecen, más fácilmente que otros, bronquitis tras bronquitis. Hay que hacerlos examinar por el médico especialista otorrinolaringólogo, que determinará si la causa no reside en vegetaciones adenoideas que obstruyen la rinofaringe del niño y le fuerzan a respirar por la boca.

Otros niños, aun respirando normalmente por la nariz, terminan sistemáticamente sus resfriados por una bronquitis. Si el niño no presenta fiebre ni pérdida de apetito no hay lugar a inquietarse; pero si la temperatura alcanza 38 grados, o si la tos persiste o se acentúa, conviene llamar al médico.

Mientras éste llega, la madre puede tomar unas medidas útiles: humidificación de la atmósfera por ebullición de hojas de eucalipto en agua, fricciones del pecho con esencias balsámicas o fomentaciones —compresas húmedas calientes— sobre el tórax. La absorción de tisana de higos secos, tan apreciada de nuestras abuelas, o de flores pectorales azucaradas con miel puede ser de cierta utilidad. Por el contrario, se evitarán los remedios a base de alcohol —incluso el clásico vino caliente azucarado— que no debe ser dado jamás a los niños. No deis nunca tampoco un jarabe calmante de la tos para adultos a un niño y menos aún a un bebé (como para las gotas nasales, los jarabes muy activos deben ser prescritos por el médico). En lo que concierne a la prevención de la bronquitis, nos referiremos a lo que hemos dicho para los resfriados. Se procurará endurecer el cuerpo contra el frío por medio de baños frecuentes, de fricciones secas y de ejercicio al aire libre. Se procurará que los pies estén siempre calientes y secos y los miembros suficientemente protegidos contra el frío. Incluso los más pobres pueden luchar eficazmente contra los resfriados poniendo debajo del vestido y entre los zapatos hojas de papel.

Una pequeña cura de aceite de bacalao o de vitamina A en ampollas o cápsulas concentradas antes del invierno, el consumir de tiempo en tiempo productos azufrados y regularmente miel y frutas frescas, contribuirá mucho a fortificar las mucosas respiratorias contra las agresiones microbianas. Aquellos que tengan posibilidad obtendrán mucho beneficio de una estancia en un balneario de aguas sulfurosas.

Los niños con bronquios frágiles habrán de evitar la permanencia en locales confinados en los que la atmósfera se halla contaminada por el polvo y el humo de tabaco. Los padres de familia que tuvieran la mala costumbre de fumar, harían bien en no hacerlo en casa, y menos aún en las habitaciones de los niños.

En los casos de bronquitis recidivantes, buenos resultados pueden ser obtenidos por la vacunación preventiva con vacunas preparadas convenientemente, y que el médico de familia aplicará.

5. Anginas

Es la inflamación de las amígdalas. Esas pequeñas glándulas, situadas a cada lado de la garganta, con frecuencia producen una fiebre alta, dolor, etc., y no conviene demorar su tratamiento, pues que las complicaciones —reumatismo cardíaco, nefritis, etc.— pueden ser muy desagradables.

Hay, pues, que llamar al médico, el cual prescribirá los modernos medicamentos de gran eficacia. Si el niño no hubiera sido vacunado contra la difteria, la llamada al médico en ocasión de unas anginas no debe demorarse de ninguna manera. Como en el caso de las bronquitis, las anginas curarán más rápidamente si la habitación del pequeño enfermo se halla caliente y humidificada. Para la prevención de las anginas es válido todo lo que hemos dicho a propósito de la prevención de las bronquitis. Sépase que un niño que no toma los dulces ordinarios, sino que hace un consumo cotidiano de miel y de levadura alimenticia, presenta con mucha menos frecuencia anginas. Se dará al niño pequeñas cucharadas de miel adicionadas de jugo de limón. Si la temperatura subiera mucho, una pequeña irrigación fresca de agua hervida podrá ser administrada de preferencia a la clásica aspirina.

Todo esto en espera del médico, quien juzgará la utilidad de prescribir sulfamidas o antibióticos y que indicará para cada niño las dosis exactas que se hayan de administrar. No hay que considerar a las anginas como afecciones sin importancia; por el contrario, hay que tratarlas con el mayor cuidado, ya que, frecuentemente, son el comienzo de afecciones más graves, tales como el reumatismo articular agudo, afecciones cardíacas, nefritis.

6. Coqueluche o tos ferina

Es una enfermedad frecuente en los niños, y tanto más grave cuanto menor es la edad del niño.

Conviene particularmente proteger de esta enfermedad al recién nacido, puesto que puede resultarle mortal. No se permitirá, pues, sobre todo en tiempo de epidemia, que se acerque ningún niño que tosa. A partir de la edad de seis meses se le vacunará —vacuna asociada a la de la difteria de preferencia— tratando de administrar inyecciones llamadas de recuerdo cada año hasta la edad de los cinco o los seis años.

Si a pesar de las precauciones tomadas el bebé ha estado en contacto con tosferinosos, el médico le hará administrar, bien suero anticoqueluchoso, bien gammaglobulinas hiperinmunes.

La enfermedad es, en efecto, muy contagiosa, y puede atacar a cualquier persona insuficientemente inmunizada. Recordemos el caso de una abuela de setenta años contaminada por su nieto.

Las madres de familia conocen bien los síntomas más importantes de esta afección: tos persistente, que se hace cada vez más frecuente, después accesos de tos convulsiva, al fin de los cuales se produce «el canto del gallo»; accesos muy penosos terminados por la expulsión de mucosidades y frecuentemente por vómitos, todo lo cual deja a los niños muy abatidos.

En cuanto un caso se ha declarado en la familia, hay que aislar al niño en una habitación limpia y soleada, y si hay hermanos, no enviarlos a la escuela, a fin de no propagar el microbio. Si han sido vacunados pueden escapar a la enfermedad o, si la padecen, ésta será muy atenuada. Lo mejor será transportar al pequeño enfermo al campo, en donde podrá permanecer toda la jornada al aire libre. Esto tiene una gran importancia, ya que el aire y el sol son agentes curativos indispensables. Si esto no fuera posible, se hará vivir al pequeño enfermo en una habitación soleada, en la que la ventana estará constantemente abierta. Se evitará el polvo, así como todo juego que produzca fatiga.

En lo que concierne a la alimentación, se sujetará al régimen hipotóxico rico en frutas frescas, verduras cocidas y crudas, y leche y productos lácteos. Para evitar los vómitos se administrarán las bebidas antes de las comidas en pequeñas cantidades dadas frecuentemente. Después, las comidas consistirán en purés o en papillas bastante espesas. Para evitar la desnutrición, en cuanto el niño haya vomitado se le dará leche concentrada azucarada pura (una o dos cucharadas).

En cuanto al tratamiento medicamentoso, el médico prescribirá sin duda antibióticos, principalmente la cloromicetina asociada a sedativos y antiespasmódicos, tales como la euquinina, benzoato de bencilo, luminal, etc. Las vitaminas, sobre todo la vitamina C, antiinfecciosa, no habrán de ser olvidadas, sea en forma de jarabe o comprimidos o simplemente bajo forma de jugo de limón y de miel.

7. Gripe

La gripe o influenza es producida no por un microbio, pero sí por gérmenes mucho más pequeños de los llamados virus. Se han descrito varios virus productores de gripe: el A, el B, el C, sin relación alguna desde el punto de vista antigénico y sin aparición de inmunidad cruzada entre los mismos. Se conocen tres subgrupos de A y dos variantes de virus B.

Los virus de los tipos A2 y B parecen haber sido los causantes de la mayoría de los casos. En Londres está el Centro Mundial de la Gripe.

Cada año hay una o varias epidemias de gripe, y los niños, al igual que los adultos, dado el carácter altamente contagioso de la enfermedad, son o pueden ser víctimas de ella. Cuando un adulto de la familia haya sido atacado por la gripe se le aislará lo mejor posible, a fin de que los niños no estén en contacto con él. Si se trata de niños delicados, que son la presa fácil de diversas infecciones, más valdrá no enviarlos a la escuela en cuanto se haya declarado una epidemia de gripe. Se tendrá cuidado en alejarlos de toda persona resfriada o que tosa, evitando incluso el besarlos. Naturalmente, se les evitarán también los viajes en metro o en tranvía, la estancia en lugares en los que se acumula la gente, tales como cines, cafés, grandes tiendas.

Se les desinfectará la nariz y la garganta con preparaciones a base de gomenol o eucaliptol.

Se les administrará frecuentemente agua con zumo de limón o de naranja azucarada con miel. La alimentación deberá ser rica en proteínas —quesos frescos, leches— y vitaminas —frutas sobre todo— de manera que se mantengan en buen estado las fuerzas de reserva del organismo. Se evitarán el trasnochar, la fatiga y el enfriamiento.

Si a pesar de todas estas precauciones los virus consiguieran posesionarse del enfermo, se acostará en seguida al niño con todas las precauciones de rigor: habitación soleada y bien aireada, exenta de polvo, y cuya atmósfera será humidificada como se ha señalado a propósito de las bronquitis.

Los síntomas de la gripe son bien conocidos de todo el mundo: fiebre alta, dolores en los miembros, como si hubieran recibido palos, que dicen los enfermos, dolor de cabeza y pronto una tos seca, con frecuencia en accesos, acompañando una rinofaringitis o inflamación de la nariz y la garganta.

Conviene saber que la gripe puede comenzar de modo diferente, con náuseas, diarrea e incluso con vómitos: es la forma llamada gastrointestinal, bastante frecuente en los niños. En los lactantes, las complicaciones, tales como la otitis, infecciones urinarias y neumonías, son de temer, así como la deshidratación por diarrea.

Ante una temperatura alta los padres se inquietan en seguida, sabiendo la facilidad con la que los niños pequeños tienen convulsiones. Mientras se espera al médico, las madres pueden administrar un pequeño enema fresco, poner compresas frías sobre la frente y sobre la región del corazón. Será el médico quien habrá de fijar las dosis de piramidón o de aspirina, según la edad del niño, y prescribir, si hay lugar a ello, tónicos cardíacos y antibióticos. Bien que éstos carezcan de acción sobre los virus, conviene a veces utilizarlos con el fin de evitar complicaciones.

La gripe deja a sus víctimas muy debilitadas; conviene, pues, darles fortificantes y vitamina B para exicitar el apetito (levadura alimenticia). Una buena precaución es la de vigilar radiológicamente a los niños y hacerles curas de aire marino, si es que se tiene esta posibilidad.

8. Enfermedad de la membrana hialina

Concepto y definición

Esta enfermedad se halla definida por la producción de una película-hialina que tapiza la pared de los canales aéreos y bronquiolos. Se halla constituida por fibrina y mucopolisacáridos. Si tales membranas se hallan muy extendidas provocan un asfixia progresiva y mortal. Suele manifestarse algunas horas después del nacimiento, alcanzando el máximo de intensidad del segundo al cuarto día.

La principal causa de la aparición de la enfermedad es, sin duda alguna, la prematuridad. El riesgo es del 50 por 100 cuando el prematuro es de 27 a 31 semanas y pesa de 1.000 a 1.500 gramos, y sólo del 5 por 100, cuando el peso se halla entre los 2.000 y 2.500 gramos. La operación cesárea, sobre un niño inmaturo, o por enfermedad toxémica de la madre, también predisponen a esta enfermedad, así como la diabetes materna y, en ocasiones, la gemelaridad sobre el segundo gemelo que ha sufrido perturbaciones respiratorias.

Más que a una deficiencia del surfactan, se trataría de una inactivación del mismo. El surfactan, sustancia de naturaleza fosfolipídica tiene por misión la de disminuir la tensión superficial en los alvéolos pulmonares, impidiendo la atelectasia o plegamiento de los mismos. En los casos de asfixia fetal, de hipotensión o de acidosis, se produce una vasoconstricción arteriolar, es decir, un achicamiento en el pulmón, causa de una disminución en la producción del mentado surfactan. Se produce así un desequilibrio entre la presión de los vasos capilares del pulmón y de los alvéolos, lo cual origina la trasudación de fibrina que recubre a estos últimos, impidiendo la normal respiración.

Síntomas y prevención

Tras un intervalo de 6 a 10 horas después del nacimiento, aparece una dificultad respiratoria rápidamente progresiva, que se complica con el fenómeno del tiraje y con el azuleamiento del rostro del niño. La respiración se hace ruidosa y la radiografía muestra una discreta opacificación de los campos pulmonares.

La evolución es fatal en la mayoría de los casos, si bien, gracias a los modernos tratamientos, cada vez hay perspectivas más optimistas.

La prevención de la temible enfermedad de la membrana hialina se confunde con la de la prematuridad. Para ello, la disciplina de la embarazada y su vigilancia médica son necesarias. Vigilancia médica durante el trabajo del parto y mejor si ésta es auxiliada y complementada por medio de los actuales «monitoring» que registran simultáneamente la marcha del trabajo del parto y el estado del feto. Presencia de pediatras en el equipo obstétrico, sobre todo si el prematuro no es de menos de 33 semanas. La reanimación respiratoria debe prodigarse en los casos de palidez e hipotonía coincidentes con un ritmo cardíaco por debajo de los 80 latidos por minuto: en este caso, rápida intubación y ventilación con presiones positivas. Respiración asistida igualmente en los grandes prematuros que no respiran inmediatamente y en los recién nacidos que, nacidos con buen aspecto, no respiran antes de los dos minutos, se tornan hipotónicos, o presentan una disminución de su ritmo cardíaco.

Tratamiento

Gracias a un tratamiento intenso en centros especializados, la mortalidad ha disminuido bastante. Este comprende la administración de oxígeno mediante ventilación pulmonar artificial, la administración de aerosoles disminuidores de la tensión superficial, los vasodilatadores y tónicos cardíacos, y la inducción de enzimas que favorecen la síntesis del surfactan. La administración de antibióticos y de aerosoles de tripsina parecen favorecer la reabsorción de la membrana hialina (o de los líquidos de inhalación) y prevenir la aparición de bronconeumonías. Incluso se ha llegado a aplicar en estos casos la circulación extra-corpórea combinada con la oxigenación, durante varios días.

72

Enfermedades del aparato digestivo

1. Anorexia (falta de apetito)

La anorexia o falta de apetito es un fenómeno muy frecuente en los niños y que suele preocupar mucho a las madres. En verdad, es necesario decir que ciertas madres exageran un poco cuando dicen: «Mi hijo no come nada»; lo que ocurre frecuentemente es que tienen tendencia a «cebar» a sus niños y, haciendo esto, llegan a cansar el aparato digestivo del «anoréxico». Conviene, con frecuencia, dejar su estómago en reposo durante un día y luego realimentarlo progresivamente con jugos de frutas, purés de legumbres, de patatas y de cosas crudas, para llegar, al fin, a administrarle alimentos más nutritivos.

Las mamás suelen confundir gordura con robustez, y la preocupación de conservar a los niños bien gorditos, como los bebés, les hace que quieran, sin darse cuenta, cebarlos.

En ocasiones convendrá dejar al niño durante dos o tres días al régimen que hemos dicho. Con frecuencia se comprobará que después de este medio ayuno, altamente benéfico, el apetito vuelve. Si la falta de apetito persiste, incluso si el niño no presenta signos de enfermedad, sería prudente llevarlo al médico, quien lo examinará y, tal vez, disponga se le practique una radioscopia o se le hagan ciertos análisis. Con frecuencia se trata, en efecto, del comienzo de una afección aguda, y en este caso un tratamiento adecuado hará desaparecer la pérdida del apetito que acompañaba al estado patológico. Un falta de apetito persistente hará, a veces, sospechar una primoinfección tuberculosa, es decir, un comienzo de infección tuberculosa. Para estar seguros de ello se practicarán cutirreacciones, y con frecuencia se comprobará en estas ocasiones el «viraje de la cuti», es decir, el paso a la positividad de la reacción en un niño que antes la tenía negativa. Los tratamientos modernos, altamente eficaces, sobre todo la administración de hidracidas, restablecerán al pequeño enfermo y harán que reaparezca un apetito casi voraz.

1073

Si el examen más minucioso no descubre ninguna afección, susceptible de ser la causa de la anorexia, entonces hay que preguntarse si no interviene algún factor psíquico; es cierto que un niño, celoso de su hermanito o hermanita, llega a perder el apetito; que otro muy emotivo llega al mismo punto en ocasión de los exámenes.

En estos casos, los padres, con su prudencia, ayudada si es necesario por los consejos del médico, sabrán encontrar la solución del problema.

En ocasiones, sin enfermedad precisa ni factores psíquicos desencadenantes, ciertos niños pierden el apetito y todos los esfuerzos de los padres tropiezan o dan lugar a un fracaso. En estos casos el fracaso es debido a la falta de habilidad de los padres, cuya insistencia agrava más la situación. Un gran puericultor ha escrito, con razón, que «para ayudar a un niño a recobrar su apetito es necesario tiempo y paciencia». Aconseja a los padres que conserven la calma, que nunca recurran a las amenazas ni siquiera a darle ánimo; será necesario presentarle pequeñas raciones, sólo y estrictamente a las horas de las comidas. Yo añadiría que si las comidas están compuestas de feculentos, tales como patatas o arroz, y de productos lácteos o pescado, por ejemplo, habrá que comenzar por darle lo que nutre más, es decir, el queso o el pescado primeramente. Yo aconsejo también los alimentos hiperconcentrados, tales como la leche, a la cual se añade leche condensada. Con frecuencia la causa de la anorexia reside en la absorción de alimentos mal equilibrados; se tiene mucha tendencia a dar golosinas creyendo que esto «fortifica». En estos casos la primera cosa que hay que hacer para devolver el apetito a un niño es la de suprimir todo pastel —la mezcla leche y azúcar en particular— y no darle más que miel o jugos de frutas ricos en azúcar natural. El azúcar ordinario muy refinado está totalmente desprovisto de las preciosas vitaminas B, tan necesarias al niño. Cuantas menos golosinas consuma el niño, tanto mejor se hallará y más rápidamente recuperará el apetito. Si además se añade a un régimen vitaminas B, por ejemplo, bajo la forma de levadura alimenticia, se contribuirá a borrar las carencias en estas vitaminas, carencias tan habituales en nuestro régimen alimenticio de hombres civilizados. La aplicación de este simple consejo ha devuelto el apetito a numerosos niños anoréxicos que he visto pasar por mi consulta del dispensario de puericultura.

2. Empacho gástrico

El empacho gástrico es uno de los procesos más corrientes en la infancia. Frecuentemente es debido a la negligencia de los padres: unos dejan que los niños coman durante toda la jornada; otros quieren a todo precio que los pequeños ingurgiten grandes cantidades de comida; otros aún dan una alimentación malsana —embutidos, especias, conservas—, desequilibrada (gran abundancia de grasas o de carne) o mal preparada —alimentos mal cocidos, frutas aún verdes—.

La consecuencia de estas transgresiones es que el estómago, órgano bastante sensible, se cansa pronto y manifiesta su protesta bajo la forma de pesadeces o dolores y vómitos más o menos abundantes. Con éstos cesa por lo general el empacho gástrico, si bien persiste frecuentemente una inapetencia, dolor de cabeza y una alteración más o menos grande del estado general.

La prevención consiste naturalmente en la observancia de reglas estrictas en la alimentación: se dará a comer al niño únicamente tres o cuatro veces por día, debiendo estar estas tomas de alimento espaciadas al menos cada tres horas y media para dejar tiempo a que el estómago repose. Se tendrá la precaución fundamental de hacer beber al niño antes de la comida y no durante o después, de modo que el jugo gástrico no sea diluido, impidiendo una buena digestión de los alimentos. En rigor pueden permitirse algunos sorbos de agua en la comida y nunca demasiado fría. Se dará a beber aproximadamente tres horas después. Se evitarán los fritos y las salsas con caldo de carne, los alimentos —sobre todo las patatas— procedentes de comidas anteriores y los alimentos recalentados.

Tampoco se le dará jamás alcohol ni incluso vino o cerveza —que contienen alcohol— y que irritan la mucosa gástrica. No deis nunca de comer a un niño que acaba de hacer un ejercicio violento: dejadlo primeramente que repose. Si tiene prisa, que coma menos y que mastique bien.

Si a pesar de todo ocurriera que el niño padeciera un empacho gástrico, dejadlo a dieta todo un día, permitid lo máximo un sorbo, de tiempo en tiempo, de agua mineral gaseosa bien fresca. Si los vómitos persistieran, llamad a vuestro médico, el cual puede prescribir un lavado gástrico o la administración rectal o subcutánea de suero salino o glucosado.

La realimentación se hará con prudencia y comenzando por alimentos concentrados: purés, compotas, etc. El agua o los jugos de frutas deben ser dados entre las comidas y en pequeña cantidad a la vez.

Para restablecer el apetito se recurrirá a un jarabe de vitamina B, como ha sido dicho en el párrafo de «anorexia».

3. Diarrea

En el lactante el intestino es muy delicado, y hasta los dieciocho meses la más pequeña infección puede alterar el funcionamiento glandular y provocar la diarrea. En muchos casos la cosa se arregla gracias a la dieta hídrica, tal como indicamos en la página anterior; pero vale más llamar siempre al médico, sobre todo en el verano, y más aún si a la diarrea acompañan los vómitos, la fiebre o el abatimiento. Una toxicosis grave, mortal, puede instalarse en poco tiempo a seguido de una simple diarrea.

Esperando al médico, que puede tardar, ¿qué hará la madre de familia si se trata de un bebé de pecho? Se podrán preceder las tetadas —que se espaciarán media hora más de lo ordinario— de varias cucharadas de agua de manzana no azucarada. Este es un método personal que siempre nos ha dado satisfacción. El agua de manzana es fácil de preparar: se hace hervir una manzana cortada en pequeñas rodajas en medio litro de agua; este líquido será dado con la cuchara, más bien tibio (nunca frío), teniendo la precaución de cubrir la cacerola que lo contiene y de hacer hervir la cuchara antes de utilizarla. Queda bien entendido que no es necesario añadir ni azúcar ni miel, pues que son de efectos laxantes.

Si se trata de un bebé alimentado con biberón hay que suprimir la leche durante seis horas, dándole en su lugar agua de manzana, pero en cantidad más abundante y más frecuentemente que el biberón de leche. Si se trata de una diarrea benigna, esto basta generalmente para detenerla. Sin embargo, es necesario volver a la alimentación normal muy progresivamente: tres cuartos del volumen de agua de manzana para un cuarto de litro de leche no azucarada y descremada de preferencia; después, la mitad de leche descremada y la mitad de agua de manzana; luego, tres cuartos de leche y un cuarto de agua de manzana, etc., siempre sin azúcar.

Para variar el gusto de estas preparaciones se puede utilizar el agua de zanahorias (500 gramos por un litro y medio de agua) ligeramente salada o una dilución de polvo de algarroba (Arobón Nestlé).

Si se trata de un lactante que come ya verduras y caldos o de un niño pequeño, también hay que ponerlo a dieta de agua de manzanas durante al menos doce horas. Los primeros alimentos que hay que dar después de esta dieta serán la sopa de zanahorias, que puede enriquecerse progresivamente con leche descremada no azucarada si es un lactante; puré de zanahoria, compota de manzanas sin azúcar o arroz al agua si es un niño pequeño.

Si a pesar de estas precauciones la diarrea persiste en el niño, hay que encontrar a toda costa un médico puericultor: una diarrea que no se puede curar en dos días debe ser considerada como grave. Si hay la más mínima fiebre, el menor síntoma alarmante, es mejor llamar al médico. Este establecerá el tratamiento antiinfeccioso que convenga y os dirá todas las modificaciones dietéticas que hay que observar para la curación.

4. Vómitos

Los vómitos representan un fenómeno anormal bastante frecuente en los niños y una fuente de preocupación para los padres. Estos hacen muy bien en inquietarse ante este síntoma, que puede ser el signo de alarma de una afección grave: meningitis, oclusión intestinal, intoxicación, otitis, etc. Frecuentemente no traducen más que la protesta de un estómago maltratado. Sin embargo, es prudente llamar al médico, único capaz de establecer un diagnóstico exacto. Por ejemplo, un bebé que presenta vómitos repetidos podrá hallarse afectado de una estenosis (estrechamiento del píloro u orificio de salida del estómago); si es examinado a tiempo por el médico, éste le hará operar en seguida y el niño será salvado.

Otro género de vómitos frecuentes en la segunda infancia son los vómitos llamados acetonémicos, que acontecen bruscamente en plena salud. Estos vómitos son intensos y rebeldes y se acompañan de olor especial del aliento. Estos trastornos acontecen generalmente en niños linfáticos o que presentan una debilidad hepática constitucional. Si los padres cometen el error de dar un régimen rico en grasas fritas, o de permitir, aunque sea poco, algo de alcohol (vino, cerveza), la crisis no se hará esperar en los niños predispuestos.

Tal vez otro bebé presentará un poco de fiebre y agitación, lanzando gritos agudos y poniéndose bruscamente a vomitar. Un examen atento de las orejas permitirá al práctico establecer el diagnóstico de otitis aguda. En este caso, los cuidados inmediatos aliviarán al niño y le evitarán desagradables complicaciones. Si no se trata de un lactante, sino de un niño, las causas provocadoras de los vómitos son también numerosas.

Un niño que se queja de dolor de vientre y vomita debe ser inmediatamente visto por el médico, incluso si a los padres les parece que no se trata más que de una indigestión; frecuentemente se tratará en realidad de una crisis aguda de apendicitis.

Una buena parte de enfermedades infecciosas de la infancia, sobre todo las eruptivas, pueden comenzar por vómitos; así ocurre también con las intoxicaciones alimenticias (setas u hongos, mariscos, etc.) e incluso con las parasitosis intestinales (lombrices, tenia).

Considerando, pues, la multiplicación de causas de los vómitos y la gravedad de algunos de ellos, la prudencia ordena hacer llamar siempre al médico. Si es posible se guardarán las materias vomitadas para que él las examine. Esperando su llegada, lo mejor es no dar de comer ni de beber al niño. Nada de bolsas calientes ni de lavativas, que pueden provocar verdaderas catástrofes.

5. Estreñimiento

Es una causa de buen número de preocupaciones para las madres el estreñimiento del niño. Hay diversas causas: las unas debidas a malformaciones, tales como el megacolon, la estenosis o estrechamiento del intestino; las otras debidas a una insuficiencia glandular (hipotiroidismos), etc. Pero, por lo general, se trata simplemente de errores dietéticos: una alimentación rica en carne y pobre en verduras y frutas basta para provocar el estreñimiento. Será necesario, por tanto, dar frutas crudas —excepto bananas y manzanas— en abundancia, así como toda suerte de verduras cocidas y crudas —tomates, lechugas, pepinos, etc.—, sin olvidar el pan integral, que contiene salvado, el cual es muy útil para el «barrido» del intestino. Las ciruelas y los higos secos, la miel, son también muy recomendables, al igual que el aceite de oliva. Nosotros daremos un ejemplo de menú de una jornada para mejor orientar a las madres de familia.

Por la mañana, en el desayuno, se servirá al niño una papilla de copos de avena —con muy poca leche al principio—, azucarada de preferencia con miel; luego ciruelas secas cocidas o que se hayan ablandado en agua desde el día anterior. A mediodía, antes de la comida, un vaso de jugo de uva. En la comida se evitará el arroz, que es muy astringente, y se darán más bien patatas, sémola, pastas, lentejas; en lugar de carne se dará al niño huevos o queso y, para acabar, una ensalada verde. Por la tarde, la merienda se compondrá de pan con mantequilla y miel o pan solo con miel —el pan empleado debe ser de preferencia moreno o integral, el llamado pan completo— y un yogur. Por la noche, la mejor cena consistirá en una papilla de verduras con bastante apio y muy pocas zanahorias; un plato de verduras simplemente sazonadas con aceite de oliva y con jugo de limón; una tortilla podrá completar la comida si a mediodía no se han tomado huevos. Frutas jugosas o compota de frutas como postre.

Además, es necesario habituar al niño a ir al retrete regularmente, de preferencia por la mañana al levantarse; la absorción de un poco de agua mineral bien fresca por la mañana en ayunas, o el ponerle un pequeño supositorio de glicerina, bastarán con frecuencia para desencadenar las deposiciones. Por el contrario, no es aconsejable el recurrir a los laxantes ni a las irrigaciones. Solamente de tiempo en tiempo se pueden dar 10 gramos de manosa en lágrimas en ayunas.

En el niño, el estreñimiento representa una gran preocupación para las madres y más cuando se trata de un lactante; si éste se cría al pecho y aumenta regularmente de peso, no hay lugar para inquietarse, incluso si permanece tres días sin vaciar su intestino; bastará con darle antes de las tetadas una cucharadita de las de café, de jugo de uva o de naranja o de miel; si a pesar de esto no se obtiene una defecación, se podrá ensayar un supositorio de glicerina. Si, por el contrario, el bebé, al mismo tiempo que el estreñimiento, presenta un estacionamiento o una pérdida de peso, es casi seguro que sufre de una hipoalimentación o escasez de alimentación. Basta en este caso, para vencer el estreñimiento, darle después de la tetada una cierta cantidad de leche de vaca, endulzada preferentemente con miel. Se podrá también emplear el extracto de malta, que por su riqueza en vitamina B tiene una acción sobre el tránsito o circulación de las materias del intestino. Se evitarán, por el contrario, todos los purgantes, que no hacen más que irritar el intestino, al igual que las irrigaciones.

Si se trata de un niño criado con biberón se pueden utilizar todos los pequeños medios enumerados: administración de jugo de frutas —uva, naranja— agua edulcorada con miel, supositorios de glicerina. Pero, además, no se olvidará el darle al niño aquello que la leche de vaca no contiene: vitaminas. Se le podrán dar de 5 a 10 gotas por día de vitamina A, sola o asociada a otras vitaminas, si el bebé es muy pequeño; de 8 a 15 gotas si es mayor. Si el lactante se halla en edad de tomar papillas, se le dará harina de avena, que es más laxante que la harina de arroz, la cual es astringente; también se le podrá dar cuando tome la papilla de harina ordinaria una pequeña cucharada de salvado, endulzándolo todo con miel. Actualmente se fabrican leches en polvo azucaradas, endulzadas más bien con miel que con azúcar.

Cuando el bebé haya alcanzado ya los cinco meses, se le darán caldos de verduras, e incluso un poco de verdura —espinacas—, pasadas por un colador fino.

Si a pesar de todas estas medidas dietéticas el estreñimiento persistiera, lo cual sería algo verdaderamente extraordinario, se podría excepcionalmente recurrir a una irrigación de 100 a 150 gramos de agua hervida, o a una purga muy suave del género de la manosa en lágrimas (5 a 10 gramos en ayunas y con un poco de agua).

6. Apendicitis

La apendicitis es la inflamación del apéndice, pequeño divertículo o prolongación de la parte derecha y baja del intestino grueso. Este pequeño órgano, del grosor aproximado de una lombriz de tierra, no se encuentra de modo constante situado en el cuadrante inferior derecho del abdomen; a veces se halla situado más alto, hacia la mitad del vientre, o más hacia atrás, o más abajo. Por tanto, habrá que desconfiar de todo dolor de vientre que acontece en un niño y que dura más de dos horas, sobre todo si va acompañado de náuseas o de vómitos. Al comienzo, el niño localiza frecuentemente su dolor a nivel del ombligo, y no es sino algunas horas más tarde cuando este dolor se sitúa en la fosa ilíaca derecha. No esperéis, pues, encontrar una fiebre alta en esta afección; lo que sí se encuentra frecuentemente es una temperatura rectal más alta —de más de un grado— que la que se encuentra tomándola en la axila. El niño pierde el apetito, encoge sus piernas contra el abdomen, gime y se muestra intranquilo.

Hay que evitar el cometer graves errores, tales como el de purgar al niño que se queja del vientre, o ponerle compresas calientes sobre el vientre, o darle una irrigación. Lo mejor, mientras se espera la llegada del médico, al que hay que llamar con urgencia, es acostarlo y ponerle compresas frías en el vientre. El médico, después de su examen, nos dirá si se trata de una apendicitis o de otra afección. Algunas enfermedades, tales como la neumonía del niño, comienzan también por dolores abdominales. Es posible que el médico pida un análisis de sangre y establezca un tratamiento médico: hielo sobre el vientre: sueros, si hay lugar; suspensión de la alimentación.

Pero, por lo general, si el diagnóstico de apendicitis es formal, una intervención quirúrgica será aconsejada lo más tempranamente posible, de preferencia, en las primeras treinta y seis horas, aunque también haya posibilidad de curación por el simple tratamiento médico. El riesgo de perforación y de peritonitis es tan grande, que la mayor parte de los pediatras o especialistas de niños aconsejan más bien la intervención quirúrgica precoz.

¿Cómo prevenir esta afección y evitar una operación? Pues simplemente dando a los niños una alimentación sana, exenta de embutidos, conservas, especias, etc. Los pueblos vegetarianos, tales como los hunzas, no conocen la apendicitis.

7. Parásitos intestinales

Cuando un niño se vuelve paliducho, irritable, pierde el apetito, su sueño se hace agitado y se queja de comezón en el ano, es muy oportuno preguntarse si no sufre de parásitos intestinales.

En general se trata de oxiuros, gusanos blancos muy pequeños que con frecuencia es difícil descubrir. Para asegurarse se dará durante algunos días un medio diente de ajo —con aceite, tomate, o sobre pan— y antes de acostarse se espolvoreará cuidadosamente de talco toda la región anal. Al día siguiente se mirará si ha quedado algún gusano en las márgenes del ano o están contenidos en las heces. Efectivamente: las hembras salen para poner los huevos al exterior del cuerpo; el niño, al rascarse, recoge bajo sus uñas los huevos del parásito, y si no se ha tenido la precaución de cepillarse las uñas antes de las comidas, tragará los huevos con los alimentos. Estos se abrirán en el intestino, dando nacimiento a otros oxiuros y aumentando la cantidad. Con frecuencia, estos gusanos salen del ano, en las niñas, y se dirigen a los órganos genitales, produciendo picores intolerables e incluso vulvovaginitis. Pueden producir apendicitis e incluso oclusiones. Hay, pues, que tratar seriamente a todo niño que tenga parásitos intestinales e impedir la llamada autoinfestación. Para ello se cortarán rasas las uñas, se pondrán pantalones apretados noche y día y se cepillarán las manos y las uñas antes de comer.

Hay varios medicamentos eficaces que vuestro médico podrá prescribiros. Mientras tanto, y para reforzar el tratamiento, se podrá hacer hervir una gran cabeza de ajos en medio litro de agua, y durante varias noches seguidas administrar en irrigación; una cierta cantidad deberá ser retenida el mayor tiempo posible. Además, después de cada defecación se limpiarán cuidadosamente la mucosa anal y la piel de alrededor, untando la zona, para terminar con pomada mercurial.

Hay varios medicamentos específicos, como el aceite de quenopodio, la santonina y otros. También existen muy modernos y eficaces preparados comerciales que han de ser recetados por el médico.

Quiste hidatídico (Equinococosis)

Hay otras parasitosis intestinales (tenia, tricocéfalos, anquilostomas, etc.), pero todas ellas son relativamente raras en los niños. Debemos, sin embargo, decir dos palabras sobre una parasitosis muy grave que amenaza a aquellos que ignoran la fuente principal de infestación: se trata de la tenia equinococo, que produce quistes en el hígado, el cerebro u otros órganos. He conocido a una niña que había tenido que subir a la mesa de operaciones cinco veces para sufrir la extirpación de quistes de esta naturaleza, que son tanto más peligrosos cuanto que se reproducen con mucha facilidad. Esta niña había sido infestada por un perrillo de la vecindad, al que acariciaba, y el cual le lamía las manos.

Los perros son, en efecto, los portadores de huevos del parásito. Paseando su lengua por todas partes, pueden dejar huevos de tenia también por todas partes, y el imprudente que acaricia a estos animales y no tiene la precaución de lavarse bien las manos antes de comer, corre el riesgo de infestarse. La mejor profilaxis de esta grave afección consiste, por tanto, en evitar a los niños y a los mayores todo contacto con los perros. Si es cierto que son pocos los animales enfermos, no lo es menos el que es contrario a la higiene el permitir que los niños vivan con los perros.

Lombrices o áscaris

Otros parásitos muy frecuentes son los gusanos blanco-rosados, mucho más gruesos que los oxiuros y a los que se denomina vulgarmente con el nombre de lombrices.

Producen dolores abdominales, náuseas, a veces tos seca paroxística. En efecto, el embrión, al ser liberado del huevo en el intestino, pasa a la corriente sanguínea, y es transportado a los pulmones, desde donde sube hasta los bronquios y la tráquea, volviendo a pasar de nuevo por el esófago para ir a desarrollarse en el intestino. Este largo ciclo a través del cuerpo explica las numerosas complicaciones que crean estos gusanos si se hallan en gran número: apendicitis, peritonitis, abscesos del hígado, bronconeumonías, oclusión intestinal, etc.

No es raro que el niño los expulse por los bronquios. A veces, para que el diagnóstico se establezca con certeza, es necesario hacer un análisis de heces. Los huevos, bien característicos, son demostrativos.

Vuestro médico desembarazará al niño de sus parásitos.

8. Las ictericias del recién nacido

Llamamos ictericia a la coloración amarillenta de la piel y de las mucosas. Esta amarillez, más o menos intensa, es producida por los pigmentos biliares al impregnar los diversos tejidos.

Ictericia fisiológica del recién nacido. Se presenta en un 75 por 100 de los casos. Ya hemos hablado de ella en el capítulo 20. Las heces presentan un color normal y la orina ofrece un color más oscuro que de ordinario. Los glóbulos rojos, que eran 6.000.000 al nacimiento, pasan a 4 millones.

Ictericia por incompatibilidad sanguínea materno-fetal. Consiste en la destrucción masiva de los glóbulos rojos del feto, a causa de la presencia de los anticuerpos maternos. Ello lleva consigo la apariencia de una ictericia, así como un aumento en la sangre de la bilirrubina indirecta de más de 18 miligramos por 100. Esa destrucción de glóbulos rojos provoca la producción de otros que han de reemplazarlos, apareciendo así los llamados eritroblastos o glóbulos rojos con núcleo. Este conflicto entre fetos Rh+ y madres Rh− se halla suficientemente descrito en el capítulo 24.

Ictericias por hepatitis infecciosas. Pueden presentarse en el recién nacido a causa de diversas infecciones: la de origen umbilical, sifilítico, por virus tipos A o B. También puede presentarse una ictericia en la enfermedad de las inclusiones citomegálicas y en la toxoplasmosis. En las ictericias infecciosas, el tratamiento consiste en la administración de antibióticos y de transfusiones, así como en el uso de medicamentos protectores del hígado.

Ictericias obstructivas. Estas y las debidas a malformaciones congénitas de las vías biliares, se manifiestan, amén de por el color amarillo, por el aumento del tamaño del hígado, por la pigmentación de la orina y por la decoloración de las heces. Las segundas son tributarias de la intervención quirúrgica, tras un período de prueba de tratamiento médico.

Ictericias de origen metabólico. Son con frecuencia de origen hereditario y familiares, o debidas al hipotiroidismo o a la enfermedad fibroquística del páncreas.

73

Enfermedades infecciosas

1. Sarampión

La más frecuente de las enfermedades infecciosas del niño es, sin duda alguna, el sarampión, porque el virus que lo provoca es enormemente contagioso. En la escuela los niños se contagian uno a otro con toda facilidad. Después transmiten la enfermedad a los hermanos pequeños que se quedan en casa. Al comienzo, el niño parece presentar un fuerte resfriado; su nariz destila y sus ojos lagrimean. Frecuentemente, poco después aparece una tos seca y penosa acompañada de fiebre que va subiendo cada día. Hacia el cuarto día se pueden apreciar detrás de las orejas algunas manchas de color rosa, que invaden rápidamente primero el rostro y después el cuerpo. Bastantes padres no llaman al médico porque dicen que es necesario que esto pase; otros se asustan viendo la fiebre elevada del niño y se impacientan cuando, a pesar de la medicación, esta fiebre dura aún dos o tres días. Ciertamente si es verdad que los antibióticos no ejercen ninguna acción sobre el virus mismo, también lo es que el tratamiento prescrito es útil para prevenir las complicaciones, con frecuencia lamentables, que acaecen: bronquitis, neumonía, otitis, encefalitis, síndrome maligno agudo, etc., puesto que los microbios, aprovechando la falta de defensas del organismo a causa del asalto del virus sarampionoso, pueden, a su vez, provocar buen número de trastornos. Por eso hay que evitar, con cuidado, el contacto del niño con toda persona resfriada, anginosa o tuberculosa.

2. Varicela

Un niño puede presentar bruscamente, sin síntomas previos, una erupción compuesta por manchas rojas que parecen picaduras de insectos, pero rápidamente estas manchas se hacen abultadas (nódulos y pápulas). Estos pequeños granos producen fuerte picor e incitan al niño a rascarse, lo cual es preciso evitar.

Generalmente, los padres no suelen inquietarse hasta que aparece la fiebre y los «pequeños granos» presentan en su centro una pequeña vesícula o ampollita. En tanto que estas vesículas o granitos llenos de líquido se convierten en pequeñas pústulas —ampollas con líquido oscuro— y se cubren de costras, aparecen nuevos elementos como los del comienzo y se observan así varios brotes sucesivos.

Ciertos niños presentan pocos «granos», en tanto que otros se hallan completamente cubiertos, comprendido el rostro. Hay que evitar de modo absoluto que el pequeño enfermo se rasque, ya que puede provocar infecciones secundarias de la piel y, sobre todo, cicatrices que ya no se borrarán.

A pesar de que las complicaciones de esta enfermedad sean muy raras, conviene tomar las precauciones habituales como en toda enfermedad infecciosa: estancia en un medio aireado sin polvo, alimentación sana, ligera, bebidas abundantes a base de jugos de frutas y cuidados de limpieza minuciosos. A este propósito, ciertos autores preconizan baños calientes con bicarbonato de sosa, en tanto que otros los prohíben absolutamente. Si estos baños calman frecuentemente el picor, son, por el contrario, inconvenientes por el hecho de «salida de más granos». Se lavará, pues, cuidadosamente las manos del niño varias veces por día. Para los picores se puede aplicar un poco de alcohol alcanforado o mentolado y después un poco de talco. Si es necesario se atarán los brazos del niño para que no se rasque.

Es inútil la administración de medicamentos al niño. Si hubiera una gran fiebre se le podría dar una pequeña irrigación o lavativa con agua hervida completamente enfriada.

La ausencia de la escuela debe ser de veintiuno o veinticinco días. Es una enfermedad que hay que declarar a la autoridad sanitaria, del mismo modo que el sarampión.

3. Escarlatina

Menos frecuente que la varicela, pero más grave, es la escarlatina. Conviene que se tenga conocimiento de los principales síntomas que la hacen reconocer para poder tratarla convenientemente.

La escarlatina comienza bruscamente por calambres que se acompañan de una elevación de la temperatura. El niño se queja de dolores en la garganta y, si se le examina, se puede ver una angina de color rojo muy intenso y con la lengua de un aspecto particular, blanca pero con los bordes y la punta rojos. No es raro que la fiebre elevada produzca convulsiones. Un día o dos después aparece una erupción roja en amplias extensiones, separadas por intervalos de piel sana, que dan a la palpación una sensación rugosa. Aquí, al contrario de lo que ocurre con el sarampión, la erupción comienza no por el rostro, sino por la base del cuello y por el tórax o el vientre. Esta erupción progresa rápidamente, alcanzando las piernas, los brazos y el rostro, donde se encuentran señales irregulares. Al cabo de cinco o seis días el pequeño enfermo comienza a pelarse a largas tiras en los pies y los dedos, y, por el contrario, en finas láminas por la cara. Esto puede durar semanas, durante las cuales el niño se restablece gradualmente.

Tanto si la escarlatina es benigna, con poca fiebre y erupción discreta, como si es grave, con estado toxinfeccioso, será necesario tratarla cuidadosamente para evitar las posibles complicaciones (otitis, abscesos, inflamación de los riñones, reumatismo, meningitis, corea, etc.). Si hubiera casos de sarampión en la misma familia, habría que cuidar a los niños separadamente, puesto que la asociación de las dos enfermedades es muy grave.

El niño será puesto bajo vigilancia médica inmediata y seguida. Los antibióticos son generalmente empleados, sea solos, sea asociados entre ellos o con sulfamidas. Los padres cuidarán de que las dosis prescritas sean administradas regularmente; cuidarán también de que el niño beba frecuentemente pequeños sorbos de limonada fresca o jugo de naranja endulzado con miel; si el niño es bastante mayor, hará gargarismos con solución boricada al 5 por 100. No habrá que descuidar las instilaciones de gomenol en la nariz, por lo menos cuatro veces al día. Si se trata de un niño muy pequeño se procurará mantenerle la cabeza alta sobre la almohada, a fin de evitar que la infección pase de la nariz hacia los oídos. Dado el riesgo de infección del riñón, se limitará la sal de la alimentación y se le dará, más bien que leche sola que es bastante salada, jugos de frutas, compotas o leche cortada con tisana.

4. Parotiditis epidémica (paperas)

En cuanto empiezan los primeros fríos del otoño, y al comienzo del invierno, aparecen pequeñas epidemias de parotiditis. Esta enfermedad, caracterizada por la hinchazón de las glándulas parótidas situadas a cada lado de las mejillas, por una fiebre más o menos intensa y por abatimiento, es debida a un virus muy contagioso que los niños se transmiten por las gotitas de saliva expulsadas al hablar.

Con frecuencia, el niño se queja de dolores en los oídos, y se piensa que se trata de una otitis. Cuando aparece la inflamación, que se traduce en las glándulas parótidas y que deforma el rostro, el diagnóstico se aclara. La región inflamada es dolorosa a la presión e incluso a la masticación. En los niños ya mayorcitos no es raro que la inflamación gane los testículos al cabo de una semana; esta complicación es muy fastidiosa a causa de la atrofia que puede resultar y provocar para el futuro una esterilidad para el niño que la ha padecido.

No se considerará, pues, a esta enfermedad como una afección benigna que hay que «dejar pasar». Por el contrario, el tratamiento será precoz y enérgico, a fin de evitar las complicaciones. Dado que se trata de un virus, los antibióticos no darán aquí un gran resultado. El médico prescribirá más bien gammaglobulinas y todas las medidas higiénico-dietéticas habitualmente aplicadas a toda enfermedad infecciosa: reposo en cama al calor de la misma, desinfección de la nariz y de la boca, alimentación a base de líquidos —leche, jugos de frutas, etc.—. Además de la clásica pomada analgésica para atenuar los dolores o en su defecto, un poco de aceite de eucalipto caliente, la mamá podrá aplicar sobre las regiones tumefactas pañuelos o compresas bien calentadas por la plancha o bien cataplasmas de antiflogistina. Como siempre, no hay que olvidar la indispensable limonada de jugo de limón y agua endulzada con miel.

5. Poliomielitis

Esta enfermedad, tan temible con razón, es provocada, no por un microbio, sino por un virus, virus que va a alojarse en el interior de la medula espinal, atacando las células motoras de los nervios y provocando así parálisis fláccidas de ciertos grupos musculares (piernas, brazos, músculos respiratorios, etc.).

Se estima que el contagio se lleva a cabo por vía digestiva más bién que por vía respiratoria, y que éste puede alcanzar a un gran número de individuos al mismo tiempo; pero todos los atacados no padecen una parálisis, sea porque han sido vacunados, sea porque se hallen inmunizados naturalmente, o bien porque hagan lo que se llama una poliomielitis infecciosa, que es una enfermedad poliomielítica, pero sin parálisis. Del mismo modo que hay otra variedad de parálisis paralítica que ataca de una manera especial y produce muy fácilmente la muerte.

Signos de la enfermedad

El comienzo de la poliomielitis no tiene nada de característico: puede confundirse con una afección faríngea o gripal. Diversos miembros de una misma familia pueden ser afectados al mismo tiempo, y si el mal no llega al período de la parálisis puede pasar desapercibido. Sólo un número restringido de personas insuficientemente inmunizadas, sobre todo niños entre los dos y los ocho años, podrá presentar parálisis; ésta puede atacar solamente las piernas, o los cuatro miembros a la vez, o los músculos respiratorios, según la gravedad del proceso. Parece que la aparición de formas altas de parálisis

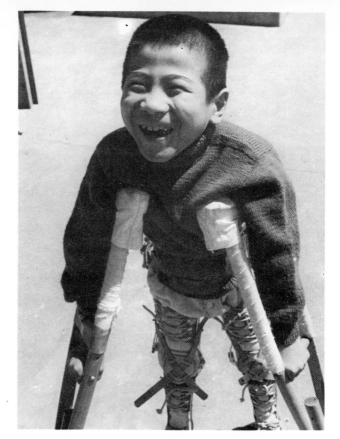

La poliomielitis ha sido un azote para los niños, ya que es una enfermedad que produce terribles consecuencias.

Hoy en día ningún niño debe dejar de recibir la vacuna. Actualmente, además, las cosas se simplifican, ya que puede ser tomada por la boca impregnando un terrón de azúcar.

Cedida por amabilidad de la O.M.S., Ginebra.

es favorecida por el hecho de haber sufrido el enfermo la extirpación de las amígdalas. Estas formas graves son con frecuencia mortales, y el pulmón de acero, tan conocido, no alcanza siempre a salvar las vidas que se le confían.

Cuando un niño tiene una fiebre elevada y una angina, grita cuando se le levanta de su cama o cuando el médico le toca; éste juzgará de la conveniencia o necesidad de inyectar gammaglobulina o suero de convaleciente de enfermedad poliomielítica.

Dad, en razón de su acción protectora sobre el tejido nervioso, vitaminas del grupo B, en particular vitamina B_{12}. El reposo en cama habrá de ser absoluto, y se administrarán regularmente medicamentos antiinfecciosos, tales como la uroformina, según el horario establecido por el médico.

Se practicará la hidroterapia, que es una parte muy importante del tratamiento: grandes baños calientes con agua de sal durante veinte minutos todos los días, o, en su defecto, compresas húmedas calientes varias veces por día, según el método de Miss Kenny. Se movilizará suavemente o se dará masaje en los miembros paralizados.

Evidentemente, las formas graves deben ser tratadas en centros especializados, en los que la oxigenoterapia, la respiración controlada o el pulmón de acero podrán ser utilizados.

En el período de regresión de las parálisis se continuarán los baños calientes, la movilización pasiva y los masajes, dando al mismo tiempo vitamina E varias veces por día.

Después de una exploración eléctrica de los músculos atacados, el médico juzgará de la necesidad de tratamientos electroterápicos en el domicilio o de la conveniencia de enviar al paciente a un centro especializado de reeducación motriz.

Profilaxis o prevención

¿Cómo preservar a nuestros hijos de esta enfermedad tan temible que puede dejarlos enfermos para toda la vida? La mejor manera es la de vacunarlos, y ello desde el primer año de su vida. Conocemos bien la vacuna Salk, extracto obtenido a partir de un cultivo de virus inactivados por el formol. Se administrará esta vacuna por vía subcutánea (debajo de la piel) en una serie de tres inyecciones de un centímetro cúbico, a tres semanas de intervalo.

La protección contra la enfermedad se adquiere aproximadamente quince días después de la tercera o última inyección. Conviene administrar una inyección llamada de recuerdo al cabo de un año.

En caso de epidemia, a los niños que no hayan sido vacunados podrá inyectarse gammaglobulina. Esta gammaglobulina tiene un efecto protector, pero de corta duración: veinte días por término medio.

En tiempos de epidemia se tendrá cuidado en evitar toda fatiga a los niños; también se evitará la extirpación de las amígdalas en esas circunstancias, y convendrá desinfectarles la nariz y la garganta mediante instilaciones nasales de aceite gomenolado. Las medidas de higiene, limpieza de las manos en particular, serán aplicadas con el mayor rigor. Los baños en las piscinas deben ser evitados. Convienen alimentos ricos en vitamina B, protectora del sistema nervioso principalmente. Pan completo o integral, levadura alimenticia, miel, serán dados a título profiláctico, es decir, preventivo.

6. Meningitis

Hay distintas variedades: meningitis cerebroespinal, meningitis linfocitaria benigna, aséptica, sifilítica, tuberculosa, etc. Algunas no son graves, e incluso la más grave de todas, la tuberculosa, es curable hoy en día. De manera que no debe asustarse la familia cuando el médico declara que el niño padece una meningitis. Por otra parte, es necesario saber que se producen reacciones meníngeas en el curso de diversas enfermedades infecciosas, sin que se trate de verdaderas meningitis.

Los síntomas más frecuentes son el dolor de cabeza, acompañado a veces de dolor a lo largo de la columna vertebral; vómitos, sin relación con las comidas; contracturas musculares, sobre todo en la nuca, pudiéndose percibir en los niños de pecho un abombamiento exagerado de las fontanelas y crisis convulsivas. En el niño, el carácter puede hacerse gruñón; bajar la acuidad auditiva, y los ojos manifestar una sensibilización a la luz, haciendo intentos para evitarla. Hay que llamar siempre rápidamente al médico, el cual, por medio de otros exámenes, podrá confirmar o desechar el diagnóstico. Frecuentemente será necesario verificar o practicar una punción lumbar para analizar el líquido cefalorraquídeo. Este análisis determinará con certeza la naturaleza de la meningitis, el microbio que la produce y, por consiguiente, el mejor tratamiento que se deba aplicar.

El tratamiento, perfectamente codificado actualmente, y muy eficaz, será a base de antibióticos, o sulfamidas según los casos, a dosis calculadas según el peso y la edad del niño.

Como en toda enfermedad infecciosa grave, se vigilará particularmente la ingestión de líquidos, que debe ser abundante. Se darán jugos de frutas, limón de preferencia, pero en pequeñas cantidades cada vez, para evitar los vómitos.

La alimentación, a base de leche y caldos, será más bien concentrada, y si el niño vomitase mucho, sería necesario recurrir a la administración de alimentos por vía rectal o por sonda gástrica.

Se cuidará de la administración regular de los calmantes prescritos y el mantener la bolsa de hielo sobre la cabeza. La habitación del pequeño enfermo será mantenida en la oscuridad, pero se procurará asegurar una buena ventilación.

Profilaxis o prevención

El niño habrá de ser aislado rigurosamente y no podrá ir a la escuela en veinte días aun después de la curación. El análisis de las secreciones nasales será practicado dos veces con ocho días de intervalo, y si el análisis es negativo, el niño podrá volver a estar en contacto con sus camaradas. En estas condiciones, los hermanos del enfermo deben evitar el ir a la escuela durante veinte días. Estos niños, y los adultos que hayan estado en contacto con el enfermito, deberán sufrir la desinfección de su faringe o garganta mediante pinceladas al 1 por 100, con argirol, o con polvos de sulfamidas.

Existen sueros preventivos y vacunas para el caso de la meningitis cerebroespinal. En lo que concierne a la meningitis tuberculosa, particularmente temible, la mejor profilaxis o evitación de la misma consiste en alejar a todo niño de cualquier persona que tosa, incluso si ésta parece gozar de buena salud.

Las personas de edad que tosen deberían ser examinadas radiológicamente, y sus esputos cuidadosamente analizados. Los niños serán alejados de los lugares sucios y poco soleados, de la calle en particular, en donde tienen tendencia a jugar con la tierra. Las manos serán cuidadosamente enjabonadas antes de cada comida.

1089

74

Enfermedades del aparato génito-urinario

Los trastornos de los órganos urinarios son bastante frecuentes en los niños. Unos, tales como la albuminuria ortostática, no presentan ninguna gravedad; otros, tales como la nefrosis lipoídica (degeneración de ciertos tejidos del riñón) o la nefritis, son de pronóstico serio.

En el curso de una enfermedad infecciosa, o de una simple angina, no es raro que la inflamación gane los riñones, por lo cual resulta prudente en esas circunstancias el hacer practicar un análisis de orina. Los padres harán bien tomando esta precaución si sus niños se quejan de dolor en el momento de orinar, si éstos presentan frecuentes deseos de orinar o si la cantidad de orina disminuye. Deben saber que en el lactante una elevación de la temperatura, sin otro síntoma, indica con frecuencia una infección de las vías urinarias. Recordemos a este propósito que de los riñones, órganos excretores de la orina, parten dos tubos o uréteres que conducen ésta hasta la vejiga; de ésta, la orina sale al exterior por el canal de la uretra.

Puede haber una inflamación de la vejiga solamente (cistitis), o de la pelvis renal (pielitis), o de los riñones (nefritis), o de los dos últimos (pielonefritis).

1. Nefritis aguda

Un niño que palidece, que presenta fiebre y una hinchazón de los párpados y de las manos, o bien que se queja de dolor en los riñones, debe ser examinado rápidamente por un médico. Este, después de una observación cuidadosa del enfermito y de analizar su orina, os dirá si se trata de una nefritis, es decir, de una inflamación del riñón.

En estos casos, además del tratamiento, que podrá consistir en diatermia, inyecciones de penicilina, de papaverina, incluso de suero glucosado, etc., será necesario seguir minuciosamente los consejos del médico sobre la alimentación: supresión absoluta de sal e incluso de leche, porque contiene bastante sal, administración durante dos o tres días de jugos de frutas, realimentación prudente a base de frutos crudos, pequeñas papillas, compotas, etc., hasta llegar el séptimo día a un poco de leche. Las albúminas —leche, huevos, carne, almendras— deben, en efecto, ser dadas muy progresivamente. Al séptimo día, al mismo tiempo que se da un poco de leche, se va añadiendo también verduras, patatas, etc. Tan solo cuando la hinchazón haya cedido, al igual que la hipertensión, y el niño orine más abundantemente, podrán ser autorizados estos alimentos. Es, pues, necesaria una vigilancia médica atenta a fin de evitar que la nefritis aguda se convierta en crónica, y que así el niño se halle en inferioridad de condiciones durante toda su vida. Por su parte, los padres deben cooperar con el médico, observando minuciosamente sus prescripciones. En lo que concierne sobre todo al reposo en cama, vigilarán que éste sea observado estrictamente durante al menos un mes; los riñones serán mantenidos calientes con una franela, bolsas calientes o mantas eléctricas. El niño no se levantará hasta que el médico lo indique y la curación sea cierta. La prudencia exige un régimen alimenticio hipotóxico aún durante algunas semanas.

2. Cistitis y pielitis

La inflamación de la vejiga y de la pelvis renal es bastante frecuente en los niños; repetimos que los padres deben tomar la costumbre de observar la orina de sus niños y, a la menor anomalía, hacerla analizar. Esto debería hacerse sistemáticamente en todo bebé que presenta fiebre y pierde el apetito. En los niños mayores, las ganas frecuentes de orinar y el dolor en el momento de hacerlo señalarán más fácilmente una infección urinaria. El examen de la orina, en general turbia, con albúmina y pus, confirma el diagnóstico.

Aquí aún, el reposo en cama es muy importante, lo mismo que la alimentación: ésta será a base de jugos de frutas los dos primeros días —jugo de naranja, de limón, de uva—; después, harinas, verduras y frutas, para pasar, al fin, a los productos lácteos, patatas, etc.

El lactante al pecho continuará siendo alimentado normalmente. Se le dará, entre las comidas, agua de manzana —una manzana cortada en rodajas y hervida en medio litro de agua, que será edulcorada con miel—. En cuanto a aquellos que son criados con leche de vaca, podrán, además de este agua de manzana, recibir, en lugar de leche, la horchata de almendras o leche de soja poco concentrada durante algunos días.

La levadura alimenticia diluida en el caldo de las verduras será de gran utilidad a causa de su riqueza en vitamina B. Hay que tener la precaución de añadirla cuando el caldo no está ya muy caliente.

Vuestro médico prescribirá bien sulfamidas a dosis convenientes, bien antibióticos. Al cabo de una semana aproximadamente, al mismo tiempo que el régimen se enriquece en leche, huevos, queso, os indicará si es necesario dar urotropina o ácido fosfórico para acidificar la orina.

Puede también ser necesario, si la inflamación asienta al nivel de la vejiga, hacer lavados. Vosotros seguiréis las instrucciones para preparar la solución, sea de nitrato de plata, sea de otro antiséptico prescrito.

Un niño que ha presentado una infección urinaria debe ser de tiempo en tiempo revisado por el médico, quien se asegurará de que la infección ha desaparecido por medio de los oportunos análisis.

3. Enuresis (incontinencia de orina)

Entre los trastornos urinarios que preocupan particularmente a las familias hay que citar la incontinencia nocturna de la orina.

Un niño que continúa mojando su cama después de los tres años debe ser examinado médicamente; en efecto, puede tratarse de un trastorno de las glándulas endocrinas, que será necesario rectificar por tratarse de anomalías que conviene descubrir. Por lo general, se trata de niños nerviosos, impresionables, a los que hay que evitar toda excitación y toda fatiga. Sobre todo no hay que reñir al niño o avergonzarlo: los pobres chicos no desean, en general, más que ser limpios; pero en el curso de un sueño profundo, sus pensamientos subconscientes se expresan frecuentemente bajo forma de sueños que provocan la relajación de la vejiga. No es recomendable el despertar a estos niños en pleno sueño.

Por el contrario, se tratará de animar al pequeño enurésico para darle confianza en sí mismo, asegurándole que llegará a desprenderse de este desagradable hábito. Los padres demostrarán sabiduría eliminando de la alimentación todo lo que no conviene en estos casos: café, té y chocolate (éste podrá ser dado únicamente por la mañana), toda especie de bebida alcohólica —cerveza, vino, etc.—, el vinagre, las especias, los embutidos, las salazones, demasiada carne y los huevos. Por el contrario, se darán muchas verduras, productos lácteos y frutas; estas últimas deben ser dadas mejor por la mañana y al mediodía que por la noche. Levadura alimenticia (dos cucharadas soperas por día) o vitaminas B completarán útilmente este régimen.

Los pies de la cama del niño serán levantados y convendrá que su colchón sea bastante duro.

El tratamiento médico, es necesario saberlo, puede ser eficaz en ciertas condiciones; pero decepcionante en otras. En estos últimos será necesario ensayar las corrientes eléctricas o las sesiones de rayos ultravioleta o infrarrojos, propuestos por el médico.

4. Anomalías y trastornos genitales

Fimosis

Es bastante frecuente que los niños pequeños presenten una estrechez del orificio de salida de la orina; los padres pueden observar en el momento de la emisión de la orina que ésta se hace de una manera anormal, como un chorro muy finito, y que la extremidad del órgano se hincha. Ciertos padres se apresuran entonces a conducir al niño a un cirujano para hacerle efectuar la circuncisión. Esta, si bien conviene que sea practicada, no debe serlo demasiado temprano, pues frecuentemente las cosas se arreglan espontáneamente.

Hidrocele

Con frecuencia también la familia se inquieta viendo uno o los dos testículos aumentar de volumen, manifiestamente distendidos por líquido. Conviene llamar al médico, el cual dirá si se trata de una hidrocele o de una hernia. En el primer caso, si el pequeñín no tiene más que algunos meses, es mejor esperar, ya que la reabsorción espontánea puede producirse. Pero cuando el hidrocele persiste más allá del año, entonces se llevará el niño al médico, el cual le practicará una punción. Con frecuencia, la operación habrá de ser repetida varias veces antes de la curación.

Criptorquidia

Se trata de una anomalía bastante frecuente: ausencia de testículo en la bolsa correspondiente, habiendo éste quedado en la cavidad abdominal. Sin embargo, antes de concluir que un testículo no ha descendido a su lugar normal, conviene examinar al niño en un baño de agua caliente; puesto que a veces la más pequeña excitación basta para hacer remontar el testículo en el canal inguinal y mantenerlo oculto. Si vosotros habéis observado la ausencia de los dos órganos en el niño de más de un año, no creáis por ello que es necesario operarlo. Esperad que tenga la edad de seis años, al menos, antes de comenzar un tratamiento, pues que aún pueden descender a su lugar espontáneamente. Generalmente es antes de los ocho años cuando se realiza el tratamiento hormonal, destinado a hacer descender los testículos a su lugar. Ahora bien, cuando este tratamiento ha fracasado es cuando debe intentarse o realizarse el tratamiento quirúrgico; pero éste sin esperar ya más, hacia los siete-ocho años y nunca más tarde de los doce años, puesto que, si no se hace, sería condenar al niño a una esterilidad cuando de mayor llegue al matrimonio.

Flujo vaginal

Para las mamás, es una fuente de preocupación el ver estos flujos que presentan a veces las niñas. En general, se trata de un estado orgánico deficiente, y basta con fortalecer a la niña para que el flujo desaparezca. Pero a veces estas pérdidas son la señal de una infección —la niña ha podido utilizar para sus cuidados íntimos un paño contaminado —o de que limpia su ano, tras la defecación, de atrás a delante —en lugar de delante hacia atrás— llevando las materias fecales y los microbios hacia la vagina. A veces también la niña ha introducido por simple curiosidad un cuerpo extraño en esta cavidad, y éste ha producido una irritación.

En todos estos casos existe una sensación de quemadura, producida por la inflamación y el flujo. Hay que llevar la niña al médico, el cual, por un tratamiento antibiótico, llevará las cosas a la normalidad.

Además de las prescripciones que habrá de seguir, la madre podrá aliviar a la niña haciendo varias veces un lavado de limpieza, vertiendo agua hervida bicarbonatada sobre la región, sin frotar, empapando delicadamente después con una compresa estéril y aplicando una pomada ligeramente antiséptica.

75

Otros trastornos

1. Otitis

Con frecuencia, el resfriado es seguido de una inflamación de los oídos, sobre todo en los pequeños, cuyo conducto —que une la nariz al oído— es más ancho.

Gritos muy agudos en el lactante enfriado, con movimientos de la cabeza y vómitos, deben hacer pensar en la otitis. Consultad rápidamente a un médico para evitar las posibles complicaciones. Un tratamiento precoz y bien conducido será rápidamente eficaz. Si el médico se hiciera esperar demasiado, para atenuar los dolores del niño se procurará aplicarle una bolsa de agua caliente. Si tenéis a mano gotas auriculares —para el oído— de antibióticos, podéis ponerle dos gotas en el oído, calentando primeramente un poco al baño María el pequeño frasco cuentagotas.

Si el oído comenzara a supurar, hay que limpiar frecuentemente hacia fuera con agua hervida; pero no pongáis nunca un tapón de algodón en el conducto, ya que impediría la salida del pus. Haced examinar cuanto antes al niño por el médico de familia o el especialista.

La mejor prevención de las otitis consiste en evitar los resfriados o, si ya se han declarado, en curarlos bien.

2. Adenitis cervical (ganglios del cuello inflamados)

Muchos padres se alarman y van a la consulta médica en cuanto el niño presenta uno o más ganglios en el cuello. Todo ser humano posee a lo largo del cuello una colección de ganglios o glándulas linfáticas. Cuando se infectan se hacen más voluminosos y se pueden palpar. Esta hinchazón ganglionar puede hacerse visible. Generalmente ello es debido a una angina y no hay que preocuparse. En ocasiones se trata de una infección de los dientes, del cuero cabelludo o de enfermedad como la rubéola. Si la hinchazón persiste más de un mes, es prudente consultar con el médico, el que os aconsejará, sin duda, diversos exámenes: análisis de sangre, radioscopia, pruebas tuberculínicas. Según los resultados, pueden ser aconsejados diversos tratamientos.

En todos los casos de adenitis persistentes, el niño sacará provecho de una estancia en regiones marítimas bien soleadas, de una alimentación sana y abundante, de una limpieza rigurosa y de la absorción de vitaminas A y D. En ocasiones podrá ser útil la extirpación quirúrgica del ganglio afectado.

3. Las erupciones

Desde su más temprana edad, ciertos niños presentan fácilmente erupciones en la piel. Estas pueden comenzar por rojeces en las nalgas; es el eritema de las nalgas, que es debido, sobre todo, al amoniaco que se forma a partir de la orina del niño, bajo la acción de los microorganismos presentes en los lienzos y sábanas de la cama. Conviene, por tanto, destruir estas bacterias, haciendo hervir las ropas o secándolas largamente al sol. A los niños que presentan estos eritemas conviene, además, suprimirles las braguitas impermeables, que retienen la orina y hacen macerar la piel; el hecho de cambiar las ropas en cuanto al niño se ha mojado y de exponer al aire las nalguitas del niño varias veces al día, basta frecuentemente para hacer desaparecer el eritema. Por la noche puede aplicarse sobre la piel afectada un poco de pasta Lassar.

Granos de calor

Se les llama así porque aparecen durante la estación cálida, sobre el cuello y la espalda en general. La piel del lactante es delicada y debe ser limpiada con cuidado. Un baño cotidiano con agua tibia y un secado cuidadoso con lienzos perfectamente limpios y la aplicación de talco antiséptico a nivel de los pliegues, evitarán estos pequeños inconvenientes.

Costras del cuero cabelludo

Estas zonas recubiertas de escamas y con aspecto sucio no son siempre signo de suciedad. Las mamás piensan hacerlas desaparecer con agua y jabón. Vale más limpiar con una torunda de algodón embebido en aceite de almendras varias veces por día. Así, las costras ablandadas caerán por sí solas.

Estrófula

Es el equivalente, en el lactante y en los niños pequeños, de la urticaria del adulto. Como esta última, comienza por pequeñas rojeces que se transforman en nódulos minúsculos, en el centro de los cuales pueden aparecer pequeñas vesículas. Se pueden confundir con la varicela; pero no atacan al cuero cabelludo como ésta. El niño tiene tendencia a rascarse mucho, y así se infectan estos pequeños granos. Se puede, para calmar estos picores, utilizar compresas de agua con vinagre —dos cucharadas soperas por vaso de agua— o acetato de alúmina al 1 por 100. Se puede dar calcio granulado o en ampollas. Dado que se trata de una afección de tipo alérgico, será conveniente suprimir entre los alimentos aquellos que son susceptibles de determinar esta reacción.

Si el niño es ya bastante mayor, se le tendrá algún tiempo a un régimen sin huevos ni carne, rico en verduras y frutas. Para asegurar una nutrición suficiente se añadirá a los caldos de verduras harina de soja, que se hará cocer suficientemente. Se evitará siempre el dar a los niños salazones, embutidos, crustáceos y caracoles. Si se trata de un lactante, será necesario a veces suprimir completamente la leche y reemplazarla por leche de almendras o de soja.

Si el trastorno persiste, a pesar de las modificaciones del régimen, convendrá poner al niño bajo vigilancia médica y un tratamiento más intenso a base de adrenalina inyectable, de hiposulfito de sosa, etc.; pero bien entendido que ha de ser ordenado y vigilado por el médico.

Eccema

No es raro observarlo en los lactantes y en los niños pequeños. Generalmente aparece en el rostro o en varias zonas muy coloradas constituidas por minúsculos nódulos y vesículas, que provocan un gran picor. Las primeras medidas que hay que tomar son las de evitar que el niño se rasque e infecte así la piel enferma. Se le cortarán las uñas y, si es necesario, se le introducirán los brazos en tubos rígidos de cartón. Por la noche se aplicarán pomadas de hidrocortisona a débil concentración (1 a 2 por 100) y se le cubrirán las partes enfermas con compresas de gasa estéril. Se suprimirá resueltamente el agua y el jabón en la «toilette» de estas partes y serán reemplazados por el aceite de oliva.

Dado el carácter alérgico de esta enfermedad, convendrá, en espera de tener una consulta con el médico, reemplazar la leche habitual por la leche de almendras o de soja, suprimir la sal y reducir la cantidad de agua habitualmente administrada.

El médico, según la edad del niño, os aconsejará una leche en polvo descremada, a dosis progresivamente crecientes, o el régimen vegetariano gradualmente aumentado. Si la inflamación ha aumentado y produce una destilación o una infección, será necesario un tratamiento más enérgico, que no habrá de ser realizado más que bajo control médico.

Otras erupciones

Numerosas afecciones de la piel diferentes a las descritas pueden afectar al niño. No conviene que los padres las descuiden, ya que, si no son tratadas, pueden provocar complicaciones incluso graves. Ante toda «pupa» o erupción que persiste, la mejor actitud a adoptar es la de conducir el niño al médico, el cual puede hacer un diagnóstico exacto y, consecuentemente, prescribir un tratamiento eficaz.

4. Padecimientos alérgicos

Existen dolencias tales como el asma, el eccema, la urticaria, el edema de Quincke y otras, que no se observan más que en ciertas personas. Estas presentan una aptitud anormal al reaccionar con violencia a ciertas sustancias puestas en contacto con su piel o mucosas, o con sus aparatos respiratorio o digestivo. Las reacciones de hipersensibilidad inmediata se hallan ligadas a la formación en el organismo de unas sustancias especiales llamadas anticuerpos, a continuación de la agresión de sustancias sensibilizantes llamadas alergenos.

Los alergenos son sustancias extrañas al organismo, procedentes del aire atmosférico, de los alimentos o de ciertos medicamentos. Los principales son el polvo de la casa, las plumas y los pelos, los pólenes de ciertos vegetales y los mohos, por lo que se refiere a los alergenos de acción respiratoria. Los alimentos considerados como más alergizantes son los huevos, el tomate, las fresas, el pescado y la leche. Entre los alergenos de acción externa o dermoalergenos, citemos los productos del lavado de ropas, los de belleza y ciertas materias de plástico y tintoriales.

Otras alergias son desencadenadas por picaduras de insectos y por inyecciones de sueros o de antibióticos, especialmente de penicilina.

Manifestaciones más frecuentes. En los sujetos predispuestos pueden presentarse diversas manifestaciones alérgicas, tales como el catarro del heno, el asma, la urticaria, el edema de Quincke y el eccema. Ya en la infancia pueden observarse toses espasmódicas, bronquitis de repetición, prúrigo-estrófula manifestado por pequeños granos rojos tenaces, diarreas recidivantes, e incluso un estado de fatiga permanente debidos a una alergia alimentaria o a un medio inadecuado: colchones de lana, edredones de pluma, alfombras, cortinas y presencia de animales.

Tratamiento y prevención. El tratamiento medicamentoso de las alergias cuenta con diversos medios, tales como la desensibilización,

CALENDARIO DE POLINIZACION

	Marzo	Abril	Mayo	Junio	Julio	Agosto	Septiembre	Octubre
/ELLANO (Corylus avellana)	■							
RTIGA (Urtica dioica)	□	■	■	■	■	■	■	■
AUCE (Salix)	■	■				■		
_MO (Ulmus)	■	□						
BEDUL (Betula)	■	■	■					
INOS (varias especies) (Pinus ssp.)	■	■	■	■				
_AMO (Populus)	■	□	□					
ORERA (Morus nigra)		■	■					
.ATANO DE SOMBRA (Platanus orientalis)		■	■					
AYA (Fagus)		■						
LAS (Syringa vulgaris)		■	■	■				
ARICES (Carex)		■	■	■	■	■		
CACIA (Robinia pseudacacia)		□	■	■	■			
OLA DE ZORRA (Alopecurus pratensis)			■	■	■			
RAMA DE OLOR (Anthoxanthum odoratum)			■	■	■			
VENA DESCOLLADA (Arrhenatherum)			□	■	■	■		
VENA (Avena sativa)			■	■	■	■		
EBADA (Ordeum vulgare)			■	■	■	□		
CEDERA (Rumex)			■	■	■	■		
ARBA DE MACHO (Bromus)			■	■	■	■		
PILLOS (Dactylis glomerata)			■	■	■	■		
SPIGUILLA (Poa pratensis)			■	■	■	■		
ENTENO (Secale cereale)			■	■	■			
IERBA DE LAS 3 SEDAS (Trisetum flavescens)			■	■	■	■		
UIBARBO DE POBRE (Thalictrum)			■	■	■	■		
SPED DE LOS PRADOS (*)			■	■	■	■		
ESTUCA (Festuca)			■	■	■	■		
.ANTEN (Plantago lanceolata)			■	■	■	■		
RINGUILLA (Philadelphus)				■	■			
LIGUSTRE (Ligustrum vulgare)			□	■	■			
AY-GRASS (Lolium)				■	■	■		
JO (Phalaris arundinacea)				■	■			
OLA DE PERRO (Cynosurus cristatus)				■	■	■		
_EO (Phleum pratense)				■	■	■		
LO (Tilia)				■	■			
ENO BLANCO (Holcus lanatus)				■	■	□		
LIVO (Olea europaea)				■	■			
RIGO, JAZMIN (Triticum vulgare, Jasminum officinale)				■	■			
AUCO (Sambucus nigra)				■	■			
ENO AHUMADO (Agrostis)				■	■	■		
AIZ (Zea mays)					■	■		
ARA DE ORO (Solidago)					■	■		

No hay denominación latina ya que es una mezcla de varias especies que varían mucho de una zona a otra.
La denominación más extendida es la que corresponde al césped inglés, ray-grass.

■ + intenso
□ − intenso

Cedida por cortesía de Squibb, Industria Farmacéutica, S. A.

Las alergias suelen ser origen de gran número de molestias. Lo más frecuente es que el hallazgo de la causa o causas que provocan sus manifestaciones sea muy difícil y laborioso. Toda una serie de tests, más o menos molestos o engorrosos, contribuyen a ello.

Es necesario evitar el contacto con los agentes alergizantes conocidos o supuestos.

la administración de antihistamínicos y la corticoterapia. También se utilizan los modificadores del terreno alérgico, tales como la piretoterapia, la peptonoterapia, las estancias a más de mil metros de altura y las curas termales, todo lo cual rinde con frecuencia buenos resultados.

Pero lo mejor consiste en una prevención cuidadosa, evitando al máximo los alergenos provocadores. Con frecuencia esto es fácil: supresión de un producto de belleza, de un animal, de un medicamento o de un alimento que se ha manifestado responsable de la reacción alérgica.

En ocasiones, la eliminación de la sustancia responsable es difícilmente realizable; es el caso de los pólenes y del polvo de la casa. En tales casos hay que instruir a los pacientes para que eviten el contacto brutal con estos agentes.

En todos los casos los sujetos alérgicos se beneficiarán habitando viviendas bien expuestas al sol y ventiladas y de las que serán eliminados los colchones de lana, los cojines de plumas, los animales domésticos (gatos, perros, pájaros) e incluso las alfombras, moquetas y cortinas; grandes depósitos de polvo. Evitarán también los humos del tabaco y de la cocina y los de los productos químicos e industriales. Una alimentación sana, bebidas no alcohólicas abundantes, suficientes horas de sueño y una vida regular, no harán más que contribuir a fortificar el organismo contra las alergias.

5. Raquitismo

Muchas madres se imaginan que basta con dar mucha leche a su niño para que crezca normalmente. Ciertas madres, casi siempre aquellas que no amamantan a su hijo, se hallan tanto más satisfechas cuanto más gordito está éste. Así, su decepción es muy grande cuando el médico les declara que su magnífico niño está raquítico. En efecto, la idea que se hace la gente en general de un raquítico se refiere a un niño delgado, manifiestamente desnutrido y que crece mal.

Y, sin embargo, es bien cierto que bajo una apariencia floreciente se esconde frecuentemente un raquitismo verdadero. Es que no basta con la alimentación al biberón para aportar al niño las sustancias nutritivas necesarias para su normal crecimiento; son necesarias aún las preciosas vitaminas que contiene la leche cruda. Así, las mejores leches en polvo o concentradas que la industria proporciona son leches esterilizadas, leches «muertas». Si el niño no puede gozar de la leche «viviente» de su madre, es necesario añadir a su leche artificial dos elementos que faltan y principalmente la vitamina D, cuya privación provoca el raquitismo. En efecto, la vitamina D regula directamente el metabolismo del fósforo, permitiendo la formación en la sangre de fosfato de calcio, indispensable a la osificación de los huesos.

El organismo es capaz de fabricar esta vitamina a partir de ciertas sustancias; pero es necesario para ello una exposición suficiente
al sol. Por ello la puericultura aconseja a las mamás la exposición de
sus pequeños directamente al sol y no a través de cristales, que retienen los rayos ultravioleta. Por ello también el raquitismo es más
frecuente en las regiones poco soleadas y en las grandes ciudades,
donde los humos industriales son intensos. El raquitismo afecta más
frecuentemente a los niños de seis a dieciocho meses criados con
biberón. Los niños criados al pecho escapan normalmente al raquitismo, ya que la proporción calcio-fósforo es óptima en la leche
materna.

Síntomas

Difieren éstos según la edad del niño, y conviene que los padres
sepan que durante los tres primeros meses de la vida el raquitismo
se manifiesta por anomalías a nivel del cráneo: fontanelas grandes
que no se «cierran» gradual y normalmente; cabeza aplastada por
detrás y, al contrario, prominente en la frente y los lados. Además,
puede observarse una transpiración o sudoración anormal, un vientre grueso y músculos fláccidos. Si el niño no es tratado en esta
fase, pueden aparecer otros síntomas; tórax ensanchado en la base;
ensanchado de delante a atrás, presentando frecuentemente nudosi-
dades a cada lado del esternón. El niño, cuyos pulmones se hallan
encajonados, respira mal y fácilmente sufre afecciones respiratorias.
Llegada la edad de seis meses es incapaz de mantenerse sentado;
sus huesos del cráneo no se sueldan y su vientre es particularmente
abultado.

El proceso, avanzando su marcha, da lugar más tarde a miembros
alterados: presentando nódulos o engrosamientos a nivel de las articulaciones; particularmente las piernas, pueden deformarse. En cuanto
el niño se pone a andar se pueden ver las piernas incurvadas en
paréntesis o en X. La pelvis también puede hallarse alterada, y sus
deformaciones pueden más tarde, en la niña hecha mujer, producir
graves problemas en el momento del parto. La dentición se halla
también retardada y con frecuencia es defectuosa.

Algunos pueden preguntar: ¿puede reconocerse el raquitismo antes de que haya una deformación de los huesos? Ciertamente, y esto
por dos medios: el examen del suero sanguíneo del niño en un laboratorio. Este, por la simple dosificación del fósforo sanguíneo, puede
hacer el diagnóstico: es, en efecto, la proporción de fósforo, más
bien que la de calcio, la que se halla disminuida.

Profilaxis

De lo que se ha dicho resulta que la mejor prevención del raquitismo es, o consiste, en la exposición de los niños al sol. En las
regiones brumosas será a veces necesario el recurrir a los rayos

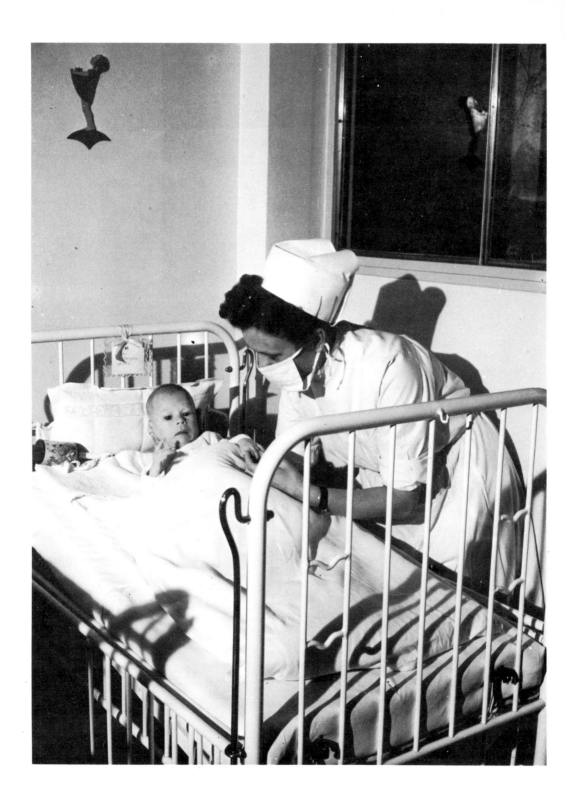

ultravioleta artificiales. Durante el embarazo será conveniente que la madre tenga una alimentación que contenga suficientemente vitamina D —mantequilla, yema de huevo, pescado, levadura alimenticia— para constituir reservas normales para el niño. Si éste no puede ser lactado al pecho habrá que administrarle precozmente vitamina D, preferentemente asociada a la vitamina A. Se puede también administrar una dosis masiva de vitamina D en una sola vez; pero este método no es aconsejable, ya que puede producirse una intoxicación por hiperdosificación, con una pérdida total del apetito y otros síntomas graves.

En cuanto al tratamiento, consistirá evidentemente en la administración de esta misma vitamina, pero bajo vigilancia médica, para evitar los peligros más arriba mencionados.

6. Candidiasis o muguet

El muguet o candidiasis es una afección actualmente muy frecuente. Es debida sobre todo a la infección del niño en el momento del parto a causa de los hongos existentes en el canal genital materno y al abundante uso de antibióticos que alteran la flora microbiana habitual del intestino.

Se caracteriza por unas manchitas blancas sobre fondo rojo que aparecen sobre las mucosas: de la boca, de la vagina, de los bronquios, o del ano, principalmente; o sobre la piel de las diversas regiones del cuerpo, especialmente en las nalgas del recién nacido, en los pliegues de los muslos y genitales y en el cuero cabelludo o las uñas.

El tratamiento consiste en la utilización de la nistatina en forma de suspensión, de comprimidos o de pomada según la forma de la enfermedad.

En el muguet de la boca, tan frecuente en el recién nacido, una buena fórmula es la siguiente:

Borato sódico ... ...   5 gramos
Glicerina ... ...   c. s. para 20 c.c.
Para toques: 2-3 veces al día.

76

La cirugía en el niño

1. Posibilidades de la cirugía infantil

Actualmente cualquier niño es tributario de los recursos quirúrgicos, sea cual sea su edad o su padecimiento. Ello es posible a causa de los grandes avances en las técnicas quirúrgicas; pero sobre todo, a las modernas posibilidades y técnicas de la anestesia y de la reanimación, así como al mayor conocimiento de los fenómenos biológicos.

2. Afecciones quirúrgicas del recién nacido

Onfalocele. Centrada por el cordón umbilical, en medio del vientre, aparece una masa más o menos voluminosa de contenido abdominal que se abomba fuera de éste o que se introduce en el cordón umbilical. Para evitar las graves complicaciones que se siguen es necesario operar el onfalocele, también llamado hernia umbilical. A veces conviene hacerlo en dos tiempos. El pronóstico es bueno, excepto en los casos en que en el contenido de la hernia figura también el hígado.

Espina bífida. Este defecto de nacimiento consiste en la falta de soldadura de las dos mitades del arco posterior del canal óseo de la columna vertebral que aloja a la medula espinal y a las meninges raquídeas. Según la fisura o separación del hueso sea mayor o menor, se distingue la espina bífida oculta y la espina bífida propiamente dicha: ésta permite la salida de la medula espinal y de las meninges. La espina bífida debe ser operada.

Hernias encefálicas y meníngeas. Estas anomalías son el equivalente de la espina bífida, en la cabeza. Se puede esperar la evolución espontánea y operar algo más tarde.

Extrofia vesical. La extrofia vesical se caracteriza por la apertura congénita de la vejiga a nivel de la pared anterior del vientre. Esta afección necesita una intervención quirúrgica complicada, pero satisfactoria, que actualmente no espera al tercer año de vida, sino que se practica durante el primer año. (Técnica de Duhamel.)

Tumores sacrocoxígeos. Estos tumores congénitos de la parte inferior de la espalda y de las nalgas deben ser operados para evitar los trastornos debidos a la compresión, e incluso su posible transformación maligna.

Imperforación anal. Ya hemos hablado de este trastorno en el capítulo 20 y de cómo debe ser descubierto. La operación es necesaria.

Malformaciones urinarias. Cuando la vejiga urinaria aumenta de tamaño y la orina no es evacuada, es necesario intervenir. A veces el obstáculo es fácil de vencer —paso de una bujía filiforme o punción de un quiste—, pero en otras ocasiones la intervención es más compleja.

Fístulas. Las fístulas rectovaginales, rectovesicales o rectouretrales deben ser operadas.

Malformaciones ocultas. Diversas malformaciones son inaparentes en el momento del nacimiento: las oclusiones duodenales o intestinales, las fístulas entre el esófago y la tráquea, la falta de desarrollo del esófago, la hernia diafragmática y los emplazamientos anormales de la lengua, así como su tamaño desmesurado. Todos estos procesos deben ser operados.

3. Afecciones quirúrgicas del lactante

Estenosis hipertrófica del píloro. El aumento de grosor del píloro puede provocar vaciamiento del estómago, vómitos y adelgazamiento. Una sencilla operación cura al niño fácilmente.

Malposiciones gástricas e intestinales. Las anomalías de posición de la parte superior del estómago —cardio-tuberositarias— y del intestino— anomalías de rotación y de fijación— requieren la intervención quirúrgica.

Enfermedad de Hirschsprung. También llamada megacolon congénito, se caracteriza por un estreñimiento invencible y por el abombamiento del abdomen. Si el tratamiento médico no tiene éxito será necesario operar al niño.

Fístulas umbilicales. A la caída del cordón umbilical puede manifestarse una pérdida de orina, de gases o de materias fecales. En tales casos es necesario intervenir quirúrgicamente.

Malformaciones congénitas de las vías biliares. Recomendamos el tratamiento quirúrgico, cuando nada más pueda obtenerse del tratamiento médico.

Labio leporino y fisura palatina. Estas afecciones deben ser operadas. Lo que difiere es la edad a que deben ser operados según su variedad y complicación, oscilando entre los 3 y 15 meses.

Fimosis, ectopía testicular, hipospadias, sindactilia. La fimosis es el aprisionamiento del prepucio dentro del glande; la ectopía testicular, la falta de descenso del testículo a la bolsa escrotal; el hipospadias, la abertura de la uretra en un lugar anormal y, la sindactilia, el pegamiento de dos dedos entre sí. Estas malformaciones deben esperar a ser operadas a veces bastante tiempo, hasta los 6 u 8 años, pues durante ese lapso de tiempo, la fimosis, por ejemplo, y la ectopía testicular pueden corregirse solas.

En cuanto a la fimosis, puede ser congénita, que es la forma más corriente, o bien aparece, en quien nunca la ha padecido, como consecuencia de una inflamación del prepucio.

En algunos pueblos de la antigüedad, como el israelita, se tenía por costumbre la circuncisión, que consistía en una escisión total o parcial del prepucio.

Angiomas. Los angiomas o tumores vasculares, a veces tan aparentes como las manchas de vino, deben ser vigilados cuidadosamente. Pueden ser tratados por la electro-coagulación, por la congelación, por el radium, por la cirugía o por algunos de estos procedimientos combinados.

Luxación y subluxación congénitas de la cadera. Conviene que estos procesos sean descubiertos cuantos antes. Deben sospecharse en los hijos de familias donde ya haya antecedentes de este defecto, procurando descubrir una actitud anormal del miembro inferior, asimetrías de la vulva, limitación de la separación del muslo y el acortamiento del miembro del lado afecto. La radiografía o la artrografía son demostrativas. El tratamiento es ortopédico y si fuera necesario, quirúrgico: se halla indicado a partir del segundo año.

Deformaciones congénitas de los pies. El tratamiento ortopédico debe comenzar inmediatamente. Si éste no bastare habrá de recurrirse al quirúrgico.

Tortícolis congénito. Esta variedad de tortícolis suele presentarse después de partos de nalgas. La regresión del trastorno puede ser espontánea. De lo contrario, un tratamiento ortopédico, y aun quirúrgico, puede ser necesario.

Deformaciones de la columna vertebral. Estas anomalías, que pueden ser de origen congénito o raquítico, deben ser tratadas por medios ortopédicos, enyesados, por ejemplo, o por métodos quirúrgicos, hacia el fin del segundo año.

4. Afecciones quirúrgicas generales del niño

Apendicitis. Esta enfermedad ha sido ampliamente tratada en el capítulo 72.

Invaginación intestinal. La invaginación intestinal, causa frecuente de oclusión en el primer año de la vida, es producida por la introducción de un segmento de intestino en el interior de otro segmento, de un modo parecido a como un dedo de guante se invierte dentro de sí mismo. Se manifiesta por crisis, durante las cuales el lactante palidece y grita, vomitando y rehusando el alimento.

La comprobación del padecimiento se lleva a cabo mediante un examen radiológico, inyectando en el intestino, a través del ano, una papilla de contraste. Esta maniobra deshace a veces por arrastre el «dedo de guante invertido» de la invaginación, curándola. Si no sucede así es necesario operar.

Cuerpos extraños digestivos. Sólo habrá que intervenir quirúrgicamente cuando éstos tengan una cierta longitud y permanezcan detenidos más de 48 horas en el duodeno o en el ciego, o se acompañen de signos de peritonitis, todo lo cual no es frecuente.

Fracturas. Las fracturas en el recién nacido y en el lactante suelen ser de las llamadas «en tallo verde», por comparación con un tallo que se troncha. Con frecuencia, pasan desapercibidas, manifestándose ulteriormente por deformaciones del eje del miembro y por la formación de un callo de consolidación exagerado. El tratamiento es fácil: basta por lo general con una sencilla férula o un enyesado.

Osteomielitis agudas. La infección de las extremidades de los huesos se manifiesta principalmente por dolor y llanto, por impotencia del miembro, por alteración del estado general, por fiebre y por enrojecimiento e hinchazón articular. Son debidos al estafilococo y al estreptococo y no siempre son fáciles de curar. Necesitan una cura antibiótica muy bien dirigida y una larga y cuidadosa inmovilización bajo un enyesado.

Hernias. En las hernias umbilicales bastará con aplicar una pelota de algodón que ocluya el orificio y, mejor aún, cerrar éste con dos pliegues de los bordes del mismo, que se sujetan por delante del orificio con una tira de esparadrapo.

En las hernias inguinales del recién nacido y del lactante, el procedimiento, a veces espectacular, consiste en la aplicación de una madeja de lana, cortada transversalmente en todos sus hilos y que se hace pasar rodeando la raíz del muslo donde se halla la hernia, llevándose luego los cabos de la madeja uno por delante y otro por detrás del tronco y anudándolos entre sí.

Si a pesar de estos tratamientos la hernia persiste, o se agrava, o se estrangula, será necesario operarla.

Hidrocele infantil y quistes del cordón. Estos procesos son debidos a un imperfecto acabamiento de la normal evolución orgánica y curan solos, por lo general, o tras un sencillo tratamiento de punciones. Si tal no fuera el caso hay que operarlos.

Peritonitis. Esta afección es muy rara en las bajas edades y suele confundirse con la apendicitis. El tratamiento es por lo general operatorio.

Fotografía colección Nestlé.

A un niño podemos proveerlo de todos los cuidados materiales necesarios y aun superfluos: habitación con muebles lujosos, alimentación rica y abundante, ropas a la última moda... Mas, si sólo le diéramos estas cosas, estaríamos olvidando lo más importante y que más necesita el niño: el amor de la madre, que nada ni nadie puede sustituir.

1108

Indices
Glosario
Bibliografía

INDICE ALFABETICO

GLOSARIO

Absceso. Acumulación de pus en una cavidad anormal formada por la desintegración de los tejidos.

Acido bórico. Antiséptico ligero utilizado en Medicina.

Acido butírico. Producto de la putrefacción de las proteínas.

Acido fólico. Sustancia fundamental en la prevención y curación de ciertas anemias.

Acidosis. Aumento de las sustancias ácidas en la sangre.

Adenitis. Inflamación de las glándulas o ganglios linfáticos.

Albuminuria. Albúmina en la orina.

Alcalinos. Compuestos que forman sales con los ácidos.

Amenorrea. Falta de menstruación.

Aminoácidos. Principales constituyentes de las proteínas.

Amniocentesis. Abertura del saco amniótico.

Amniótico. Saco dentro del cual se encuentra el feto.

Anafilaxia. Aumento de la sensibilidad del organismo a ciertas sustancias recibidas anteriormente.

Angiomas. Tumor formado por vasos sanguíneos o linfáticos.

Anorexia. Falta de apetito.

Arginina. Componente de muchas proteínas animales.

Arrenoblastoma. Tumor generalmente benigno del ovario.

Arteriografía. Radiografía de las arterias.

Ascaris. Gusanos parásitos del intestino.

Babeurre. Leche sin grasa.

Bartholinitis. Inflamación de las glándulas de Bartholino.

Bífida. Hendida en dos partes.

Biopsia. Examen al microscopio de un fragmento de tejido vivo.

Blástula. Una de las fases del desarrollo embrionario.

Caducas. Membranas que dentro del útero en el embarazo rodean al feto.

Caloría. Unidad de calor.

Candidiasis. Afecciones producidas por hongos microscópicos.

Caseína. Proteína principal de la leche.

Cefalohematoma. Abultamiento limitado de la cabeza del feto que se produce durante el parto.

Celioscopia. Examen del interior del vientre con el celioscopio, a través de un pequeño ojal en el vientre.

Cervicitis. Inflamación del cuello uterino.

Cistitis. Inflamación de una vejiga, sobre todo la urinaria.

Citratos. Sales del ácido cítrico.

Climaterio. Epoca en la que declinan, en la mujer y en el hombre, las potencias reproductoras y genésicas.

Cloasma. Manchas amarillo-oscuras en la cara de embarazadas y ciertos enfermos.

Colesterol. Sustancia grasa que existe normalmente en la sangre.

Coloide. Cuerpo que al desleírse en un líquido no forma verdadera solución.

Colposcopia. Examen de la vagina.

Criptorquidia. Falta de uno o de dos testículos en la bolsa escrotal.

Cromosomas. Masa nuclear de las células, soporte de los genes.

Daltonismo. Ceguera para ciertos colores, especialmente el rojo.

Deferente. Que conduce algo hacia afuera, como desde un centro.

Dermo-jet. Instrumento que permite el paso de sustancias inyectables a través de la piel sin necesidad de pinchar.

Dermoide. Semejante a la piel.

Diafragmas. Medio contraceptivo, generalmente en caucho, de uso femenino.

Diatermia. Empleo de corrientes eléctricas para producir calor en partes profundas del cuerpo humano.

Dismenorrea. Regla dolorosa y difícil. Función menstrual alterada.

Dispareunia. Coito o relación sexual difícil o que causa dolor.

Eclampsia. Brusco ataque de convulsiones tonicoclónicas: en la infancia, en el embarazo o en la intoxicación urémica.

Ectopía. Anomalía de situación o de posición de un órgano.

Edemas. Abundante acúmulo de líquido seroalbuminoso en el tejido celular.

Efélides. Manchas cutáneas producidas por la acción de los rayos solares.

Eferente. Que conduce o lleva sangre, secreción o impulsos desde una parte, órgano o centro nervioso.

Embriopatía. Padecimiento que ataca al embrión produciéndole malformaciones.

Endometrio. La capa más interna o mucosa de la matriz.

Endometriosis. Desplazamiento o ectopía de tejido endométrico.

Enuresis. Micción involuntaria de orina.

Epilepsia. Enfermedad con pérdida súbita del conocimiento, convulsiones, coma o por otros signos.

Episiotomía. Corte en el orificio vulvar para evitar su desgarro durante el parto.

Epistaxis. Hemorragia nasal.

Equinococosis. Enfermedad debida a la tenia del perro y que produce el quiste hidatídico.

Eritroblastosis. Aumento anormal en la sangre, generalmente del feto, de eritroblastos o células precursoras de los glóbulos rojos.

Escrófula. Proceso mal definido que ataca a los tejidos linfáticos, tegumentario y óseo.

Esfínter. Músculo en forma de anillo que cierra un orificio natural.

Esteatopicia. Acúmulo excesivo de grasa en las nalgas.

Estenosis. Estrechez congénita o adquirida de un orificio o de un conducto.

Estimulinas. Factores protectores del suero sanguíneo que producen inmunidad.

Etiología. Estudio de las causas de las enfermedades.

Eugenesia. Estudio y cultivo del mejoramiento físico y moral de las generaciones futuras.

Exanguinotransfusión. Sustitución parcial o total de la sangre enferma por otra de un sujeto sano.

Extrofia. Vicio de conformación congénito de un órgano interno, hueco especialmente, por el que la superficie interna del mismo se halla al descubierto.

Eyaculación. Emisión súbita de un líquido, como la del semen.

Fenilalanina. Aminoácido esencial en la nutrición humana.

Fenilcetonuria. Error metabólico hereditario.

Fibrinólisis. Disolución de la fibrina de la sangre.

Fimosis. Estrechez del prepucio de origen congénito o adquirido con imposibilidad de descubrir el glande.

Fisiología. Ciencia biológica que tiene por objeto el estudio de la dinámica de los cuerpos organizados.

Fístula. Abertura anormal, ulcerada y estrecha que se forma en la piel o en las membranas mucosas.

Fisura. Cisura o hendidura que puede ser normal o patológica.

Foliculina. Hormona sexual femenina producida en el ovario.

Fructosa. Azúcar de fruta que se encuentra en los frutos dulces.

Gameto. Célula reproductora femenina o masculina.

Ganglios. Engrosamiento de forma, tamaño y estructura variables en el trayecto de un vaso linfático o un nervio.

Genes. Moléculas portadoras de los caracteres hereditarios del individuo.

Gingivitis. Inflamación de las encías.

Glucosa. Azúcar de uva.

Gónadas. Glándulas productoras de células sexuales masculinas o femeninas.

Gonadotropina. Sustancia que estimula las glándulas sexuales.

Gonorrea. Inflamación catarral contagiosa de la mucosa genital.

Glándulas. Organos cuya función es fabricar productos especiales a expensas de los materiales de la sangre.

Globulina. Clase de proteínas que se caracterizan por ser insolubles en agua pura.

Hemofilia. Tendencia a la hemorragia. Padecimiento masculino transmitido por vía materna.

Hepatitis. Inflamación del hígado.

Herpes. Grupos de vesículas transparentes rodeadas de una aréola roja.

Hidratos de carbono. Compuestos de carbono que representan una de las tres categorías de alimentos indispensables.

Hidrocele. Colección de líquido en el testículo.

Himen. Membrana que en la mujer virgen ocluye parcialmente la entrada de la vagina.

Hiperalimentación. Ingestión alimentaria aumentada.

Hipererotismo. Exaltación de facultades sexuales.

Hipertiroideo. Tendencia sexual aumentada.

Hipertricosis. Desarrollo excesivo del cabello o pelo.

Hipertrofia. Desarrollo exagerado de una parte del cuerpo.

Hipoalimentación. Deficiencia en la alimentación.

Hipoerotismo. Disminución de la tendencia sexual.

Hipófisis. Glándula situada en la silla turca del interior del cráneo.

Hipoplasia. Desarrollo incompleto o defectuoso o disminución de la actividad.

Hipospadias. Comunicación anormal congénita entre la uretra y el pene o la vagina.

Hipotiroideo. Estado de déficit de hormona tiroidea.

Histeroscopia. Examen del interior de la matriz.

Histidina. Aminoácido esencial.

Ictericia. Coloración amarillenta de la piel, mucosas y secreciones.

Inseminación. Siembra de espermios, natural o artificial, para provocar la fecundación del óvulo.

Intubación. Introducción de un tubo en una cavidad: laringe, estómago u otra.

Invaginación. Penetración de una parte del intestino en otra.

Labio leporino. Hendidura congénita del labio.

Lactoglobulina. Globulina de la leche.

Lactosa. Azúcar de leche.

Laringitis. Inflamación de la laringe.

Lecitina. Sustancia grasienta contenida en la yema del huevo.

Legrado uterino. Desprendimiento artificial de la mucosa o contenido de la cavidad uterina.

Leporino. Semejante a la liebre.

Leucina. Sustancia esencial para el desarrollo óptimo de los niños y para el equilibrio del nitrógeno en los adultos.

Leucorrea. Flujo.

Libido. Orientación hacia el sexo contrario.

Linfografía. Radiografía de los vasos y ganglios linfáticos.

Lipotimia. Desmayo o pérdida súbita del conocimiento.

Lisina. Anticuerpo que destruye las células orgánicas o las bacterias.

Loquios. Secreciones genitales después del parto.

Luminal. Acido peniletil-barbitúrico, sedante e hipnótico.

Luteína. Pigmento amarillo del cuerpo lúteo y de la yema del huevo.

Luxación. Dislocación de un hueso.

Mastitis. Inflamación de la glándula mamaria.

Meato. Orificio de salida de la uretra.

Megacolon. Colon de tamaño anormalmente grande.

Membrana hialina. Sustancia albuminoidea translúcida de origen normal o patológico.

Menarquia. Comienzo de la actividad menstrual.

Meningitis. Inflamación de las meninges.

Menopausia. Cesación espontánea de las reglas.

Menotoxinas. Sustancias eliminadas por la mujer que menstrua.

Mesmerismo. Hipnotismo o magnetismo animal creado por Mesmer.

Metionina. Aminoácido esencial.

Micosis. Afección producida por hongos.

Micción. Emisión de la orina.

Mórula. Período del desarrollo del huevo en que tiene aspecto de mora.

Nefritis. Inflamación del tejido renal.

Neuralgia. Dolor en el trayecto de los nervios.

Neuritis. Inflamación de un nervio.

Neuromuscular. Se refiere a nervios y músculos.

Nomenclatura. Terminología o palabras propias de una ciencia.

Oligoelementos. Cuerpos simples que son indispensables para completar el crecimiento y reproducción de animales y plantas.

Onfalocele. Salida o hernia del ombligo.

Orgasmo. Grado más alto de excitación, sexual especialmente.

Osteomielitis. Inflamación interna y externa del hueso.

Otitis. Por gérmenes del pus inflamación del oído.

Ovocito. Ovulo o célula sexual femenina.

Oxitocina. Hormona del lóbulo posterior de la hipófisis, de gran importancia en el parto.

Parotiditis. Inflamación de las glándulas parotídeas.

Pelúcida. Parte del óvulo.

Periné. Zona anatómica delimitada por el pubis, punta coxis y ambas tuberosidades isquiáticas.

Peritonitis. Inflamación del peritoneo.

Pielonefritis. Inflamación de la pelvis renal y del riñón.

Píloro. Porción intermedia entre el estómago y el duodeno.

Polineuritis. Inflamación de varios nervios a la vez.

Poliomielitis. Inflamación y degeneración de la sustancia gris de la medula espinal.

Pólipos. Tumores blandos, generalmente pediculados.

Posología. Parte de la terapéutica que se ocupa en las dosis.

Premenopausia. Período que precede a la menopausia.

Prepubertad. Fase anterior a la pubertad.

Primiparidad. Parto por primera vez.

Pródromos. Signos que preceden al aparecimiento de una enfermedad.

Progesterona. Hormona sexual femenina del cuerpo lúteo.

Prolactina. Hormona hipofisaria que estimula la secreción láctea.

Prolapso. Caída, salida o procedencia de un órgano.

Prostaglandinas. Sustancias descubiertas en el líquido seminal humano. Se utilizan sobre todo en obstetricia.

Proteínas. Compuestos nitrogenados que intervienen en la formación de tejidos y líquidos orgánicos.

Prurito. Picor.

Psicoprofilaxis. Evitación de un mal influyendo sobre el psiquismo.

Puérpera. Mujer que acaba de dar a luz.

Radioinmunología. Estudio de la menor sensibilidad a las radiaciones.

Recesividad. Propiedad de algunos caracteres hereditarios que se transmiten, pero que pueden permanecer ocultos.

Reflejos. Transmisión nerviosa a un centro nervioso que responde.

Regurgitación. Reflujo de un líquido saliendo en dirección contraria a la normal.

Retroversión. Inclinación de un órgano hacia atrás; el útero, por ejemplo.

Sacarosa. Azúcar ordinario.

Salicilatos. Sales del ácido salicílico.

Secreciones. Sustancias elaboradas por el organismo, saliendo al exterior o permaneciendo en él.

Sialorrea. Salivación exagerada.

Síncope. Desmayo o desfallecimiento.

Simpatectomía. Escisión quirúrgica de una parte del simpático.

Sindactilia. Adherencia congénita o no entre dos o más dedos.

Síndrome. Serie de síntomas y signos que existen a un tiempo y definen clínicamente un estado morboso determinado.

Sintomatología. Parte de la patología que estudia los síntomas de las enfermedades.

Somnífero. Sustancia con propiedades hipnóticas, que hace dormir.

Sublimado. Que se obtiene por sublimación. Sustancia antiséptica.

Subluxación. Luxación no completa.

Suero. Porción clara de un líquido corporal, sangre o leche, por ejemplo.

Telecurieterapia. Tratamiento por radium a distancia.

Terapéutica. Parte de la Medicina que se ocupa en el tratamiento de las enfermedades.

Termografía. Estudio de la temperatura en zonas supuesto enfermas; sospecha de cáncer de pecho, por ejemplo.

Tetania. Accesos de contracción dolorosa de los músculos.

Tos ferina. Catarro respiratorio contagioso con tos y convulsiones. Especialmente infantil.

Tóxicos. Venenos.

Toxoplasmosis. Enfermedad producida por el toxoplasma.

Training autógeno. Proceder creado por Schultz.

Traumatismos. Lesiones internas o externas debidas a una violencia exterior.

Treonina. Aminoácido.

Triptofano. Aminoácido que existe en las proteínas.

Trofoblasto. Capa celular intermedia entre el embrión y el útero y que procura la nutrición del fruto.

Trompas de Falopio. Organos tubulosos que desde el útero se acercan al ovario y conducen los óvulos.

Tumor. Masa persistente de tejido nuevo sin función fisiológica que crece independientemente de los tejidos próximos.

Ultrasonidos. Ondas cuya frecuencia las hace inaudibles; son utilizadas en el tratamiento de enfermedades.

Uperización. Procedimiento muy rápido especial de esterilización de alimentos.

Valina. Aminoácido constitutivo de muchas proteínas.

Vegetaciones. Excrecencias en las superficies orgánicas.

Venografía. Radiografía de las venas.

Veronal. Medicamento de acción somnífera.

Vértigos. Perturbación del sentido del equilibrio.

Vías biliares. Las que conducen las bilis, dentro o fuera del hígado.

Vitaminas. Sustancias no alimentarias, pero necesarias para el organismo.

Vómitos. Expulsión violenta por la boca de sustancias procedentes del estómago.

INDICE DE FIGURAS Y SELECCION DE FOTOGRAFIAS

PROCEDENCIA DE LAS ILUSTRACIONES

Dr. Aguilar. Págs. 229, 235, 393, 452, 453.

Alemania (Embajada). Cedidas por cortesía de la Embajada de Alemania. Págs. 472, 480, 508, 535, 537, 538, 713, 1102.

Alfarma, S.A.E. Cedidas por cortesía de Alfarma, S.A.E. Págs. 604, 605.

Australia (Embajada). Cedidas por cortesía de la Embajada de Australia. Págs. 485, 493, 528, 544.

Austria (Oficina de Turismo). Cedidas por cortesía de la Oficina de Turismo de Austria. Págs. 39, 601, 617, 624, 756, 877, 896.

Balboa, Antonio. Portada.

Bébé France. Cortesía de Bébé France. Fábrica de Vallón, Francia. Pág. 705.

Biberón Remond. Cortesía de Biberón Remond, París, Francia. Págs. 719, 727, 728, 734, 737, 757, 900, 901, 925.

Canadá (Embajada). Cedidas por cortesía de la Embajada de Canadá. Págs. 534, 580, 585.

Central Catequística Salesiana (Madrid). Los dibujos de las páginas siguientes pertenecen a la serie «Educación para el amor» y han sido reproducidos con la autorización de la Central Catequística Salesiana de Madrid. Pág. 64/Fig. 11, 65/12, 69/14, 84/19, 88/21, 105/24, 109/25, 121/28, 125/29, 132/31, 180/42, 592/53, 653/56.

Chicco. Cedidas por cortesía de Chicco. Págs. 697, 709, 716, 718, 720, 721, 729, 752, 753, 756, 764, 765, 768, 796, 797, 865, 869, 889, 891, 916, 920, 921.

Diestre, Juana Ribera de. Cedida por cortesía de Juana Ribera de Diestre. Pág. 76.

Dietéticos Ordesa (Barcelona). Cedidas por cortesía de Dietéticos Ordesa. Págs. 829, 897.

Dietéticos Ulta (Zaragoza). Cedida por gentileza de Dietéticos Ulta. Pág. 844.

Estación Climática de la Bourboule. Cortesía del Sindicato de Iniciativas de la Bourboule, Francia. Pág. 512.

Farmabión, Laboratorios. Cedida por cortesía de Laboratorios Farmabión. Pág. 173.

Finlandia (Embajada). Cedidas por cortesía de la Embajada de Finlandia. Págs. 534, 536, 540, 541, 712.

Francia. Cedidas por los servicios culturales y de prensa de Francia. Págs. 43, 398, 403, 535, 536, 537, 545, 548, 687.

Fusté, Roberto. Cedida por cortesía de Roberto Fusté. Pág. 617.

Harold M. Lambert Studios. Pág. 188.

Hewlet Packard. (Francia). Fotografía debida a la amabilidad de Hewlet Packard. Pág. 249.

Inglaterra (Embajada). Cedidas por cortesía de la Embajada de Inglaterra. Págs. 466, 484, 489, 492, 520, 534, 539, 550, 608.

Jiménez, Fernando. Pág. 789.

Laboratorios Debat. Pág. 1056.

Museo del Prado (Madrid). Pág. 45.

Navarro, Juan. Cedida por cortesía de Juan Navarro. Pág. 665.

Nestlé. Fotografía colección Nestlé. Págs. 252, 253. Ilustración debida a la amabilidad de los Laboratorios Nestlé-Guigoz y del profesor Notterm, autor del «Parto sin dolor por la psico-profilaxis». Simep Ediciones, 47-49 calle del 4 de Agosto. 69.100 Villeurbanne. 321, 531, 552, 677, 704, 725, 939, 1108.

O.M.S. Cedidas por cortesía de la Organización Mundial de la Salud. Págs. 142, 385, 669, 677, 799, 851, 1005, 1008, 1011, 1013, 1032, 1045, 1087.

Pérez Cortés, Guillermo (Transparencias del desarrollo fetal y parto: págs. 240/47, 400/60). Pág. 41/Fig. 1, 48/2, 49/3, 51/4, 52/5, 53/6, 54/7, 57/8, 59/9, 60/10, 67/13, 70/15, 72/16, 73/17, 77/18, 85/20, 97/22, 99/23, 112/26, 120/27, 127/30, 133/32, 134/33, 135/34, 137/35, 144/36, 160/37, 161/38, 162/39, 177/41, 226/43, 227/43, 233/44, 236/45, 240/46, 257/48, 280/49, 344/50, 356/51, 357/51, 393, 428/52, 632/54, 633/54, 637/55, 664/57, 672/58, 744/61, 745/62, 795/63, 1024/64, 1040/65, 66, 1048/67.

P.P.P.A. Cedidas por cortesía de Pacific Press Publishing Association. Págs. 117, 453, 516, 556.

Puigdengolas, Foto. Págs. 529, 1056.

Dr. Puyol, Pedro. Cedida por cortesía del Dr. Pedro Puyol. Pág. 292.

Salmer. Págs. 124, 149, 152, 153, 156, 157, 272, 276, 316, 345, 564, 717, 736, 809, 881, 904, 976.

Sauthon, S. A., Gueret (Francia). Clichés debidos a la cortesía de Sauthon, muebles para niños. Pág. 708.

Sindicato de Agrios de Valencia. Cedidas por amabilidad del Sindicato de Agrios de Valencia. Págs. 212, 216, 217, 856, 857, 859, 958, 977.

Squibb, Industria Farmacéutica, S. A. Pág. 425. Portada del folleto de Fungizona para visita médica a Ginecólogos y Tocólogos del Laboratorio Squibb. Pág. 1099. Cedida por cortesía de Squibb, Industria Farmacéutica, S. A.

Suecia (Embajada). Cedidas por cortesía de la Embajada de Suecia. Págs. 535, 537, 816, 984.

Suiza (Oficina de Turismo). Cedidas por cortesía de la Oficina de Turismo de Suiza. Págs. 405, 485, 617, 989.

Tejel, Andrés, Págs. 4, 128, 129, 141, 169, 184, 185, 193, 196, 197, 199, 200, 201, 203, 205, 208, 221, 233, 253, 261, 265, 273, 277, 281, 288, 289, 293, 296, 297, 300, 301, 317, 329, 364, 365, 369, 372, 373, 388, 389, 392, 444, 445, 448, 460, 461, 476, 596, 636, 641, 644, 648, 649, 673 (con autorización del Museo de Ciencias Naturales de Madrid), 681, 693, 703, 710, 716, 732, 733, 735, 749, 760, 761, 769, 773, 776, 777, 780, 781, 784, 785, 789, 800, 801, 805, 808, 817, 825, 829, 832, 837, 840, 841, 843, 845, 847, 852, 853, 877, 885, 893, 905, 937, 941, 944, 948, 955, 960, 964, 968, 992, 993, 1024, 1033, 1052, 1053.

USA (Embajada). Cedidas por cortesía de la Embajada de USA. Págs. 181, 669, 997.

Varios. Págs. 658, 707, 988.

Vie et Santé. Cedidas por cortesía de Vie et Santé. Págs. 213, 496, 504.

Editorial Safeliz y los autores quedan agradecidos profunda y sinceramente a cuantos han colaborado en la preparación de esta obra. El extenso material ilustrativo nos ha llegado de diversa procedencia. Han colaborado industrias de Estados Unidos, Francia, Italia y España. También Organismos oficiales, Embajadas, Editoriales y Agencias. Finalmente, particulares que han puesto a nuestra disposición su material ya preparado o su cámara para crear con fines exclusivos la extensa gama de ilustraciones que contienen estos dos volúmenes. A todos nuestras más expresivas gracias.

BIBLIOGRAFIA

Aguirre de Cárcer, *El parto sin dolor.* Madrid, 1973.
Alvarado, S., *Biología general.* Madrid, 1956.
Auvard, *Tratado del parto.* París.
Blondes, *Cuidados a los niños.* París.
Bonilla Martí, *Crítica del método psicoprofiláctico.* Madrid, 1956.
Bordier, *Pediatría del práctico.* París, 1970.
Bosch Marín, *Catecismo de puericultura.* Madrid.
Bosch y Cardona, *Terapéutica clínica infantil.* Valencia, 1969.
Botella Llusiá, *Fisiología obstétrica.* Madrid, 1969.
— *Patología obstétrica.* Madrid, 1969.
— *Ginecología obstétrica.* Madrid, 1971.
— *Tocurgia obstétrica.* Madrid, 1970.
— y cols., *Curso de esterilidad conyugal.* Madrid.
Brobecker, C., *Elementos de dietética natural.* París.
Carabalona, *Patología quirúrgica.* Montpellier.
Cátedra Ginecología, *La contracepción.* Tolosa, 1974.
Chassagne, *Vacunas y sueros.* París, 1961.
Conill, *Tratado de Ginecología.* Barcelona, 1970.
Crosse, *Cuidados de los prematuros en Inglaterra.* Anales Nestlé.
Dana y Marion, *Dar la vida.* París, 1971.
De la Villa, J., *Anatomía humana.* Madrid.
De la Villa, L., *Curso de Puericultura.*
Demole, *Compendio de Dietética.* Zurich.
Deutch, *La concepción extrauterina.* Tolosa, 1973.
Devraigne, L., *Compendio de Dietética.* París.
De Sanctis, *Urgencia en Pediatría.* Barcelona.
Durand, *Patología obstétrica.* Montpellier.
— y Ezes, *Fisiología obstétrica.* Montpellier.
Enciclopedia Médico-Quirúrgica, *Obstetricia.* París, 1971.
— *Ginecología.* París, 1971.
Espinasa Masagué, *Dietética infantil.* Méjico.
Fattorusso y Ritter, *Vademécum clínico.* París, 1967.
Ferré, A., *Psicología infantil y juvenil.* París.
Fertilidad y ortogenia, *La contracepción en 1973.* París, 1973.
Finkelstein, *Enfermedades del lactante.* Madrid.
Galbés y Rose, *Ciencia y arte de la alimentación.* Madrid, 1958.
Galia, *Mi bebé.* París, 1970.
Grimm, *Amor y sexualidad.* Neuchatel, 1969.
Halpern, L., *La conservación de la salud.* Buenos Aires.
— *Cómo criar niños sanos.* Buenos Aires.
Jerusalén, *Biblia de Jerusalén.*
Kahn-Natan, *La contracepción en 10 lecciones.* París, 1973.
Karsten, *Escuela del amor.* Madrid, 1953.
Lelong, *La Puericultura.* París, 1966.
Lust, *Dietética del lactante.* París.
Malmejac, *Fisiología.* París, 1969.
Marcel y Fabre, *Ginecología médica.* París.
Marfan, *Tratado de la lactancia.* París.

Martius, *Operaciones obstétricas*. Buenos Aires.
— *Operaciones ginecológicas*. Buenos Aires.
Master y Johnson, *Las reacciones sexuales*. París, 1968.
Mazenot, *Puericultura*. París.
Menegaux, *Patología externa*. París, 1969.
Montpellier, *Higiene del cabello*. Argel.
Mouriquand, *Compendio de medicina infantil*. París.
— *Vitaminas y carencias alimentarias*. París.
Mozziconacci, *Higiene alimentaria del niño*. París, 1969.
Muller, H., *La levadura alimenticia*. Suiza.
— *Higiene alimentaria*. Suiza.
Metzeger, *El parto actual*. París.
Novak, *Ginecología y obstetricia*. Madrid.
Pablo VI, *Encíclica «Humanae vitae»*. Roma.
Peiró, F., *Deontología médica*. Madrid.
Pérez Barradas, *Antropología*. Madrid.
Pío XI, *Encíclica «Casti connubii»*. Roma.
Pujiula, *Problemas biológicos*. Barcelona.
Ramos, *Puericultura*. Barcelona.
Randell, M., *Guía de la Madre*. Barcelona.
Riederer, *Alimentación moderna del lactante*. Berna, 1968.
Robert, *Enciclopedia de técnica quirúrgica*. París, 1969.
Robin, *Pro y contra de la nueva educación*. Nancy, 1968.
Roca Puig, *A la futura madre*.
Rouviere, H., *Anatomía humana*. Madrid.
Rozenbaum, *Cien preguntas sobre los esteriletes*. París, 1973.
Sánchez López, *Fisiología obstétrica*. Madrid.
Sarrowy, *Higiene y cuidado de la infancia*. Argel.
Segond, *La Santa Biblia*. París.
Simon, P., *Breviario de contracepción*. París, 1968.
Sociedad Ginecológica, *El fórceps*. Madrid.
Spock, B., *Cómo cuidar y educar a su hijo*. Bélgica.
Stirnimann, *Psicología del recién nacido*. Buenos Aires.
Suñer, *La salud del niño*. Madrid.
Swartout, *El Consejero Médico del Hogar*. Madrid.
Testut, *Anatomía humana*. Lyon.
Tieche, *Charlas radiofónicas*. París.
Toni, J., *Manual de puericultura*.
Tournier, *Biblia y medicina*. Neuchatel.
Ufer, *Hormonoterapia ginecológica*. Madrid, 1960.
Varangot, *Avances en obstetricia*. París, 1970.
Variot, *Tratado de higiene infantil*. París.
Vázquez de Velasco, *Puericultura*. Madrid.
Velázquez, L., *Terapéutica*. Madrid, 1971.
— *Vitaminas*.
White, E., *Rayos de salud*. París, 1965.
Wolfromm, *Problemas éticos acerca de los nacimientos*. Toulouse, 1968.
Wood Comstock, *El bebé*. California.

ESTA OBRA SE TERMINO DE IMPRIMIR
EL DIA 16 DE ABRIL DE 1980 EN LA
IMPRENTA JULIAN BENITA, ULISES, 95.
MADRID-33